U0382718

中国工程科技2035发展战略丛书

The Development Strategy of
China's Engineering Science and Technology for 2035

中国工程科技
2035发展战略

化工、冶金与材料领域报告

"中国工程科技2035发展战略研究"项目组

科学出版社

北京

内 容 简 介

《中国工程科技 2035 发展战略 · 化工、冶金与材料领域报告》在系统分析世界科技发展大势的基础上，紧密结合中国建设社会主义现代化国家的战略与需求，对化工、冶金与材料领域工程科技发展战略进行了深入研究，提出了面向 2035 年的中国化工、冶金与材料领域工程科技发展战略思路与目标、重点任务与实施路径；分析了该领域工程科技关键技术、关键共性技术、颠覆性技术，提出了重大工程、重大工程科技专项建议，并对需要优先开展的基础研究方向提出了政策建议。

本书涉及钢铁、有色金属、石化、化工、建材、新材料等多个化工、冶金与材料领域中的子领域，系统性、综合性强，可为政府部门制定发展规划提供参考，也可供学术界、科技界、产业界及广大社会公众阅读。

图书在版编目（CIP）数据

中国工程科技 2035 发展战略 · 化工、冶金与材料领域报告 /“中国工程科技 2035 发展战略研究”项目组编 . —北京：科学出版社，2020.7

（中国工程科技 2035 发展战略丛书）

ISBN 978-7-03-062696-7

I. ①中… Ⅱ . ①中… Ⅲ . ①科技发展 – 发展战略 – 研究报告 – 中国 ②化学工业 – 科技发展 – 发展战略 – 研究报告 – 中国 ③冶金工业 – 科技发展 – 发展战略 – 研究报告 – 中国 ④工程材料 – 科技发展 – 发展战略 – 研究报告 – 中国 Ⅳ . ① G322 ② TQ ③ TF ④ TB

中国版本图书馆 CIP 数据核字（2019）第 233797 号

丛书策划：侯俊琳 牛 玲

责任编辑：朱萍萍 杨婵娟 高 徽 / 责任校对：王晓茜

责任印制：师艳茹 / 封面设计：有道文化

科学出版社 出版

北京东黄城根北街 16 号

邮政编码：100717

http://www.sciencep.com

中国科学院印刷厂 印刷

科学出版社发行 各地新华书店经销

*

2020 年 7 月第 一 版 开本：720×1000 1/16

2020 年 7 月第一次印刷 印张：28 1/4

字数：478 000

定价：168.00 元

（如有印装质量问题，我社负责调换）

中国工程科技2035发展战略研究
联合领导小组

组　长：周　济　杨　卫

副组长：赵宪庚　高　文

成　员（以姓氏笔画为序）：

王长锐　王礼恒　尹泽勇　卢锡城　孙永福
杜生明　李一军　杨宝峰　陈拥军　周福霖
郑永和　孟庆国　郝吉明　秦玉文　柴育成
徐惠彬　康绍忠　彭苏萍　韩　宇　董尔丹
黎　明

联合工作组

组　长：吴国凯　郑永和

成　员（以姓氏笔画为序）：

孙　粒　李艳杰　李铭禄　吴善超　张　宇
黄　琳　龚　旭　董　超　樊新岩

中国工程科技2035发展战略丛书

编　委　会

项目办公室

主　任：吴国凯　郑永和

成　员（以姓氏笔画为序）：

孙　粒　李艳杰　张　宇　黄　琳　龚　旭

工　作　组

组　长：王崑声

副组长：黄　琳　龚　旭　周晓纪

成　员（以姓氏笔画为序）：

丁淑富　马　飞　王亚琼　王宏伟　王晓俊
王爱红　王海风　左家和　白　雁　刘　奕
安　达　孙　粒　孙胜凯　李冬梅　李铭禄
李憑峰　但智钢　宋　超　张　勇　张　莉
张　健　张　博　张文韬　陈进东　范桂梅
周　源　宗玉生　胡良元　侯超凡　袁建华
夏登文　唐海英　黄海涛　崔　剑　梁桂林
董　超　满　璇　裴　钰　阚晓伟　谭宗颖
樊新岩　魏　畅

中国工程科技2035发展战略·
化工、冶金与材料领域报告

编　委　会

流程工业专题组

新材料产业专题组

总　　序

科技是国家强盛之基，创新是民族进步之魂，而工程科技是科技向现实生产力转化过程的关键环节，是引领与推进社会进步的重要驱动力。当前，中国特色社会主义进入新时代，党的十九大提出了2035年基本实现社会主义现代化的发展目标，要贯彻新发展理念，建设现代化经济体系，必须把发展经济的着力点放在实体经济上，把提高供给体系质量作为主攻方向，显著增强我国经济质量优势。我国作为一个以实体经济为主带动国民经济发展的世界第二大经济体，以及体现实体经济发展与工程科技进步相互交织、相互辉映的动力型发展体，工程科技发展在支撑我国现代化经济体系建设，推动经济发展质量变革、效率变革、动力变革中具有独特的作用。习近平总书记在2016年“科技三会”①上指出，“国家对战略科技支撑的需求比以往任何时期都更加迫切”，未来20年是中国工程科技大有可为的历史机遇期，“科技创新的战略导向十分紧要”。

2015年始，中国工程院和国家自然科学基金委员会联合组织开展了“中国工程科技2035发展战略研究”，以期集聚群智，充分发挥工程科技战略对我国工程科技进步和经济社会发展的引领作用，“服务决策、适度超前”，积极谋划中国工程科技支撑高质量发展之路。

① “科技三会”即2016年5月30日召开的全国科技创新大会、中国科学院第十八次院士大会和中国工程院第十三次院士大会、中国科学技术协会第九次全国代表大会。

第一，中国经济社会发展呼唤工程科技创新，也孕育着工程科技创新的无限生机。

创新是引领发展的第一动力，科技创新是推动经济社会发展的根本动力。当前，全球科技创新进入密集活跃期，呈现高速发展与高度融合态势，信息技术、新能源、新材料、生物技术等高新技术向各领域加速渗透、深度融合，正在加速推动以数字化、网络化、智能化、绿色化为特征的新一轮产业与社会变革。面向 2035 年，世界人口与经济持续增长，能源需求与环境压力将不断增大，而科技创新将成为重塑世界格局、创造人类未来的主导力量，成为人类追求更健康、更美好的生活的重要推动力量。

习近平总书记在 2018 年两院院士大会开幕式上讲到："我们迎来了世界新一轮科技革命和产业变革同我国转变发展方式的历史性交汇期，既面临着千载难逢的历史机遇，又面临着差距拉大的严峻挑战。"从现在到 2035 年，是将发生天翻地覆变化的重要时期，中国工业化将从量变走向质变，2020 年我国要进入创新型国家行列，2030 年中国的碳排放达到峰值将对我国的能源结构产生重大影响，2035 年基本实现社会主义现代化。在这一过程中释放出来的巨大的经济社会需求，给工程科技发展创造了得天独厚的条件和千载难逢的机遇。一是中国将成为传统工程领域科技创新的最重要战场。三峡水利工程、南水北调、超大型桥梁、高铁、超长隧道等一大批基础设施以及世界级工程的成功建设，使我国已经成为世界范围内的工程建设中心。传统产业升级和基础设施建设对机械、土木、化工、电机等学科领域的需求依然强劲。二是信息化、智能化将是带动中国工业化的最佳抓手。工业化与信息化深度融合，以智能制造为主导的工业 4.0 将加速推动第四次工业革命，老龄化社会将催生服务型机器人的普及，大数据将在城镇化过程中发挥巨大作用，天网、地网、海网等将全面融合，信息工程科技领域将迎来全新的发展机遇。三是中国将成为一些重要战略性新兴产业的发源地。在我国从温饱型社会向小康型社会转型的过程中，人民群众的消费需求不断增长，将创造令世界瞩目和羡慕的消费市场，并将在一定程度上引领全球消费市场及相关行业的发展方向，为战略性新兴产业的形成与发展奠定坚实的基础。四是中国将是生态、能源、资源环境、医疗卫生等领域工程科技创新的主战场。尤其是在页岩气开发、碳排放减量、核能利用、水污染治理、土壤修复等方面，未来 20 年中国需求巨大，给能源、节能环保、医疗保健等产业及其相关工程领域创造了难得的发展机遇。五是中国的国防现代化建设、航空航天技术与工程的跨越式发展，给工程科技领域提出了更多更高的要求。

为了实现 2035 年基本实现社会主义现代化的宏伟目标，作为与经济社会联系最紧密的科技领域，工程科技的发展有较强的可预见性和可引导性，更有可能在“有所为、有所不为”的原则下加以选择性支持与推进，全面系统地研究其发展战略显得尤为重要。

第二，中国工程院和国家自然科学基金委员会理应共同承担起推动工程科技创新、实施创新驱动发展战略的历史使命。

“工程科技是推动人类进步的发动机，是产业革命、经济发展、社会进步的有力杠杆。”① 习近平总书记在 2016 年“科技三会”上指出：“中国科学院、中国工程院是我国科技大师荟萃之地，要发挥好国家高端科技智库功能，组织广大院士围绕事关科技创新发展全局和长远问题，善于把握世界科技发展大势、研判世界科技革命新方向，为国家科技决策提供准确、前瞻、及时的建议。要发挥好最高学术机

① 参见习近平总书记 2018 年 5 月 28 日在中国科学院第十九次院士大会和中国工程院第十四次院士大会上的讲话。

构学术引领作用，把握好世界科技发展大势，敏锐抓住科技革命新方向。”这不仅高度肯定了战略研究的重要性，而且对战略研究工作提出了更高的要求。同时，习近平总书记在 2018 年两院院士大会上指出，“基础研究是整个科学体系的源头。要瞄准世界科技前沿，抓住大趋势，下好‘先手棋’，打好基础、储备长远”；“要加大应用基础研究力度，以推动重大科技项目为抓手”；“把科技成果充分应用到现代化事业中去”。

中国工程院是国家高端科技智库和工程科技思想库；国家自然科学基金委员会是我国基础研究的主要资助机构，也是我国工程科技领域基础研究最重要的资助机构。为了发挥“以科学咨询支撑科学决策，以科学决策引领科学发展”①的制度优势，双方决定共同组织开展中国工程科技中长期发展战略研究，这既是充分发挥中国工程院国家工程科技思想库作用的重要内容和应尽责任，也是国家自然科学基金委员会引导我国科学家面向工程科技发展中的科学问题开展基础研究的重要方式，以及加强应用基础研究的重要途径。2009 年，中国工程院与国家自然科学基金委员会联合组织开展了面向 2030 年的中国工程科技中长期发展战略研究，并决定每五年组织一次面向未来 20 年的工程科技发展战略研究，围绕国家重大战略需求，强化战略导向和目标引导，勾勒国家未来 20 年工程科技发展蓝图，为实施创新驱动发展战略“谋定而后动”。

第三，工程科技发展战略研究要成为国家制定中长期科技规划的重要基础，解决工程科技发展问题需要基础研究提供长期稳定支撑。

工程科技发展战略研究的重要目标是为国家中长期科技规划提供

① 参见中共中央办公厅、国务院办公厅联合下发的《关于加强中国特色新型智库建设的意见》。

有益的参考。回顾过去，2009 年组织开展的“中国工程科技中长期发展战略研究”，为《“十三五”国家科技创新规划》及其提出的“科技创新 2030—重大项目”提供了有效的决策支持。

党的十八大以来，我国科技事业实现了历史性、整体性、格局性重大变化，一些前沿方向开始进入并行、领跑阶段，国家科技实力正处于从量的积累向质的飞跃、由点的突破向系统能力提升的重要时期。为推进我国整体科技水平从跟跑向并行、领跑的战略性转变，如何选择发展方向显得尤其重要和尤其困难，需要加强对关系根本和全局的科学问题的研究部署，不断强化科技创新体系能力，对关键领域、“卡脖子”问题的突破作出战略性安排，加快构筑支撑高端引领的先发优势，才能在重要科技领域成为领跑者，在新兴前沿交叉领域成为开拓者，并把惠民、利民、富民、改善民生作为科技创新的重要方向。同时，我们认识到，工程科技的前沿往往也是基础研究的前沿，解决工程科技发展的问题需要基础研究提供长期稳定支撑，两者相辅相成才能共同推动中国科技的进步。

我们期望，面向未来 20 年的中国工程科技发展战略研究，可以为工程科技的发展布局、科学基金对应用基础研究的资助布局等提出有远见性的建议，不仅形成对国家创新驱动发展有重大影响的战略研究报告，而且通过对工程科技发展中重大科学技术问题的凝练，引导科学基金资助工作和工程科技的发展方向。

第四，采用科学系统的方法，建立一支推进我国工程科技发展的战略咨询力量，并通过广泛宣传凝聚形成社会共识。

当前，技术体系高度融合与高度复杂化，全球科技创新的战略竞争与体系竞争更趋激烈，中国工程科技 2035 发展战略研究，即是要面向未来，系统谋划国家工程科技的体系创新。“预见未来的最好办法，就是塑造未来”，站在现在谋虑未来、站在未来引导现在，将国家需求同工程科技发展的可行性预判结合起来，提出科学可行、具有中国特色的工程科技发展路线。

因此，在项目组织中，强调以长远的眼光、战略的眼光、系统的眼光看待问题、研究问题，突出工程科技规划的带动性与选择性，同时，注重研究方法的科学性和规范性，在研究中不断探索新的更有效的系统性方法。项目将技术预见引入战略研究中，将技术预见、需求分析、经济预测与工程科技发展路径研究紧密结合，采用一系列规范方法，以科技、经济和社会发展规律及其相互作用为基础，对未来20年科技、经济与社会协同发展的趋势进行系统性预见，研究提出面向2035年的中国工程科技发展的战略目标和路径，并对基础研究方向部署提出建议。

项目研究更强调动员工程科技各领域专家以及社会科学界专家参与研究，以院士为核心，以专家为骨干，组织形成一支由战略科学家领军的研究队伍，并通过专家研讨、德尔菲专家调查等途径更广泛地动员各界专家参与研究，组织国际国内学术论坛汲取国内外专家意见。同时，项目致力于搭建我国工程科技战略研究智能决策支持平台，发展适合我国国情的科技战略方法学。期望通过项目研究，不仅能够形成有远见的战略研究成果，同时还能通过不断探索、实践，形成战略研究的组织和方法学成果，建立一支推进工程科技发展的战略咨询力量，切实发挥战略研究对科技和经济社会发展的引领作用。

在支撑国家战略规划和决策的同时，希望通过公开出版发布战略研究报告，促进战略研究成果传播，为社会各界开展技术方向选择、战略制定与资源优化配置提供支撑，推动全社会共同迎接新的未来和发展机遇。

展望未来，中国工程院与国家自然科学基金委员会将继续鼎力合作，发挥国家战略科技力量的作用，同全国科技力量一道，围绕建设世界科技强国，敏锐抓住科技革命方向，大力推动科技跨越发展和社会主义现代化强国建设。

中国工程院院长：李晓红院士

国家自然科学基金委员会主任：李静海院士

2019 年 3 月

前　言

2015 年，根据中国工程院和国家自然科学基金委员会联合开展的“中国工程科技 2035 发展战略研究”项目统一部署，本书课题组正式启动了“化工、冶金与材料领域中国工程科技 2035 发展战略研究”的课题研究工作。课题分为“流程工业 2035 发展战略研究”和“新材料产业 2035 发展战略研究”两个专题，汇集了行业领域内院士、专家的智慧，借鉴国内外相关研究成果，在技术预见和需求分析的基础上，系统分析了国际上流程工业和新材料产业的发展趋势，梳理了我国流程工业和新材料产业的发展现状及存在的问题，提出了我国流程工业和新材料产业中长期发展的构想，归纳了流程工业和新材料产业未来发展的重点任务、重大工程和重大工程科技专项。此外，建议在政策层面抓紧补齐短板，支撑战略性新兴产业发展，保障国家安全；加强中小型企业扶持，完善创新创业生态环境；加强制造设备与检测仪器的研发生产，满足工程科技的发展需求；加强体系建设，引领科技发展。

流程工业使用大宗自然资源（如矿产资源、水资源等）作为生产流程的原材料。在生产流程中，大量的物质流和能量流通过物理或化学变化，将原材料转化为人们所需要的目标产品，同时会产生各种副产物；流程工业的生产流程主要是通过功能不同的多个单元操作（或称工序）串联或并联作业，协同运行，实现连续或准连续生产。我国正处于工业化和城镇化的高速发展期，资源约束趋紧、环境污染、生态系统退化等问题十分严重。中国共产党第十八届中央委员会第五次全体会议提出“必须牢固树立并切实贯彻创新、协调、绿色、开放、共享的五大发展理念”，其中“绿色发展”理念提倡人与自然和谐共生，以绿色低碳循环为主要原则，以生态文明建设为基本抓手，是解决上述一系列不可持续问题的必由之路。

材料是人类赖以生存和发展的物质基础，也是人类社会发展的先导。新材料是指新出现的具有优异性能和特殊功能的材料，以及传统材料成分、工艺改进后性能明显提高或具有了新功能的材料。习近平总书记在2016年出席全国科技创新大会、两院院士大会[①]、中国科学技术协会第九次全国代表大会时指出，“信息技术、生物技术、制造技术、新材料技术、新能源技术广泛渗透到几乎所有领域，带动了以绿色、智能、泛在为特征的群体性重大技术变革”[②]。融入了当代众多学科先进成果的新材料产业在新一轮科技革命和产业变革中扮演着重要角色，是支撑国民经济发展的基础产业，对于发展其他高技术产业具有举足轻重的作用。

近年来，我国新材料产业发展迅速，规模年均增速高达25%，新材料研发和应用也取得了长足进展。但总体上看，我国还不是材料强国，部分核心关键材料受制于人，高端材料对外依赖程度仍然较高，以企业为主体的自主创新体系亟待完善，新材料产业的核心竞争力仍需加强。为此，我国政府加大了对新材料产业的支持力度，先后制定了《“十三五”国家科技创新规划》《“十三五”国家战略性新兴产业发展规划》《新材料产业发展指南》《“十三五”材料领域科技创新专项规划》等，进一步明确了新材料产业的发展方向和发展重点；并成立了国家新材料产业发展领导小组与国家新材料产业发展专家咨询委

① 即中国科学院第十八次院士大会和中国工程院第十三次院士大会。

② 习近平．为建设世界科技强国而奋斗——在全国科技创新大会、两院院士大会、中国科协第九次全国代表大会上的讲话．中国应急管理，2016，6：4-8。

员会，加快推进了新材料产业发展。

本书设有流程工业和新材料产业两个专题。其中，流程工业专题由殷瑞钰院士负责，干勇院士担任顾问，包括钢铁、有色金属、石化、化工和建材五个行业专题组。钢铁行业由张寿荣院士和王一德院士负责，有色金属行业由孙传尧院士和邱定蕃院士负责，石化行业由曹湘洪院士和袁晴棠院士负责，化工行业由金涌院士和谭天伟院士负责，建材行业由徐德龙院士和姚燕教授负责。新材料产业专题由屠海令院士负责，干勇院士、左铁镛院士、薛群基院士担任顾问，包括电子信息材料、新能源及环保材料、先进无机非金属材料、高性能金属材料、先进高分子材料及其复合材料、生物医用材料、稀土功能材料、前沿新材料八个专题组。电子信息材料由屠海令院士和吴以成院士负责，新能源及环保材料由陈立泉院士负责，先进无机非金属材料由周玉院士负责，高性能金属材料由王一德院士负责，先进高分子材料及其复合材料由陈祥宝院士负责，生物医用材料由张兴栋院士负责，稀土功能材料由李卫院士负责，前沿新材料由周济院士负责。

本书旨在为流程工业和新材料产业顶层设计、科学部署和落地实施提供咨询依据，促进我国工程科技持续健康发展。

《中国工程科技2035发展战略·
化工、冶金与材料领域报告》编委会
2019年3月

摘　要

一、流程工业

目前，钢铁行业、有色金属行业、石化行业、化工行业和建材行业等流程工业的产品产量增长放缓，能源消耗和污染物排放已经预见拐点，并与其他行业及社会初步建立了工业生态链接。主要面临的挑战有：①在产能过剩方面，产出过多，供过于求，产品价格下降，企业亏损；②在淘汰落后产能方面，任务艰巨，淘汰速度缓慢，落后产品既影响价格，又影响同行企业产品的信誉；③在科技支撑方面，适合我国特点的工业绿色发展的工程科技尚不能满足发展需求，资金支持强度不够；④在环保执法方面，新的《中华人民共和国环境保护法》和排放标准更加严格，能否实施到位是关键；⑤在运行效率方面，我国工业装备技术水平总体有所提高，但其装备（特别是环保设备）的运行效率低、效果差，无法满足工业绿色发展要求；⑥重化工业初级产品的大量出口和过剩产能的出口导向大大加重了国内资源、能源和环境的负担；⑦现有考核机制、制度体系、激励机制等不适应绿色化转型的发展。因此，流程工业的发展要体现绿色、低碳和循环发展的内涵，拓展功能，实现各行业的转型升级。

我国新型工业化及发达国家工业化后期的经验表明，流程工业的发展会涉及结构调整、产业升级，但不会被淘汰，且仍然是国民经济（特别是实体经济）的基础之一。流程工业颠覆性技术尚未显现，但正在孕育中，如微化工反应和分离科学与工程、生物制造技术等；不同行业之间深度融合，工业流程系统与信息技术之间融合，并建立工业生态链接，如化肥业和农业集约发展，全密封、高效电炉技术等方面有望突破。预计到2035年，流程工业仍然是国民经济的基础之一，流程工业的未来发展将主要体现在绿色化、智能化和服务化等方面，重大工程科技可以归纳为智能化工艺与生产、节能减排、环保装备、资源利用与清洁生产、低碳化生产、循环与生态化6个方向。

考虑到"一带一路"倡议、"长三角经济区"规划、"京津冀一体化"及"制造强国"战略的提出对流程工业产生的影响，项目组专家通过调研、讨论，提出了到2035年流程工业有可能广泛应用的技术或可示范应用技术，经过第一轮、第二轮德尔菲调查，最终确定32个技术方向，如下表所示。

到2035年流程工业有可能广泛应用的技术或可示范应用技术

子领域名称	技术方向
节能减排	流程工业物质流和能量流协同优化技术及能源流网络集成技术
	有色金属冶炼过程节能减排重大关键技术
	绿色选冶与综合利用技术
	换热式两段焦炉
	焦炉荒煤气余热回收技术
	钢厂高炉渣和转炉渣余热高效回收与资源化高值利用技术
	煤炭分质综合利用技术
	利用煤和生物质生产含氧代用液体燃料
	全生物降解聚酯生产及应用技术
	源头节能减排高效冶金反应器研发
	高温恶劣条件下冶金过程关键参数在线监测技术和仪器的研究
	微化工技术
环保装备	绿色石化装备
资源利用与清洁生产	深部金属资源规模高效开发技术
	复杂低品位矿产资源清洁提取与精细化综合回收关键技术
	与资源特性和地理环境耦合的分离与富集技术
	战略稀缺资源清洁高效利用技术
	重劣质原油资源绿色高效利用技术
	纤维素发酵清洁低成本生产燃料酒精技术

续表

子领域名称	技术方向
资源利用与清洁生产	原料多元化的炼化技术
	低碳烯烃生产新技术
	钢铁企业原位高效利用冶金渣生产高性能水泥熟料技术
低碳化生产	流程工业利用可再生能源技术
	二氧化碳减排、捕集、回收、封存与利用技术
	基于非化石能源的制氢技术
	微藻藻种选择、培育、制油技术
	CO_2 捕集及与新能源（风能、太阳能等）的耦合利用技术
循环与生态化	典型二次资源循环再生利用技术
	我国特色与非传统资源高效利用技术
	盐湖伴生资源（锂、硼、锶、铷、铯）回收利用技术
智能化工艺与生产	智能化钢厂
	石化智能工厂

流程工业工程科技发展的战略目标有以下两个阶段。

到 2025 年，研究开发更高新性能的材料和原料（高强度、高耐热、高耐磨、高耐蚀、高活性、高磁、高纯、超细、超结构、自组装等）宏量制造的工程科学技术并推广应用范围，满足先进制造业的需求。构建流程工业绿色生产体系，大力发展低碳、循环经济，研发推广资源循环利用核心技术与装备，资源回收利用效率显著提高；全面推进流程工业节能环保工艺与装备，重点行业单位工业增加值能耗、物耗及污染物排放达到世界先进水平。企业信息化由专项应用向集成应用发展，企业各生产经营的多数环节的智能水平提高，个别行业建成数字化工厂。智能工厂试点完成，具备推广条件。

到 2035 年，全面建成以创新引领、智能高效、绿色低碳为核心的流程工业工程科技创新体系，支撑我国流程工业实现产业转型、升级。自主创新能力大幅度提升，核心关键技术达到世界先进水平，科技支撑和创新引领作用得到充分发挥。

流程工业需要优先开展的基础研究方向有以下三项：①流程工业数字物理系统基础研究；②流程工业过程优化与智能装备基础研究；③流程工业资源能源循环利用基础研究。流程工业重大工程有以下两项：①流程工业循环经济及工业生态链示范重大工程；②流程工业智能化示范重大工程。流程工业重大工程科技专项有以下两项：①流程工业资源能源高效利用重大工程科技专项；②流程工业物质流、能量流、信息流协同优化重大工程科技专项。

因此，本书提出以下政策建议：

（1）以淘汰落后产能和控制过量出口为切入口，控制流程工业产品产出过剩，调整产业结构，提高企业竞争力和可持续发展能力。

（2）加大科研投入和创新体系建设，推进工业绿色化、数字化、智能化发展。

（3）实行严格的资源环境政策，并执法到位，倒逼工业绿色发展和工程科技创新发展。

（4）促进学科之间交叉融合，进一步加强各行业的融合，出台相应政策，形成多学科工程科技的整体化协同发展。

（5）加强知识产权体系和技术标准体系建设，加快创新成果转化和产业化步伐。

（6）完善行业管理规范，健全工业中长期发展的产业政策体系。

二、新材料产业

近年来，国际新材料产业蓬勃发展。新材料产业发展总体呈现如下特征：世界各国高度重视新材料的创新研发，绿色、低碳成为新材料发展的重要趋势，高新技术发展促使新材料不断更新换代，跨国集团仍然占据新材料产业的主导地位，变革新材料研发模式成为关注热点。

新材料是我国经济发展的突出短板，也是新旧动能转换中的新动能，事关国民经济和战略安全，是中央确定的面向未来必争的战略领域之一。"十二五"以来，通过国家的大力扶持及各行业工作者的共同努力，我国新材料产业取得了显著的进步。国家出台多项政策确保新材料产业发展，多种新材料核心技术获得突破，与国家重大工程及国民经济结合日益紧密，产业规模持续扩大，区域特色逐步显现。

在电子信息材料领域，半导体硅材料经过多年发展，产业区域已经呈现集聚态势，主要分布于环渤海地区和长江三角洲地区。随着国家集成电路产业基金和地方政府的支持，中西部地区在土地、水电、人力成本等方面表现出一定优势，半导体产业环境显著改善，半导体硅材料产业布局明显加强；半导体照明产业发展迅速，产业链相对完整，产业初具规模。2017 年，产业规模超过 6538 亿元，同比增长 25.30%，预计到 2020 年，产业总体规模将超过 1.30 万亿元，成为整个产业链上增长最快的环节；新型显示材料是我国当代电子信息产业的重要支柱，已经进入快速发展期，产业投入近 3000 亿元，产业规模超过 1000 亿元；功能晶体产业渐趋稳定，其中非线性光学晶体产业已经成为国际市场的主体，占有 80% 以上的市场份额，部分激光晶体除供国内产业需求外，还出口国外；红外探测材料与器件呈现迅速发展的态势，相关技术迅速从军用领域向民用领域拓展。

2017 年，新能源及环保材料领域中，中国新增太阳能电池装机量 53 GW，同比增长超过 53.60%，连续 5 年位居世界第一，累计装机量达到 130 GW，连续 3 年位居世界首位。在锂离子电池方面，我国锂离子电池中国年出货量达到 74.80 GW·h，已经占据世界出货量的 52.10%，尤其是汽车动力锂电池的中国年出货量达到 38 GW·h，占世界汽车动力锂电池出货量的 65.40%；在燃料电池方面，经过近 10 多年的持续研发，我国培育了若干从事氢燃料电池及相关零部件开发和生产的小微型企业，燃料电池产业链已经具雏形，燃料电池汽车、通信基站用燃料电池备用电源进展较大；在节能玻璃材料方面，截至 2017 年年底，我国浮法平板玻璃年产量已经达 10 亿重量箱，相当于 5mm 厚玻璃 40 亿 m^2，且产量以每年 10% 的速度增长，占世界总产量的 50% 以上。

在先进无机非金属材料领域，我国碳 / 碳复合材料的研发和应用发端于航空航天领域，经过近 40 年的发展，向国民经济各领域不断拓展，在航空航天、武器装备和交通运输的刹车系统、航天发动机、高温炉热场等领域，初步形成了包括研发、设计、生产和应用的产业化体系。耐火材料行业从模仿进口耐火材料到全面实现国产化，满足了钢铁、水泥、玻璃等行业的需要，且现在开始创新发展新型耐火材料体系和制品；在功能陶瓷方面，2015 年，我国以陶瓷元件为主体的电子元件行业重点企业的销售收入达到 1.8 万亿元，已经形成了一批拥有世界先进水平的功能陶瓷及其元器件产品生产基地，在高端产品上已经可以与世界先进水平的大企业相媲美。

在高性能金属领域中，我国的金属材料产业顺应国民经济的高速增长、工业化、城镇化等对钢铁和有色金属材料的旺盛需求，产品质量也有了较大提高。钢铁材料除少数大类品种外，其他钢材的自给率都达到了 100%，关键钢材产品（如汽车用钢、管线钢、硅钢、船板用钢等钢材）的产量大幅提高，22 大类钢材品种中有 18 类钢材国内市场占有率达到 95% 以上。

在先进高分子材料及其复合材料领域，我国高性能纤维制备与应用技术取得了重大突破，探索出国产化碳纤维原丝制备正确的技术方向，从“无”到“有”，初步建立起国产高性能纤维制备技术研发、工程实践和产业建设的较完整体系；我国碳纤维复合材料产业基于进口的碳纤维产品，开展了匹配性树脂研发、碳纤维应用工艺研究和制品的制造技术研究，建设了相应的软硬件条件，奠定了碳纤维复合材料国产化发展的基础。

在生物医用材料领域，近 10 年来，我国生物医用材料产业高速发展，以 30% 以上的复合增长率持续增长。2018 年，我国生物医用材料及器械市场年销售额达到 6380 亿元，复合增长率大于 15%，2022 年将突破万亿元。

在稀土功能材料领域，经过全国稀土科技和产业界近 60 年的共同努力，我国稀土行业已经实现了从资源大国到生产大国的第一次跨越，成为世界上稀土产品产量与消费量最大的国家，在国际稀土贸易中的份额占 95% 以上。伴随着稀土产业的发展，稀土科学技术得到了长足的进步，部分技术已达或超过世界先进水平，引领了相关行业或产业的进步。

在前沿新材料领域，我国在高温高效隔热材料方面已经取得了陶瓷隔热瓦技术突破，使用该技术制备的材料的性能已经超过美国第二代陶瓷隔热瓦的水平，综合性能接近美国第三代陶瓷隔热瓦；与世界先进水平相比，我国的超宽禁带半导体材料研发起步晚，材料制备技术不成熟，应用研究尚未起步；我国的超导技术研发一直与世界保持同步，并在超导材料制备、应用开发和产业化方面取得一系列重要成果，瓶颈问题是材料价格过高，需要进一步提高技术成熟度、提升产业化能力，并改善材料综合性能，从而提高材料性价比；我国的石墨烯材料研究整体接近国外先进水平，部分领域处于先进水平并掌握自主知识产权，但在信息、生物、光电等高技术领域的战略布局、规划仍未形成，研发投入较少，国内企业也很少涉足；我国在超材料基础前沿理论、关键应用技术、大规模快速设计方法、复杂微结构制备、先进测试技术、器件开发和工程化应用等领域取得重要突破，但在测试技术规范、测试标准、产品标准等方面尚属空白，在一定程度上阻碍了超材料科学研究成果快速转化为产品，不利于推动超材料产业有序化、规范化发展。

总体来看，当前新材料发展呈现结构功能一体化、材料器件一体化、纳米化、复合化的特点。这些特点在高超音速飞行器、微纳机电系统、新医药、高级化妆品和新能源电池方面表现得淋漓尽致。此外，新材料在行业科技进步中具有举足轻重的作用。例如，高性能特殊钢和高温合金是高铁轮对和飞机发动机最好的选择，超高强铝合金是大飞机框架的关键结构材料，高强高韧耐腐蚀钛合金则是“蛟龙号”载人潜水器壳体及海洋工程不可或缺的材料，先进陶瓷基复合材料则为高超音速飞行器、高分辨对地观测卫星等新型航空航天器提供了关键技术支撑。

在分析国内外新材料产业发展现状的基础上，本书提出以下内容：

（1）27 个工程科技重点任务及其发展路径。包括微电子器件用硅基材料、宽禁带半导体材料、显示材料与技术、大功率激光材料与器件、面向物联网的关键传感材料与器件、太阳能电池材料、锂离子电池材料、燃料电池材料、极端环境下重大工程用水泥基材料及装备、先进建筑功能玻璃材料与制造技术、高温工业用新型耐火材料及制备技术、能源石化用关键钢铁材料、交通运输用关键钢铁材料、先进装备基础件用关键钢铁材料、功能元器件用高性能铜材料、碳纤维及其复合材料制备与应用技术、组织再生性材料和组织工程化制品设计及制备技术、新型心脑血管系统介 / 植入材料和器械、高技术骨（牙）科材料及植入器械、生物医用高分子材料及高值术中耗材、碳纳米管纤维及其复合材料、石墨烯纤维及其复合材料、高性能陶瓷纤维及其复合材料、高温高效隔热材料、先进稀土功能材料、高性能信息功能陶瓷材料、碳 / 碳复合材料及关键制备技术。

（2）15 个需要优先部署的基础研究方向。包括石墨烯及相关二维材料基础研究，高端功能纳米材料及制备技术研究，动力电池 / 电池系统安全性技术研究，中温氧化物燃料电池用高性能阴极材料研究，新型智能化、高稳定性透明隔热材料制备技术研究，航空发动机用耐高温、轻质、长寿命碳化硅 / 碳化硅材料制备技术研究，新型耐火材料关键制备技术研究，先进钢铁结构材料基础研究，超高强度钢制备新方法基础研究，基础件用高品质特殊钢长寿命化技术研究，高强高模高韧且拉压平衡聚丙烯腈纤维增强树脂基复合材料基础研究，生物医用材料基础研究，超宽禁带半导体材料基础研究，稀土磁性材料基础科学研究，光电功能晶体材料与器件基础研究。

（3）10 项重大工程。包括半导体照明材料与器件重大工程，传感材料与器件重大工程，车用及储能用锂离子电池重大工程，高端装备用先进钢铁材料重大工程，高性能轻合金材料重大工程，高速铁路及城市轨道交通用稀土材料重大工程，生物医用材料产业化重大工程，高性能、低成本碳纤维重大工程，材料基因组重大工程，材料制造关键设备重大工程。

（4）9 个重大工程科技专项。包括先进半导体材料重大工程科技专项、先进陶瓷材料重大工程科技专项、高性能树脂及其复合材料重大工程科技专项、新一代生物医用材料和植入器械重大工程科技专项、深海工程装备用耐蚀合金重大工程科技专项、高温合金材料重大工程科技专项、合成生物基材料重大工程科技专项、关键半导体制造材料重大工程科技专项、前沿新材料重大工程科技专项。

面向我国新材料产业在 2035 年的发展，本书提出通过优化组织实施方式，支持量大面广和国家重大工程亟须的新材料产业化建设，着力促进一批关键新材料实现产业化和规模应用，建立新材料产业链上下游优势互补、密切合作机制，有效缩短新材料研发、产业化和规模应用的周期，并促进新材料企业加强技术创新，形成持续的创新能力，着力解决新材料产品稳定性较差、高端应用比例较低、关键材料保障能力不足等问题，进一步增强我国新材料产业的技术创新能力和产业化技术水平，实现我国从材料大国向材料强国的战略性转变，全面满足我国国民经济、国家重大工程和社会可持续发展对材料的需求。

目 录

第一篇

中国流程工业工程科技 2035 发展战略研究

第一章
面向 2035 年的流程工业工程科技发展趋势前瞻

第一节　我国流程工业发展现状及趋势

一、我国流程工业环境发展现状

工业是为全社会提供生产资料和生活资料的重要产业。近 10 年来，我国工业行业取得的成绩举世瞩目，但是工业以过度消耗资源和沉重的环境负荷为代价的粗放式快速发展对生态环境造成的影响也触目惊心。空气质量恶化、重金属污染加剧、水源和土壤被破坏等，严重威胁了大众的健康并影响了社会的可持续发展。我国工业发展已到了刻不容缓向“绿色发展”的重要转型期。

中国共产党第十八次全国代表大会报告首次将绿色发展、循环发展、低碳发展并列提出。循环经济和低碳经济都是工业化国家在解决了常规性环境问题以后，分别针对以废弃物管理为重点的环境问题和以应对气候变化为特征的全球环境问题而提出的。各国推进绿色发展的经验给我们的启示是，随着世界经济转型，增长要素发生变化，绿色发展成为竞争力的重要标志。各国国情不同，战略目标不同；发展阶段不同，发展重点不同。例如，美国“绿色新政”的目的是经济复苏；欧盟的目的是促进经济增长；韩国试图在“绿色战略”上引领潮流。我国则同时面临发达国家已解决的常规性环境问题、新的环境污染问题和气候变化等交叉的复杂命题。

绿色发展、循环发展和低碳发展是相辅相成、相互促进的，并构成了一个有机整体。绿色化是发展的新要求和转型主线，循环是提高资源效率的途径，低碳是能源战略调整的目标。三者均要求节约资源、能源，提高资源、能源利用效率；均要求保护环境，充分考虑生态系统承载能力，减轻污染对人类健康的影响；三者的目标都是形成节约资源、能源和保护生态环境的产业结构、增长方式和消费模式，以促进生态文明建设。从内涵看，绿色发展更为宽泛，涵盖循环发展和低碳发展的核心内容，循环发展、低碳发展则是绿色发展的重要路径和形式，因此可以用绿色发展来统一表述[1]。

未来流程工业的发展要体现绿色发展、循环发展和低碳发展的内涵，拓展功能，实现各行业的转型升级（图1-1）。

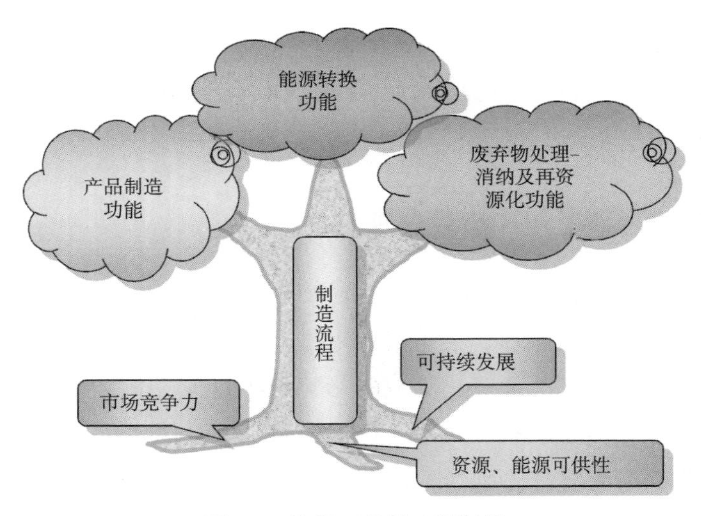

图1-1　流程工业的功能拓展

（一）主要产品产量增速放缓甚至下降[2]

2000年、2012～2015年中国流程工业主要产品产量见表1-1，2000～2015年中国主要产品产量同比增速见图1-2[3]。

表 1-1　2000 年、2012～2015 年中国流程工业主要产品产量

行业	主要产品	2000 年	2012 年	2013 年	2014 年	2015 年
钢铁行业	粗钢 / 亿吨	1.29	7.31	8.22	8.23	8.04
有色金属行业	电解铝 / 万吨	298.90	2026.70	2204.60	2435.80	3141.00
石化行业	成品油 / 亿吨	1.24	2.89	3.01	3.24	3.43
化工行业	氮肥 / 万吨	2398.00	4947.00	4833.00	4564.00	4944.00
建材行业	水泥 / 亿吨	5.93	21.84	24.14	24.76	23.48
	平板玻璃 / 亿重量箱	1.84	7.14	7.79	7.93	7.39

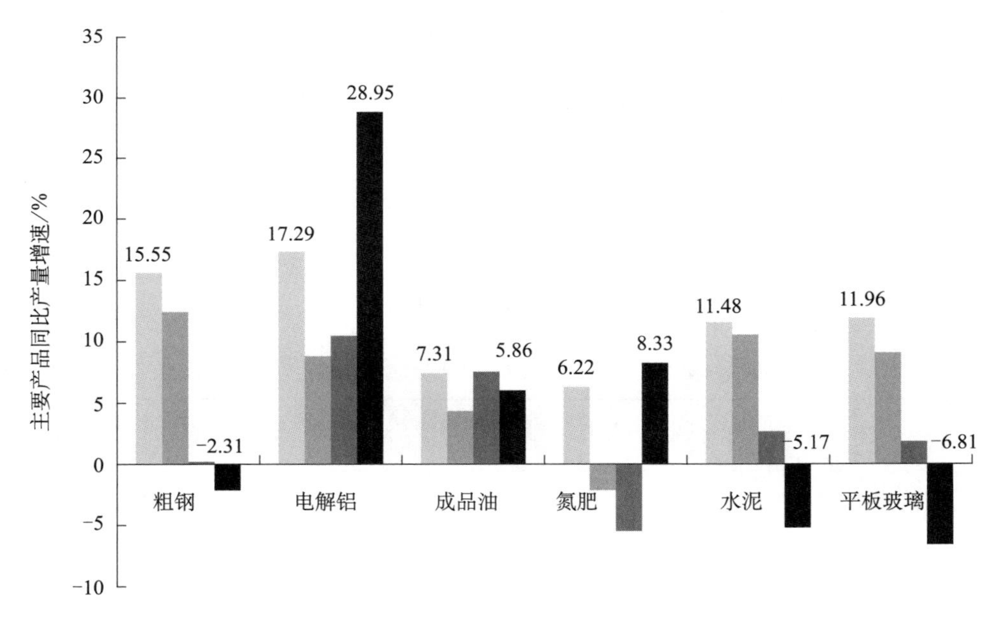

图 1-2　2000 年、2012～2015 年中国流程工业主要产品产量同比增速

由图 1-2 可见，流程工业的主要产品（除电解铝、成品油外），粗钢、水泥、平板玻璃产量同比增速降低，已出现“负增长”。

另外，1978～2015 年我国钢材表观消费量与国内生产总值（gross domestic product，GDP）基本同步增长（图 1-3）。

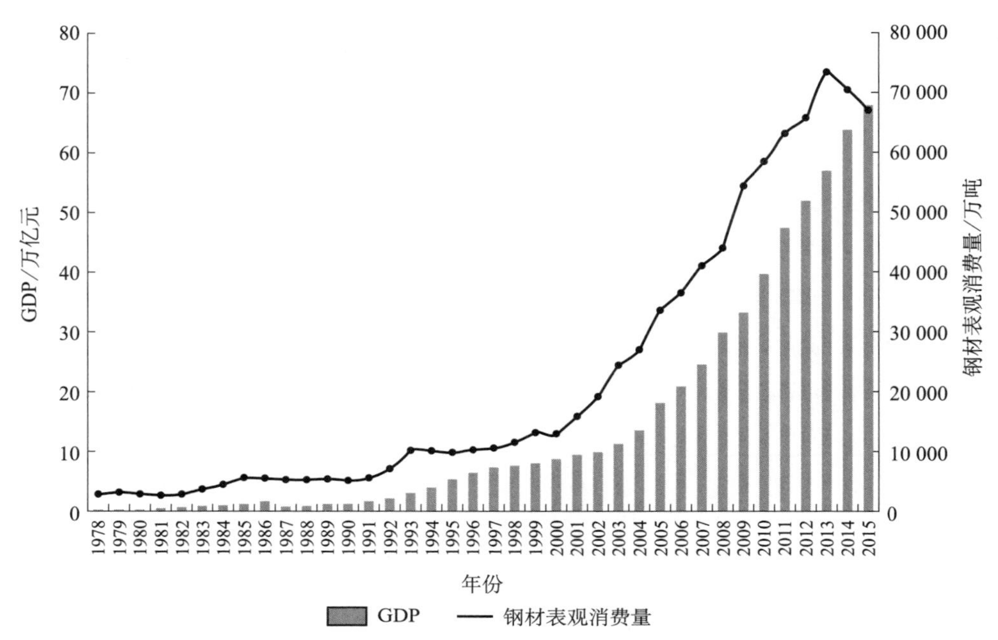

图 1-3 1978～2015 年我国钢材表观消费量与 GDP 总量同步增长

根据预测，2015～2035 年中国 GDP 的增速将逐步放缓，如表 1-2 所示。由此可以判断，流程工业的主要产品产量将逐步降低。

表 1-2 2015～2035 年中国 GDP 预测

时间 / 区间	GDP 平均增长率 / %	期末 GDP 总量 / 万亿元（2010 年价）	期末人均 GDP/ 万亿元（2010 年价）
2015 年	7.02	58.14	4.23
2020 年	6.27	80.55	5.78
2025 年	5.59	108.65	7.72
2030 年	5.16	143.93	11.35
2035 年	4.78	156.93	11.35
“十三五”期间平均	6.74	71.18	5.13
“十四五”期间平均	5.92	96.90	6.91
“十五五”期间平均	5.38	129.18	9.16
“十六五”期间平均	4.90	150.13	10.84
2015～2035 年平均	5.99	112.53	7.89

（二）能耗和污染总量大，已预见“拐点”

2013 年，钢铁行业、有色金属行业、石化行业、化工行业、建材行业[4]五大行业能源消耗占全国的 41.48%、占工业的 62.10%；废水、烟（粉）尘、二氧化硫、氮氧化物排放量分别占工业的 57.93%、57.61%、45.05%、33.51%（图 1-4）。

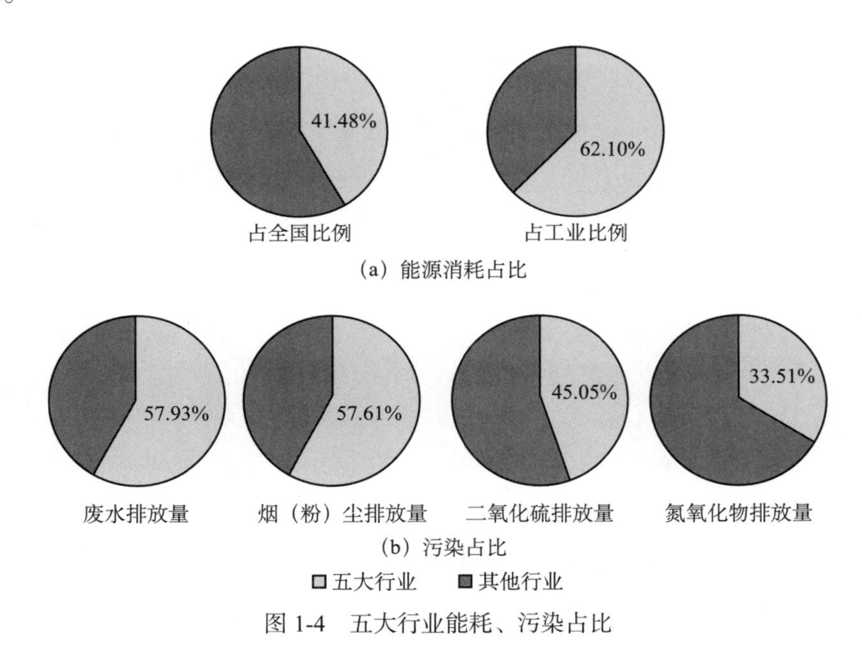

图 1-4　五大行业能耗、污染占比

数据来源：《中国能源统计年鉴 2014》、《中国环境统计年鉴 2014》

工业和信息化部、中国工程院合作完成的《工业绿色发展工程科技战略及对策研究报告》，对流程工业各行业的能源消耗和污染排放的拐点进行了分析，其分析前提是：①五大行业以内需为主的结构调整和淘汰落后产能的目标得到实现；②环保标准和能源消耗限额标准执法到位；③各行业技术支撑到位。通过分析得出：能源消耗总量拐点的出现基本与产业规模和实际产量的峰值同步，其中钢铁行业、建材行业能源消耗总量的拐点已经出现，而有色金属行业、石化行业、化工行业三大行业能源消耗总量的拐点预计在 2025～2030 年出现，这一结论有待进一步观察分析。主要污染物排放总量的拐点有望比能源消耗总量的拐点提前出现，但由于工业规模过大，主要污染物排放总量仍然巨大。

（三）流程工业各行业与其他行业及社会已初步构建工业生态链接

钢铁工业在冶金煤气资源化，发展一碳化工，制氢气、甲醇、液化天然气等，利用镁法、氨法、钙法脱硫副产物，利用冶金渣余热直接生产建筑材料，冶金渣生产土壤调理剂，钢厂尘泥提锌、提铅、提钒等方面，与化工、建材、农业、有色金属等行业建立了工业生态链接，利用城市中水及钢厂低温余热给社区供热等与社会建立了链接（图1-5）[5]。

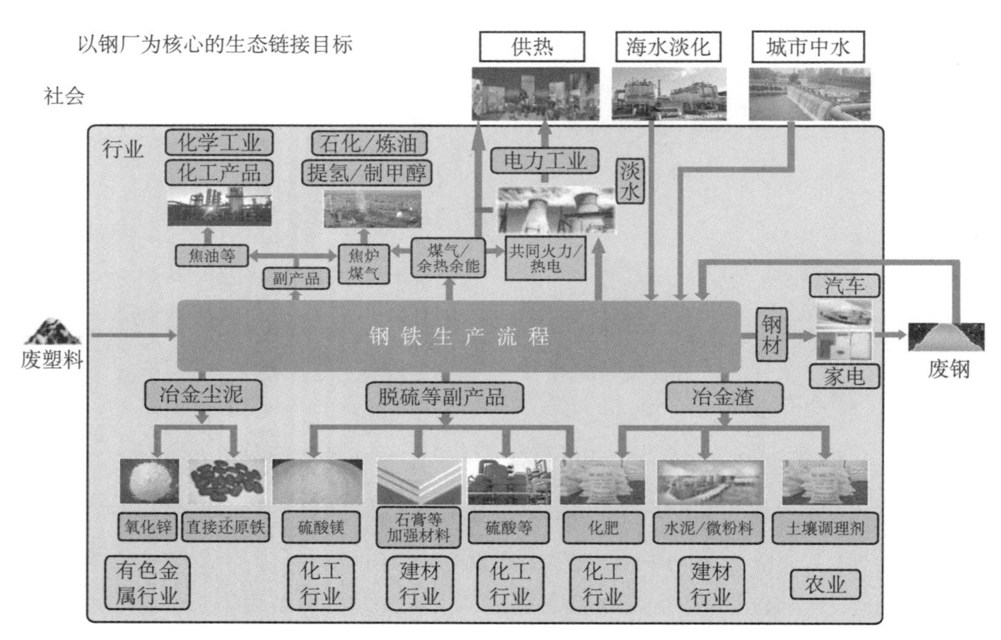

图1-5 钢铁行业与其他行业及社会的生态链接

有色金属行业与石化、钢铁、建材、电力等行业密切相关，需要考虑建立相关产业循环经济发展产业链[6]。这主要是由于：①铝行业要消耗大量的煤、电、气等大宗石化产品；②铜铅锌生产过程综合回收的金、银、钌、铑、钯等稀贵金属是化工行业不可或缺的催化剂；③氧化铝生产需要大量的碱；④高含铝粉煤灰可以生产氧化铝；⑤电解铝生产要消耗大量的碳阳极，而制作碳阳极的主要原料是石油焦。铝、锌、镍等有色金属是钢铁行业不可或缺的原材料。铝通常用作钢铁行业的脱氧剂，锌是电镀业的主要原料，镍是不锈钢、高质量合金钢的必需原料。另外，有色金属冶炼过程中产出的水淬渣可以作为建材行业的优质添加剂，供给水泥、制砖、陶瓷等企业作为原料；选冶尾沙、赤泥可以用于生产水泥、建筑用砖、矿山胶结充填胶凝材料、路基固结材料和高性能混凝土掺合料、化学结合陶瓷（chemically bonded ceramic，CBC）复合材料、保温耐火材料等；多品种氧化铝用于制造高级陶瓷材料等（图 1-6）。因此，有色金属行业与相关行业的协调和建立循环经济发展产业链是十分必要的。

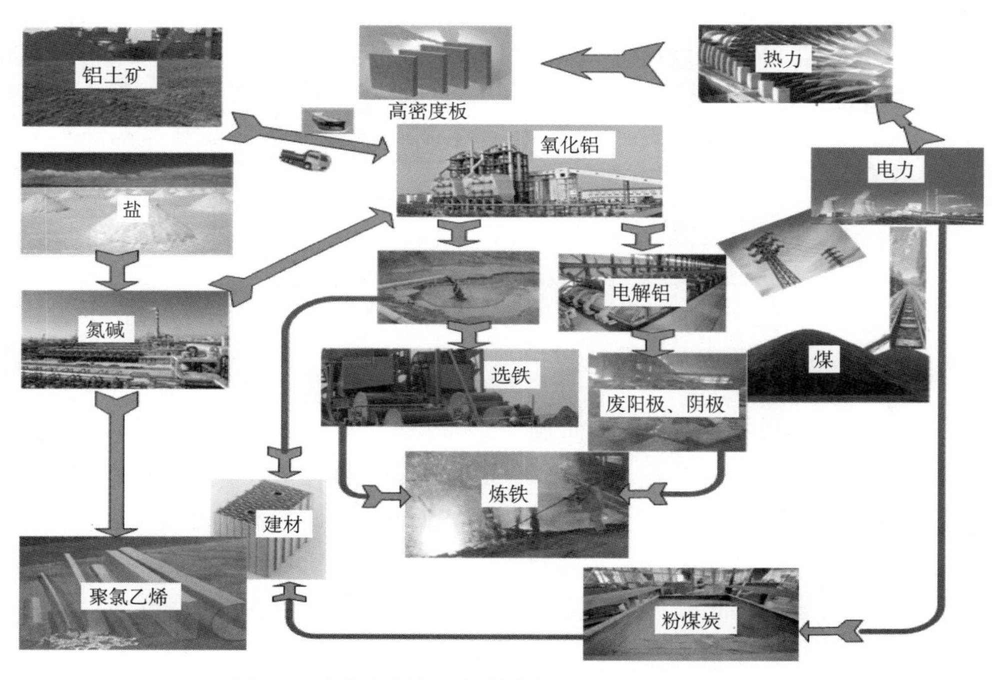

图 1-6　有色金属行业与其他行业及社会的生态链接

加强探索与发展传统石化行业与现代农业的生态链接，包括农作物及农林和餐饮废弃物深加工用来生产沼气、生物质燃料或生物基材料和化学品等，变废为宝，使生物能源和化工成为传统能源化工的重要补充[7]。探索石化行业与社会的生态链接，如利用炼化企业的低温热资源给社区供暖或发电上网，进一步提高能效；探索石化行业与建材行业的生态链接，如探索利用炼化企业的固体废物及脱硫废渣等资源制作建材行业原辅材料的可行性，实现资源综合利用与污染物减排的双效目标；探索石化行业与生物化工和环保的生态链接，包括构建二氧化碳用于微藻培养、微藻吸收工业废气中的氮氧化物、微藻用于制油等一体化循环经济产业链工程研发（图 1-7）。

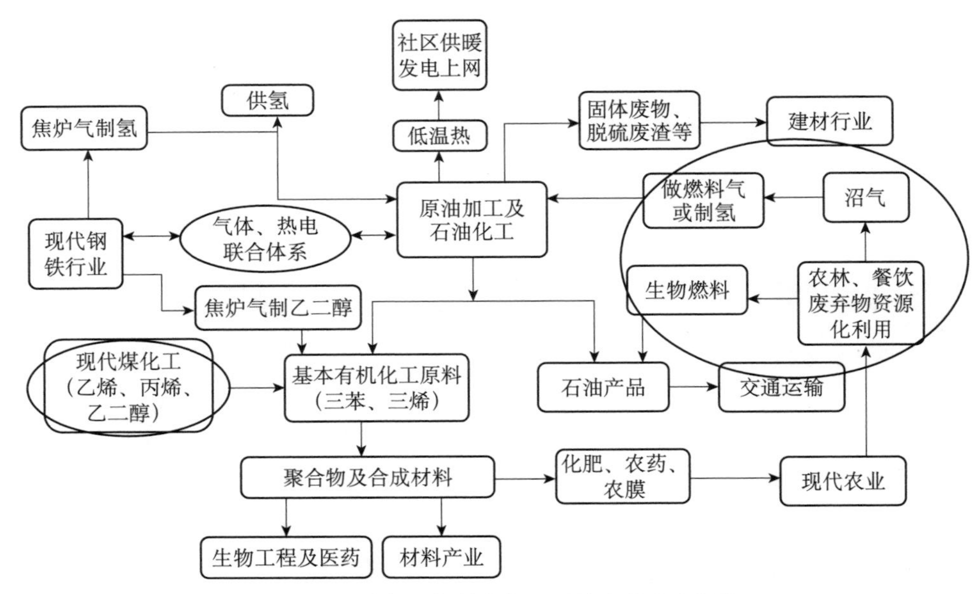

图 1-7　石化行业与其他行业及社会的生态链接

化工行业的磷资源产业、煤资源产业和食品、建材、农业等相关行业之间有很多可以相互利用的上、下游产品，通过磷肥、磷化工、煤化工产品间的供求关系，可以构建出磷资源产业为主、多产业耦合关联的循环经济系统。通过耦合，磷资源产业链得到进一步延伸，生产出更丰富多样的下游产品，从而在不增加资源消耗的前提下大幅提高产品附加值。此外，多产业的相互耦合使大规模的磷化工副产物得到多种利用，明显提高了磷矿资源的利用率，减少了废弃物排放，降低了对环境的影响（图 1-8）。化工行业与钢铁行业、电力行业等的循环经济产业链包括：开展焦炉煤气提氢、制乙二醇等副产品互供和综合利用，实现原、辅材料等资源一体化；做好电、气等设施共享或共建，实现公用工程一体化；实现气、水管网互联、互为备用，提高故障应对能力；加强化工产品深加工合作，实现专业化合理分工等。

建材行业是目前国内消耗各种废弃物最多的行业，其中以水泥行业最具独特的利废优势，典型且消耗量最大[8, 9]。根据水泥生产的特点，有效地利用其他工业废料废渣和城市垃圾作为水泥生产的原料、燃料及混合材料，已经成为水泥行业综合利废、保护资源、节能降耗、变废为利的一条有效途径。水泥行业与社会（社区）及其他行业构建的多种生态链接（图 1-9）包括以下方面：

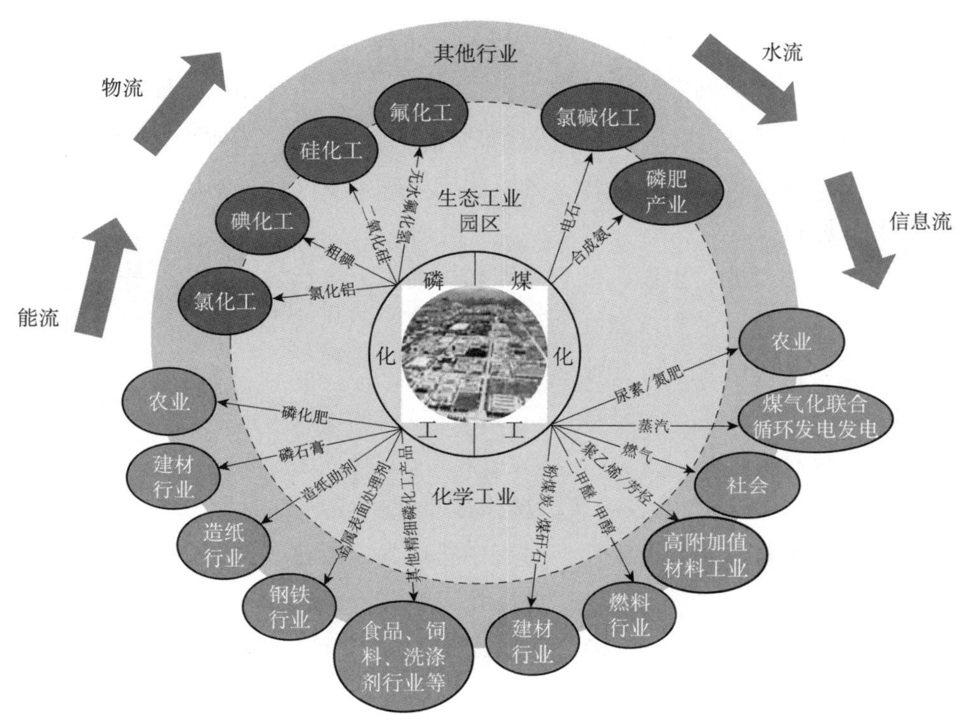

图 1-8　化工行业与其他行业及社会的生态链接

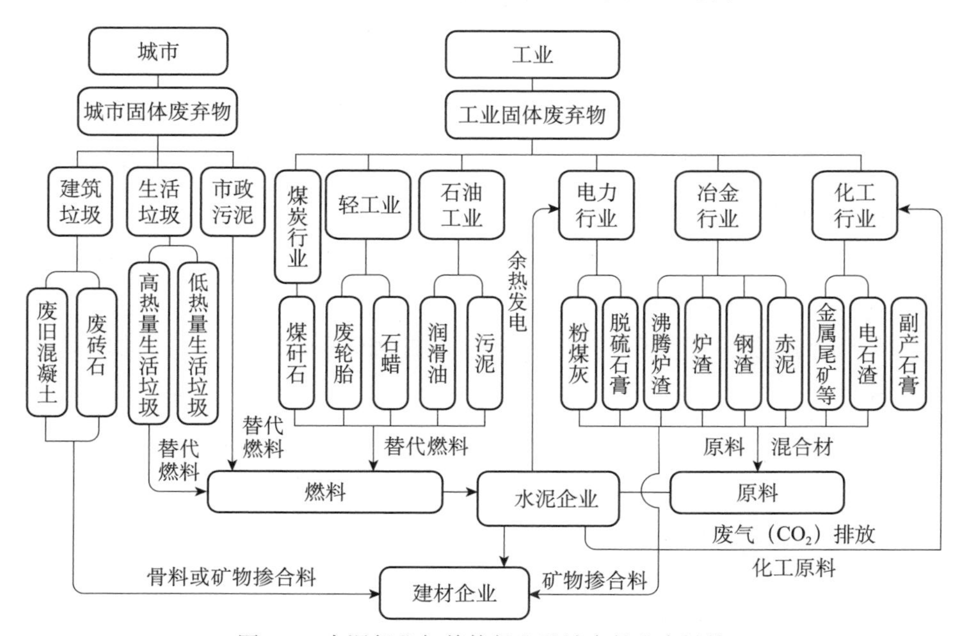

图 1-9　水泥行业与其他行业及社会的生态链接

（1）与社会的生态链接。生活垃圾和城市垃圾成为水泥生产的替代燃料，废弃建筑混凝土和废砖石可以被作为再生骨料，用于生产相应强度等级的混凝土、砂浆或制备砌块、墙板、地砖等建材制品。

（2）与冶金行业的生态链接。突破利用钢渣、赤泥、金属尾矿等作为水泥生产的替代原料技术。

（3）与电力行业的生态链接。突破利用沸腾炉渣作为水泥生产替代原料的技术，同时北方地区的粉煤灰作为建筑陶瓷生产原料使用，有效解决了南方陶瓷生产基地原材料日渐短缺的问题。

（4）与石化行业的生态链接。石化生产排放的废润滑油、污泥等成为水泥生产的替代燃料。

（5）与化工行业的生态链接。煤化工排放的煤矸石成为生产建筑陶瓷的替代原料，同时探索捕集水泥生产过程中排放的二氧化碳作为化工生产原料的技术。

（6）与轻工行业的生态链接。废轮胎成为水泥生产的替代燃料。

二、我国流程工业发展面临的挑战

我国流程工业发展面临的挑战主要体现在以下7个方面[10，11]。

（1）产能过剩。产出过多，供过于求，产品价格下降，企业亏损。

（2）淘汰落后产能任务艰巨。淘汰速度缓慢，落后产品既影响价格，又影响同行企业产品的信誉。

（3）科技支撑不足。目前适合我国特点的工业绿色发展的工程科技尚不能满足发展需求，资金支持强度不足。

（4）环保执法不公。环保执法不公造成企业间不公平竞争。新的环保法和排放标准更严，能否实施到位是关键。

（5）运行效率偏低。我国工业装备技术水平总体有所提高，但其装备特别是环保设备的运行效率低、效果差，无法满足工业绿色发展要求。

（6）出口控制。重化工业初级产品的大量出口和过剩产能的出口导向大大加重了国内资源、能源和环境的负担。以钢铁行业为例，自2005年起，我国成为钢铁产品净出口国，随后几年一跃成为世界最大钢材出口国。2015年，我国净出口钢材总量约达 9934 万吨，带来了巨大的资源、能源消耗和大量的污染排放（图 1-10）。

（7）体制障碍。现有考核机制、制度体系、激励机制等不适应绿色化转型的发展。

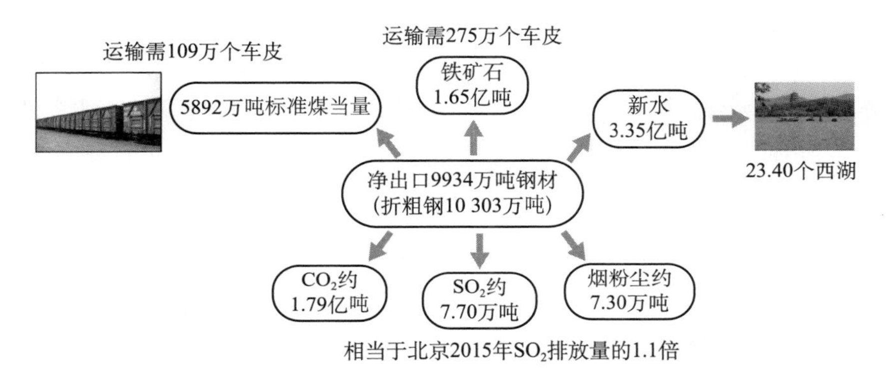

图 1-10　2015 年由出口钢材引起的资源、能源消耗和污染排放

第二节　面向 2035 年流程工业工程科技发展趋势

一、面向 2035 年流程工业工程科技的发展方向和趋势

思考 2035 年流程工业工程科技战略、路线图和重点工程，应该从全局战略背景视角考虑。

（1）2035 年处于结构调整明显转折、供给侧结构调整、“三去一降一补”（去产能、去库存、去杠杆、降成本、补短板）已见成效的阶段。

（2）流程工业作为支柱性产业的地位仍然可以保持，创新发展可使流程工业的总资源和能源消耗大幅度下降，但质量、品种和附加值大幅度提高。

（3）2035 年对流程工业的信息化、绿色化要求凸显。

2035 年，流程工业工程科技发展战略研究要为实现“中国梦”第二个百年目标做准备，其未来的发展趋势如下：

（1）减量化。以去产能为抓手，淘汰落后产能，控制过量出口，调控产品产量，扭转产品价格失常，有效控制废弃物排放量。

（2）绿色化。以节能减排为基础，清洁生产、保护环境、低碳发展、循环发展、绿色发展，拓展制造流程功能。

（3）提高国际竞争力，产品质量品牌化。提高所有产品（特别是大宗产品）质量的稳定性、可靠性、适用性；解决一部分国民经济发展前沿所需材料；降低成本，调整企业结构、流程结构、资源结构、耗能结构，提高能源效率。

（4）流程结构优化。以流程结构优化为基础，与数字化、信息化技术协同融合，推动智能化发展，形成工业化大生产的数字物理系统——智能工厂。即对流程工业而言，其标志是智能工厂，不是智能化产品或局部自动化。

二、流程工业的本质特征

（一）流程工业的共性特点

流程工业包含众多行业，这些行业具有以下多个共性特点[12，13]：

（1）在生产流程中，流程工业主要使用大宗自然资源（如矿产资源、水资源等）作为生产流程的原材料。

（2）在生产流程中，大量的物质流和能量流通过物理或化学变化，将原材料转化为人们所需要的目标产品，同时会产生各种副产物，因此原子经济性和能量节约是流程工业的重要考量目标。

（3）流程工业的生产流程主要是通过功能不同的多个单元操作（或称工序）串联或并联作业，协同运行，实现连续或准连续生产，具有多变量、非线性、强耦合、大滞后的复杂系统特性。

（4）大量的物质和能量被输入生产流程，同时物质和能量又通过各种形式的排放过程和废弃过程从生产流程输出到外部环境中。

（5）人们通过从生产流程中获取信息（如设备运行参数等）和向生产流程注入信息（如市场需求、工艺技术参数、政策要求等）来对生产流程进行调控，保证生产流程能够按照人们的意愿与需求稳定有序地运行。

（6）对于流程工业，规模效应能够提高生产效率，并且降低生产成本，从而提高经济效益。因此，出于对经济效益的追求，现阶段流程工业的规模普遍都很大，并且在继续扩大。

（二）流程工业本质性研究

对流程工业的研究看似是工程学的问题，但本质上却涉及物质、能量、时间、空间、信息等多个维度，基础理论涉及物理学、化学、系统科学、生态学和工程哲学等多个学科。根据系统、维度的不同，流程可以分为分子原子层次、工序装置层次、制造流程层次三个层次。在分子原子层次，分子、原子在孤立系统内通过物理、化学反应发生变化。在工序装置层次，物质、能量在封闭系统内通过“三传一反”发生装置级反应。在制造流程层次，工厂内部系统、外部环境的物质流、能量流、信息流发生非线性相关耦合，达成动态连续、协同有序运行的状态，简称“三流一态”。流程工业本质性研究要关注制造流程层次。

1. 热力学系统的分析视角

制造流程是一类开放的、非平衡的、不可逆的、由不同结构和功能的单元操作通过非线性耦合构成的复杂系统。在流程系统中，物质流在能量流的驱动作用下，在信息流的指导作用下，按照预先设定的程序，沿着流程网络系统动态有序地运行，运行的过程包含一系列的化学反应和物理变化。

2. 熵的分析视角

从制造流程的本质可知，制造流程是一个开放的、有输入 / 输出的、非平衡的、不可逆的复杂系统。其开放、非平衡、不可逆的特点决定了流程系统是一个典型的耗散系统（或称为耗散结构）。

一个耗散系统的熵变包括系统内部产生的熵变及系统与外部环境系统进行物质流、能量流、信息流的交换而引起的熵流，即

$$\mathrm{d}S = \mathrm{d_i}S + \mathrm{d_e}S$$

式中，$\mathrm{d}S$ 为耗散系统的熵变；$\mathrm{d_i}S$ 为流程系统内部的熵变；$\mathrm{d_e}S$ 为熵流。

对于流程系统，其内部过程是实际工业生产过程中的各种物理变化和化学反应，并且这些实际工业过程都是不可逆过程，则

$$\mathrm{d_i}S > 0$$

流程系统通过不断与外部环境系统交换物质流、能量流和信息流，不断从无序向规范有序的方向演化发展：

$$\mathrm{d}S < 0$$

由上述多个式子可推出：

$$\mathrm{d_e}S < \mathrm{d}S < 0$$

$$|\mathrm{d_e}S| > \mathrm{d_i}S$$

之前人们所关注的焦点局限于流程内部系统，主要目标是流程系统更加有序，使流程系统内部的熵增更少。人们的视野局限于流程内部系统本身，而忽略了同样重要的外部环境系统。外部环境系统向流程系统提供物质、能量和信息，即提供负熵流 $\mathrm{d_e}S$，根据热力学中熵的定义：

$$\mathrm{d}S = \frac{\mathrm{d}Q}{T}$$

对于流程内部系统和外部环境系统来说，两者的 $\mathrm{d}Q$ 异号，从而流程系统内部与输入端的外部环境系统之间的物质、能量、信息交换为流程系统带来了负熵流，输入端的负熵流与系统内部过程的熵增相加应为负。而系统内部又向输出端的外部环境输出负熵流，其负熵流的绝对值小于输入端负熵流的绝对值。外部环境系统的熵变是由流程系统向外部环境系统输出物质流、能量流和信息流带来的，则

$$\mathrm{d}S < \mathrm{d}S' < 0$$

式中，$\mathrm{d}S'$ 为流程内部流向输出端环境的负熵流。

同时考虑流程系统和与其密切相关的外部环境系统，外部环境实际上处于流程系统的两端，流程系统内部过程是耗散过程，是熵产生过程（熵增）。作为输入端的外部环境，则以物质流、能量流、信息流的形式注入流程过程系统，即输入负熵流。而作为流程过程系统输出端，外部环境则接受了流程过程系统输出的残余负熵流 $\mathrm{d}S'$（图 1-11）。

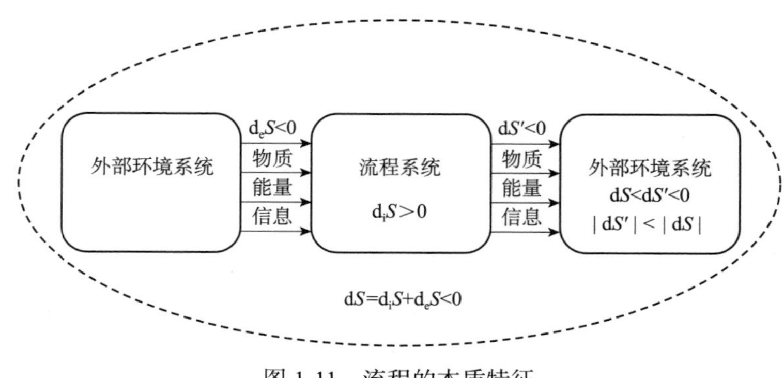

图 1-11　流程的本质特征

（三）流程工业的本质发展方向

基于制造流程的本质及本质特征，可以对流程工业的本质发展方向进行归纳与总结。

在流程工业演化发展的过程中，由流程系统及与之密切相关的外部环境系统所构成的整体系统一直处于负熵流的输入 / 输出状态。如果流程内部系统在很长时间内都处于大幅度熵增的状态，即流程系统内部的熵产生过程 d_iS 太大，则流程系统将逐渐进入混沌无序甚至停顿的状态。流程系统的熵减依赖于外部环境系统向流程系统输入物质流、能量流和信息流。当流程过程内部熵增超过一定的阈值时，外部环境系统将无法向流程系统提供其所需的物质流、能量流和信息流，导致流程系统无法正常地运行甚至停顿，也无法继续向稳定有序的方向发展，整个制造流程将陷入发展的瓶颈。

为了使制造流程能够持续稳定地运行，流程工业的本质发展方向是，在整体流程中，单位熵增所创造的价值越来越大。或者说，在流程系统所输出的产品满足人们需求的前提下，流程系统内部的熵增量越来越小，而流程输入端的负熵流不会过小（绝对值不过大），流程输出端的负熵流不会过大。最终的目的都是使流程系统内部过程的熵增能维持在一定的优化范围内，不会由于熵增过大而进入混沌无序的状态，使得外部环境系统与流程系统之间物质流、能量流、信息流的正常流动受到影响和阻碍，从而使流程工业的发展受到制约。

在流程工业发展的过程中，工艺技术的改进、流程物理系统结构的优化、输入流程系统的“三流”的量变和质变都可以提高外部环境系统与流程系统之间的物质流、能量流、信息流流动和转化的效率，或者使流程系统输出的产品具有更高的价值，使输出的排放物、余热、余能减少，从而使得流程系统中单位熵增所创造的价值越来越大；或者在流程系统所输出的产品和其他排放流满足人们需求的同时，使整体系统的耗散有所下降。

综上所述，制造流程系统是由不同单元工序 / 装置连接组合为一个网络系统，物质流、能量流、信息流通过制造流程网络发生传递、转化、流动，并与外部环境发生作用。特别是通过优化“三流”的输入，制造流程系统向更有序、更协同的方向发展，即系统内部熵增减少，流程系统从输入端输入的“三流”和向输出端输出的“三流”，将对环境和社会有直接影响，从而有利于提高经济效益、环境效益和社会效益。

流程系统的发展，是不断提升流程过程系统的总效率及输入/输出的优化，一方面在经济上使单位成本的效益不断提高，另一方面以对系统投入的熵增为代价，获得更优化的效益和效能。所以流程系统未来最重要的发展方向，仍是提高流程系统的资源、能源、经济、环境等各方面效率。但流程中物理变换和化学反应遵循着传递、反应、转化和有序流动的工程科学原理，效率的极限受热力学定律制约。合理的规模化发展有助于提高系统的效率，而颠覆性的流程系统创新技术可以大幅提高传统流程效率，这些都需要对流程系统科学和技术的不断创新来实现。

可持续发展要求必须考虑制造流程系统与外部环境之间的熵流问题。绿色发展是解决这一问题的主要策略，从末端治理，到清洁生产，到生态工业和循环经济，建设生态文明的发展模式，使整体系统单位熵增所创造的价值尽可能大。资源循环利用是流程工业绿色发展的重要方向。这些措施只能减缓外部环境的熵增，延缓环境的恶化，不能使整个地球社会系统实现熵减。未来只有高效利用地球以外的能量的注入，使利用可再生能源投入造成的熵增低于利用可再生能源注入的负熵流绝对值，才能实现地球整体系统的熵减。因此，绿色发展包括可再生能源的高效利用，是流程工业未来可持续发展的必由之路。同时，由于很多流程工业涉及高温高压、有毒有害、易燃易爆和有腐蚀性等危险问题，生产安全性是保障制造过程系统和环境生态首先需要强调和保障的，因此安全化发展也是流程工业的重要策略。

应用信息技术对物质流、能量流、信息流、流程系统及其供应链和全生命周期网络体系的全方位管理控制，运用系统科学、工程技术优化和控制，能够有效提高流程物理系统和信息网络系统乃至外部环境各环节的效率，减少排放，降低整体系统熵增。因此，信息化、系统化是制造流程发展的大方向。而智能化是互联网、物联网、大数据、云计算等新一代信息技术和智能技术应用于信息流、物质流、能量流和流程系统及网络管理的高级形态，实现高效化、高值化、智能化、安全化生产，可以进一步提升流程工业的整体效率和水平。信息化、系统化、智能化能使流程系统本身更加有序、更加协同优化，同时还能减轻对外部环境的影响，本质上是信息流带入了负熵流，是实现流程工业转型升级和可持续发展的重要方向。

三、2035 年流程工业发展方向

（一）绿色化与生态化

绿色化与生态化是现代工业社会中人类最基本的需求。化石燃料的大量使用对我们赖以生存的生态环境造成了严重的威胁，同时也危害着人们的身体健康。雾霾导致人们患呼吸系统疾病的概率大大提高，温室气体的大量排放使居住在海岸线附近的居民面临着失去家园的威胁。

未来，流程工业将朝着绿色化、生态化方向发展，通过建立工业生态链接减少化石燃料的消耗和污染物的排放。采用绿色低碳的工艺和装备，实现炼化技术从末端治理向源头消减、过程控制和末端治理的全过程控制的转变。合理利用各种可以获得的资源，以低成本、绿色低碳的路线生产液体燃料和有机化学品，实现可持续发展。研究应用铁水直运技术、转炉双联冶炼技术、转炉蒸汽回收再利用技术等新型前沿绿色技术，实现钢铁行业的绿色化、生态化。

（二）集约化与高效化

我国是全球最大的资源消耗国，而且在资源利用上仍处于粗放型增长阶段，能源利用效率与发达国家的差距非常大。面对资源总量和人均资源量都严重不足的困境，集约化与高效化对于我国的流程工业技术有更高的需求。

未来，流程工业各行业需要进一步调整企业结构、流程结构、资源结构、耗能结构，提高能源效率，实现节约化和高效化生产。开发新型高效催化材料，促进炼油反应过程的本质节能、环保。随着重质、劣质原油生产更加清洁化的液体燃料技术不断进步，基于分子水平的炼油技术平台不断完善，高效炼化技术将实现应用[14]。研究推广应用钢铁冶炼过程中热带无头轧制技术，以实现钢铁行业的集约化与高效化。

（三）智能化与定制化

智能化与定制化是人类对技术和产品的更高层次的需求，也是未来流程工业的发展方向和努力目标。随着新一代信息技术广泛渗透、关键领域技术不断突破和加速应用，工业化和信息化不断融合，智能制造的时代正在悄然向我们走来。能否实现智能工厂决定着我国流程工业在下一个工业时代能否处于世界的前沿地位[15]。

智能化是当前流程工业发展的方向。例如，在钢铁行业中，钢铁的复杂生产过程的智能控制系统将采用分层或分级的方式建立许多较小的自治智能单元。通过多个自治智能单元的协同，各种组成单元能够根据全局最优的需要，自行集结成一种超柔性最佳结构，并按照最优的方式运行。

随着经济社会的不断进步，人们对产品的需求更加精细化、定制化。定制化逐渐成为发展的方向之一。以化工产品为例，实现精细化、定制化的重要途径就是采用微化工技术。在现代社会，服装不仅是每个人装饰自己的必用品，还有每个人个性化的需求，而智能服装材料需要化工行业提供技术支撑。以增材制造（3D打印）技术为典型代表的新型制造技术成为引领未来制造业变革的重要技术之一，3D打印技术尤其适合小规模高端的定制化产品，但是3D打印技术最大的障碍在于打印材料，这需要化工行业提供技术支撑。

（四）品牌化与服务化

流程工业国际竞争力进一步提升，产品质量品牌化。大宗产品质量稳定、可靠，能自主生产国民经济发展前沿所需的材料。同时，流程工业可以做好产品使用过程的相关服务。

第二章
国家经济社会发展对流程工业工程科技的需求

第一节　2035年流程工业相关的经济社会发展情景及工程科技与产业特征

一、中国目前发展阶段判断及内外部环境分析

中国仍处于中等收入国家水平，处于工业化的后期，尚未完成工业化，“人口红利”逐渐减少，城市化进程从快速推进转为稳步发展，国民经济进入新常态。

中国发展的内部环境为：产业规模位居世界首位，制造业体系相对完备，基础设施比较完善，制造业成本优势面临严峻挑战，生态环境的约束强化，节能减排压力巨大，体制机制改革为经济社会发展带来新的机遇，新型城镇化带来新的发展机遇，实施“一带一路”倡议、“制造强国”战略等带来重要发展机遇。

中国发展的外部环境为：新工业革命对我国比较优势领域的挑战，全球投资、贸易秩序的重新建立的挑战，发达国家再工业化的挑战，其他发展中国家加快工业化进程带来的压力。

二、2035 年中国经济社会发展愿景及需求

《我国 2035 年经济社会发展需求分析》中对 2035 年我国经济社会发展愿景及需求进行了预测，其中与流程工业相关的愿景及需求如下。

（一）愿景一：迈向高收入水平国家行列

未来 20 年，我国通过自身结构的不断调整，将跨越“中等收入陷阱”，迈入高收入水平国家行列。

1. 具体表现

该愿景的具体表现为：

（1）国家经济总体运行情况良好，创新成为带动经济增长的主要驱动力。

（2）产业结构不断趋于合理，服务业占 GDP 比例达到 60% 以上。

（3）人均收入达到发达经济体水平，中等收入阶层发展壮大，收入分配趋于合理。

2. 需求

该愿景的需求为：

（1）能够满足人们大部分的个性化、多样化的消费需求。消费成为带动 GDP 增长最主要的动力。

（2）城镇化进程接近完成。

（3）产品质量大幅提高，具有国际竞争力，部分产品性价比达到世界先进水平。

3. 要求或产生的影响

流程工业占 GDP 比例将下降，不再是经济增长的主体行业，产业定位将是为经济和社会发展提供必需的基础原材料。制造业产品质量的提高对流程工业产品提出更高的要求，需要有更高的产品标准。

（二）愿景二：可持续发展的中国

未来 20 年，中国将在发展路径和生活方式上发生变革，调整煤炭、油气、非化石能源消费比例结构，从根本上治理环境污染问题，并在更大的范围推动全球环境保护。在经济持续发展的同时，实现绿色崛起与持续发展的双赢。

1. 具体表现

该愿景的具体表现为：

（1）资源利用效率大幅提高。

（2）生态环境明显改善。

2. 需求

该愿景的需求为：

（1）资源利用效率大幅提高，资源产出率比2015年提高1倍以上，因经济增长而产生的化石能源消耗总量零增长。

（2）碳排放量达到峰值后减少10%。

（3）生态系统的恶化趋势得到有效控制，大部分地区的生态环境改善、总体趋好。

（4）单位运输周转量能耗水平平均降低50%。

（5）固体废物得到全面安全处理和循环利用，填埋率降低到10%左右。

3. 发展形态和特征

该愿景下流程工业的发展形态和特征包括：废水、废气、固体废物的排放受到严格控制，资源利用效率和产品质量大幅提高，实现节能减排、环境友好的绿色清洁生产。环境约束将推动部分国内流程工业向海外转移。

（三）愿景三：智能化中国

智能工业、智能农业、智能物流、智能交通、智能环保、智能医疗等将渗透到人们的生活中，深刻改变社会经济的方方面面。

1. 需求

该愿景的需求为：

（1）高水平制造业实现智能化，制造产业的绿色制造、清洁生产和循环生产普及程度逐步提高。

（2）与国计民生相关的重大装备、核心关键技术实现自主可控。

2. 发展形态和特征

该愿景下流程工业的发展形态和特征有：流程工业实现信息化和工业化的

深度融合发展，智能化、信息化高度集成，行业实现低能耗、高效率发展。

三、2035 年世界经济社会发展愿景及需求

大量创新技术的涌现将不断推动世界经济社会发展，经济社会发达程度达到前所未有的高度。虽然经历了多次技术变革，但流程工业仍然是经济发展的基础支柱产业，其三大核心功能仍然至关重要。与流程工业相关的世界经济社会发展愿景主要有如下几点。

（一）愿景一：流程工业完全满足人们的物质需求

未来，随着世界经济社会发展水平的不断提高，消费将成为 GDP 增长的主要动力。人们的物质需求将在各个层次上不断地提高，不仅在“量”的层次大幅提升，而且在“质”的层次对产品的要求达到前所未有的高度。因此，流程工业的核心功能之一——物质制造功能，需要大幅优化。要实现该愿景，对于流程工业的发展有如下的需求：

（1）流程工业通过系统优化、技术革新等手段不断提高生产效率，保证大宗基础产品的产量能够满足人们的消费需求。

（2）流程工业通过工艺改进等手段提高产品质量，保证大宗基础产品的质量能够满足人们的消费需求。

（3）实现信息化和工业化的深度融合发展，智能化、信息化高度集成，从而向高效率低能耗方向发展，并且满足人们对个性化、定制化产品的消费需求。

（二）愿景二：更清洁高效的流程工业成为能源转化枢纽

到 2035 年，世界能源消费结构可能会发生较大的变化，化石能源所占比例将逐渐下降。同时，高度发达的经济社会产生了巨大的能源消耗，人们对于能源的需求日益扩大。因此，流程工业的能源转换功能就越发重要。要实现该愿景，对于流程工业的发展有如下的需求：

（1）节能技术的全面推广应用，保证流程工业取得明显的节能效果。

（2）通过能量流网络的建立和优化，对流程工业生产流程中的能量流进行有效的管控，提高能量利用效率，降低吨产品综合能耗。

（3）大力发展新能源产业，满足人们日益增长的能源需求。推进能源资源产品价格改革、健全能源节约集约使用制度等，为能源消费结构转型奠定坚实的基础。

（三）愿景三：物质在社会与流程工业之间形成有序稳定的循环，再生资源逐步替代自然资源

随着经济社会的发展，自然资源会不断减少，废弃物的处理和再利用将会成为弥补自然资源供给缺口的主要手段，物质资源在流程工业和社会之间形成有序稳定的循环，再生资源将逐步替代自然资源，成为流程工业的主要原料。因此，流程工业废弃物处理－消纳功能的重要性将大幅提高。要实现该愿景，对于流程工业的发展有如下的需求：

（1）提高流程工业废弃物利用率，使流程工业废弃物成为工业生产的原料，从而减少自然资源使用量，提高物质资源利用效率。

（2）大力推进流程工业消纳社会废弃物，减少社会废弃物带来的环境影响，使社会废弃物代替自然资源成为流程工业的物质原料或能源原料，从而减少自然资源使用量，实现物质资源在流程工业和社会间的大循环，进一步提高资源利用效率。

第二节　需要解决的重大问题及其对工程科技的需求

2035年，我国经济社会新的发展阶段和发展形态下需要解决的与流程工业密切相关的重大问题主要有以下几点。

一、资源、能源与环境约束问题

资源的高强度消耗必然给环境带来越来越大的压力。我国的化学需氧量（chemical oxygen demand，COD）排放量、二氧化硫排放量已居世界第一位，二氧化碳排放量仅次于美国，居世界第二位，污染排放已经大大超出环境容量。解决日趋紧张的人与自然关系问题，化解日益紧迫的资源环境与经济快速增长的尖锐矛盾，是中国经济发展面临的重大挑战。

资源、能源与环境约束问题对本领域工程科技的需求为：开发绿色高效选冶技术、工艺与装备，切实提高资源综合利用率；推广节能工艺与设备，降低能耗，提高能源利用效率，减少污染物排放；推进流程工业固体废物消纳、处置与综合利用研究，实现流程工业清洁生产；构建流程工业与相关产业循环经济，实现物料和能量在产业间的循环利用。

二、高端产品国产化，拥有技术含量高、附加值高的品牌产品

由于创新能力不强，我国在国际分工中尚处于技术含量和附加值较低的“制造－加工－组装”环节。从质量来看，那些技术含量高、附加值高的品牌产品仍然被外资企业控制。以有色金属为例，2013年，我国进口集成电路芯片2300亿美元。这是进口额最大的商品，集成电路材料中70%是有色金属。总体来看，我国有色金属精深加工产品处于国际产业链中低端，产品精度、一致性、稳定性较差，部分电子、海洋工程、航空用高端有色金属产品还依赖进口。

这个重大问题对本领域工程科技的需求为：加大产业科研投入力度，增强企业自主创新能力，提高我国流程工业整体水平，实现核心技术和装备自主研发。强化技术创新平台建设，促进产品标准统一。

三、产能过剩和产业结构问题

要实现经济的健康发展，必须调整产业结构，解决初级产品产能过剩问题，提高高端产品自给率。

这个重大问题对本领域工程科技的需求为：提高流程工业装备水平，提高产业集中度，用新工艺生产线替代落后工艺生产线。优化产业结构，加快推动自身战略性新兴产业和高技术产业发展。大力发展铝、镁、钛等高强轻合金材料，加快发展高性能铜合金材料、铅锌镍各种合金及其他功能材料，满足战略性新兴产业及国家重大工程的需求。

四、信息化与工业化的深度融合，生产智能化问题

将智能化、数字化和服务化作为流程工业发展的目标与方向，我国流程工业大多还停留在机械生产阶段，部分甚至停留在间断生产阶段，信息化对制造业的作用水平总体不高[16]。流程工业的特点使其完全实现智能工业存在较大挑战。目前国际上智能采矿已经实现，但是对于选矿和冶金，仅可以实现较高程度的装备自动化，全流程的智能控制还需要进一步攻关。

这个重大问题对本领域工程科技的需求为：强化适于信息技术应用的流程工业工艺创新研究，推进信息技术在流程工业的应用，实现流程工业的智能化。

第三章
中国流程工业工程科技技术预见结果与发展能力分析

第一节　流程工业工程科技技术预见结果概述

一、技术清单概述

项目组对流程工业工程科技 2035 技术预见进行了两轮德尔菲问卷调查。其中，环境生态与绿色制造领域流程专题包括节能减排、环保装备、资源利用与清洁生产、低碳化生产、循环与生态化 5 个子领域，共 30 个技术方向（表 3-1）。

表 3-1　环境生态与绿色制造领域流程专题技术清单

子领域名称	技术方向
节能减排（12 个）	流程工业物质流和能量流协同优化技术及能源流网络集成技术
	有色金属冶炼过程节能减排重大关键技术
	绿色选冶与综合利用技术
	换热式两段焦炉
	焦炉荒煤气余热回收技术
	钢厂高炉渣和转炉渣余热高效回收和资源化高值利用技术
	煤炭分质综合利用技术
	利用煤和生物质生产含氧代用液体燃料

续表

子领域名称	技术方向
节能减排（12个）	全生物降解聚酯生产及应用技术 源头节能减排高效冶金反应器研发 高温恶劣条件下冶金过程关键参数在线监测技术和仪器的研究 微化工技术
环保装备（1个）	绿色石化装备
资源利用与清洁生产（9个）	深部金属资源规模高效开发技术 复杂低品位矿产资源清洁提取与精细化综合回收关键技术 与资源特性和地理环境耦合的分离与富集技术 战略稀缺资源清洁高效利用技术 重劣质原油资源绿色高效利用技术 纤维素发酵清洁低成本生产燃料酒精技术 原料多元化的炼化技术 低碳烯烃生产新技术 钢铁企业原位高效利用冶金渣生产高性能水泥熟料技术
低碳化生产（5个）	流程工业利用可再生能源技术 二氧化碳减排、捕集、回收、封存与利用技术 基于非化石能源的制氢技术 微藻藻种选择、培育、制油技术 CO_2捕集及与新能源（风能、太阳能等）的耦合利用技术
循环与生态化（3个）	典型二次资源循环再生利用技术 我国特色与非传统资源高效利用技术 盐湖伴生资源（锂、硼、锶、铷、铯）回收利用技术

二、问卷调查情况概述

截至2016年7月28日，流程工业专题调查问卷填报人数为311人，共回收问卷2083份，平均每个技术方向约有39位专家作答。

参与调查的专家主要是来自政府部门、高校、科研院所及企事业单位的领域内专家。其中，政府部门专家占6.60%，高校专家占32.60%，科研院所专家占35.60%，企事业单位专家占25.20%（图3-1）。

回收的问卷中，10.00%的回函专家对所填报的技术方向选择“很熟悉”，43.70%的回函专家选择“熟悉”，45.90%的回函专家选择“较熟悉”，0.40%的回函专家选择“不熟悉”（图3-2）。总体来看，回函具有一定专业性，初步统计分析有较高的参考价值。

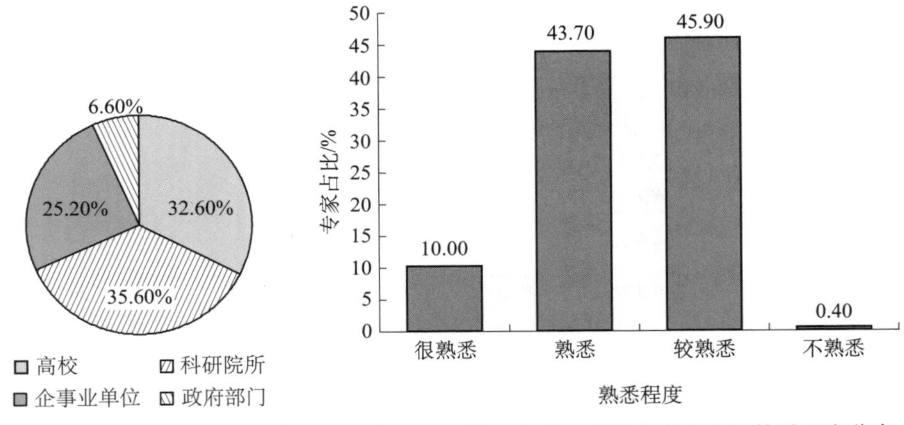

图 3-1 参与调查的专家构成

图 3-2 回函专家对所填技术方向的熟悉程度分布

第二节 问卷调查结果分析

一、重要性指数单因素统计结果

（一）核心性指数前10位的技术方向

核心性指数前10位的技术方向如表3-2所示。其中“节能减排”子领域有7个技术方向，“低碳化生产”子领域有2个技术方向，“环保装备”子领域有1个技术方向。这说明，“节能减排”子领域的核心性所占比例较高。

表 3-2 核心性指数前10位的技术方向

子领域	技术方向	核心性指数
节能减排	源头节能减排高效冶金反应器研发	94.30
节能减排	绿色选冶与综合利用技术	92.94
节能减排	流程工业物质流和能量流协同优化技术及能源流网络集成技术	91.50
节能减排	钢厂高炉渣和转炉渣余热高效回收和资源化高值利用技术	89.78
节能减排	微化工技术	89.66

续表

子领域	技术方向	核心性指数
节能减排	全生物降解聚酯生产及应用技术	89.42
环保装备	绿色石化装备	89.11
低碳化生产	基于非化石能源的制氢技术	89.00
低碳化生产	流程工业利用可再生能源技术	88.68
节能减排	换热式两段焦炉	88.61

（二）通用性指数前 10 位的技术方向

筛选通用性指数前 10 位的技术方向如表 3-3 所示。其中“节能减排”子领域有 8 个技术方向，“低碳化生产”子领域有 1 个技术方向，“环保装备”子领域有 1 个技术方向。这说明，“节能减排”子领域技术应用范围相对较广泛、技术交叉性较强，是多行业共性技术。

表 3-3　通用性指数前 10 位的技术方向

子领域	技术方向	通用性指数
节能减排	源头节能减排高效冶金反应器研发	92.41
节能减排	钢厂高炉渣和转炉渣余热高效回收和资源化高值利用技术	89.52
节能减排	高温恶劣条件下冶金过程关键参数在线监测技术和仪器的研究	87.34
节能减排	流程工业物质流和能量流协同优化技术及能源流网络集成技术	86.00
节能减排	绿色选冶与综合利用技术	84.71
环保装备	绿色石化装备	84.27
节能减排	换热式两段焦炉	84.18
节能减排	微化工技术	83.62
节能减排	焦炉荒煤气余热回收技术	83.43
低碳化生产	基于非化石能源的制氢技术	83.00

（三）带动性指数前 10 位的技术方向

筛选带动性指数前 10 位的技术方向如表 3-4 所示。其中“资源利用与清洁生产”子领域有 6 个技术方向，“节能减排”子领域有 4 个技术方向。这说明，“资源利用与清洁生产”和“节能减排”子领域技术具有较强的带动性。

表 3-4 带动性指数前 10 位的技术方向

子领域	技术方向	带动性指数
资源利用与清洁生产	原料多元化的炼化技术	78.45
资源利用与清洁生产	深部金属资源规模高效开发技术	76.09
资源利用与清洁生产	复杂低品位矿产资源清洁提取与精细化综合回收关键技术	75.79
资源利用与清洁生产	战略稀缺资源清洁高效利用技术	75.52
节能减排	源头节能减排高效冶金反应器研发	72.78
节能减排	流程工业物质流和能量流协同优化技术及能源流网络集成技术	72.75
资源利用与清洁生产	与资源特性和地理环境耦合的分离与富集技术	71.88
节能减排	绿色选冶与综合利用技术	70.59
节能减排	钢厂高炉渣和转炉渣余热高效回收和资源化高值利用技术	70.16
资源利用与清洁生产	钢铁企业原位高效利用冶金渣生产高性能水泥熟料技术	69.76

（四）非连续性指数前 10 位的技术方向

筛选非连续性指数前 10 位的技术方向如表 3-5 所示。其中“资源利用与清洁生产”子领域有 8 个技术方向，“节能减排”子领域有 2 个技术方向。这说明，“资源利用与清洁生产”和“节能减排”子领域技术相对具有颠覆性。

表 3-5 非连续性指数前 10 位的技术方向

子领域	技术方向	非连续性指数
资源利用与清洁生产	原料多元化的炼化技术	78.45
资源利用与清洁生产	复杂低品位矿产资源清洁提取与精细化综合回收关键技术	63.89
节能减排	钢厂高炉渣和转炉渣余热高效回收和资源化高值利用技术	62.90
资源利用与清洁生产	深部金属资源规模高效开发技术	61.96
资源利用与清洁生产	与资源特性和地理环境耦合的分离与富集技术	61.88
资源利用与清洁生产	低碳烯烃生产新技术	60.71
资源利用与清洁生产	战略稀缺资源清洁高效利用技术	59.38
节能减排	源头节能减排高效冶金反应器研发	58.54
资源利用与清洁生产	钢铁企业原位高效利用冶金渣生产高性能水泥熟料技术	58.06
资源利用与清洁生产	重劣质原油资源绿色高效利用技术	57.29

（五）经济发展重要性指数前 10 位的技术方向

筛选经济发展重要性指数前 10 位的技术方向如表 3-6 所示。其中“节能减排”子领域有 7 个技术方向，“低碳化生产”子领域有 2 个技术方向，“环保装备”子领域有 1 个技术方向。这说明，“节能减排”子领域技术对经济发展具有重要作用。

表 3-6 经济发展重要性指数前 10 位的技术方向

子领域	技术方向	经济发展重要性指数	预计实现年份			研发水平	领先国家（地区）		制约因素	
			社会	技术			第一	第二	第一	第二
				世界	中国					
节能减排	源头节能减排高效冶金反应器研发	93.67	2022	2024	2027	36.08	欧盟	日本	研发投入	人才队伍及科技资源
节能减排	微化工技术	93.10	2020	2023	2026	37.93	欧盟	美国	研发投入	法律法规政策
节能减排	流程工业物质流和能量流协同优化技术及能源流网络集成技术	91.50	2022	2024	2026	40.50	欧盟	美国	研发投入	标准规范
节能减排	绿色选冶与综合利用技术	91.18	2021	2024	2027	37.06	欧盟	日本	研发投入	法律法规政策
节能减排	钢厂高炉渣和转炉渣余热高效回收和资源化高值利用技术	89.52	2022	2024	2027	26.88	欧盟	日本	研发投入	人才队伍及科技资源
节能减排	高温恶劣条件下冶金过程关键参数在线监测技术和仪器的研究	87.97	2021	2023	2026	43.04	欧盟	日本	研发投入	人才队伍及科技资源
环保装备	绿色石化装备	87.10	2020	2023	2026	37.90	欧盟	日本	法律法规政策	标准规范
低碳化生产	CO_2 捕集及与新能源（风能、太阳能等）的耦合利用技术	87.04	2020	2023	2026	37.04	欧盟	日本	法律法规政策	标准规范
低碳化生产	流程工业利用可再生能源技术	86.79	2021	2024	2026	38.68	欧盟	日本	法律法规政策	标准规范
节能减排	煤炭分质综合利用技术	85.47	2020	2023	2025	36.63	欧盟	日本	研发投入	法律法规政策

（六）社会发展重要性指数前10位的技术方向

筛选社会发展重要性指数前10位的技术方向如表3-7所示。其中“节能减排”子领域有5个技术方向，“资源利用与清洁生产”子领域有4个技术方向，“循环与生态化”子领域有1个技术方向。这说明，“节能减排”和“资源利用与清洁生产”子领域技术对社会发展具有相对重要作用。

表3-7 社会发展重要性指数前10位的技术方向

子领域	技术方向	社会发展重要性指数
节能减排	源头节能减排高效冶金反应器研发	87.66
节能减排	绿色选冶与综合利用技术	85.88
资源利用与清洁生产	与资源特性和地理环境耦合的分离与富集技术	85.63
资源利用与清洁生产	复杂低品位矿产资源清洁提取与精细化综合回收关键技术	84.92
资源利用与清洁生产	原料多元化的炼化技术	84.48
节能减排	流程工业物质流和能量流协同优化技术及能源流网络集成技术	83.75
节能减排	钢厂高炉渣和转炉渣余热高效回收和资源化高值利用技术	82.26
循环与生态化	典型二次资源循环再生利用技术	81.67
节能减排	换热式两段焦炉	81.65
资源利用与清洁生产	战略稀缺资源清洁高效利用技术	81.25

（七）保障国家与国防安全重要性指数前10位的技术方向

筛选保障国家与国防安全重要性指数前10位的技术方向如表3-8所示。其中“低碳化生产”子领域有4个技术方向，“资源利用与清洁生产”子领域有2个技术方向，“循环与生态化”子领域有2个技术方向，“节能减排”子领域有1个技术方向，“环保装备”子领域有1个技术方向。这说明，“低碳化生产”子领域技术对保障国家与国防安全具有相对重要的作用。

表3-8 保障国家与国防安全重要性指数前10位的技术方向

子领域	技术方向	保障国家与国防安全重要性指数
资源利用与清洁生产	战略稀缺资源清洁高效利用技术	56.77
资源利用与清洁生产	重劣质原油资源绿色高效利用技术	50.52

续表

子领域	技术方向	保障国家与国防安全重要性指数
循环与生态化	我国特色与非传统资源高效利用技术	49.58
循环与生态化	盐湖伴生资源（锂、硼、锶、铷、铯）回收利用技术	49.11
低碳化生产	基于非化石能源的制氢技术	47.00
环保装备	绿色石化装备	46.77
低碳化生产	流程工业利用可再生能源技术	46.70
低碳化生产	微藻藻种选择、培育、制油技术	44.89
节能减排	微化工技术	44.83
低碳化生产	CO_2 捕集及与新能源（风能、太阳能等）的耦合利用技术	43.06

二、技术方向重要性综合分析

（一）技术本身重要性与技术应用重要性指数分析

技术本身重要性由综合技术核心性和带动性两方面因素决定。技术应用重要性指数是综合经济发展重要性指数、社会发展重要性指数、保障国家与国防安全重要性指数的加权结果。

筛选技术本身重要性指数前 10 位的技术方向如表 3-9 所示。其中“节能减排”子领域有 6 个技术方向，“资源利用与清洁生产”子领域有 3 个技术方向，“环保装备”子领域有 1 个技术方向。这说明，“节能减排”和“资源利用与清洁生产”子领域技术本身相对重要。

表 3-9　技术本身重要性指数前 10 位的技术方向

子领域	技术方向	技术本身重要性指数
节能减排	源头节能减排高效冶金反应器研发	84.23
节能减排	流程工业物质流和能量流协同优化技术及能源流网络集成技术	82.66
节能减排	绿色选冶与综合利用技术	82.53
资源利用与清洁生产	原料多元化的炼化技术	81.52
资源利用与清洁生产	战略稀缺资源清洁高效利用技术	80.62
节能减排	钢厂高炉渣和转炉渣余热高效回收和资源化高值利用技术	80.57

续表

子领域	技术方向	技术本身重要性指数
节能减排	高温恶劣条件下冶金过程关键参数在线监测技术和仪器的研究	78.59
环保装备	绿色石化装备	77.46
节能减排	换热式两段焦炉	77.26
资源利用与清洁生产	复杂低品位矿产资源清洁提取与精细化综合回收关键技术	77.20

筛选技术应用重要性指数前 10 位的技术方向如表 3-10 所示。其中“节能减排”子领域有 5 个技术方向,“资源利用与清洁生产”子领域有 3 个技术方向,“环保装备”子领域有 1 个技术方向，“低碳化生产”子领域有 1 个技术方向。这说明，“节能减排”和“资源利用与清洁生产”子领域的技术应用相对重要。

表 3-10　技术应用重要性指数前 10 位的技术方向

子领域	技术方向	技术应用重要性指数
节能减排	源头节能减排高效冶金反应器研发	77.14
节能减排	绿色选冶与综合利用技术	75.97
节能减排	流程工业物质流和能量流协同优化技术及能源流网络集成技术	75.20
资源利用与清洁生产	战略稀缺资源清洁高效利用技术	74.00
环保装备	绿色石化装备	73.66
节能减排	微化工技术	73.57
节能减排	钢厂高炉渣和转炉渣余热高效回收和资源化高值利用技术	72.78
低碳化生产	流程工业利用可再生能源技术	72.34
资源利用与清洁生产	原料多元化的炼化技术	72.11
资源利用与清洁生产	复杂低品位矿产资源清洁提取与精细化综合回收关键技术	71.88

（二）对经济、社会、国防发展具有重要意义的技术方向

分别综合技术本身重要性和社会发展重要性、经济发展重要性、安全保障重要性，筛选出对经济、社会、国防具有重要意义的前 10 位的技术方向，如表 3-11～表 3-13 所示。其中，社会发展重要性与经济发展重要性技术重合 1 项，经济发展重要性与安全保障重要性技术重合 8 项。

表 3-11　技术与社会发展重要性综合指数前 10 位的技术方向

子领域	技术方向	技术与社会发展重要性综合指数
资源利用与清洁生产	深部金属资源规模高效开发技术	86.46
节能减排	钢厂高炉渣和转炉渣余热高效回收和资源化高值利用技术	84.22
循环与生态化	盐湖伴生资源（锂、硼、锶、铷、铯）回收利用技术	83.23
节能减排	换热式两段焦炉	83.21
资源利用与清洁生产	钢铁企业原位高效利用冶金渣生产高性能水泥熟料技术	82.45
循环与生态化	我国特色与非传统资源高效利用技术	81.46
节能减排	全生物降解聚酯生产及应用技术	81.42
资源利用与清洁生产	战略稀缺资源清洁高效利用技术	81.15
资源利用与清洁生产	纤维素发酵清洁低成本生产燃料酒精技术	80.94
节能减排	煤炭分质综合利用技术	79.48

表 3-12　技术与经济发展重要性综合指数前 10 位的技术方向

子领域	技术方向	技术与经济发展重要性综合指数
节能减排	源头节能减排高效冶金反应器研发	89.08
节能减排	流程工业物质流和能量流协同优化技术及能源流网络集成技术	87.19
节能减排	绿色选冶与综合利用技术	86.96
节能减排	钢厂高炉渣和转炉渣余热高效回收和资源化高值利用技术	85.16
节能减排	微化工技术	85.02
节能减排	高温恶劣条件下冶金过程关键参数在线监测技术和仪器的研究	83.41
资源利用与清洁生产	原料多元化的炼化技术	82.58
环保装备	绿色石化装备	82.42
低碳化生产	流程工业利用可再生能源技术	81.51
资源利用与清洁生产	复杂低品位矿产资源清洁提取与精细化综合回收关键技术	81.36

表 3-13　技术与安全保障重要性综合指数前 10 位的技术方向

子领域	技术方向	技术与安全保障重要性综合指数
资源利用与清洁生产	战略稀缺资源清洁高效利用技术	69.72
节能减排	源头节能减排高效冶金反应器研发	65.15
节能减排	绿色选冶与综合利用技术	64.94
节能减排	流程工业物质流和能量流协同优化技术及能源流网络集成技术	64.86
环保装备	绿色石化装备	63.98

续表

子领域	技术方向	技术与安全保障重要性综合指数
资源利用与清洁生产	原料多元化的炼化技术	63.71
低碳化生产	流程工业利用可再生能源技术	62.99
节能减排	微化工技术	62.44
节能减排	高温恶劣条件下冶金过程关键参数在线监测技术和仪器的研究	62.42
低碳化生产	基于非化石能源的制氢技术	61.87

（三）中国流程工业重要技术方向

综合技术本身重要性和技术应用重要性两方面得到技术重要性综合指数，提出本领域综合重要性最高的前 10 位的技术方向，如表 3-14 所示。

表 3-14　本领域综合重要性最高的前 10 位的技术方向

子领域	技术方向	综合重要性指数	预计实现年份			研发水平	领先国家（地区）		制约因素	
			社会	技术			第一	第二	第一	第二
				世界	中国					
节能减排	源头节能减排高效冶金反应器研发	80.77	2022	2024	2027	36.08	欧盟	日本	研发投入	人才队伍及科技资源
节能减排	绿色选冶与综合利用技术	79.31	2021	2024	2027	37.06	欧盟	日本	研发投入	法律法规政策
节能减排	流程工业物质流和能量流协同优化技术及能源流网络集成技术	79.02	2022	2024	2026	40.50	欧盟	美国	研发投入	标准规范
资源利用与清洁生产	战略稀缺资源清洁高效利用技术	77.38	2023	2026	2029	18.75	欧盟	美国	研发投入	人才队伍及科技资源
资源利用与清洁生产	原料多元化的炼化技术	76.96	2023	2026	2029	27.59	欧盟	美国	研发投入	人才队伍及科技资源
节能减排	钢厂高炉渣和转炉渣余热高效回收和资源化高值利用技术	76.78	2022	2024	2027	26.88	欧盟	日本	研发投入	人才队伍及科技资源

续表

子领域	技术方向	综合重要性指数	预计实现年份			研发水平	领先国家（地区）		制约因素	
			社会	技术			第一	第二	第一	第二
				世界	中国					
环保装备	绿色石化装备	75.58	2020	2023	2026	37.90	欧盟	日本	法律法规政策	标准规范
节能减排	高温恶劣条件下冶金过程关键参数在线监测技术和仪器的研究	75.11	2021	2023	2026	43.04	欧盟	日本	研发投入	人才队伍及科技资源
节能减排	微化工技术	74.84	2020	2023	2026	37.93	欧盟	美国	研发投入	法律法规政策
资源利用与清洁生产	复杂低品位矿产资源清洁提取与精细化综合回收关键技术	74.58	2022	2026	2029	11.90	日本	欧盟	研发投入	人才队伍及科技资源

（四）重要共性技术方向

综合技术通用性指数、技术应用重要性指数可以得到共性技术重要性指数，如表 3-15 所示。

表 3-15　重要共性技术方向

子领域	技术方向	共性技术重要性指数	预计实现年份			研发水平	领先国家（地区）		制约因素	
			社会	技术			第一	第二	第一	第二
				世界	中国					
节能减排	源头节能减排高效冶金反应器研发	71.28	2022	2024	2027	36.08	欧盟	日本	研发投入	人才队伍及科技资源
节能减排	钢厂高炉渣和转炉渣余热高效回收和资源化高值利用技术	65.15	2022	2024	2027	26.88	欧盟	日本	研发投入	人才队伍及科技资源
节能减排	流程工业物质流和能量流协同优化技术及能源流网络集成技术	64.67	2022	2024	2026	40.50	欧盟	美国	研发投入	标准规范

续表

子领域	技术方向	共性技术重要性指数	预计实现年份			研发水平	领先国家（地区）		制约因素	
			社会	技术			第一	第二	第一	第二
				世界	中国					
节能减排	绿色选冶与综合利用技术	64.35	2021	2024	2027	37.06	欧盟	日本	研发投入	法律法规政策
节能减排	高温恶劣条件下冶金过程关键参数在线监测技术和仪器的研究	62.41	2021	2023	2026	43.04	欧盟	日本	研发投入	人才队伍及科技资源
环保装备	绿色石化装备	62.08	2020	2023	2026	37.90	欧盟	日本	法律法规政策	标准规范
节能减排	微化工技术	61.52	2020	2023	2026	37.93	欧盟	美国	研发投入	法律法规政策
低碳化生产	流程工业利用可再生能源技术	59.37	2021	2024	2026	38.68	欧盟	日本	法律法规政策	标准规范
资源利用与清洁生产	原料多元化的炼化技术	59.06	2023	2026	2029	27.59	欧盟	美国	研发投入	人才队伍及科技资源
节能减排	换热式两段焦炉	58.95	2021	2024	2027	31.65	日本	欧盟	研发投入	法律法规政策

（五）重要颠覆性技术方向

综合技术非连续性指数、技术应用重要性指数，可以判断选择重要颠覆性（非连续性）技术，如表3-16所示。

表3-16 重要颠覆性技术方向

子领域	技术方向	颠覆性指数	预计实现年份			研发水平	领先国家（地区）		制约因素	
			社会	技术			第一	第二	第一	第二
				世界	中国					
资源利用与清洁生产	原料多元化的炼化技术	56.57	2023	2026	2029	27.59	欧盟	美国	研发投入	人才队伍及科技资源
资源利用与清洁生产	复杂低品位矿产资源清洁提取与精细化综合回收关键技术	45.92	2022	2026	2029	11.90	日本	欧盟	研发投入	人才队伍及科技资源

续表

子领域	技术方向	颠覆性指数	预计实现年份			研发水平	领先国家（地区）		制约因素	
			社会	技术			第一	第二	第一	第二
				世界	中国					
节能减排	钢厂高炉渣和转炉渣余热高效回收和资源化高值利用技术	45.78	2022	2024	2027	26.88	欧盟	日本	研发投入	人才队伍及科技资源
节能减排	源头节能减排高效冶金反应器研发	45.16	2022	2024	2027	36.08	欧盟	日本	研发投入	人才队伍及科技资源
资源利用与清洁生产	与资源特性和地理环境耦合的分离与富集技术	44.31	2023	2028	2031	13.75	美国	其他	研发投入	法律法规政策
资源利用与清洁生产	战略稀缺资源清洁高效利用技术	43.93	2023	2026	2029	18.75	欧盟	美国	研发投入	人才队伍及科技资源
节能减排	绿色选冶与综合利用技术	41.33	2021	2024	2027	37.06	欧盟	日本	研发投入	法律法规政策
节能减排	高温恶劣条件下冶金过程关键参数在线监测技术和仪器的研究	40.70	2021	2023	2026	43.04	欧盟	日本	研发投入	人才队伍及科技资源
资源利用与清洁生产	重劣质原油资源绿色高效利用技术	39.74	2021	2025	2027	26.04	美国	欧盟	研发投入	人才队伍及科技资源
节能减排	微化工技术	39.32	2020	2023	2026	37.93	欧盟	美国	研发投入	法律法规政策

三、实现时间分析

（一）实现时间分布

流程工业的世界技术实现时间在2020～2024年，其中66.67%的技术预期在2020～2021年实现。流程工业的中国技术实现时间在2022～2028年，其中66.67%的技术预期在2023～2024年实现。流程工业的中国社会实现时间在2025～2031年，其中66.67%的技术预期在2026～2027年实现。具体如图3-3所示。

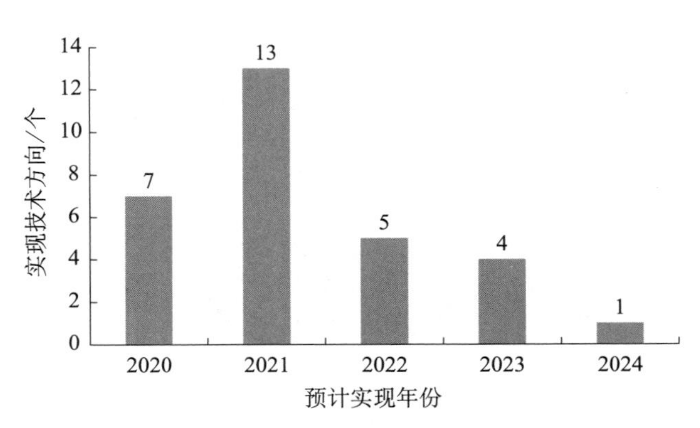

（a）世界技术实现时间

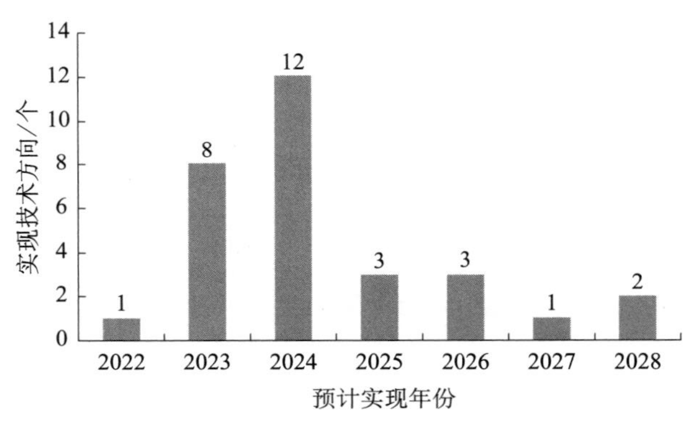

（b）中国技术实现时间

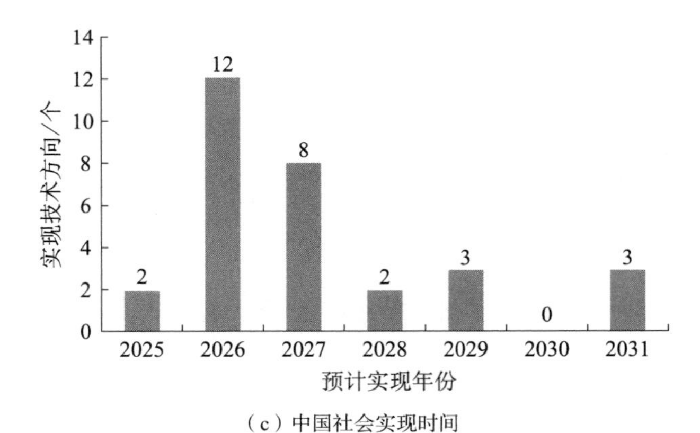

（c）中国社会实现时间

图 3-3　三类预期实现时间的比较分析

（二）技术实现时间与社会实现时间跨度分析

1. 技术实现时间与社会实现时间的跨度

比较分析从技术实现到社会实现的时间跨度可以发现，其平均时间跨度约为 2.90 年，最长为 3.90 年，最短为 2.20 年（图 3-4）。

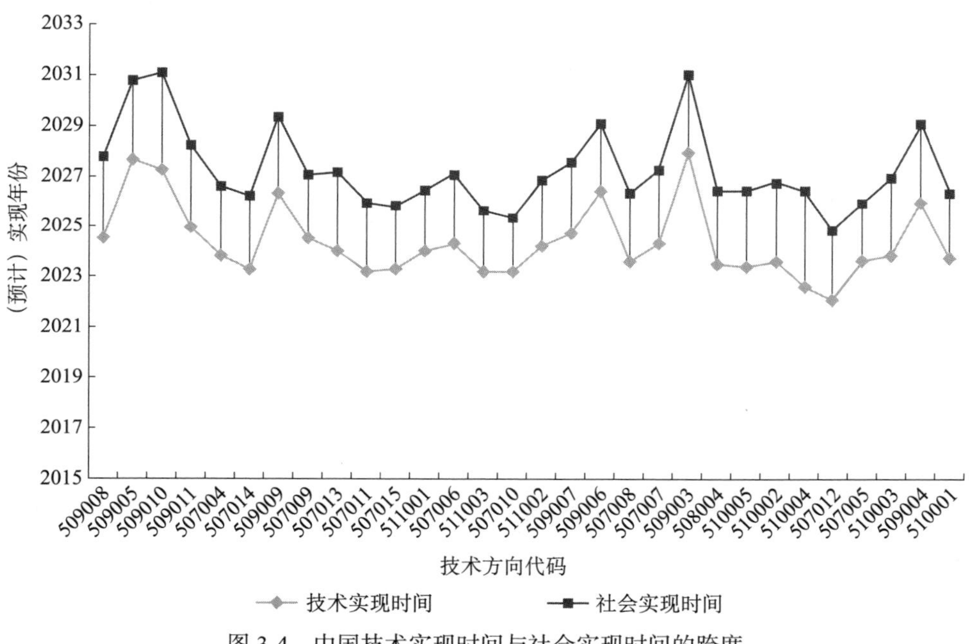

图 3-4　中国技术实现时间与社会实现时间的跨度

2. 重要性最高的 30 个技术方向的实现时间及子领域分布

以技术时间为横轴，技术实现与社会实现的时间跨度为纵轴重要性最高的 30 个技术方向的实现时间及子领域分布见图 3-5。

（三）中国与世界技术实现时间差距比较分析

我国与世界的技术实现时间对比如图 3-6 所示。由图 3-6 所示，我国技术实现时间均晚于世界技术实现时间 2～4 年。

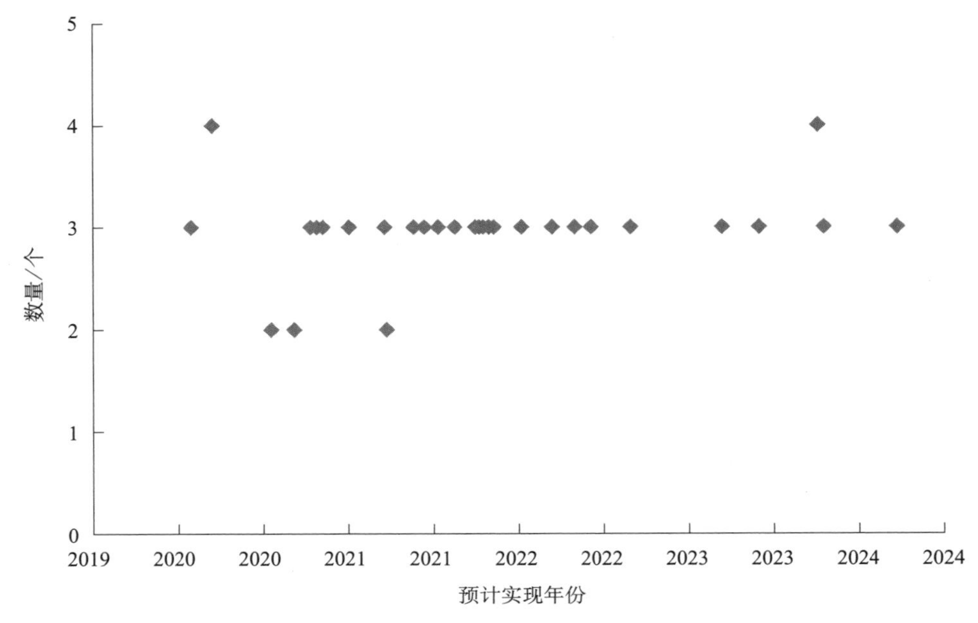

图 3-5　重要性最高的 30 个技术方向的实现时间分布

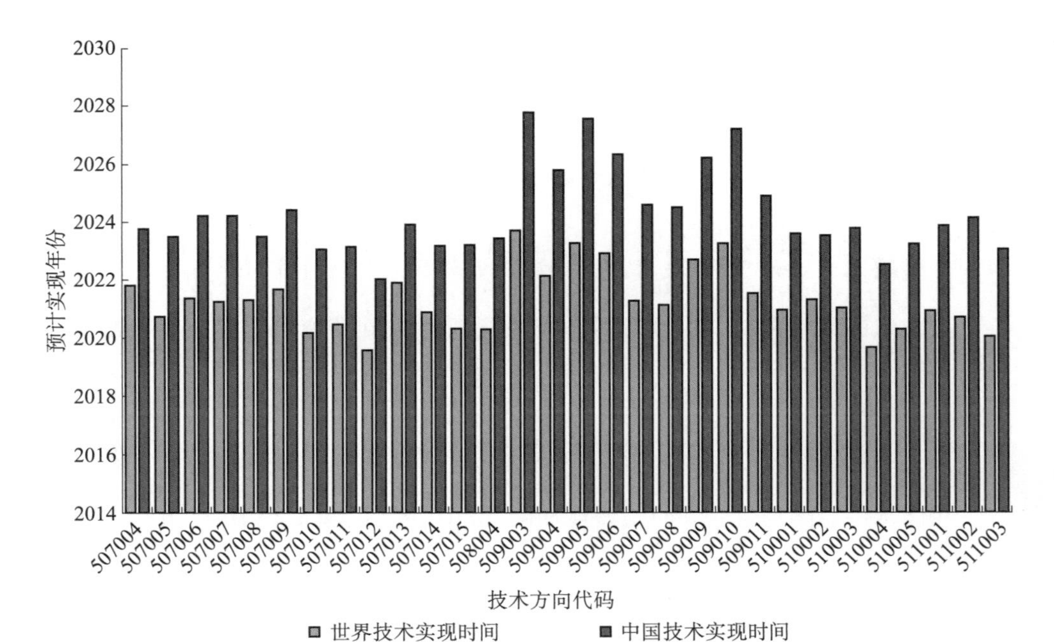

图 3-6　我国技术实现时间与世界技术实现时间的对比

四、技术发展水平与约束条件

（一）技术领先国家

流程工业领域技术领先国家（地区）为美国、欧盟、日本、俄罗斯。相比之下，俄罗斯相对落后，美国、欧盟和日本在不同技术方向领先，欧盟总体技术水平相对领先，日本个别技术领先优势较明显（图 3-7）。

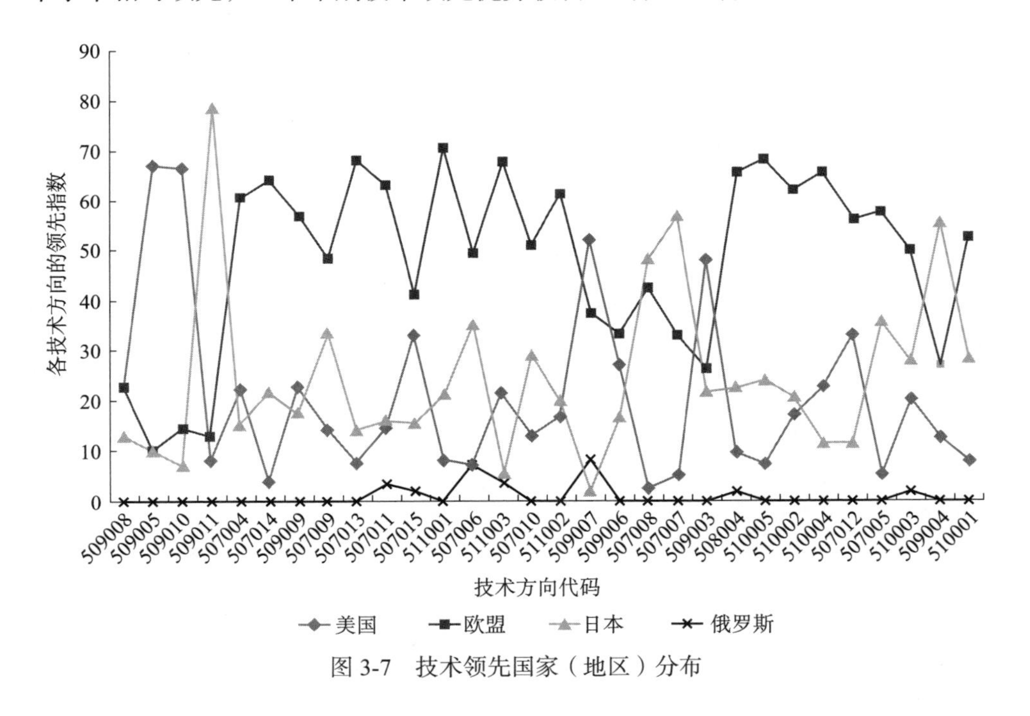

图 3-7　技术领先国家（地区）分布

（二）研发水平指数

将 30 个技术方向研发水平指数绘成图 3-8。从图 3-8 可以看出，在专家打的分值中，研发水平指数介于 5～46，最小为 5.43，最大为 45.19。

（三）制约因素分析

整体来看，研发投入和法律法规政策是流程工业技术发展的主要制约因素。节能减排受研发投入的制约性较强，环保装备受法律法规政策和标准规范的制约性相对显著（图 3-9）。

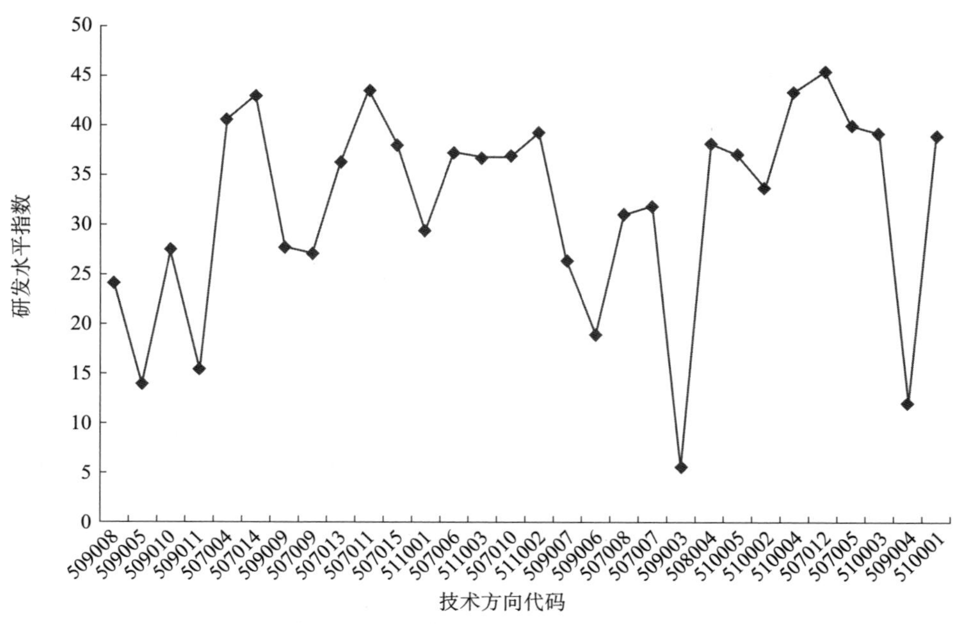

图 3-8 30 个技术方向研发水平指数图

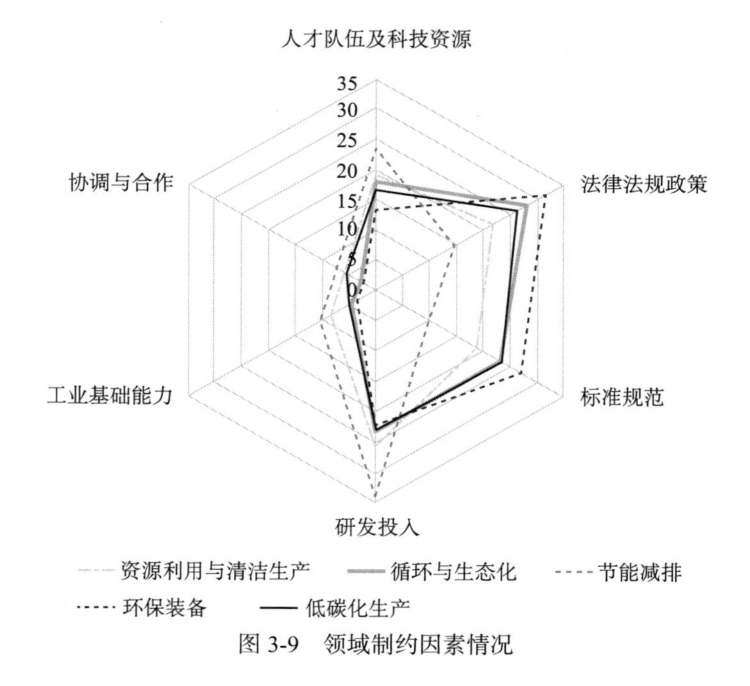

图 3-9 领域制约因素情况

从人才队伍及科技资源制约性指数排名看，排名前 10 位的技术方向中“资源利用与清洁生产”子领域有 7 个技术方向，“节能减排”子领域有 3 个技术方向（表 3-17）。

表 3-17　受人才队伍及科技资源制约最大的前 10 个技术方向统计表

子领域	技术方向	人才队伍及科技资源制约性指数	重要程度指数	研发水平指数
资源利用与清洁生产	战略稀缺资源清洁高效利用技术	28.93	80.62	18.75
资源利用与清洁生产	复杂低品位矿产资源清洁提取与精细化综合回收关键技术	27.78	77.20	11.90
资源利用与清洁生产	低碳烯烃生产新技术	26.88	68.45	27.38
节能减排	源头节能减排高效冶金反应器研发	24.40	84.23	36.08
资源利用与清洁生产	深部金属资源规模高效开发技术	23.85	76.09	5.43
资源利用与清洁生产	与资源特性和地理环境耦合的分离与富集技术	23.66	72.50	13.75
资源利用与清洁生产	重劣质原油资源绿色高效利用技术	23.53	66.70	26.04
资源利用与清洁生产	原料多元化的炼化技术	23.36	81.52	27.59
节能减排	高温恶劣条件下冶金过程关键参数在线监测技术和仪器的研究	23.00	78.59	43.04
节能减排	全生物降解聚酯生产及应用技术	21.67	76.18	45.19

从法律法规政策制约性指数排名看，排名前 10 位的技术方向中“低碳化生产”子领域有 5 个技术方向，“节能减排”子领域有 2 个技术方向，“循环与生态化”子领域有 2 个技术方向，“环保装备”子领域有 1 个技术方向（表 3-18）。

表 3-18　受法律法规政策制约最大的前 10 个技术方向统计表

子领域	技术方向	法律法规政策制约性指数	重要程度指数	研发水平指数
低碳化生产	微藻藻种选择、培育、制油技术	37.27	70.26	43.18
节能减排	全生物降解聚酯生产及应用技术	32.50	76.18	45.19
低碳化生产	流程工业利用可再生能源技术	32.28	75.86	38.68
低碳化生产	二氧化碳减排、捕集、回收、封存与利用技术	30.82	71.26	33.62

续表

子领域	技术方向	法律法规政策制约性指数	重要程度指数	研发水平指数
低碳化生产	CO_2 捕集及与新能源（风能、太阳能等）的耦合利用技术	30.56	74.18	37.04
环保装备	绿色石化装备	28.25	77.46	37.90
节能减排	利用煤和生物质生产含氧代用液体燃料	26.75	71.69	43.65
循环与生态化	典型二次资源循环再生利用技术	26.75	74.39	29.33
低碳化生产	基于非化石能源的制氢技术	26.72	73.79	39.00
循环与生态化	盐湖伴生资源（锂、硼、锶、铷、铯）回收利用技术	26.17	70.92	36.61

从标准规范制约性指数排名看，排名前10位的技术方向中“低碳化生产”子领域有5个技术方向，“节能减排”子领域有2个技术方向，“循环与生态化”子领域有2个技术方向，“环保装备”子领域有1个技术方向（表3-19）。

表 3-19 受标准规范制约最大的前10个技术方向统计表

子领域	技术方向	标准规范制约性指数	重要程度指数	研发水平指数
低碳化生产	流程工业利用可再生能源技术	30.71	75.86	38.68
低碳化生产	基于非化石能源的制氢技术	29.01	73.79	39.00
低碳化生产	微藻藻种选择、培育、制油技术	26.36	70.26	43.18
节能减排	有色金属冶炼过程节能减排重大关键技术	25.71	66.84	39.74
低碳化生产	二氧化碳减排、捕集、回收、封存与利用技术	25.34	71.26	33.62
循环与生态化	典型二次资源循环再生利用技术	25.00	74.39	29.33
节能减排	利用煤和生物质生产含氧代用液体燃料	24.84	71.69	43.65
低碳化生产	CO_2 捕集及与新能源（风能、太阳能等）的耦合利用技术	24.31	74.18	37.04
循环与生态化	我国特色与非传统资源高效利用技术	23.42	71.66	39.17
环保装备	绿色石化装备	23.16	77.46	37.90

从研发投入制约性指数排名看，排名前10位的技术方向中“资源利用与清洁生产”子领域有8个技术方向，“节能减排”子领域有2个技术方向（表3-20）。

表 3-20 受研发投入制约最大的前10个技术方向统计表

子领域	技术方向	研发投入制约性指数	重要程度指数	研发水平指数
资源利用与清洁生产	原料多元化的炼化技术	39.42	81.52	27.59

续表

子领域	技术方向	研发投入制约性指数	重要程度指数	研发水平指数
资源利用与清洁生产	低碳烯烃生产新技术	38.71	68.45	27.38
资源利用与清洁生产	战略稀缺资源清洁高效利用技术	38.02	80.62	18.75
资源利用与清洁生产	重劣质原油资源绿色高效利用技术	36.13	66.70	26.04
资源利用与清洁生产	复杂低品位矿产资源清洁提取与精细化综合回收关键技术	35.00	77.20	11.90
资源利用与清洁生产	深部金属资源规模高效开发技术	34.62	76.09	5.43
节能减排	换热式两段焦炉	30.14	77.26	31.65
资源利用与清洁生产	纤维素发酵清洁低成本生产燃料酒精技术	30.14	62.23	24.19
节能减排	焦炉荒煤气余热回收技术	29.49	76.04	30.90
资源利用与清洁生产	与资源特性和地理环境耦合的分离与富集技术	29.01	72.50	13.75

从工业基础能力制约性指数排名看，排名前10位的技术方向中“资源利用与清洁生产”与“节能减排”子领域各有5个技术方向（表3-21）。

表3-21　受工业基础能力制约最大的前10个技术方向统计表

子领域	技术方向	工业基础能力制约性指数	重要程度指数	研发水平指数
资源利用与清洁生产	深部金属资源规模高效开发技术	21.54	76.09	5.43
资源利用与清洁生产	钢铁企业原位高效利用冶金渣生产高性能水泥熟料技术	18.78	70.57	15.32
节能减排	流程工业物质流和能量流协同优化技术及能源流网络集成技术	14.12	82.66	40.50
资源利用与清洁生产	低碳烯烃生产新技术	12.90	68.45	27.38
资源利用与清洁生产	重劣质原油资源绿色高效利用技术	12.61	66.70	26.04
节能减排	焦炉荒煤气余热回收技术	12.39	76.04	30.90
节能减排	钢厂高炉渣和转炉渣余热高效回收和资源化高值利用技术	11.96	80.57	26.88
资源利用与清洁生产	原料多元化的炼化技术	11.68	81.52	27.59
节能减排	绿色选冶与综合利用技术	11.54	82.53	37.06
节能减排	源头节能减排高效冶金反应器研发	10.53	84.23	36.08

从协调与合作制约性指数排名看，排名前10位的技术方向中“资源利用与清洁生产”子领域有5个技术方向，“节能减排”子领域有5个技术方向（表3-22）。

表 3-22　受协调与合作制约最大的前 10 个技术方向统计表

子领域	技术方向	协同与合作制约性指数	重要程度指数	研发水平指数
资源利用与清洁生产	纤维素发酵清洁低成本生产燃料酒精技术	13.69	75.86	62.23
资源利用与清洁生产	与资源特性和地理环境耦合的分离与富集技术	11.46	73.79	72.50
资源利用与清洁生产	低碳烯烃生产新技术	10.75	70.26	68.45
资源利用与清洁生产	钢铁企业原位高效利用冶金渣生产高性能水泥熟料技术	10.33	66.84	70.57
节能减排	流程工业物质流和能量流协同优化技术及能源流网络集成技术	10.00	71.26	82.66
节能减排	高温恶劣条件下冶金过程关键参数在线监测技术和仪器的研究	9.00	74.39	78.59
资源利用与清洁生产	原料多元化的炼化技术	8.02	71.69	81.52
节能减排	钢厂高炉渣和转炉渣余热高效回收和资源化高值利用技术	7.24	74.18	80.57
节能减排	源头节能减排高效冶金反应器研发	7.18	71.66	84.23
节能减排	利用煤和生物质生产含氧代用液体燃料	7.00	77.46	71.69

第三节　分析结论与关键技术方向发展策略分析

一、本领域技术发展的总体特征判断

总体看来，流程工业所提 30 个技术方向核心性指数较高（平均值为 83.57），通用性指数较高（平均值为 79.36），带动性指数较高（平均值为 64.10），非连续性指数一般（平均值为 53.57），经济发展重要性指数较高（平均值为 83.87），社会发展重要性指数较高（平均值为 78.42），保障国家与国防安全重要性指数一般（平均值为 40.28），当前研发水平指数较低（平均值为 31.80）。

本领域领先的国家（地区）依次为欧盟、日本、美国。

本领域世界技术实现时间约为2021年，中国技术实现时间约为2024年，中国社会实现时间约为2027年。中国社会实现时间与技术实现时间平均相差约3年，中国与世界技术实现时间平均相差约3年。

本领域各技术的制约因素依次为研发投入指数（27.29）、法律法规政策指数（21.89）、人才队伍及科技资源指数（19.28）、标准规范指数（18.12）、工业基础能力指数（7.78）、协调与合作指数（5.63）。

本领域各技术的技术本身重要性指数较高（平均值为74.70）、技术应用重要性指数较高（平均值为70.41）、通用性与应用重要性综合指数一般（平均值为56.03）、非连续性与应用重要性综合指数一般（平均值为37.71）、技术与应用重要性综合指数较高（平均值为72.61）、技术与经济发展重要性综合指数较高（平均值为79.45）、技术与社会发展重要性综合指数较高（平均值为77.38）、技术与安全保障重要性综合指数较高（平均值为60.23）。

二、关键技术方向发展策略分析

通过分析，流程专题核心性指数、通用性指数、带动性指数较高的技术集中在“源头节能减排高效冶金反应器研发”“绿色选冶与综合利用技术”“流程工业物质流和能量流协同优化技术及能源流网络集成技术”“钢厂高炉渣和转炉渣余热高效回收和资源化高值利用技术”等。由此看出，流程工业技术发展重点在节能减排高效反应器研发，绿色选冶与综合利用，物质流和能量流协同优化，二次资源、能源高效利用等方面。

预计到2035年，流程工业仍处于国民经济基础的地位不会改变，流程工业的未来发展将主要体现在绿色化、智能化和服务化等方面；流程工业颠覆性技术尚未显现，但正在孕育中，如微化工反应和分离科学与工程、生物制造技术等；不同行业之间深度融合，工业流程系统与信息技术之间融合，并建立工业生态链接，如化肥业和农业集约发展，全密封、高效电炉技术等方面有望突破；向服务业渗透，与服务业结合。

第四章
中国流程工业工程科技发展思路与战略目标

第一节 发展思路

加强流程工业工程科技的创新发展，努力促进信息化与流程工业的深度融合，集中力量在关键领域实现重点突破和跨越式发展，大力推进绿色制造，努力建设资源节约和环境友好型流程工业，实现我国流程工业的绿色、低碳、循环发展，进一步增强流程工业的整体竞争力。

一、创 新 驱 动

从增强自身创新能力出发，持续加大集成创新力度，突出加强原始创新能力，实现“跟跑”向“领跑”的转变。这需要：①充分利用国内外两种科技资源，集中优势科技力量，提高原始创新、集成创新和引进消化吸收再创新能力，促进我国流程工业的创新模式由“跟跑”向“领跑”转变；②优化配置科技资源，实现协同创新和开放式创新，建设以市场为导向、以用户为中心的科技创新体系；③改进科研投入机制，突出科研投入的成果导向，重点突破一批关键技术和核心技术，支撑流程工业的发展；④培养一批科技领军人物和大批优秀的科技人才，为流程工业的发展提供人才保障。

二、两化深度融合

两化（信息化、工业化）深度融合对我国流程工业的未来发展具有深刻影响，也是整体提升流程工业科技水平的主要途径。这需要：①将互联网、物联网、云计算、大数据等信息技术与生产、管理、流通等过程进行深度融合，进一步提高效率、降低成本，不断提高核心竞争力；②优化生产全流程，建设智能工厂，促进企业协同运行；③建设信息化平台，促进流程工业向全产业供应链协同转变。

三、重点突破

顺应产业发展趋势，重点围绕劣质油加工、新材料、油化一体化、节能环保等具有一定基础和优势的领域和关系核心业务发展的关键领域，集中力量，加快创新突破，开发达到世界先进水平的新技术，实现跨越式发展。

四、绿色低碳

在这方面，我们要大力开发节能环保技术、低碳生产技术，提高资源使用效率技术，大力发展循环经济，打造绿色低碳发展新优势，促进可持续发展。这需要：①着力开发应用高效率、低消耗、低排放的绿色生产工艺，从源头上减少能源资源消耗和污染物的产生；②加大技术改造和设备更新力度，加快淘汰落后产能，提高生产效率，实现清洁生产。

第二节　战略目标

一、流程工业

（一）2025年目标

研究开发新性能（高强度、高耐热、高耐磨、高耐腐蚀、高活性、高磁、高纯、超细、超结构、自组装等）的材料和原料宏量制造的工程科学技术和推广应用范围，以满足先进制造业的需求。构建流程工业绿色生产体系，大力发展低碳、循环经济，研发推广资源循环利用核心技术与装备，资源回收利用效率显著提高；全面推进流程工业节能环保工艺与装备，重点行业单位工业增加值能耗、物耗及污染物排放达到世界先进水平。企业信息化由专项应用向集成应用发展，企业各生产经营的多数环节的智能水平提高；个别行业建成数字化工厂。智能工厂试点完成，具备推广条件。

（二）2035年目标

全面建成以创新引领、智能高效、绿色低碳为核心的流程工业工程科技创新体系，支撑我国流程工业实现产业转型、升级。自主创新能力大幅度提升，核心关键技术达到世界先进水平，科技支撑和创新引领作用得到充分发挥。

二、钢 铁 行 业

（一）2025年目标

建成世界领先、具有中国特色的钢铁行业工程科技创新体系，突破一批具有世界先进水平的钢铁行业工程核心技术和专项技术，创新能力达到世界先进水平。

建成数字化工厂，智能工厂试点完成，具备推广条件。

绿色低碳达到国际领先地位，具体指标如表4-1所示。

表4-1 我国钢铁行业主要能源、环保指标

类别	项目	2025年目标（钢铁行业平均）/（kgce/t钢）
能源	吨钢能耗	575.00
资源	废钢综合单耗	260.00
环保	吨钢新水消耗	3.20
	吨钢 SO_2 排放	0.60
	吨钢 NO_x 排放	0.80
	吨钢COD排放	24.00
	吨钢烟粉尘排放	0.40

（二）2035 年目标

全面建成以创新引领、绿色低碳、智能高效为核心的钢铁行业工程科技创新体系，支撑我国钢铁行业实现产业升级、结构优化。

自主创新能力大幅度提升，核心关键技术达到世界先进水平，科技支撑和创新引领作用得到进一步发挥。

三、有色金属行业

（一）第一阶段

第一阶段为产业优化阶段。到 2020 年，调整产业结构，优化产业空间布局，培育一批具有核心竞争力的产业集群和企业群体，实现有色金属行业集成化、规模化生产，持续提高劳动生产率。加强先进、高效、节能环保技术、工艺、装备推广应用，大力提高资源综合开发和回收利用率。

具体目标为：铜、铝、铅、锌等有色金属回收率提高 2～3 个百分点，矿产资源综合利用率达 45%；有色金属行业重点企业综合能耗下降 20%；“三废”排放量降低 30%；矿冶固体废物利用率提高到 35%；再生资源利用率提高到 40%；工业用水循环利用率达到 80%；再生金属产量占比提高到 40%；行业核心技术、装备达到世界先进水平。

（二）第二阶段

大力发展循环经济，研发推广资源循环利用核心技术与装备，资源回收利用效率显著提高；全面推进有色金属行业节能环保工艺与装备，构建有色金属行业绿色生产体系，重点行业单位工业增加值能耗、物耗及污染物排放达到世界先进水平。企业信息化由专项应用向局部集成应用发展，以至全面集成应用发展，企业生产经营的诸多环节的智能水平将会更高。

具体目标为：铜、铝、铅、锌等有色金属回收率提高 3～5 个百分点，矿产资源综合利用率达到 60%；有色金属行业重点企业综合能耗下降 30%，选冶废水实现“零排放”；“三废”排放量降低 50%；矿冶固体废物利用率提高至 45%，危险固体废物无害化处置率达到 100%；再生金属产量占比提高到 50%。流程工业智能制造及自动化控制达到世界先进水平；建成10个大型有色金属行业标杆型生产基地。

（三）第三阶段

突破一批重点领域关键共性技术，促进有色金属行业制造流程数字化、网络化、智能化，实现清洁生产。智能制造及自动化控制达到领域内全覆盖，促进有色金属行业生产全流程数字化、智能化。

具体目标为：铜、铝、铅、锌等有色金属回收率提高5～8个百分点，矿产资源综合利用率达到80%；有色金属行业重点企业综合能耗下降45%；“三废”排放量降低70%；矿冶固体废物利用率提高至60%；再生金属产量占比提高到70%。

四、石化行业

（一）2025年目标

建成世界一流、具有中国特色的石化工程科技创新体系，突破一批具有世界先进水平的石化工程核心技术和专项技术，石化技术总体达到世界先进水平。智能工厂试点完成，具备全面推广条件。

绿色低碳达到世界先进水平，石化行业的万元产值综合能耗比2010年降低40%以上，炼油综合能耗降低到55kgTOE/t原油以下，乙烯燃动能耗降低到550kgTOE/t以下，主要污染物排放量下降20%，副产物利用率提高50%。

（二）2035年目标

全面建成以创新引领、绿色低碳、智能高效为核心的石化工程科技创新体系，支撑我国石化行业强国建设。自主创新能力大幅度提升，炼化成套技术、劣质渣油高效转化等核心关键技术达到世界先进水平，科技支撑和创新引领作用得到更好发挥。

五、化工行业

（一）2025年目标

到2025年，节能技术和清洁生产技术取得突破性进展，促进产业优化升级，提高化工行业供给体系质量，主要化工产品单位能耗、物耗及污染物排放指标达到或接近世界先进水平，经济总量平稳增长，到2025年，万元增加值能源消耗、CO_2排放量和用水量均比2015年降低17%，重点产品单位综合能耗显著下降；化学需氧量，氨氮、二氧化硫、氮氧化物等主要污染物排放总量，比2015年分别减少10%、10%、13%、13%，重点行业排污强度下降40%，重点行业挥发性有机物排放量削减40%，重大安全生产事故得到有效遏制；有效支撑农业现代化的发展，促进农业综合生产能力的提高和绿色发展，有效保障国家食物安全；化工行业科学技术自主创新能力显著增强，科研投入占全行业主营业务收入的比例达到1.50%，科技促进经济社会发展和保障国计民生的能力显著增强，为全面建设小康社会提供强有力的支撑；基础科学和前沿技术研究综合实力显著增强，取得一批在世界上具有重大影响的科学技术成果，我国进入创新型国家行列；涌现出一批具有世界水平的科学家和研究团队，建成若干世界一流的科研院所和大学及具有国际竞争力的企业研究开发机构，形成比较完善的中国特色国家创新体系，建成完善的产学研协同创新体系和一批国家级研发平台，产业基本完成转型升级。

（二）2035年目标

实现化工行业转型升级，全面建立化工行业循环经济的产业发展模式；建立市场导向的绿色技术创新体系，为建设资源节约型和环境友好型社会提供科技支持；实现化工行业发展模式创新发展，建立信息化、智能化、定制化生产发展模式；支撑农业现代化建设，促进农业高效生产和绿色化，实现农业可持续发展；推进科技体制创新，健全工程科技人才体系和工程科技创新体系，形成先进的技术基础设施能力，自主掌握行业关键技术及集成优化技术、跨行业链接技术、跨领域交叉技术，工程科技对经济增长和社会发展的贡献率大幅提高，对经济社会发展具有重要支撑作用，并在对国家安全具有重要影响的若干方向上抢占制高点，到2035年达到世界先进水平。

六、建材行业

（一）2025年目标

1. 产业结构

水泥行业结构调整、产业升级取得显著成效，前10家水泥企业生产集中度达到 70%；玻璃行业形成 1～3 家（个）具有较强国际竞争力的跨国公司和产业集群，前 10 家浮法玻璃企业生产集中度达到 75%，1 家平板玻璃企业排名进入世界前 5，在新玻璃细分领域形成一批世界知名、行业领先的优势企业；建筑卫生陶瓷行业的产业结构得到显著优化。

2. 技术进步

水泥行业现代化、智能化和技术信息一体化基本实现，70% 左右的水泥生产线技术达到世界先进水平；玻璃行业主要产业和骨干企业的年度研发投入占营业总收入的比例达到 3%～5%，中国浮法玻璃生产线达到世界先进水平，绿色矿山技术全面推广应用，石英选矿成品率提高 10% 以上；陶瓷行业主要技术装备研发取得重大突破并达到世界先进水平。

3. 节能减排

水泥行业烟粉尘、重金属、汞、氮氧化物、硫氧化物、二氧化碳及二噁英等污染物减排技术及装备达到世界先进水平，与 2015 年相比，规模以上企业单位工业增加值能耗降低 20%，单位工业增加值二氧化碳排放量降低 30% 左右，烟粉尘排放总量削减 35%，二氧化硫排放总量削减 15%，氮氧化物总量削减 45%；玻璃行业 2025 年单位工业增加值能源消耗比 2015 年降低 30% 以上，单位工业增加值二氧化碳排放量比 2015 年降低 35% 左右，主要污染物二氧化硫排放总量降低 18% 左右，氮氧化物排放总量降低 30% 左右。

4. 信息化、智能化发展

水泥行业 70% 以上企业将实现信息化过程控制，在线计量全面覆盖，数字化矿山在较大范围内得到应用；平板玻璃行业实物劳动生产率达到 15000 重量箱 / 人以上。

5. 资源、能源综合利用

水泥窑协同处置等利废环保产业在技术和产业研发、产品规模、应用及政策上取得重大突破与拓展，资源能源利用效率取得重大提升，综合利用废弃物总量比 2015 年增加 25% 以上，水泥窑协同处置生产线占总量的 25% 以上；玻璃行业社会碎玻璃回收利用体系取得重大突破，综合利用工业固体废物总量提高 35% 左右。

（二）2035 年目标

1. 产业结构

水泥行业前 10 家企业产业集中度达到 80% 以上；玻璃行业前 10 家浮法玻璃企业生产集中度达到 80% 以上，培育 2～3 家在创新、规模、管理等方面达到世界一流水平的国际化大企业，拥有一批具有自主知识产权的关键产品和知名品牌。

2. 技术进步

水泥行业国际竞争力全面提升，具备超越并引领国际水泥行业发展的能力；到 2030 年，新玻璃产品增加值占行业增加值的比例达到 80% 以上，全行业主要产业和骨干企业的年度研发投入占营业总收入的比例分别达到 4% 以上和 6% 以上，在产业发展中起控制和引领作用的主要行业的关键技术、关键装备、关键材料、高端产品在全球能够占有 40% 左右的份额；建筑卫生陶瓷行业的技术装备达到世界先进水平。

3. 节能减排

水泥行业绿色矿山开采全面普及，$PM_{2.5}$、重金属、汞、氮氧化物、二噁英等污染物减排的技术和装备不断完善，碳排放和处理技术得到广泛应用；玻璃行业全面实现清洁生产，资源、能源利用效率和污染物排放达到世界先进水平；陶瓷行业各项排放指标达到世界先进水平。

4. 智能化、信息化发展

国内水泥行业 90% 以上企业将实现智能化过程控制，部分企业实现准无人化生产；平板玻璃制造业实物劳动生产率达到 30 000 重量箱 / 人以上。

5. 资源、能源综合利用

废渣和各类废弃物将成为水泥企业的伴生产业，综合利用废弃物总量比 2025 年增加 15% 以上，水泥窑协同处置生产线占比达 30% 以上。

第五章
中国流程工业工程科技重点任务与发展路径

第一节　重 点 任 务

为实现流程工业工程科技支撑经济社会发展的目标，流程工业工程科技的总体发展任务应该包括缓解瓶颈制约、增强发展能力、提升民生质量三大方面，以减量化、绿色化、品牌化、智能化为方向，以突破资源能源和环境的制约为基础，从资源能源利用、清洁生产和产业生态链接等方面加强科技支撑，大力发展关键技术，提升产业自主创新能力和核心竞争力，加快产业转型升级；强化信息化、智能化和定制化过程中先进科技的支撑，持续提升发展能力。

2016～2035 年，我国流程工业工程科技发展重点任务可以分为 2016～2025 年、2026～2035 年两个阶段。

一、第一阶段（2016～2025 年）

第一阶段为我国经济发展方式转变的关键突破期，这一时期工程科技的发展策略和支撑力度，将在很大程度上决定我国未来经济发展方式调整的路径和成效。流程工业工程科技的主要任务是破解矛盾，重点突破，优化升级，深化拓展。夯实基础研究，为技术研发提供基础理论支撑，优先发展节能、减排、资源高效清洁利用等关键技术，积极促进产业转型升级和绿色低碳循环发展，部署、实施产业链接技术攻关和产业链接模式，推进产业耦合、构建产业生态链接。在新材料、新能源、生物技术领域掌握一批世界领先的关键核心技术，抓住新一代信息、网络、智能技术机遇及早部署，促进领域交叉和产业深度融合，全面助力构建流程工业产业体系。全面建设自主创新能力基础，通过科技创新支撑经济发展方式转变和社会发展目标的实现。

这个阶段的重点任务如表 5-1 所示。

表 5-1　第一阶段（2016～2025 年）的重点任务

重点任务	关键技术
资源循环高效综合利用	① 我国特色与非传统资源高效利用技术； ② 典型二次资源循环再生利用技术； ③ 绿色选冶与综合利用技术； ④ 盐湖伴生资源（锂、硼、锶、铷、铯）回收利用技术； ⑤ 战略稀缺资源清洁高效利用技术； ⑥ 深部金属资源规模高效开发技术； ⑦ 与资源特性和地理环境耦合的分离与富集技术； ⑧ 煤炭分质综合利用技术； ⑨ 钢铁企业原位高效利用冶金渣生产高性能水泥熟料技术； ⑩ 大宗复杂矿产资源高效开发技术； ⑪ 劣质原油和渣油、重油加工技术； ⑫ 油化结合技术； ⑬ 废旧高分子材料低成本、高附加值回用技术； ⑭ 复杂低品位有色金属资源清洁提取与精细化综合回收新技术； ⑮ 大储量高含杂难处理资源高效利用技术； ⑯ 多类型稀土资源清洁提取与分离提纯技术； ⑰ 矿物产品高精度分离与极致利用技术； ⑱ 大宗工业固体废物代替天然矿物的资源再利用技术与装备
节能减排与清洁生产	① 换热式两段焦炉； ② 焦炉荒煤气余热回收技术； ③ 源头节能减排高效冶金反应器研发； ④ 绿色石化装备； ⑤ 清洁油品生产技术； ⑥ 增产芳烃技术；

续表

重点任务	关键技术
节能减排与清洁生产	⑦ 钢厂高炉渣和转炉渣余热高效回收和资源化高值利用技术； ⑧ 非常规介质条件资源清洁提取及过程强化技术； ⑨ 炼焦生产废气无组织排放控制； ⑩ 矿冶废水综合治理与循环利用技术； ⑪ 流程结构优化技术； ⑫ 二氧化碳减排、捕集、回收、封存与利用技术； ⑬ 流程工业固体废物高效清洁安全处置与综合利用技术
智能化技术提升流程工业	① 钢铁复杂生产过程智能控制系统； ② 物质流能量流协同优化； ③ 钢铁流程智能设计； ④ 高温恶劣条件下冶金过程关键参数在线监测技术和仪器的研究； ⑤ 高性能润滑油/脂及功能性石蜡等高附加值石油产品生产技术； ⑥ 低碳烯烃生产技术； ⑦ 聚烯烃可控聚合及先进加工技术

二、第二阶段（2026～2035年）

第二阶段是我国新型经济社会发展方式的全面发展和确立期，流程工业工程科技的主要任务是以颠覆性、革命性、跨越式为特征，局部领先、整体提高、支撑和谐持续发展。先进能源和资源开发利用技术、生态与环境保护技术、资源循环利用技术、产业链接集成优化技术等加速跃升并在更广的范围推广，基本实现流程工业绿色低碳循环发展。重点促进新材料技术、新能源技术、现代农业技术、微化工技术等的新跨越、产业化发展及信息、网络、智能技术在流程工业的深度应用，推动产业模式向更高级、更合理的方向发展。加大流程工业工程科技对民生领域及现代服务业的支撑力度，构建完善的自主创新体系，全面支撑产业结构升级和国民经济健康发展，创造新的经济增长点，培育全球竞争新优势。

这个阶段的重点任务如表5-2所示。

表 5-2　第二阶段（2026～2035 年）的重点任务

重点任务	关键技术
建立流程工业绿色发展生态园区	① 流程工业利用可再生能源技术； ② CO_2 捕集及与新能源（风能、太阳能等）的耦合利用技术； ③ 基于非化石能源的制氢技术； ④ 石化工程技术
流程工业智能化	① 流程工业智能制造的共性关键技术； ② 选矿全流程快速分析检测技术与装备； ③ 选冶流程工业智能化生产技术； ④ 流程工业物质流和能量流协同优化技术及能源流网络集成技术； ⑤ 新一代智能矿冶关键装备与技术研究； ⑥ 矿产资源采选冶协同的高效开发利用信息化与智能化技术； ⑦ 基于大数据的流程工业企业建模、仿真、优化一体化平台； ⑧ 石化产业“两化”融合技术
开发流程工业新工艺、新技术、新产品	① 微藻藻种选择、培育、制油技术； ② 原料多元化的炼化技术； ③ 低碳烯烃生产新技术； ④ 微化工技术； ⑤ 利用煤和生物质生产含氧代用液体燃料； ⑥ 全生物降解聚酯生产及应用技术； ⑦ 纤维素发酵清洁低成本生产燃料酒精技术； ⑧ 高性能功能高分子材料； ⑨ 智能材料技术； ⑩ 微（小）型化工设备的设计及其性能研究； ⑪ 高性能低成本金属粉末制备技术； ⑫ 生物基塑料生产技术； ⑬ 绿色轮胎用橡胶生产技术； ⑭ 纤维高性能化及功能化技术

第二节　发展路径

流程工业工程科技发展路径如图 5-1 所示。

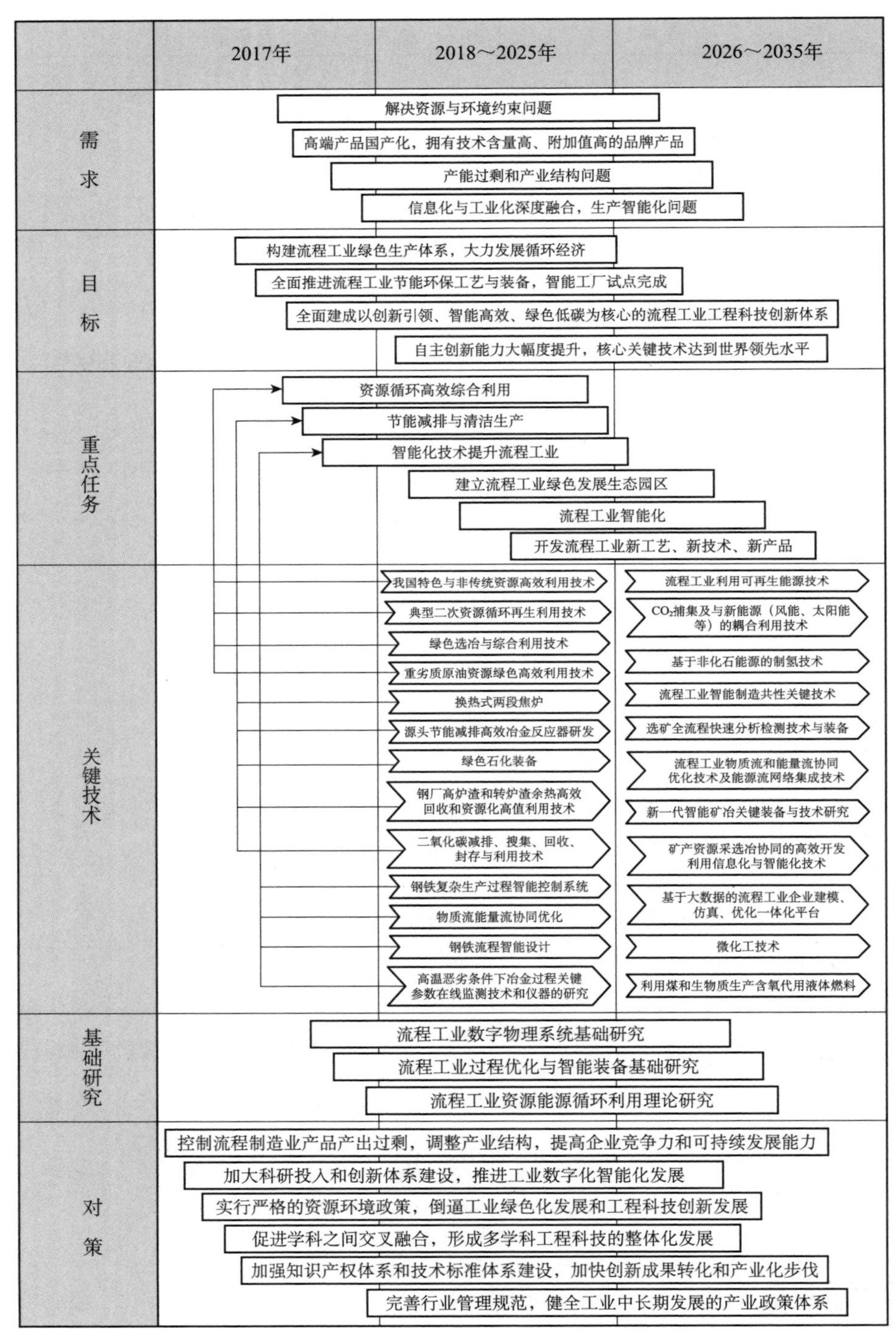

图5-1 流程工业工程科技发展路径

第六章
需要优先开展的基础研究方向

第一节 流 程 工 业

一、流程工业数字物理系统基础研究

流程工业的数字物理系统，是以物质流及物质流网络、能量流及能量流网络为标志的物理硬件系统。流程工业的特点是生产连续 / 准连续运行，产量大，物流大，能耗大，是国家经济发展的重要基础产业，为全社会提供生产基础原材料、生活及战略物资。利用智能化技术提升流程工业，首先要将流程工业生产工艺流程及其网络优化，即通过智能化设计，构建起以合理的物质流及物质流网络、能量流及能量流网络为标志的物理硬件系统，以此为基础，使信息流易于顺利进入并贯通于全流程，形成完整的、有效的信息流网络及其运行程序，以促进提高外界输入的信息流指令对物理硬件系统的组织效率，为流程工业智能化示范重大工程提供支撑。

主要研究方向：流程工程学基础理论深化研究；物质流与能量流协同优化运行研究；结合物联网的流程优化新算法研究；高测量精度设备基础元器件研究；生产工艺模型与智能化控制理论研究。

二、流程工业过程优化与智能装备基础研究

对流程工业而言，生产制造流程的优化是智能化的基础物理系统。流程工业的反应器（包括反应器、窑、炉、池、釜、皿等）的设计、改进与放大是实验室研究走向工业应用的必经之路。系统研究反应过程机制和反应器的设计与比例放大理论，研究不同尺度下分子运动、传递、碰撞、吸附和反应过程机制，建立全过程的速率分布图景，丰富和发展过程强化的热力学和反应动力学的理论基础，开发原子经济技术，提高反应效率，在此基础上开发形成新工艺、新技术，优化生产流程，从源头上解决流程工业生产过程中高能耗、高物耗和高污染等问题，为流程工业智能化示范重大工程提供支撑。

主要研究方向：采用速率调控手段，开发化学反应过程强化技术与装备，重点开展微反应器、超重力、微波、过程耦合等反应强化技术基础研究，实现分子传递和反应过程的多尺度灵活协调控制，使传热、传质、混合、宏观反应速率等得到显著强化；浮选药剂构效关系的量子化学研究及结构设计；矿物分选复合力场应用基础研究；冶金选择性提取基础研究；湿法冶金过程电化学研究；冶金反应器仿真模拟研究；外场强化特殊冶金基础研究；强化冶金过程基础研究。

三、流程工业资源能源循环利用基础研究

绿色发展是未来流程工业的发展方向。流程工业通过建立工业生态链接，最大限度减少了资源能源消耗及污染物排放。研究资源循环利用基础理论，可以进一步拓展循环经济链接，为流程工业二次资源综合利用重大工程科技专项提供支撑。

主要研究方向：高性能石墨烯、碳纳米管等碳材料，生物材料，微纳米材料，复合性能材料的宏量制备中的热力学、动力学、工程、工艺的基础研究；新的催化机制、新型催化剂研究及相应的催化反应、分离工程与工艺的研究；微纳尺度化学反应与分离技术；匀相、多相微化工分离与反应中的流动、传递反应机制、动力学、热力学机制和实践的工程工艺开发研究；大数据下的化工巨系统的优化和控制工程；基因组测序及DNA合成技术的基础研究；二次资源再生过程污染形成机制研究；有害金属迁移规律及治理；二次资源高效清洁

回收基础研究；废旧消费品资源清洁再生利用基础理论；重要矿产替代资源的开发。

第二节 钢铁行业

一、开放系统热力学理论研究

随着人类社会对金属材料性能、生产效率的要求越来越高，传统常规的冶炼工艺日益难以满足需求；我国特色资源相关的基础数据非常匮乏，无法满足我国相关特色资源的生产冶炼工艺需求；传统的热力学理论主要考虑了温度、浓度因素对热力学过程的影响，并未系统研究外场（如电场、磁场、辐照等）条件对热力学过程的影响。因此，有必要对相关冶金体系的基础热力学和我国特色资源的利用可能涉及的外场冶金及极端条件下的冶金基础进行研究，为我国特色资源的开发利用提供理论支持。

主要研究方向：补充、完善特色资源基础热力学数据；研究相关体系在外场和极端条件下的物理化学行为；研究外场（电场、磁场、辐照等）条件对热力学过程的影响；开发、完善外场条件下冶金动力学模型；研究真空/高压等极端条件下的冶金热力学问题。

二、原子/分子－工序/场域－制造流程动态系统多层次系统耦合研究

钢铁冶金是一类由三个层次的科学组成的知识体系，即基础科学（解决原子/分子层次上的问题）、技术科学（解决工序/场域层次上的问题）、工程科学（解决制造流程系统层次上的问题和流程中工序、装置之间关系的协调优化问题）。冶金学科的发展由原子/分子层次上的研究为端，逐步扩展到技术科学层次上的研究，直到制造流程的宏观层次研究。通过分析研究不同层次系统间的相互作用的序参数，确定多层次系统的耦合机制。

主要研究方向：多层次、多尺度结构及其描述；不同层次、不同尺度的涨落现象及其波动范围；不同尺度、不同层次中的序参量对结构性质的影响——结构和功能“涌现”现象；复杂性整体的可描述性，尺度分解与关联；若干物理参数对冶金过程工程的影响；冶金制造流程运行动力学；冶金制造流程与工业生态链等。

三、工序“界面”动态耦合机制研究

当前以新一代信息通信技术与制造业融合发展为主要特征的产业变革在全球范围内孕育兴起，发展智能制造成为我国钢铁行业实现产业转型升级、提高国际竞争力的必然选择。过去对钢铁制造流程中的智能化研究主要集中在主体单元工序，如高炉专家系统、转炉“一键式”炼钢等，而对各主体单元工序之间衔接 – 匹配的“界面技术”智能化及工序界面动态耦合机制关注较少，已经成为钢铁制造流程智能化亟待解决的核心问题之一。

主要研究方向：炼铁 – 炼钢界面静态网络结构研究；炼铁 – 炼钢界面动态运行机制研究；炼钢 – 连铸界面动态运行机制研究；连铸 – 热轧界面动态运行机制研究。

四、金属熔体及复杂多元渣系基础物理性质数据系统研究

金属材料的火法冶炼大多通过渣 – 金反应完成，熔渣性能优劣对该过程具有重要影响。在现有的冶金学科知识体系中，对以含铁富矿（多为国外矿石资源）为主要原料的高炉 – 转炉流程涉及的主要渣系，其物理性质（如黏度、熔点、电导率等）及表征其吸杂能力的化学性质（如磷容量、硫容量等）大多已经有了较完备的基础数据。除了实验测试数据之外，诸多研究者已经开发出相应模型进行不同条件下的预测。但在我国复杂多元共生矿的大背景下，若要更多使用我国自有矿产资源，生产过程中所产生的渣系必然是大不一样的。国外含铁富矿中几乎不含这类特殊元素，因此国外学者针对这类含特殊元素的渣系研究较少。迄今，在本领域广泛应用的基础文献《渣图集》（*Slag Atlas*）上，含 VO_x 渣系仅有 $CaO\text{-}V_2O_5$、$Na_2O\text{-}SiO_2\text{-}V_2O_5$ 可供参考，而含 ReO 体系的相图未见收录。这类含特殊元素的复杂渣系基础物理性质数据的匮乏，极大限制了我

国特色资源综合利用工艺技术的开发。因此，有必要开展系统基础的研究工作，获得必需的基础数据。与熔渣基础物理性质类似，金属熔体的基础物理性质（如黏度、密度、表面张力）也是影响金属熔体流动性进而影响渣金分离效果的重要因素。但是由于测试温度高（一般1500℃甚至1600℃以上）和测试精度要求高（如金属熔体黏度通常为几毫帕·秒），常规测试仪难以企及如此高的测试温度及测试精度，因此这类数据极为有限。人们对金属材料性能的要求越来越高，高品质钢种必须实现合金元素含量精确控制，这也促使人们必须对高合金熔体组元的热力学行为进行系统研究。

主要研究方向：复杂渣系基础物性数据研究；高合金熔体组元的热力学行为研究；高效化转炉脱磷过程中炉渣成渣途径及物相和渣金作用模式对脱磷动力学的影响机制；转炉内矿石直接合金化的基础研究；精炼过程熔渣对夹杂捕集及卷入的基础研究；建立保护渣热力学数据库；浇铸过程中保护渣与钢水影响对卷渣的作用机制；高钛钢连铸过程中结晶器钢液表面冷钢团块形成及消除机制；保护渣在结晶器内润滑及弯月面区域和中下部区域传热功能分配的解析和控制机制研究。

第三节　有色金属行业

一、有色金属行业生产新流程工艺的开发及反应器的优化

工艺流程是流程工业的基础，新反应器的设计、改进与放大是实验室研究走向工业应用的必经之路。有色金属行业智能化、绿色化及节能减排最根本的目的是通过工艺流程的创新和设备的优化来解决问题。系统研究反应器的设计与比例放大理论，在此基础上开发形成新工艺、新技术，优化生产流程，从源头上解决流程工业生产过程中高能耗、高物耗和高污染等问题。所涉及的关键科学问题有：不同尺度下分子运动、传递、碰撞、吸附和反应过程机制，建立全过程的速率分布图景，丰富和发展过程强化的热力学和反应动力学的理论基

础，开发原子经济技术，提高反应效率，减少副产物生产和“三废”排放。为高度融合的有色金属采选冶新工艺与装备、有色金属行业智能化、有色金属资源绿色选冶与综合利用提供支撑。

主要研究方向：深部开采应用基础研究；矿床、矿石、矿物基因测试基础研究；浮选药剂构效关系的量子化学研究及结构设计；矿物分选复合力场应用基础研究；冶金选择性提取基础研究；湿法冶金过程电化学研究；冶金反应器仿真模拟研究；外场强化特殊冶金基础研究；强化冶金过程基础研究。

二、有色金属资源循环利用基础研究

通过有色金属循环利用基础研究，为有色金属循环利用技术开发提供支撑。绿色发展是未来流程工业的发展方向。流程工业通过建立工业生态链接，最大限度地减少了资源能源消耗及污染物排放。研究循环利用技术基础理论，可以进一步拓展循环经济链接，为有色金属二次资源循环利用科技专项提供支撑。所涉及的关键科学问题有：混合物分离脱除理论、协同冶炼技术、二次污染形成及防治、节能技术、多元素分离提纯。

主要研究方向：二次资源再生过程污染形成机制研究；有色金属行业有害金属迁移规律及治理；选冶过程微观机制分析；有色金属生命周期研究；有色金属再生利用节能技术。

第四节 石化行业

一、低碳高效炼油基础研究

将石油炼制技术创新由目前的混合物水平提升到分子水平，通过在分子水平上认识石油、炼制石油和使用石油，探索构建新的炼油技术创新知识平台，实现炼油技术向制油技术的跨越式发展。

优化总加工流程，优化产品方案，稳定和改善原料性质；建立从分子水平

认识石油资源及其转化规律的平台，形成对石油中烃类的结构特征和核心化学反应规律的系统理论，进而开发出针对性强的高效催化剂和生产工艺，实现对石油烃类分子的定向转化，开发高活性、高转化率的催化剂和低能耗、低排放工艺技术，本质上实现节能和减排。

2025 年，实现对石油烃分子结构和转化规律的较系统认识，技术平台搭建完成；部分大分子有限切割技术、小分子适度连接技术得到大面积应用。2035 年，实现石油烃分子的定向高效转化，技术平台成熟并在实际生产中发挥重要作用。

二、新型催化材料研究

开展新型分子筛材料、固体酸性材料、磁性材料、非晶态合金材料、纳米材料及催化剂载体和制备技术研究，研究材料形成机制和规律，找到可控合成方法；研究其组成和孔道调变规律，掌握其精细修饰和调控方法。开发新型高效、节能、绿色炼油化工催化剂，针对目标反应，通过材料的合成和改性提高其目标产物选择性。开发微通道费托合成催化剂和配套技术，研究材料合成、组装和反应规律。开展离子液体技术研究，通过对其合成、功能化和性质等规律的研究，开发离子液体的载体（介质）技术、催化剂技术、功能材料技术等。进行富勒烯、碳纳米管等新材料开发，研究其制备、表面改性和在不同反应中的催化性能，探索其作为催化材料使用的独特性和可行性。实现聚合物载体和碳载体催化剂技术规模化应用，在此基础上开发具有高选择性和高活性的催化剂，大面积推广应用规整性多级孔隙的催化剂载体和多种催化剂复合技术；开发绿色工艺技术，大部分催化剂生产的能耗、物耗比现有工艺降低约 30%，部分产品“三废”降低至现有工艺的 10%。

2025 年，完成纳米材料、固体酸性材料的工业生产及应用，新一代离子液体催化技术在高辛烷值汽油组分生产上具备应用基础。2035 年，多项固体催化材料及催化剂新技术、新一代离子液体催化技术成功实现工业应用。

三、过程强化基础研究

揭示不同尺度下分子运动、传递、碰撞、吸附和反应过程机制，建立全过程的速率分布图景，丰富和发展过程强化的热力学和反应动力学的理论基础，开发原子经济化工技术，提高反应效率，减少副产物生产和“三废”排放。采用速率调控手段，开发化学反应过程强化技术，重点开展微反应器、超重力、微波、过程耦合等反应强化技术基础研究，实现分子传递和反应过程的多尺度灵活协调控制，使传热、传质、混合、宏观反应速率等得到显著提高，从源头上解决化工生产过程中高能耗、高物耗和高污染等问题。

四、适应新型内燃机的油品研究

进一步强化与发动机生产厂家合作，在发动机研发阶段共同建立研究平台，预判其对燃料油（及润滑油）性能的新要求，并将发动机技术进步与油品性能相关联。

基于燃烧化学，从分子层面探索引发汽油爆震的敏感组分并完善爆震与组分关联性理论，结合实车工况测定，研究爆震敏感组分含量与排放、热效率和油耗的关系，建立爆震敏感组分数据库及相关模型，为汽油质量升级及结构调整提供支撑。

通过对润滑剂的结构分析，探讨不同官能团对润滑剂性能的影响，采用分子模拟手段，确定新型润滑剂的主体结构和高效官能团，合成复合官能团结构的新型高效润滑剂。

进行润滑油各组分构效关系研究，从分子水平分析润滑油性能；指导开发满足时新机械（发动机等）技术润滑要求的润滑油所用的合成基础油。

五、3D打印高分子材料研究

随着个性化需求和3D打印技术的快速发展，未来对于3D成型材料的需求量将不断增加，尤其是用于选择性激光烧结（selected laser sintering，SLS）成型工艺的聚合物粉体材料。深入认识微米尺度高分子微球成型机制和微球表面功能化反应过程，开发功能化高分子窄分布微球直接聚合生产技术，彻底解决现有研磨法和溶解–析出法制备的3D打印粉体材料颗粒形态规整度差、均匀度差和功能性差的问题。

针对开发的3D打印用功能聚合物微球，研究其长期生物相容性，实现其在人体植入材料方面的规模化应用；研究其碳化机制及相关技术，实现其在固定床催化剂整体成型技术方面的应用；研究其快速环境响应性能，实现其在难施工条件下智能修复领域的应用；研究其耐高温、耐强酸 / 强碱等性能，通过材料结构的设计，实现其在恶劣使用环境下复杂制品的应用。

六、光转化材料研究

深入研究聚合物分子链结构和发光机制的关系，从分子结构层面建立高分子光转化材料转化波长 / 强度与材料结构的理论基础，突破现有光转化材料转化波长受限、寿命短或成本高等问题，实现光转化高分子材料的波长可控、稳定性高、易规模化生产，在农作物、能源等影响我国发展和稳定的关键领域取得重大突破。

开发可以将不同波长的光，特别是绿光转换至光合作用波长光的高性能材料；开发具有光扩散作用的聚合物微球材料的产业化技术，完成发光二极管（light emitting diode，LED）领域合成树脂的推广应用；开发可将紫外光变为可见光的荧光材料，用于节能型建筑用屋顶阳光板；开发将其他波长的光转换为红外光的材料，用于加热温室大棚膜。

七、仿生集水材料研究

在仿生学的基础上，全面认识天然蜘蛛丝分子链结构、宏观形态、微观结构和宏观性能关系。通过对材料结构和加工工艺技术的深入研究，开发具有吸收空气中水分功能的仿蜘蛛丝材料和相关配套技术，缓解我国淡水资源短缺的问题。

在部分小试技术取得重要进展的基础上，重点研究材料结构与性能关系和纺丝过程的结构调控机理，到 2035 年完成中试研究和小型示范工程。

第五节　化 工 行 业

一、化工新材料制备的基础研究

高性能石墨烯、碳纳米管等碳材料，生物材料，微纳米材料，复合性能材料的宏量制备中的热力学、动力学、工程、工艺的基础研究[17]。

二、工业催化基础研究

新的催化机制（纳米催化、单原子催化、界面催化、酶催化、受限空间催化等）、新型催化剂的研究及相应的催化反应、分离工程与工艺的研究[18]。

三、微纳尺度化学反应与分离技术

量子尺度、分子尺度、分子聚团尺度、纳米尺度、介观尺度、设备尺度等多尺度与跨尺度的反应及分离工程与工艺研究[19]。

四、均相、多相微化工分离与反应中的流动、传递反应机制、动力学、热力学机制和实践的工程工艺开发研究

不断深化对微流控破碎和聚并、微尺度多相流型、微分散尺度调控等微流动基本规律的认识，加强对微化工设备“三传一反”的工程科学研究，在此基础上研发新型微测试技术、微纳材料可控制备及微化工系统对反应分离过程强化工艺[20]。

五、大数据下的化工巨系统的优化和控制工程

通过多学科交叉，深入研究化工行业智能制造的基础理论，以化工企业安全协调高效运作、敏捷响应市场需求、能源和材料消耗最小化为目标，研究开发大数据驱动的化工装置控制和故障检测、生产规划和调度优化、生产运营数据挖掘与分析等理论及技术[21]。

六、基因组测序及 DNA 合成技术的基础研究

DNA 合成是支撑合成生物学发展的核心技术，它不依赖于 DNA 模板，可根据已知的 DNA 序列直接合成，在基因及生物元件的合成、基因回路和生物合成途径的重新设计组装、全基因组的人工合成中发挥重大作用[22]。基因元件功

能表征和标准化是设计和构建具有新特征生物元件的关键步骤，越来越多的基因元件被构建和测试，促进了合成生物学的快速发展。

第六节　建材行业

一、低温、低碳水泥煅烧机制研究

水泥的低温、低碳制造是今后的重点发展方向，也是煅烧制备水泥熟料的关键之处。主要研究内容包括：硅酸三钙、硅酸二钙、铝酸三钙及铁铝酸四钙的形成机制；能量分布、消耗机制；污染物形成机制及控制、氮预热预分解机制及控制；原料、燃料均化配置过程；替代原料、燃料机制与控制；窑体氮氧化物消解、窑尾脱硫脱硝机制及低碳高标号、特种熟料的矿物特性、微结构设计、水化过程控制机制及性能演化规律等基础研究。

二、特种玻璃熔化、澄清及控制机制研究

研究高熔化温度、大黏度、难均化、不易澄清、料性短的玻璃温度场、流动场的形成机制；极难熔特种玻璃生产熔化和澄清机制和控制；高强超薄玻璃全自动成型、退火机制及精确控制；高强度、高稳定性柔性玻璃的熔化机制及控制；玻璃表面多元组分复杂化合物微结构调控；大面积、均匀、稳定镀膜机制及控制等。

三、建筑卫生陶瓷轻量化制备机制研究

研究建筑陶瓷砖、卫生陶瓷及陶瓷板的轻量化、坯体增强、烧成机制、制品增韧、增强机制及控制等。

第七章
重 大 工 程

第一节 流 程 工 业

一、流程工业循环经济及工业生态链示范重大工程

（一）需求与必要性

流程工业是我国工业化中的主体产业，在国民经济中占有重要地位。其产品为全社会提供生产基础原材料、生活资料及战略物资，支撑国民经济建设。我国新型工业化及发达国家工业化后期的经验表明，流程工业的发展会发生结构调整、产业升级，但不会被淘汰，仍然是国民经济特别是实体经济的基础。我国流程工业的发展已经受到资源、能源和环境的严重制约。化工、冶金和建材等流程工业具有资源、能源密集的特点，也具有功能拓展的潜力和优势，可在物质和能量上建立行业间的生态链接及行业与社会间的生态链接（图 7-1），对于高效利用各种资源，降低流程工业的能源、资源消耗，降低污染和温室气体排放将起到至关重要的作用。

（二）工程任务

提升流程工业融合程度，打破流程工业各行业隔绝的局面，开发行业间构

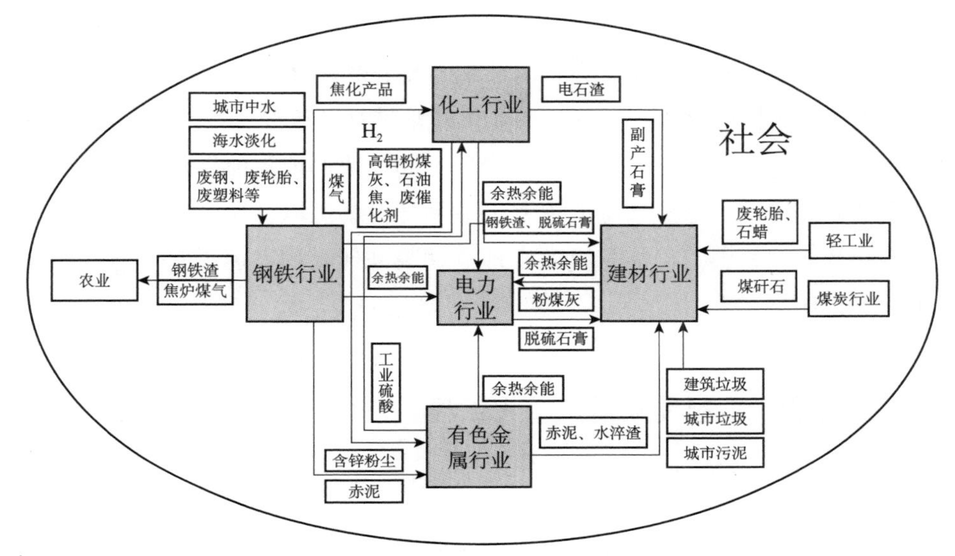

图 7-1　流程工业各行业间、行业与社会间的生态链接示意图

建循环经济链的关键技术，实现行业间集成优化。具体为：

（1）构建焦炉煤气规模制氢与石化行业的循环经济生态链，建设钢铁－石化－建材示范基地。

（2）建立石油、煤炭、天然气资源综合高效利用生产清洁产品的绿色制造流程，形成整体煤气化联合循环（integrated gasification combined cycle，IGCC）多联产化学品成套技术，建设一批工业装置。

（3）突破行业壁垒，建立流程工业与电力行业的链接，建设一批“共同火力”示范项目。

（4）流程工业生产过程消纳废汽车、废塑料、废轮胎、废旧高分子材料、废玻璃、废陶瓷及城市污水等社会大宗废弃物。

（三）工程目标与效果

2020 年前，实现钢铁行业焦炉煤气制氢与石化行业的循环经济生态链的构建，建设沿海钢铁－石化－建材示范基地；建立石油、煤炭、天然气资源综合高效利用生产清洁产品的绿色制造流程，形成 IGCC 多联产化学品成套技术和工业装置；建立水泥、玻璃、建筑卫生陶瓷等产业资源、能源高效利用、废弃物资源化的生产制造流程；建立与循环经济相适应的以废弃物零排放为目标的技术系统，包括产品生命周期评价技术、资源再利用技术、再生资源的产业链管理技术、行业间副产品和废弃物的消纳与相互利用技术等。2035年，一批流程工业实现区域性协同生产，建材行业主体消纳社会废弃物60%以上；突破流程工业与电力行业的工业生态链接，实现不同行业的能量流循环利用，逐步实现社会循环经济链；形成成熟的流程工业循环经济区域性生态模式，实现流程工业不同行业间物料流、能量流的合理流动与循环利用，逐步实现与社会整体循环经济的有效链接。

二、流程工业智能化示范重大工程

（一）需求与必要性

绿色化、智能化是未来流程工业的发展方向，流程工业绿色化发展需要利用智能化技术提升。工业4.0智能工厂及“制造强国”战略，为制造业实现信息化和工业化的深度融合提供了契机，有利于提高生产率，减少资源、能源消耗，降低成本。

（二）工程任务

在流程工艺优化的基础上，推动流程工业工厂设计智能化、生产过程智能化、质量管理智能化、产品营销过程数字化、资产管理数字化、产品开发过程智能化、技术支持与服务过程数字化、企业各种信息和知识无线联通化。开发产品虚拟模拟生产技术、产品关键物性在线检测技术、智能优化生产工艺参数技术，实现生产全流程的品质提升。具体为：

（1）智能工程基础平台建设。满足智能工厂业务融合、提高资源使用效率统一的各种平台，如流程工业信息化平台（包括远程诊断与维护）、大数据分析平台、工厂虚拟现实仿真平台等。

（2）智能化装备、设施开发。开发一批智能化软硬件产品，如专用机器人、大型交直交变频调速装置、高性能工艺控制器、各种智能仪表、新一代高精度热轧控制系统、智能原料场系统、智能无人天车等。

（3）智能工厂标准制定。制定符合工业4.0技术发展要求的设计、制造、服务标准，在流程工业各行业示范应用。

需要解决的关键科学技术问题有：

（1）工业 4.0 的流程工业整体解决方案。

（2）工艺流程物理系统的智能控制。

（3）符合工业 4.0 标准的智能装备，如智能监测仪器、仪表、元器件等，无人化智能吊车，主体装备智能化。

（4）制造单元的工艺过程的闭环智能控制技术。

（5）工业 4.0 的流程工业设计、制造、认证及验证标准和平台。

（三）工程目标与效果

2025 年，完成流程工业智能化示范，可应用于三维工厂设计、建造，智能化生产运营，智能化移动巡检等任务。2035 年，物联网技术、云计算技术、工业无线技术、智能传感器技术、机器视觉技术、在线优化技术等在流程工业企业广泛应用，结合商务智能等信息技术，数字化、智能化贯穿整个流程工业工厂的设计、建设、生产运维、经营管理，直至新产品开发全过程，建设具有国际一流水平的智能工厂，实现工厂数字化工程与数字化制造。

第二节 钢铁行业

一、钢铁企业智能工厂关键技术研究与工程示范

（一）需求与必要性

我国钢铁行业由于产能过剩、技术落后、管理不当等原因，正面临前所未有的危机，且在短时间内难以有效消除，而工业 4.0 智能工厂及“制造强国”战略为制造业信息化和工业化的深度融合提供了契机，有利于提高生产率，减少能耗，降低成本，从而为处于困境中的中国钢铁行业走新型工业化道路提供了重要机遇，为传统制造业改造提升指明了方向。

（二）工程任务

以钢铁行业典型流程为对象，建设具有国际一流水平的智能工厂，实现工厂数字化工程与数字化制造。项目实施包括智能工厂基础平台建设、智能化产品开发及智能工厂标准制定 3 个阶段。

1. 智能工厂基础平台建设（2016～2020 年）

满足智能工厂业务融合、提高资源使用效率统一的各种平台，如钢铁行业信息化平台（包括远程诊断与维护）、大数据分析平台、冶金工厂虚拟现实仿真平台等。

2. 智能化产品开发（2015～2030 年）

开发一批智能化软硬件产品，如冶金专用机器人、大型交直交变频调速装置、高性能工艺控制器、各种智能仪表、新一代高精度热轧控制系统、智能原料场系统、智能无人天车等。

3. 智能工厂标准制定（2015～2020 年）

制定符合工业 4.0 技术发展要求的设计、制造、服务标准，在冶金行业推广应用。

二、钢厂与循环经济园区的示范

（一）需求与必要性

传统钢铁行业粗放型的发展模式，以大量消耗资源、牺牲环境为代价的经济增长方式是不可持续的，如果钢铁行业延续传统的高消耗、高排放的生产模式发展，资源、能源将难以为继，环境将不堪重负，我国钢铁行业的可持续发展和竞争力将受到严重制约，最终影响我国国民经济的健康发展。

钢厂在钢铁制造流程的钢铁产品制造、能源转换、废弃物处理－消纳及再资源化“三大功能”的引导下，应是推进循环经济的优先切入点。钢厂与其他行业和社会生活实现生态链接，建设循环经济工业生态园区，是包含低碳经济、循环经济等模式在内的，集资源高效利用、低污染排放、低碳排放及社会公平发展等核心理念为一体的经济活动，是最具活力和发展前景的包容性经济发展方式，并可以实现产业升级，为生态文明建设起到示范作用。

（二）工程任务

构建毗邻的钢厂和石化厂，突破规模制氢的集成与耦合体系；构建毗邻的钢厂和石化厂公用气体与热电联合优化体系；构建钢铁–炼化公用系统及生产的信息集成工程；构建毗邻的钢厂和石化厂共建现代物流系统；构建与城市共生钢铁企业示范项目（城市钢厂利用城市中水及钢厂低温余热给社区供热）。

第三节　有色金属行业

矿冶工业生态园区示范工程

（一）需求与必要性

矿冶（采、选、冶）工业是国民经济发展的支柱产业，也是高耗能、高污染产业。传统的矿冶工业生产模式所引发的大量环境灾害问题已经成为我国社会经济可持续发展的瓶颈。

（二）工程任务

基于工业生态学原理建立的矿冶工业生态系统，是针对矿产资源的开发利用过程，在一定的区域范围内，以产出的废弃物及废弃物的资源化转换为联系纽带，规划配置采选冶企业和其他一系列相关配套企业及这些企业的生产工艺，形成工业生态园区。在园区内，人文、生态、资源和经济环境相互联系，构成有机整体。园区内的工业废弃物将被作为内部资源重新利用，从而使矿产资源得到最大利用。这种以工业共生为基础的矿冶生产模式是解决矿业环境污染、实现矿业可持续发展的最有效方法。矿冶工业生态系统示范工程实施后，将有力推动我国资源开发产业转型升级，对于促进资源、经济和环境的协调发展具有重要意义。

第四节 石化行业

一、智能化石化厂工程

大力推动数字化石化厂、智能化石化厂、无线联通石化厂的建设。在现有工作基础上，新建石化厂设计建设数字化、生产过程智能化、质量管理智能化、产品营销过程数字化、资产管理数字化、产品开发过程智能化、技术支持与服务过程数字化、企业各种信息和知识无线联通化。

2025年，完成智能化石化厂示范，可应用于三维工厂建设、智能化生产运营、智能化移动巡检等任务。2035年，物联网技术、云计算技术、工业无线技术、智能传感器技术、机器视觉技术、在线优化技术等在石化厂广泛应用，结合商务智能等信息技术，数字化、智能化贯穿整个石化厂从设计、建设、生产运维、经营管理、新产品开发全过程。

二、甲烷制乙烯工程

传统乙烯生产路线的成本相对较高。通过构建硅化物晶格限域的单中心铁催化剂，可以实现甲烷在无氧条件下选择活化，一步高效生产乙烯、芳烃和氢气等产品，被业界称为“即将改变世界的新技术”，给传统乙烯工业带来革命性影响。与天然气转化的传统路线相比，这个技术彻底摒弃了高耗能的合成气制备过程，大大缩短了工艺路线，反应过程本身实现了二氧化碳的零排放，碳原子利用效率达到100%。重点开发甲烷制乙烯催化剂工业化制备、专用反应器、分离精制工艺及工程放大技术，进行流程集成和大型工业化装置建设。

三、聚合分离及高性能聚合物工程

目前，我国乙烯以石脑油为主要原料，尽管原油价格的低位运行使原料成本显著降低，但相对于中东地区的油气资源，我国的乙烯成本仍然偏高。必须通过提高资源利用率来降低我国乙烯原料成本，实现价值最大化。目前我国炼油和乙烯行业均有大量烯烃和烷烃混合物未实现资源化利用。仅中国石化的炼油和化工业务每年生产轻烃就可以超过 2500 万吨，利用量约为 1200 万吨，总体利用率不超过 50%，未实现资源化利用的轻烃中含有约 450 万吨 C_2～C_5 烯烃及 800 多万吨 C_2～C_5 烷烃，分离成本较高，很难经济化规模利用。通过聚合分离技术，即采用高效的聚合体系，将烷烯烃混合物中的端烯烃进行聚合，未聚合物料以混合烷烃为主，可作为优质的轻烃原料进入裂解炉进一步生产乙烯、丙烯等有机原料，实现我国乙烯原料的低成本化。重点进行基于性能要求的聚合物分子结构设计，单体生产技术、聚合催化剂及工艺、反应器及生产流程开发，加工应用技术与装备开发，实现上述技术的综合集成，形成多种高性能聚合物的商业化生产。

第五节 化工行业

一、基于化工技术的能源及信息产业用关键材料系统工程

能源与信息产业是国民经济与国防工业发展的重要基础，发展能源关键材料，对于保障我国的能源体系建设和高技术产业的发展具有重要意义[23]。

主要发展以锂离子电池、镍氢电池和燃料电池为代表的动力和储能电池所需的关键材料；发展太阳能光电、光热利用材料、锆合金材料、核电用大型铸锻件；发展非晶合金和节能玻璃等节能材料；建立微电子关键配套材料工程化技术体系，攻克半导体照明材料共性关键技术，发展光电功能晶体；突破无机/有机光电显示材料的工程化技术，高端陶瓷元器件材料实现国产化。

力争在 2035 年前后，高比能量新体系动力电池实现规模化生产；锂电池、钠硫电池、全钒液流电池用材料实现大规模商业推广应用；建成完善的太阳能中高温利用技术和产业体系。

二、化工厂智能化工程

化工厂智能化工程通过准确把握制造业及化工行业发展的新趋势，将以物联网、大数据、云计算为代表的新一代信息通信技术与传统化工进行融合创新发展，不仅能够提升危险化学品的安全发展水平，还能提高发展质量、提高经济效益、支撑安全环保、固化卓越基因、增强企业核心竞争力[24]。

着力推进化工行业科技创新、管理创新，用信息化、智能化支撑产业转型升级、绿色低碳、节能减排，积极实施资源战略、市场战略、一体化战略、国际化战略、差异化战略和绿色低碳战略，注重持续提供优质的产品和服务，保持安全稳定运营，实现企业的信息化和智能化。另外，通过智能工厂技术也能提高企业应对突发事件的应急和指挥决策能力，提高应急指挥处置水平，提升化工企业的企业形象。

推进化工厂智能化相关技术研发，包括化工流程中工艺参数的超精密测量技术、化工全流程设备物联网技术、多层次建模和仿真技术及微化工技术等关键技术，为化工企业应用智能制造技术提供硬件和软件方面的技术支撑。

全面深入开展智能制造试点示范工作，在行业试点项目中，聚焦于生产管控、供应链管理、设备管理、能源管理、HSE管理、战略管理6个核心管理领域，通过建设技术支撑体系和标准化体系，提升企业全面感知、优化协同、预测预警、科学决策的能力，实现企业卓越运营的目标。

力争在2035年前后，通过试点示范工作为后续的智能工厂技术推广工作及智能工厂建设工作积累经验，实现未来化工行业全面信息化、智能化的目标。

三、农化工业支撑工程

作为农业的重要支撑，化工行业中肥料制造及应用、农膜制造及回收等领域新技术的突破将极大促进农业生产率的提高。

大力发展以缓释肥、控释肥、水溶肥为代表的新型肥料。采用新技术、新工艺、新设备，改变原有品种或剂型，从而提高肥料利用率，使其成为适合多种土质和作物的化肥产品[25]。首先，拓展肥料功能，提高肥料功效，使肥料除了具有提供养分的作用以外，还具有保水、抗寒、抗旱、杀虫、防病、除草等其他功能。其次，更新肥料形态，除了固体肥料外，根据不同使用目的，生产相应的液体肥料、气体肥料、膏状肥料等。最后，应用新型材料（包括肥料原料、添加剂、助剂等）使肥料品种呈现多样化、复合化、功能化、易用化和高效化。

发展以双降解地膜为代表的农用薄膜材料。根据不同的用途和环境条件，通过改进配方，开发可降解的环境友好型地膜。对于光降解地膜，应该积极研究开发高效价廉的光敏剂、氧化剂、生物诱发剂、降解促进剂等，进一步提高准时可控性、用后快速降解性和完全降解性。对于生物降解地膜，采用天然高分子材料、合成高分子材料及二者结合的办法研制可控降解周期、低成本的完全生物降解地膜。

在农化产业向绿色、高效方向大力发展的机遇之下，新型肥料和新型农用薄膜有望突破资源和市场的双重制约，进入一个加速发展的新时期。力争在2035年左右，新型肥料替代现有的传统肥料比例达到80%，农用可降解薄膜市场化推广比例达到50%。

四、微化工反应和分离科学与工程

微化工反应与分离技术的出现，使化工单位设备容积的生产能力可成百倍、成千倍地提高，传递速率、反应速率大幅提高，使生产更灵活、更安全、更稳定，单位产品的投资成本、人力成本更低，没有对过程放大难题的困扰，使开发周期大幅缩短，特别适用于产品性能的多样化、产品的订单式生产。近年来，随着微化工、热力学、动力学、反应技术、分离技术的快速发展，新的化工颠覆性技术逐步生成[26]。

这个项重大工程包括以下方面：

（1）面向资源化工的微化工技术平台。对于不可再生资源，如磷资源、稀土资源、盐湖资源，以提高资源综合利用率为目标，构建以微化工系统集成和多尺度综合优化为支撑，以化学品多联产、元素循环利用和生产工艺与资源禀赋动态匹配为特征的资源利用系统与技术体系。

（2）面向精细化工的微化工技术平台。对于品种多、量小、附加值高的精细化学品，发展以连续流动合成替代间歇多釜操作的生产系统和技术体系，以达成减少非稳态操作影响、提升生产工艺的原子经济性、提升产品性能和批次稳定性、实现大操作弹性的多品种柔性生产的目标。

（3）面向分布式需求和应急保障的微化工技术平台。针对在广大农村地区及卫生防疫、灾难救助、海上作业等特殊环境下有紧迫需求但不宜大量存储的过氧化氢等化学品，发展高度集成的桌面式、车（船）载式微化工系统和从易得或易存储原料出发的高效生产工艺，提高协调发展和应急保障的能力。

（4）基于微化工技术的化工技术创新平台。微化工技术相对于常规化工技术，可以缩短从实验室到工业应用的周期，但也需要对和常规系统的匹配与集成开展工程化研究。已有的工业系统缺乏对这方面工作的支撑，会造成技术创新的迟滞。因此，通过政产学研的紧密配合，构建基于微化工技术的化工技术创新平台非常必要，可以为我国化学品制造业实现弯道超车提供有力支持。

五、生物制造工程

近几十年来分子生物学的发展，为制造业开辟了无限的前景，所有生物科学与技术如要为社会经济服务，它的下游出口必然有赖于流程工业中的生物制造科学与工程。例如，酶催化剂和酶反应工程、分离工程、生物活性材料、生物功能材料等的大批量制造技术和应用研究都会对流程工业提供或正在提供颠覆性技术。

以重大化工产品（化学品、能源）的生物制造及制造业改造升级为切入点，大力推进合成生物学和工业生物技术的研发和产业化应用，突破高效生物催化剂的设计、CO_2生物转化、木质纤维素的高效生物炼制的重大关键技术体系和创新装备，建立国际一流的生物制造工程菌和新酶创制平台与资源库，大幅提升我国生物制造产业的核心技术能力。

力争在2035年前后，我国生物制造核心技术（包括菌种、酶和装备）实现自主化，35%以上的化学品和其他工业品实现生物制造。弥补我国对二甲苯（*p*-xylene，PX）等化工产品结构失调、高端产品大量依赖进口的重大缺陷；在纺织、造纸、制药等领域建立绿色生物工艺，实现污染物源头控制。传统生物产业实现向高性能化、精细化的下游精细化学品和生物基材料转型，推动生物技术产业的发展壮大。

第六节 建材行业

一、水泥窑协同处置固体废物技术创新及产业化示范工程

水泥窑协同处置可用于处理危险废弃物、生活垃圾（包括废塑料、废橡胶、废纸、废轮胎等）、城市和工业污水处理污泥、动植物加工废弃物、受污染土壤、应急事件废弃物等固体废物。

2015年，全国城市垃圾产生量约为1.79亿吨，但我国目前燃烧垃圾替代燃料仍未达到2%的比例，放眼世界，这和最佳实践典范德国水泥行业燃烧垃圾替代燃料达到60%以上相比，差距巨大。利用水泥窑处理城市垃圾在今后20年仍将是发展重点。

利用水泥窑处理城市垃圾技术着眼于以下几个发展重点：

（1）工业和城市垃圾中的可燃废弃物部分，分拣后可以作为替代燃料。

（2）危险废弃物的水泥窑协同处置相关技术研究。

（3）为配合协同处置而研发改进的特殊水泥装备。

（4）焚烧后所产生的飞灰、灰渣处置的工艺，垃圾焚烧发电产生的飞灰的各种物理化学性能的处理工艺。

二、在线Low-E玻璃核心技术与成套装备建设工程

Low-E玻璃是在玻璃表面镀上多层金属及化合物形成的新型功能玻璃，它具有高透光、低反光、高热阻的特点。随着国家建筑节能战略的实施，Low-E玻璃的市场需求必将快速增长。建设高品质在线Low-E玻璃生产线，可以满足建筑节能的市场需求[27, 28]。

需要解决的关键科学技术问题有：

（1）大面积连续均匀沉积膜层的反应器结构、镀膜原料、汽化工艺及热解反应工艺。

（2）提高氧化锡薄膜导电能力。

（3）膜沉积的温度控制技术。

（4）膜层的光谱性能和光学常数精确控制技术。

（5）精密光学膜系匹配技术。

三、大规格超薄陶瓷板成套技术与装备建设工程

目前我国自主知识产权的大规格超薄陶瓷板［900mm×1800mm×（3～6）mm、1200mm×2400mm×（3.5～5.5）mm］成套工程技术与装备已经实现了具有世界先进水平的陶瓷薄板的产业化。与普通陶瓷砖相比，这种陶瓷板节约原材料 75%，节水 63%，节能近 59%，节约资源、能源和环保效果显著。

这一技术从花色品种、抛光技术及规模化、应用领域等方面全面超越国外同类产品，提高了我国建筑陶瓷的技术水平及国际竞争力，带动了陶瓷产业产品结构调整和技术升级。其产品已在北京、上海、广东、黑龙江、天津、湖南等地的典型工程应用，并出口意大利、美国、澳大利亚等国家。企业经济效益和社会效益显著。

第八章
重大工程科技专项

第一节　流 程 工 业

一、流程工业资源、能源高效利用重大工程科技专项

（一）应用目标

工业生产及社会产生的二次资源和能源包括气态能源（如 H_2、CO、CO_2）、固态能源和液态能源，用于流程工业，可以减少自然资源和能源的消耗，满足国家绿色发展、循环发展的需求。其中的 H_2 可以为国家发展提供氢原料，满足钢铁行业、石化行业、化工行业生产及氢燃料电池的需求。

（二）关键技术攻关任务与路线

在二次资源利用方面，主要有以下关键技术攻关任务：有色金属二次资源循环利用；开发利用超重力技术富集分离、提取“特色”炉渣中的特色资源工艺技术；用熔融高炉炼铁炉渣直接生产石材、陶瓷砖的工艺技术；开发基于“力化学”的废弃高分子材料回收利用技术，实现通用高分子材料低成本高附加值规模化回收利用和废弃玻璃 / 废弃陶瓷 / 废旧轮胎 / 废旧交联聚乙烯电缆 / 废

旧聚氨酯发泡材料等目前难回收废弃高分子材料的回收利用；原生矿与二次资源协同冶炼技术；资源再生过程二次污染防治；城市矿产资源化；水泥窑协同处置污泥、城市垃圾、危险废弃物、生活垃圾（包括废塑料、废橡胶、废轮胎等）、动植物加工废弃物、受污染土壤、应急事件废弃物等固体废物。

在廉价氢气的大规模制备和储存技术方面，主要有：开发低成本电解水制氢技术、生物催化制氢技术、光催化制氢技术等制氢技术，利用焦炉煤气提取氢气，开发多孔材料储氢技术、芳香烃化学储氢技术等储氢技术，实现上述制氢和储氢技术的应用。

（三）工程技术目标与标志性成果

2025年，建立二次资源综合利用示范，初步形成二次资源综合利用体系；制氢技术完成中试并取得突破，储氢材料开发成功。2035年，二次资源综合利用全面推广；制氢技术推广应用，储氢材料达到世界先进水平。

二、流程工业物质流、能量流、信息流协同优化重大工程科技专项

（一）应用目标

在物质流网络、能量流网络运行优化的基础上，物质流和能量流协同优化，进一步通过人为信息流输入的调控作用，通过对物质流、能量流动态运行过程中信息特征参数的获得、处理、反馈，构成其他组织指令（措施），驱使、强迫物质流、能量流在合理、适度的"涨落"和非线性相互作用/动态耦合的过程中，优化各工序物质、能量、时间、空间等方面的参数的合理涨落范围和相互非线性作用、动态耦合关系，从而提高钢厂流程系统及其各主要工序功能的、空间的、时间的有序化程度的提高，进而实现物质流和能量流各自运行过程的能量耗散最小化。

（二）关键技术攻关任务与路线

流程工业物质流和能量流耦合优化及动态运行技术，包括物质流高效运行与能源流运行规律预测研究、能量流与物质流耦合影响关系与规律分析技术、能量流运行时间与生产节奏匹配协调技术、能量流价值优化与生产成本优化技

术等；能量流及其系统监测手段、运行调控技术。

（三）工程技术目标与标志性成果

2025 年，流程工业物质流、能量流、信息流协同优化形成示范。2035 年，流程工业物质流、能量流、信息流协同优化技术得到有效应用。

第二节 钢 铁 行 业

一、钢铁制造流程的物质流、能源流与信息流的协同优化

（一）应用目标

钢铁制造流程的物质流和能量流的协同，需要基于生产、能源等相关信息，围绕生产计划、生产执行调度的目标，进行相关资源的匹配与协调，为生产的高效运行、能源的高效利用创造条件。

（二）关键技术攻关任务与路线

在冶金流程工程学指导下，研究钢铁生产物质流与能量流的特征，以企业信息系统为依托，以基于信息流的物质流、能量流协同优化为核心，进行数字化、模型化方法研究。以企业信息系统在制造单元和制造流程上的优化为切入点，从相关信息数字化支撑、生产计划与能源计划的协同、生产及能源调度协同的三个方面，通过拓展现有信息系统的功能，以及构建物质流、能量流的协同优化子系统的方式，来实现钢铁制造流程物质流、能量流的协同优化。

（三）工程技术目标与标志性成果

2025 年，提炼制造单元的物质流与能量流耦合运行规律，提出生产运行与能量利用的综合评价方法。2030 年，开发基于信息流的物质流、能量流数字化、模型化支撑技术。2035 年，开发物质流、能量流的相关计划调度协同技术。

二、钢铁行业智能制造

（一）应用目标

钢铁行业智能制造可以实现产品质量的提升，提高大宗钢材及关键钢材质量的稳定性、可靠性和适用性；降低资源能源消耗，减少过程排放，实现清洁生产、环境友好，推动绿色发展；形成销售、物流、用户服务等在内的智能化制造模式；推动钢铁行业转型升级。

（二）关键技术攻关任务与路线

钢铁行业智能制造的着眼点和落脚点应该是应对企业级的整体解决方案，智能化远高于自动化和通信技术，不是单体装置的自动化，也不是研制机器人，而是深化对智能化制造的认识。对数字物理系统（cyber physical system，CPS）的理解必须和企业级的整体解决方案紧密契合。总体上看，钢铁行业智能制造应该包括四个方面：

（1）智能化设计。这是数字物理系统的先导，是建立先进物理系统（生产制造流程）的起点。同时，这个物理系统及其所构成的硬件网络将有利于数字信息便捷、高效地与之相融合。

（2）智能化物流。这涉及物料采购、储存、运输和合理分配，也将涉及产品发运、储存、销售的高效合理化，因此是涉及企业输入 / 输出的智能化问题。

（3）智能化物质 / 能量 / 信息组织管理。这是钢铁行业智能制造的核心问题和难点，将涉及动态运行的、起伏变化着的物质流、能量流和各类信息流，即动态变化的“三流”要通过智能化平台实现自感知、自决策、自执行、自适应。

（4）智能化经营服务。这是战略性的高层次综合判断、决策、执行系统，将涉及经营战略目标、客户服务，并推进到与经济、社会相适应等高层次目标的决策与执行。

（三）工程技术目标与标志性成果

2025 年，建立智能化设计方法和体系，为钢铁行业智能制造提供设计方法。2030 年，建立智能化物质 / 能量 / 信息组织管理体系和智能化平台，实现物质流、能量流和信息流的自感知、自决策、自执行、自适应。2035 年，建立智能化物流和经营服务体系，实现钢铁行业的经营战略目标和为客户提供高质量服务。

第三节　有色金属行业

一、有色金属资源绿色选冶与综合利用

（一）应用目标

当前有色金属资源过度开发和环境有限承载的矛盾日渐突出，有色金属单位产品综合能耗偏高，与世界先进水平差距大。流程工业生产以末端治理为主，环境污染严重，还没有真正解决。发展资源绿色选冶与综合利用技术，关系国家生态文明建设和可持续发展。

（二）关键技术攻关任务与路线

有色金属资源绿色选冶与综合利用需要实现以下关键技术的突破：

（1）特色大储量多金属资源综合利用技术。

（2）复杂低品位有色金属资源清洁提取与精细化综合回收新技术。

（3）多类型稀土资源清洁提取与分离提纯技术。

（4）非传统有色金属资源综合利用。

（5）有色金属清洁提取工艺及节能减排技术。

（6）特殊地理环境与资源条件下的有色金属分离提取技术。

（7）非常规介质条件资源清洁提取及过程强化技术。

（8）有色金属特殊冶金技术与装备。

（9）有色金属行业固体废物高效清洁安全处置与综合利用技术。

（10）有色金属行业废水综合治理与循环利用技术。

（11）有色金属行业废气治理及余热利用技术。

（12）深井节能降耗与能量的综合利用技术。

（13）采选冶全流程节能优化技术体系。

（14）冶炼流程中能源梯级利用技术与装备。

（三）工程技术目标与标志性成果

围绕我国重要矿产资源，选择具有代表性的金属，以高效利用、绿色开发为主题，开展选矿富集、清洁冶炼和选冶协同开发技术研究，提高自主创新能力，开发绿色选冶与综合利用关键技术，实现复杂难处理、低品位资源的有效利用，提高可开发资源储量，缓解供需矛盾。针对有色金属行业生产过程节能减排，开发废水低成本处理和循环利用技术，冶炼烟气（烟尘）深度净化技术，危险固体废物无害化处置技术，大宗固体废物资源化技术，以及能源梯级利用、节能技术与装备，形成核心技术，并建立示范工程。实现节能 10%～15%、减排 20%～30% 的目标。建立一批特色资源加工基地和优势产业发展基地，尽快形成开采、分离提取、加工的产业集群，形成多行业协同开发的产业链。

二、有色金属二次资源循环利用

（一）应用目标

围绕二次资源高效回收和绿色循环的目标任务，针对冶炼过程中间物料和废旧金属，开展选冶过程中间物料、废旧铜铝、废旧“三稀”高效分离提取等研究。以资源利用最大化、环境污染最小化为目标，研发出金属再生循环利用清洁提取技术与成套装备。

（二）关键技术攻关任务与路线

关键技术攻关任务与路线有：

（1）选冶过程废弃物资源化与无害化处置。

（2）废旧有色金属再生利用技术。

（3）原生矿与二次资源协同冶炼技术。

（4）城市矿产资源化。

（5）有色金属资源再生过程二次污染防治。

（6）二次资源高效拆解分离技术与装备。

（三）工程技术目标与标志性成果

2025年，有色金属循环利用比例提高20%，开发出有色金属循环利用核心技术和装备，实现再生过程节能5%～10%，污染物减排20%～30%。2035年，有色金属循环利用比例超过70%，建立成熟的有色金属二次资源回收和循环利用技术与标准体系，实现再生过程清洁生产。

第四节　石 化 行 业

一、生物质利用技术

为满足降低运输燃料碳排放及降低工业二氧化碳、氮氧化物排放的需求，提高生物燃料生产的经济性并作为石油基运输燃料的补充，需要开展大型纤维素乙醇生产技术与专用设备开发、城市有机垃圾生产生物燃气技术与专用设备开发、以微藻为原料的生物炼制技术开发、生物基化学品生产技术开发、生物基材料生产及加工应用技术开发，实现纤维素乙醇、生物基化学品、生物基材料的普及应用。

二、新型制氢与储氢技术

开发低成本电解水制氢技术、生物催化制氢技术、光催化制氢技术等制氢技术，开发多孔材料储氢技术、芳香烃化学储氢技术等储氢技术，实现上述制氢和储氢技术的应用，支持国家发展氢燃料电池的战略目标。

第五节　化 工 行 业

为了促进现代农业生产技术的变革和提高现代农业生产经营效率，需要以化工行业中的新型高效肥料、低毒环保农药、可降解农膜、分子育种技术、抗逆元器件等新技术、新产品的开发及突破作为支撑，以信息化、自动化、智能化的技术集成农业园区作为示范，带动农业向更高层次迈进。

目前，我国肥料功能单一，难以满足农业多元化需求。建议着力开发高效复混肥、缓释控释肥、功能水溶肥等新型肥料，由通用型向作物专用型转变，由单一营养型向多功能型转变，注重大、中、微量元素合理配比和养分形态科学配伍；重视开发具有抗逆、促生、改土等功能的肥料增效载体和关键原料，综合调控作物－肥料－土壤系统，推动化肥产业技术升级。此外，建立基于田块精准配方和全生命周期养分供给的大数据平台，按照作物需水、需肥规律，实现新型智能水肥一体化管理。

农药滥用、残留、流失问题一直备受关注。建议开发环境友好、易降解、靶标明确、不易产生抗药性、作用方式特异、药效缓和、能促进作物生长并提高抗病性的新型农药，包括微生物农药、农用抗生素、植物源农药、生物化学农药和天敌昆虫农药等类型。同时，开展植保机械装备的应用研究，提高农药的使用效率。

农膜残留给环境造成巨大的污染，破坏土壤理化结构，引起了农业减产的负面效应，威胁着我国农业的生态安全。需大力推广光降解地膜、生物降解地膜、光/生物降解地膜、植物纤维地膜等新型农用薄膜材料，积极研究开发高效价廉的光敏剂、氧化剂、生物诱发剂、降解促进剂等，进一步提高准时可控性、用后快速降解性和完全降解性。

传统育种方法周期长、预见性差、选择效率低。借助基因组学、表观组学及生物信息学手段，打破物种界限，实现优良基因重组和聚合，实现对农作物新品种的定向选育，开展以分子标记育种、转基因育种、分子设计育种为代表的高效、高质的分子育种研究。

借助合成生物学技术手段，从基因组成、表达调控及信号转导等方面开展抗逆研究[29]，提高作物抗逆能力，包括抗旱、抗盐碱、抗涝、抗风、抗冻、抗热、抗病虫害能力，导入相关基因改良作物的胁迫抗性，推进无害或完全无合成化学品使用的生态农产品培育。

我国部分地区土壤污染严重，土壤污染类型多样，呈现新老污染物并存、无机－有机复合污染物并存的局面，对生态环境、食品安全、农业发展都构成威胁，需大力推动“治标治本”的新型土壤修复技术，包括热处理技术、土壤固化–稳定化技术、淋洗技术、氧化还原技术、电动力学修复技术和土壤性能改良技术等物理–化学修复技术，以及植物修复、微生物修复、生物联合修复等生物修复技术。同时，建立土壤污染检测、风险评估、修复工程的产业链，推进土壤修复的有序化和细分化。

结合化学工程新技术的突破，融入现代信息技术，将全生命周期智能水药肥一体化管理，可降解农膜，土壤信息收集、管理、收获系统，分子生物学育种，“互联网＋购买”等集成应用于农业，建成高产、优质、高效的现代化多功能高新复合农业示范园区，引领周边区域现代农业经济发展。

第六节　建材行业

当前，在线检测技术、计算机与移动互联网技术处于突飞猛进时期，这为建材行业向智能化和信息化转型提供了良好契机。将互联网等信息处理技术广泛应用在建材行业技术装备上，开展多学科综合交叉研究，实现我国建材行业从超越到引领的飞跃。

预计未来 20 年，我国建材行业在智能化和信息化方面，将会实现从单机设备到全厂的智能化生产和管理。

建材行业的智能化和信息化，主要从单机设备的智能化和全厂的智能化与信息化这两个层面交叉进行，互相促进，实现建材行业的整体进步：①从单机智能化入手，通过横向集成相关技术，实现建材企业主要工艺装备的智能化生产；②通过模糊逻辑、神经网络、自适应预测控制等技术，研发组合智能决策与控制器；③采用模糊逻辑–专家系统、模型预测–专家系统、自适应控制–模型预测等两种及两种以上混合控制系统，进而全厂实现智能控制。

第九章
政 策 建 议

一、以淘汰落后产能和控制过量出口为切入口，控制流程工业产品产出过剩，调整产业结构，提高企业竞争力和可持续发展能力

研究以结构调整、产业升级为主线的合理需求和总量控制问题，提出全局性的工业发展规划，以配合工程科技战略的有效实施；淘汰不符合国家环保排放标准、能源消耗限额标准和产品标准的落后产能、落后工艺、落后产品等；减少重复建设，控制生产总量。

二、加大科研投入和创新体系建设，推进工业绿色化、数字化、智能化发展

支持企业与科研院所、高校开展多种形式的合作，建立针对关键共性技术的合作研发机制，加快推进低成本生产技术、提高能源综合利用效率的技术、新能源利用技术及新产品的应用开发等项目研究。创建一批科技研发平台，解决领域内有重大影响的技术难题；创建信息共享平台，帮助企业、科研人员等实现创新资源及创新成果共享。建立专项资金，出台积极财税政策，支持关键环节数字化智能化建设，加快数字化智能化成果产业化和推广应用。推动产学研共建国家级智能制造技术研究中心，促进自主创新成果产业化。

三、实行严格的资源环境政策，并执法到位，倒逼工业绿色化发展和工程科技创新发展

征收资源（如水资源）税、环保税，实行开发资源收费制度，统筹协调主要资源环境的价格等；限制高耗能产品的生产，鼓励高附加值产品的研发与生产；加大资金支持力度，促进绿色创新技术，支持推动资源开发、产品应用及行业集成耦合技术研发；综合出台财政、金融、税收等方面的扶植政策，对资源节约、环境保护有重要意义的工程科技项目实行优惠与奖励政策。

四、促进学科之间交叉融合，进一步加强各行业的融合，出台相应政策，形成多学科工程科技的整体化协同发展

克服学科单一视角研究方式及技术的局限性，在学科交叉机制的条件和平台上，从多视角、全方位进行研究探索，促进各学科之间交叉融合。鼓励科研人员跨越界限，促进不同学科的专家、学者之间的联合、协作，加强学科交叉和领域融合，形成多学科、多领域、多层次专家联动机制。采取利益引导、学术环境建设等来克服科层组织、人为学术分割、组织机构僵化、人员流动受限制的阻碍，建立流动开放的融合新机制。

五、加强知识产权体系和技术标准体系建设，加快创新成果转化和产业化步伐

加强重大发明专利、商标等知识产权的申请、注册和保护，鼓励国内企业申请国外专利。健全知识产权保护相关法律法规，制定适合产业发展的知识产权政策。建立公共专利信息查询和服务平台，为全社会提供知识产权信息服务。大力推进知识产权的运用，完善知识产权转移交易体系，规范知识产权资产评估，推进知识产权投融资机制建设。制定并实施产业标准发展规划，加快基础通用性、强制性、关键共性技术及重要产品标准研制的速度，健全标准体系。建立标准化与科技创新和产业发展协同跟进机制，在重点产品和关键共性技术领域同步实施标准化，支持产学研联合研制重要技术标准并优先采用。

六、完善行业管理规范，健全工业中长期发展的产业政策体系

加强规范准入管理与金融、环保、能源等政策衔接，研究建立行业规范后续管理工作制度，强化已公告企业的动态监管。研究提出流程工业“两化融合”标准体系，支持引导企业利用新一代信息技术，以产业公共服务平台、智能工厂示范、虚拟技术平台研发等为重点，推动流程工业企业生产自动化、管理信息化、流程智能化、制造个性化，打造数字型、智慧型和服务型产业。加强产业政策的顶层设计，围绕工业中长期发展的目标、任务和重点领域，进一步健全促进工业发展的政策体系。在产业政策的运用中，进一步完善与财政政策、税收政策、金融政策、价格政策、贸易政策、投资政策等的衔接配合机制。

本篇参考文献

[1] 国家制造强国建设战略咨询委员会，中国工程院战略咨询中心 . 绿色制造. 北京：电子工业出版社，2016.

[2] 国家统计局. 中国能源统计年鉴 2015. 北京：中国统计出版社，2015.

[3] 中国有色金属工业年鉴编辑委员会. 中国有色金属工业年鉴 2016. 北京：《中国有色金属工业年鉴》社，2016.

[4] 中国建筑材料联合会. 建筑材料工业“十三五”科技发展规划. http://www. cbmf. org/cbmf/lhhdt/gzdt39/6388625/index1. html[2016-12-20].

[5] 张春霞，王海风，张寿荣，等. 中国钢铁工业绿色发展工程科技战略及对策. 钢铁，2015，50（10）：1-7.

[6] 王华俊，杜欢政，彭勃. 日本发展有色金属循环经济的经验与启示. 世界有色金属，2008，1：65-67.

[7] 单洪青. 新时代下传统工业企业的转型发展探讨. 当代石油石化，2015，7：6-10.

[8] 蔡玉良，汤升亮，卢仁红，等. 水泥工业二氧化碳减排及资源化技术探讨. 中国水泥，2015，1：69-73.

[9] 高明. 低氮燃烧及烟气脱硝国内外研究现状. 广州化工，2012，40（1）：18-19.

[10] 桂卫华，王成红，谢永芳，等. 流程工业实现跨越式发展的必由之路. 中国科学基金，2015，5：337-342.

[11] 于润沧. 有色金属工业战略转型探讨. 中国有色金属，2014，22：38-39.

[12] 殷瑞钰. 流程制造业与循环经济. 中国科技财富，2009，2（9）：26-31.

[13] 樊炯明，胡山鹰，陈定江，等. 流程制造业本质性分析. 中国工程科学，2017，19（3）：80-87.

[14] 刘芬 . 石油化工技术进展研究 . 化工管理，2014，10：75.

[15] 高金吉，杨国安. 流程工业装备绿色化、智能化与在役再制造. 中国工程科学，2015，17（7）：54-53.

[16] 谭清美，陈静. 信息化对制造业升级的影响机制研究：中国城市面板数据分析. 科技进步与对策，2016，33（20）：55-62.

[17] 王会东. 化工新材料产业的现状及发展技术瓶颈. 化工管理，2018，501（30）：171.

[18] 姚建敏，王华. 纳米材料的发展及其在工业催化中的应用. 煤炭与化工，2007，30（5）：28-29.

[19] 李明春，赵中亮，吴玉胜，等. 气固反应多孔填充床反应特性的多尺度模拟. 过程工程学报，2013，13（5）：855-861.

[20] 骆广生，王凯，王玉军，等. 微化工系统的原理和应用. 化工进展，2011，30（8）：1637-1642.

[21] 常志宏. 简析化工控制系统优化及管理. 企业技术开发，2012，20：173-175.

[22] 卢俊南，罗周卿，姜双英，等. DNA 的合成、组装及转移技术. 中国科学院院刊，2018，33（11）：52-61.

[23] 屠海令，张世荣，李腾飞. 我国新材料产业发展战略研究. 中国工程科学，2016，18（4）：90-100.

[24] 吉旭，许娟娟，卫柯丞，等. 化学工业 4.0 新范式及其关键技术. 高校化学工程学报，2015，29（5）：1215-1223.

[25] 胡山鹰，陈定江，金涌，等. 化学工业绿色发展战略研究：基于化肥和煤化工行业的分析. 化工学报，2014，65（7）：2704-2709.

[26] 骆广生，王凯，徐建鸿，等. 微化工过程研究进展. 中国科学：化学，2014，44（9）：1404-1412.

[27] Yao Y，Watanabe T，Yano T，et al. An innovative energy-saving in-flight melting technology and its application to glass production. Science and Technology of Advanced Materials，2008，9：025013.

[28] Watanabe T，Yatsuda K，Yao Y，et al. Innovative in-flight glass-melting technology using thermal plasmas. Pure and Applied Chemistry，2010，82（6）：1337-1351.

[29] 陈大明，刘晓，毛开云，等. 合成生物学应用产品开发现状与趋势. 中国生物工程杂志，2016，36（7）：117-126.

第二篇

中国新材料产业工程科技
2035 发展战略研究

第十章
国际新材料产业发展概况

新材料是指新出现的具有优异性能和特殊功能的材料，以及传统材料成分、工艺改进后性能明显提高或具有新功能的材料。融入了当代众多学科先进成果的新材料产业是支撑国民经济发展的基础产业，是发展其他各类高技术产业的物质基础[1]。近年来，全球新材料产业蓬勃发展（图 10-1），据赛迪顾问数据统计，到 2018 年市场规模已经接近 2.56 万亿美元，平均每年以 10% 以上的速度增长。此外，技术领域研发面临新突破，新材料和新物质结构不断涌现，使全球新材料技术与产业仍然保持着增长态

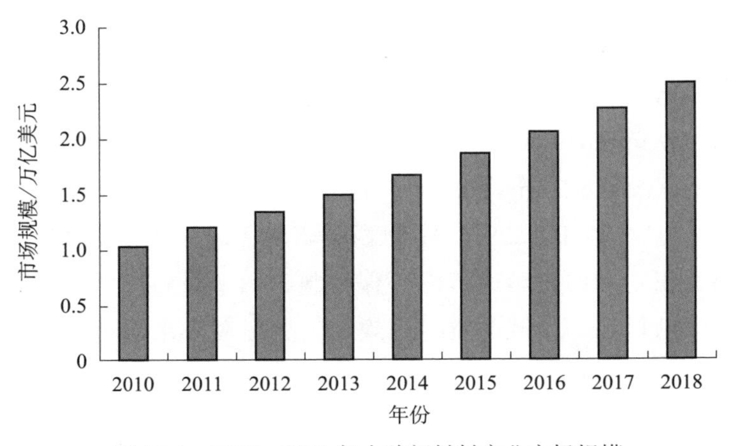

图 10-1　2010～2018 年全球新材料产业市场规模

势。总体上，全球新材料产业的发展呈现如下特征[2]。

一、世界各国高度重视新材料的创新研发

世界各国（地区）纷纷在新材料领域制定了相应的规划（表10-1），全面加强研究开发，并在市场、产业环境等不同层面出台政策，全力提升新材料产业发展水平。美国于2009年、2011年和2015年三度发布“美国创新战略”（A Strategy for American Innovation），其中清洁能源、生物技术、纳米技术、空间技术、健康医疗等优先发展领域均涉及新材料；2012年制定了“国家先进制造战略计划”（National Strategic Plan for Advanced Manufacturing），进一步加大了对材料科技创新的扶持力度。欧盟为实现经济复苏、消除发展痼疾、应对全球挑战，于2010年制定了“欧洲2020：智慧、可持续、包容增长战略”（Europe 2020：A Strategy for Smart，Sustainable and Inclusive Growth），提出三大战略重点。德国政府发布了“德国2020高技术战略”（2020 High-tech Strategy 2020 for German），其中工业4.0是十大未来项目中最引人注目的课题之一。2013年，英国推出“制造的未来：英国迎接机遇和挑战的新时代”（The Future of Manufacturing：A New Era of Opportunity and Challenge for the UK），重点支持建设新能源、智能系统和材料化学等创新中心。日本于2010年发布了“新增长战略”（New Growth Strategy）、“新信息通信技术战略”（The New Strategy in Information and Communications Technology）和“日本产业结构展望2010”（The Industrial Structure Vision 2010），于2016年出台了“第五期科学技术基本计划（2016—2020年）”[5th Science and Technology Basic Plan（2016—2020）]。韩国于2009年公布了“绿色增长国家战略（2009—2050年）”[The National Strategy for Green Growth（2009—2050）]和“新增长动力规划及发展战略”（New Growth Engine Action Plan），于2013年出台了“第三次科学技术基本计划”（3rd S&T Basic Plan）。巴西、印度、俄罗斯等新兴经济体采取重点赶超战略，在新能源材料、节能环保材料、纳米材料、生物材料、医疗和健康材料、信息材料等领域制定专门规划，力图在未来国际竞争中抢占一席之地。

表 10-1　若干国家（地区）在新材料领域的战略

国家（地区）	发展计划名称	涉及新材料相关领域
美国	美国创新战略（A Strategy for American Innovation）、国家先进制造战略计划（National Strategic Plan for Advanced Manufacturing）、重振美国制造业框架（A Framework for Revitalizing American Manufacturing）、先进制造伙伴计划（Advanced Manufacturing Partnership）、纳米技术签名倡议（Nanotechnology Signature Initiative）、国家生物经济蓝图（National Bioeconomy Blueprint）、应对电动汽车普及所带来挑战的蓝图（EV Everywhere Grand Challenge Blueprint）、智能地球（Smarter Planet）、联邦大数据研发战略计划（Federal Big Data Research and Development Strategic Plan）、下一代照明计划（Next Generation Lighting Initiative，NGLI）、控制高效系统的宽禁带半导体低成本晶体管战略（Strategies for Wide-Bandgap，Inexpensive Transistors for Controlling High-Efficiency Systems）	新能源材料、生物与医药材料、环保材料、纳米材料，先进制造、新一代信息与网络技术和电动汽车相关材料，材料基因组，宽禁带半导体材料
欧盟	欧盟能源技术战略计划（European Strategic Energy Technology Plan）、能源 2020 战略（2020 Energy Strategy）、欧盟物联网行动计划（Internet of Things—An action plan for Europe）、欧洲 2020：智慧、可持续、包容增长战略（Europe 2020：A Strategy for Smart，Sustainable and Inclusive Growth）、可持续增长创新：欧洲生物经济（Innovating for Sustainable Growth: A Bioeconomy for Europe）、地平线 2020（Horizon 2020）、彩虹计划（Rainbow Project）、OLED100. Eu 项目（OLED100. Eu Project）、为我们的未来做准备：制定欧洲关键使能技术发展的共同战略（Preparing for Our Future：Developing A Common Strategy for Key Enabling Technologies in the EU）、第七研发框架计划（7th Framework Programme for Research and Technological Development）	低碳产业相关材料、信息技术（重点是物联网）相关材料、生物材料、纳米材料、石墨烯等
英国	英国低碳转型计划：能源和气候国家战略（UK Low Carbon Transition Plan：National Strategy for Climate and Energy）、英国可再生能源发展路线图（UK Renewable Energy Roadmap）、英国海洋产业增长战略（A Strategy for Growth for the UK Marine Industries）、英国合成生物学路线图（A Synthetic Biology Roadmap for the UK）、制造的未来：英国迎接机遇和挑战的新时代（The Future of Manufacturing：A New Era of Opportunity and Challenge for the UK）	低碳产业相关材料、高附加值制造业相关材料、生物材料、海洋材料等
德国	德国 2020 高技术战略（High-tech Strategy 2020 for German）、能源战略 2050：清洁、可靠和经济的能源系统（Energy Concept for an Environmentally Sound, Reliable and Affordable Energy Supply）、德国高科技战略（The High-Tech Strategy for Germany）、高科技战略 2025（High-Tech Strategy 2025）、德国国家生物经济研发战略 2030（National Research Strategy BioEconomy 2030）、德国联邦政府国家电动汽车发展规划（German Federal Government's National Electromobility Development Plan）、工业 4.0（Industry 4.0）	可再生能源材料、生物材料、电动汽车相关材料等

续表

国家（地区）	发展计划名称	涉及新材料相关领域
法　国	国家研究与创新战略（National Research and Innovation Strategy）、未来投资计划（Future Investment Plan）、新工业法国（The New Face of Industry in France）	可再生能源材料、环保材料、信息材料、环保汽车相关材料等
日　本	新增长战略（New Growth Strategy）、新信息通信技术战略（The New Strategy in Information and Communications Technology）、日本产业结构展望2010（The Industrial Structure Vision 2010）、第五期科学技术基本计划（2016—2020年）[5th Science and Technology Basic Plan（2016—2020）]、新国家能源战略（New National Energy Strategy）、能源基本计划（Basic Energy Plan）、国家能源计划（National Energy Plan）、创建最尖端IT国家宣言（Declaration to be the World's Most Advanced IT Nation）、下一代汽车计划2010（Next-Generation Vehicle Strategy 2010）、21世纪国家光工程（"Light for the 21st Century" National Project）	新能源材料、节能环保材料、信息材料、新型汽车相关材料等
韩　国	绿色增长国家战略（2009—2050年）[The National Strategy for Green Growth（2009—2050）]、新增长动力规划及发展战略（New Growth Engine Action Plan）、第三次科学技术基本计划（3rd S&T Basic Plan）	可再生能源材料、信息材料、纳米材料等
俄罗斯	俄罗斯2030年前能源战略（Energy Strategy of Russia for the Period Up to 2030）、俄罗斯2020年前创新发展战略（Russia's Innovative Development Strategy to 2020）、2020年前俄罗斯联邦生物技术发展计划（Development of Biotechnology in the Russian Federation through 2020）、俄罗斯联邦信息技术发展战略（Strategy for Developing the Information Technology Sector in the Russian Federation）	新能源材料、节能环保材料、纳米材料、生物材料、医疗和健康材料、信息材料等
巴　西	2012—2015年国家科技与创新战略（National Strategy for S&T&I 2012—2015）、国家科技创新发展行动计划（Action Plan for the Promotion of Technological Innovation）	新能源材料，环保汽车、民用航空、现代生物农业等相关材料
印　度	气候变化国家行动计划（National action plan on climate change）、国家太阳能计划（National Solar Mission）、"十二五"规划（2012—2017年）[12th Five-Year Plan（2012—2017）]、2013科学、技术与创新政策（Science, Technology and Innovation Policy 2013）	新能源材料、生物材料等
南　非	国家战略计划绿皮书（National Strategic Planning Green Paper）、工业政策行动计划（Industrial Policy Action Plan）、2030国家发展计划（National Development Plan 2030）、综合资源计划（Integrated Resource Plan）	新能源材料、生物制药材料、航空航天相关材料等

二、高新技术发展促使新材料不断更新换代

高新技术的突破加快了技术向生产力的转化速度，同时也对关键基础材料提出新的挑战和需求。例如，微电子芯片集成度及信息处理速度大幅提高，成本不断降低，硅材料发挥了重要作用（图10-2）。目前，300mm硅片可以满足14nm技术节点的集成电路要求，450mm硅片已经产出样片。此外，A_2B_7型稀

土储氢合金已经实现工程化，并将 5 号电池的容量提高到 2700mA · h。低温共烧陶瓷技术（low temperature co-fired ceramic，LTCC）的研究开发取得重要突破，大量无源电子元器件整合于同一基板内已经成为可能。伴随着先进材料研究技术的不断延展，也产生了诸多新兴产业。例如，氮化镓（GaN）等化合物半导体材料的发展催生了半导体照明技术；白光发光二极管（LED）的光效已经远远超过白炽灯和荧光灯，给照明行业带来革命性的变化。太阳能电池转换效率不断提高，极大地推动了新能源产业的发展。镁合金与钛合金等高性能结构材料的加工技术取得突破，成本不断降低，研究与应用重点由航空航天及军工扩展到高附加值民用领域[3]。基于分子和基因等临床诊断材料和器械的发展，肝癌等重大疾病得以早日发现和治疗；介入器械的研发催生了微创和介入治疗技术，使心脏病死亡率大幅下降。

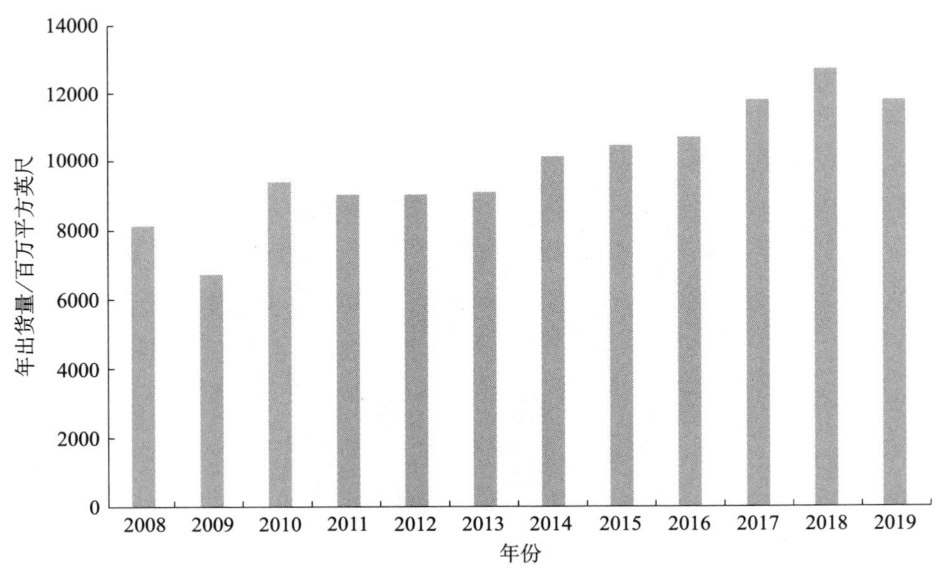

图 10-2 2008～2019 年全球硅材料的年出货量

三、绿色、低碳成为新材料发展的重要趋势

面对日益严重的资源枯竭、不断恶化的生态环境和大幅提升的人均需求等发展困境，绿色发展和可持续发展等理念已经成为人类共识。世界各国都积极将新材料的发展与绿色发展紧密结合，高度重视新材料与资源、环境和能源

的协调发展，大力推进与绿色发展密切相关的新材料的开发与应用。以新能源为代表的新兴产业崛起，引起电力、建筑、汽车、通信等多个产业发生重大变革，拉动上游产业（如风机、电池组件、多晶硅等一系列制造业和资源加工业）的发展，促进智能电网、电动汽车等输送与终端产品的开发和生产。欧美等发达国家和地区已经通过立法促进节能建筑和光伏发电建筑的发展。通过提高新型结构材料强韧性、提高温度适应性、延长寿命及材料的复合化设计可以降低成本、提高质量。功能材料向微型化、多功能化、模块集成化、智能化等方向发展可以提升材料的性能；纳米技术与先进制造技术的融合将产生体积更小、集成度更高、更加智能化、功能更优异的产品。欧洲首倡的全生命周期技术（图 10-3）对钢铁、有色金属、水泥等大宗基础材料的单产能耗、环境载荷降低 20% 以上。绿色、低碳的新材料技术及产业化将成为未来发展的主要方向，在追求经济目标的同时更加注重资源节约、环境保护、公共健康等社会目标[4]。

图 10-3 全生命周期

四、跨国集团仍然占据新材料产业的主导地位

目前，世界著名企业和集团凭借其技术研发、资金和人才等优势不断向新材料领域拓展，在高附加值新材料产品中占据主导地位。日本信越化学工业公

司（Shin-Etsu Chemical Co., Ltd.,）、日本胜高（SUMCO）公司及德国世创电子（Siltronic）公司等企业占据国际半导体硅材料市场份额的 70% 以上。90% 以上半绝缘砷化镓市场被日本的日立电线（Hitachi Cable）公司、住友电气工业公司（Sumitomo Electric Industries）、德国弗莱贝格化合物材料公司（Freiberger Compound Materials，FCM）、美国晶体技术公司（American Xtal Technology, Inc.）所占有。美国陶氏化学公司（Dow Chemical Company）、通用电气公司（General Electric Company）、瓦克化学（Wacker Chemie）公司和法国罗纳·普朗克（Rhone-Poulenc）公司及日本一些公司基本控制了全球有机硅材料市场。杜邦（DuPont）、大金工业公司（Daikin Industries）、德国赫希斯特（Hoechst）公司、美国明尼苏达矿务及制造业（Minnesota Mining and Manufacturing，3M）公司、意大利奥斯蒙特（Ausimont）公司、法国埃尔夫阿托化学（Elf Atochem）公司和英国帝国化学工业（Imperial Chemical Industries）公司等 7 家公司拥有全球 90% 的有机氟材料生产能力。美国科锐（Cree）公司的碳化硅衬底制备技术具有很强的市场竞争力，荷兰皇家飞利浦公司（Royal Philips）控股的美国 Lumileds 公司的功率型白光 LED 处于世界先进水平，美国、日本、德国等国的企业拥有 70% LED 外延生长和芯片制备核心专利。碳化硅材料市场规模预测如图 10-4 所示。日本东丽公司基本垄断了高性能碳纤维及其复合材料的市场。美国铝业公司掌握了 80% 的飞机用金属新材料专利，美国杜邦、日本帝人公司控制了对位芳酰胺纤维 90% 的产能。

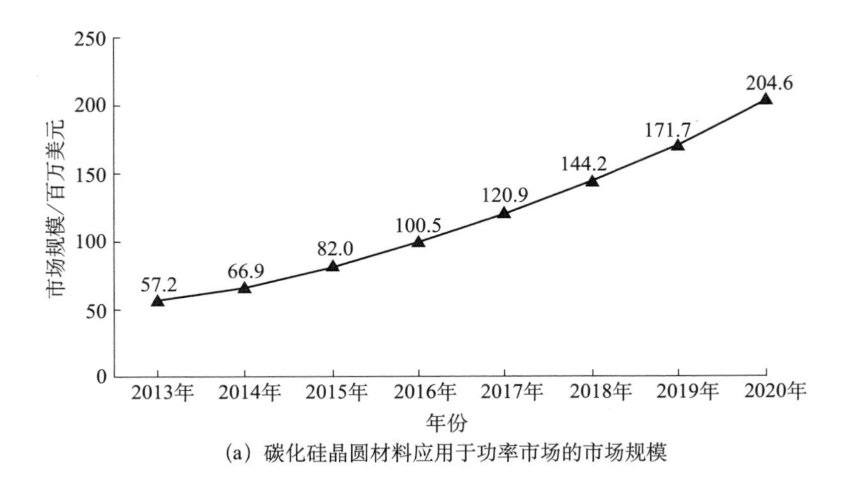

(a) 碳化硅晶圆材料应用于功率市场的市场规模

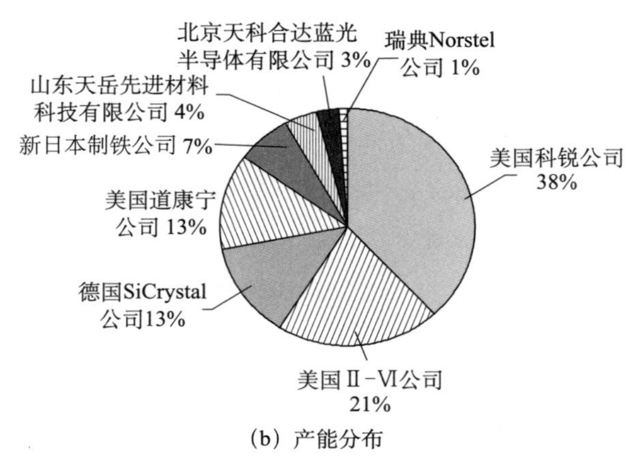

(b) 产能分布

图 10-4　碳化硅材料应用于功率半导体行业的市场规模

五、变革新材料研发模式成为关注热点

进入 21 世纪以来，发达国家逐渐意识到依赖于科学直觉与试错的传统材料研究方法已经跟不上工业快速发展的需求，甚至可能成为制约技术和工业进步的瓶颈。因此，革新材料研发方法，加速材料从研发到应用的进程被提上各国政府的议事日程。例如，作为美国联邦政府 AMP 的重要组成部分，奥巴马政府在 2011 年提出“材料基因组计划”(materials genome initiative，MGI)，目的是将材料从发现到应用的速度至少提高一倍，成本至少降低一半，发展以先进材料为基础的高端制造业，希望继续保持其在核心科技领域的优势[5]。

MGI 的具体措施（图 10-5）包括：①发展计算工具和方法，减少耗时费力的实验，加快材料设计和筛选；②发展和推广高通量材料实验工具，更快地进行候选材料验证和筛选；③发展和完善材料数据库 / 信息学工具，有效管理材料从发现到应用全过程数据链；④培育开放、协作的新型合作模式。MGI 的终极目标是实现通过理论模拟和计算完成先进材料的“按需设计”和全程数字化制造。

在这场材料研发模式变革的过程中，欧盟、日本等也启动了类似的科学计划。欧盟以轻量、高温、高温超导、磁性及热磁、热电和相变记忆存储六类高性能合金材料需求为牵引，推出了“加速冶金学”(accelerated metallurgy，ACCMET)计划。

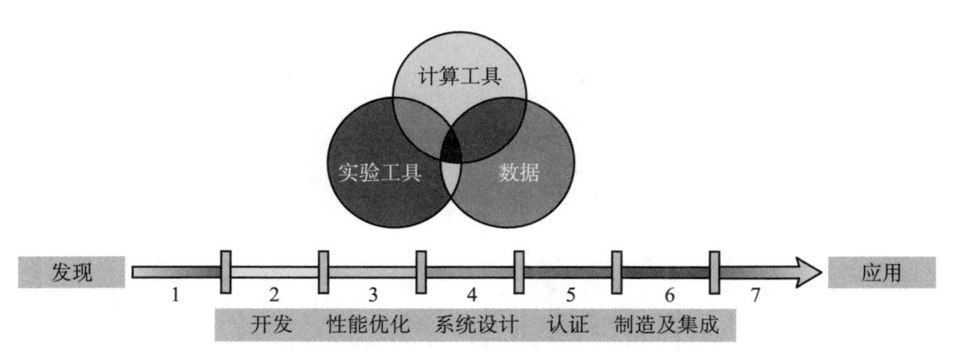

图 10-5 MGI 三要素协同融合贯穿材料从发现到应用的各个环节

第十一章
我国新材料产业发展概况

新材料是我国经济发展的突出短板，也是新旧动能转换中的新动能，事关国民经济和战略安全，是中央确定的面向未来必争的战略领域之一。“十二五”以来，通过国家的大力扶持及各行业工作者的共同努力，我国新材料产业取得了显著的进步，主要表现在以下方面。

一、多种新材料核心技术获得突破

新材料创新能力增强，核心技术不断取得突破。大直径硅材料在缺陷、几何参数、颗粒、杂质等控制技术方面不断完善，300mm 硅材料可以满足 65～45nm 技术节点的集成电路要求，已经成功研制出 450mm 硅单晶。人工晶体材料经过多年的发展，偏硼酸钡（BaB_2O_4，BBO）和三硼酸锂晶体（LiB_3O_5，LBO）等紫外非线性光学晶体研究居世界先进水平并实现了商品化；氟代硼铍酸钾晶体（$KBe_2BO_3F_2$，KBBF）是国际上唯一可以实用的深紫外非线性光学晶体，并在我国首先成功应用于制备先进的科学仪器；Nd∶YAG、Nd∶GGG 和 Nd∶YVO_4 等激光晶体主要技术指标达到世界先进水平，实现了千瓦级全固态激光输出。太阳能电池关键技术指标达到世界先进水平，光伏发电成本从 4 元/（kW·h）降低到 1 元/（kW·h）以下。锂离子电池正极材料、负极材料、电解液均能满足小型电池要求。通过开展超高分子量聚乙烯纤维、卤化丁基橡胶及高性能驱油聚合物等技术的工业化开发，大大缩小了我国化工材料产业与发达国家的差距。T300 级碳纤维进一步实现了稳定生产，单线产能提高到 1200t，T700 级和 T800 级碳纤维关键技术得到突破，实现了批量供货能力，已开始被应用于航空航天装备。研制出强度大于 800MPa 的快速凝固喷射沉积铝合金和新一代高强高韧高淬透性铝合金，综合性能达到世界先进水平；开发出具有自主知识产权的铜带、铜管拉铸技术及铜铝复合技术。海底管线钢 X65、X70、X80 及厚壁海洋油气焊管、化学品船用中厚板均已实现国产化，自主研制的 2205 型双相不锈钢已成功应用于化学品船。自主开发的拓扑绝缘体材料、高温超导材料、石墨烯等二维材料、大飞机专用第三代铝锂合金、百万千瓦级核电用 U 形管、硅衬底 LED 材料、大尺寸石墨烯薄膜块状纳米材料、分离膜材料、低温共烧陶瓷、钽铌铍合金、非晶合金、高磁感取向硅钢、二苯基甲烷二异氰酸酯、立方氮化硼、间位芳酰胺等新材料的研发、生产与应用技术已达或接近国际水平。发布了国家标准《电磁超材料术语》，基于超材料与超射频技术开发的新型卫星通信产品获得了首届中国电子信息博览会创新金奖。关键技术的不断突破和新材料品种的不断增加，促进了我国高端金属结构材料、新型无机非金属材料、高性能复合材料保障能力明显增强，先进高分子材料和特种金属功能材料自给水平逐步提高。

二、与国家重大工程及国民经济结合日益紧密

新材料产业的发展为我国能源、资源环境、信息领域的经济社会的发展提供了重要的技术支撑和物资保障。经过“十城千辆”等示范工程及相关政策的支持，2017 年，我国新能源汽车产量达 79.40 万辆，居世界第一位，预计 2020 年我国新能源汽车的市场保有量将达到 500 万辆，2030 年有望达到 1500 万辆。膜材料在海水淡化方面已经获得应用，初步实现了反渗透海水淡化的生产能力，成为我国沿海地区供水安全保障体系的重要组成部分。稀土永磁材料在电子信息、风电、节能环保等领域的应用规模稳步扩大；新型墙体材料、保温隔热材料等新型建材逐渐成为建筑工程的主流应用；集成电路及半导体材料、光电子材料等在电子信息产业的应用水平逐步提高；第三代铝锂合金成功实现在大飞

机上应用，石墨烯在触摸屏、功能涂料等领域初步实现产业化应用；生物材料、纳米材料应用已经取得了积极进展；高性能钢材料、轻合金材料、工程塑料等产品结构不断优化，有力地支撑和促进了高速铁路、载人航天、海洋工程、能源装备、探月工程、超高压电力输送、深海油气开发等国家重大工程建设的顺利实施，以及轨道交通、海洋工程装备等产业的“走出去”。

三、产业规模持续扩大

近年来，随着我国经济社会的高速发展，战略性新兴产业迅速发展，重大和高端装备用钢铁材料、新一代信息技术、生物医药、新能源等重点产业及其新业态加速成长壮大，部分领域产业规模已居世界前列。新材料产业作为我国战略性新兴产业的先导产业，据不完全统计，其 2019 年的总产值已经达 4.50 万亿元，其中稀土功能材料、储能材料、复合材料、光伏材料等的产能居世界前列。2017 年，我国粗钢产量达到 8.30 亿吨，十种有色金属产量达到 5378 万吨，平板玻璃产量达到 8.10 亿重量箱，水泥产量达到 23.20 亿吨。2017 年，中国光伏新增装机为 53.06GW，连续 4 年居全球首位。锂离子电池的产业规模持续扩大，2017 年总产量达到 884 亿 W · h、117 894.7 万自然只，累计同比增长 31.25%。中国新材料产业规模增长如图 11-1 所示。

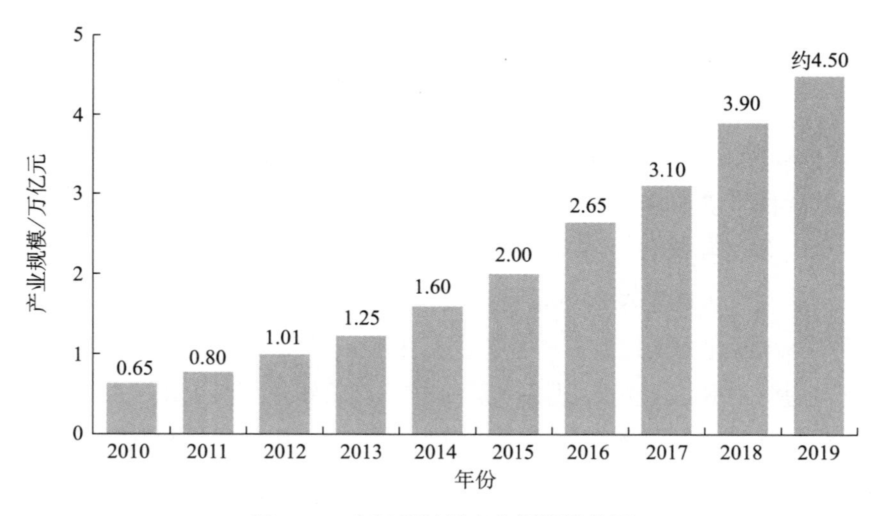

图 11-1　中国新材料产业规模增长图

四、区域特色逐步显现

近年来，随着国家相关部门为提高材料产业发展水平，在原有地域空间上进行资源整合，积极推动产业基地建设，材料产业的区域特色逐步显现，形成了长江三角洲（以下简称长三角）、珠江三角洲（以下简称珠三角）、环渤海地区等优势突出的地区新材料综合性产业集群和位于上海市、南京市、宁波市、惠州市、天津市等地的具有国际水平的工业化园区。在钢铁行业方面，形成了东北、华北、华东、华中、西南等区域发展格局。中西部地区则基于原有产业基础或资源优势，发展本地区的新材料产业，具有代表性的有：天津市、青岛市、宁波市等地的化工新材料产业基地，深圳市、威海市的生物医用材料产业，包头市的稀土新材料，云南省和贵州省的稀贵金属新材料产业，广西壮族自治区的有色金属新材料产业，重庆市、西安市、金昌市、长株潭城市群、宝鸡市及太原市等地的航空航天材料、能源材料及重大装备材料产业，徐州市、洛阳市、连云港市的硅材料产业等。

五、宏观指导不断加强

“十二五”以来，我国政府高度重视新材料产业的发展，随着《“十二五”国家战略性新兴产业发展规划》和《新材料产业“十二五”发展规划》等国家层面战略规划的出台，工业和信息化部、国家发展和改革委员会等国家有关部委相继发布了新材料产业及其支撑的其他战略性新兴产业的相关“十二五”发展规划，包括节能环保产业、环保装备、电子信息制造业、集成电路、软件与信息服务业、物联网、互联网行业、医药工业、高端装备制造业、可再生能源、风电发展、太阳能发电、生物质能发展等“十二五”规划，海洋工程装备制造业中长期发展规划、节能与新能源汽车产业发展规划，如表 11-1 所示。科学技术部发布了相关科技发展专项规划，包括《国家“十二五”科学和技术发展规划》《绿色制造科技发展“十二五”专项规划》《半导体照明科技发展“十二五”专项规划》《“十二五”绿色建筑科技发展专项规划》《洁净煤技术科技发展“十二五”专项规划》《海水淡化科技发展“十二五”专项规划》《新型显示科技发展“十二五”专项规划》《国家宽带网络科技发展“十二五”专项规划》《中国云科技发展“十二五”专项规划》《医学科技发展“十二五”

专项规划》《服务机器人科技发展“十二五”专项规划》《高速列车科技发展“十二五”专项规划》《“十二五”制造业信息化科技工程规划》《太阳能发电科技发展“十二五”专项规划》《风力发电科技发展“十二五”专项规划》《智能电网重大科技产业化工程“十二五”专项规划》等。2016年出台了《“十三五”国家科技创新规划》《“十三五”国家战略性新兴产业发展规划》等专项规划，为未来一段时期我国新材料产业的发展重点和发展内容指明了方向（表11-1）。

为贯彻实施“制造强国”战略，加快推进新材料产业发展，国务院于2016年12月22日成立国家新材料产业发展领导小组，马凯副总理亲自担任组长，领导小组负责审议推动新材料产业发展的总体部署、重要规划，统筹研究重大政策、重大工程和重要工作安排，协调解决重点难点问题，指导督促各地区、各部门扎实开展工作；2017年2月28日，成立国家新材料产业发展专家咨询委员会。这些都将成为我国新材料产业发展的新契机。

表11-1 我国与新材料产业相关的发展规划

年份	发展规划	涉及新材料相关领域
2010	《国务院关于加快培育和发展战略性新兴产业的决定》	高性能复合材料、先进结构材料、新型功能材料
2011	《当前优先发展的高技术产业化重点领域指南（2011年度）》	纳米材料、核工程用特种材料、特种纤维材料、膜材料及组件、特种功能材料、稀土材料等
	《国家“十二五”科学和技术发展规划》	新型功能与智能材料、先进结构与复合材料、纳米材料、新型电子功能材料、高温合金材料、高性能纤维及其复合材料、先进稀土材料等
2012	《新材料产业“十二五”发展规划》	特种金属功能材料、高端金属结构材料、先进高分子材料、新型无机非金属材料、高性能复合材料、前沿新材料
	《半导体照明科技发展“十二五”专项规划》《高品质特殊钢科技发展“十二五”专项规划》《高性能膜材料科技发展“十二五”专项规划》《医疗器械科技产业“十二五”专项规划》《节能与新能源汽车产业发展规划（2012—2020年）》《有色金属工业“十二五”发展规划》等	半导体照明材料、高品质特殊钢材料、新型轻质合金、膜材料、生物医用材料、锂离子电池材料
2013	《能源发展“十二五”规划》《关于加快发展节能环保产业的意见》《大气污染防治行动计划》《国务院关于促进光伏产业健康发展的若干意见》	大尺寸硅、光刻胶等集成电路关键材料、太阳能电池材料、锂离子电池材料
2014	国务院《国家集成电路产业发展推进纲要》《关于加快新能源汽车推广应用的指导意见》《关键材料升级换代工程实施方案》	锂离子电池材料，信息功能材料、海洋工程材料、节能环保材料、先进轨道交通材料

续表

年份	发展规划	涉及新材料相关领域
2015	“制造强国”战略	特种金属功能材料、高性能结构材料、功能性高分子材料、特种无机非金属材料和先进复合材料
2016	《关于加快新材料产业创新发展的指导意见》	先进基础材料：高品质钢铁材料、新型轻合金材料、工业陶瓷及功能玻璃材料等；关键战略材料：耐高温及耐腐蚀合金、高性能纤维及其复合材料、先进半导体材料、生物医用材料等；前沿材料：石墨烯、增材制造材料、智能材料、超材料等
	《关于实施制造业升级改造重大工程包的通知》	先进金属材料、先进有机材料、先进无机非金属材料、先进复合材料、前沿材料
	《“十三五”国家科技创新规划》	先进结构材料技术、先进功能材料技术和变革性的材料研发与绿色制造新技术
	《“十三五”国家战略性新兴产业发展规划》	高强轻合金、高性能纤维、特种合金、先进无机非金属材料、高品质特殊钢、新型显示材料、动力电池材料、绿色印刷材料，稀土、钨钼、钒钛、锂、石墨等特色资源，石墨烯材料、纳米材料、智能材料、仿生材料、超材料、低成本增材制造材料和新型超导材料，空天、深海、深地等极端环境所需材料
2017	《新材料产业发展指南》	先进基础材料、关键战略材料、前沿新材料

第十二章
关键新材料领域发展现状

第一节　电子信息材料

电子信息材料涉及信息产生、提取、转换、传输、存储、处理和显示，本书所述的电子信息材料主要包括微电子材料、光电子材料等。微电子材料是微电子和信息产业发展的基础支撑，包括硅、砷化镓、碳化硅等各类衬底、栅介质、存储介质、集成电路配套材料等。光电子材料是以光子、电子为载体传递、处理与存储信息和能量的材料，包括半导体照明与显示材料、光电功能晶体、红外探测材料和硅基低维光电子材料等。近年来，具有特殊物理性能的碳基材料，如碳纳米管、富勒烯和石墨烯等，展示出较好的微电子和光电子特性，已经成为新一代信息功能材料的研发热点，逐步得到产业界的重视。电子信息材料及产品是现代通信、计算机、信息网络技术、微机械智能系统、工业自动化和日用电子产品等现代高技术产业的基础和先导。电子信息材料产业的发展规模和技术水平已经成为衡量一个国家经济发展、科技进步和国防实力的重要标志，在国民经济中具有重要战略地位，是科技创新和国际竞争最为激烈的科技领域之一。

一、国际发展现状

（一）微电子材料

1. 硅材料

自 20 世纪 60 年代硅平面工艺发明成功以来，集成电路技术基本以硅基为主。硅在半导体材料领域的绝对优势地位得到确立，并逐步加强，全球年消耗的硅材料面积总体快速上升（图 12-1）。至 2017 年，半导体硅材料支撑的半导体产业规模达到4291亿美元，年消耗硅材料面积近118.10亿平方英寸[①]，硅材料年销售额 87 亿美元。2008～2017 年全球半导体硅片年出货量、销售额及其增长率情况如表 12-1 所示。

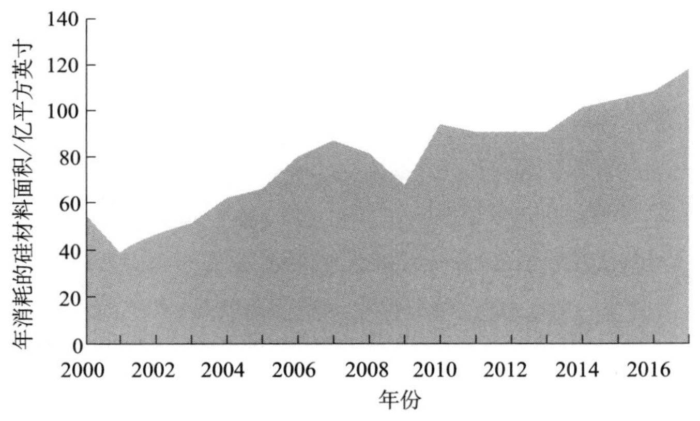

图 12-1 全球 2000～2017 年年消耗的硅材料面积

数据来源：国际半导体产业协会

表 12-1 2008～2017 年全球半导体硅片年出货量、销售额及其增长率情况

项目	2008 年	2009 年	2010 年	2011 年	2012 年	2013 年	2014 年	2015 年	2016 年	2017 年
出货量 / 亿平方英寸	81.37	67.07	93.70	90.43	90.31	90.67	100.98	104.34	107.38	118.10
出货增长率 /%	–6.05	–17.57	39.70	–3.49	–0.13	0.40	11.37	3.33	2.91	9.98
销售额 / 亿美元	114	67	97	99	87	75	76	72	72	87
销售增长率 /%	–5.79	–41.23	44.78	2.06	–12.12	–13.79	1.33	–5.26	0.00	20.83

数据来源：国际半导体产业协会

① 1 平方英寸≈ 6.45cm^2。

半导体硅材料技术的发展主线之一是大尺寸化，如图12-2所示。国际上硅片直径由1975年的100mm，先后经过向125mm、150mm、200mm几代跃迁，达到目前的300mm。全部半导体硅材料中，直径300mm的硅片占比约为65%，且该比例不断增大。直径200mm的硅片占比为27%，直径150mm和125mm的硅片占比约为13%。

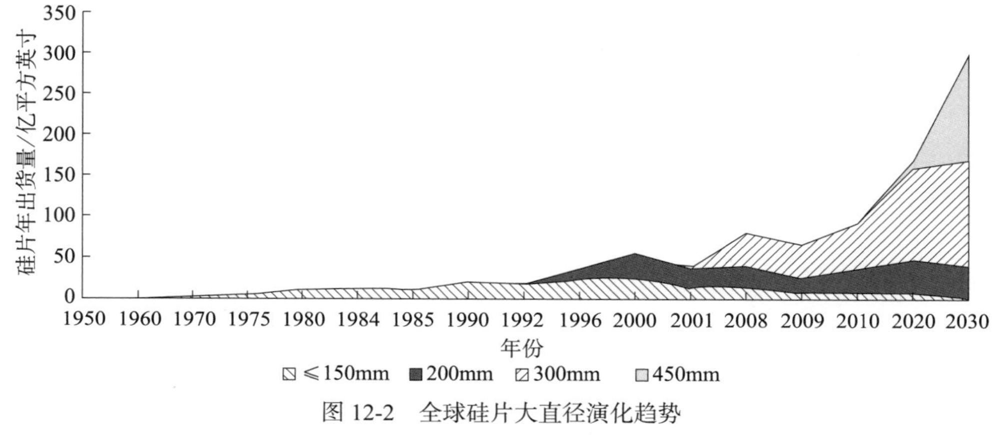

图12-2 全球硅片大直径演化趋势

数据来源：根据国际半导体产业协会数据编辑和预测

半导体硅材料技术的另一个演化特点是，在直径不断变大的同时，半导体集成度不断提高和特征尺寸不断缩小，半导体硅材料的晶体完整性、几何参数、化学纯度等各项技术指标不断变化，渐趋严格（表12-2）。根据其特征尺寸或器件半节距，半导体硅材料技术从初期的微米级10μm、5μm、3μm、2μm、1.5μm、1.0μm，发展到后来的亚微米0.8μm、0.5μm，深亚微米0.35μm、0.25μm、0.18μm、0.15μm、0.13μm，再发展到最近的纳米级90nm、65nm、45nm、32nm。国际半导体技术蓝图（International Technology Roadmap for Semiconductors，ITRS）所列的每一代半导体技术节点，有对应的一代硅材料技术，并需要相应的一代硅材料加工和检测装备来实现。由台湾积体电路制造股份有限公司（Taiwan Semiconductor Manufacturing Company，TSMC）、英特尔公司（Intel Corporation）和三星集团（Samsung）等几家公司积极推进，当前最先进的半导体技术略微超越ITRS，达到10nm/7nm，直径300mm的硅片也在这些先进半导体制程中得到批量应用。

表 12-2　半导体硅材料技术要求变化

重要参数	2011 年	2014 年	2017 年	2018 年	2021 年	2024 年	2028 年
存储器半节距 /nm	36	26	20	18	14	11	8
硅片直径 /mm	300	300	300	450	450	450	450
表面颗粒尺寸控制要求 /nm	≥ 45	≥ 32	≥ 22	≥ 22	≥ 15	≥ 11	≥ 8
对应的颗粒数量要求 /（个 / 片）	≤ 134	≤ 291	≤ 285	≤ 282	≤ 272	≤ 263	≤ 257
局部平整度 /nm	≤ 36	≤ 28	≤ 18	≤ 16	≤ 11	≤ 8	≤ 5
纳米形貌 /nm	≤ 9	≤ 7	≤ 4	≤ 4	≤ 3	≤ 2	≤ 2

数据来源：国际半导体技术蓝图

在硅材料领域，国际企业集团依靠技术、资金和人才等优势在全球市场占据主导地位，并在高附加值产品研发中具有领先优势。日本信越化学工业公司、三菱化学控股公司和德国世创电子公司（图 12-3）3 家企业占据国际半导体硅材料市场销售额的 70% 以上，并垄断了 300mm 的硅材料技术和生产（图 12-4）。

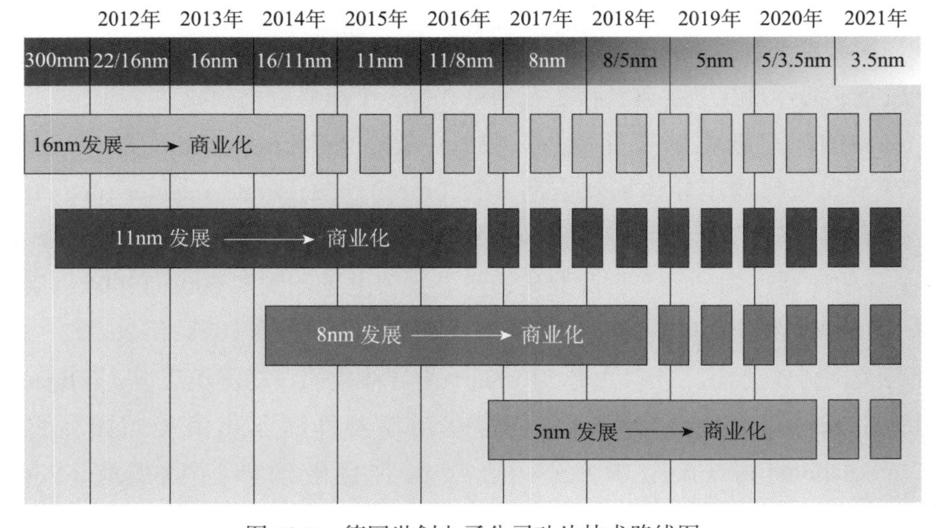

图 12-3　德国世创电子公司硅片技术路线图

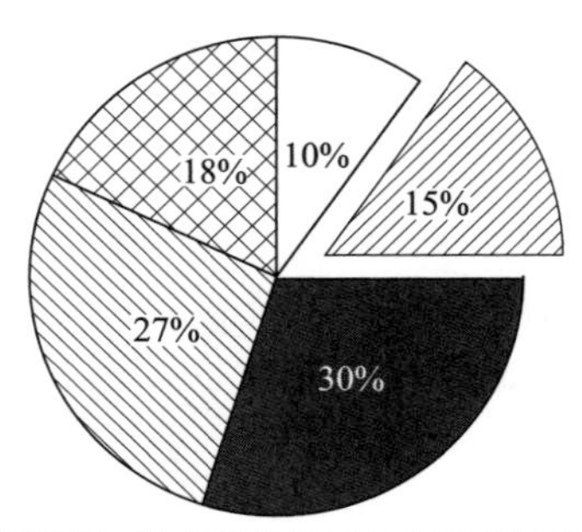

图 12-4　全球硅材料产业竞争格局

2. 宽禁带半导体材料

宽禁带半导体材料是电子信息制造需要的一类重要衬底材料，以宽禁带为主要特征，同时具备临界电场强度高、热导率高、电子迁移速度快、化学性能稳定、抗辐射能力强、热稳定性好等特点。在一些重要应用领域，宽禁带半导体材料弥补了传统硅材料的不足。碳化硅（SiC）、氮化镓（GaN）、氮化铝（AlN）、立方氮化硼（C-BN）、金刚石（C）、氧化镓（β-Ga_2O_3）、氧化锌（ZnO）都为宽禁带半导体材料，以碳化硅和氮化镓前景最广阔，可以制作功率器件、射频电子器件和光电器件，涉及半导体照明、智能电网、汽车电子、军事、航空、海洋勘探、地震预报、石油钻井等多个重要应用领域[6, 7]。

目前国际上碳化硅基肖特基二极管（Schottky barrier diode，SBD）及碳化硅基金属氧化物半导体场效应晶体管（metal oxide semiconductor filed effect transistor，MOSFET）、碳化硅基双极结型晶体管（bipolar junction transistor，BJT）等功率器件均已经实现商业化，产品覆盖电压范围为600～1700V，碳化硅基MOSFET和碳化硅基BJT的实验室耐压水平分别达到10kV和20kV。主要厂商有美国科锐公司、日本罗姆（Rohm）半导体集团、德国英飞凌（Infineon）公司、SemiSouth、TranSiC等。氮化镓基功率器件商业化由美国国际整流器（International Rectifier，IR）公司及美国宜普电源转换（Efficient Power Conversions，EPC）公司等推动。美国EPC公司及IR公司于2010年率先推出氮化镓功率开关器件产品，集中于200V以下的应用领域。2013年，美国Transphorm公司和日本松下（Panasonic）电器产业株式会社第一次在业界推出了 600V 的硅衬底上氮化镓功率器件，使得氮化镓功率器件的耐压达到当前的市电应用要求，极大地带动了氮化镓电力电子产业的发展。

宽禁带半导体衬底及外延片也由小直径不断向大直径发展，同时伴随着衬底及外延材料质量的不断提升。在碳化硅衬底及外延方面，目前国际市场上主流的碳化硅衬底及外延片仍以 3～4 英寸[①]为主，6 英寸碳化硅技术快速发展和成熟。目前美国科锐公司、道康宁（Dow Corning）公司、Ⅱ-Ⅵ公司、日本罗姆半导体集团旗下 SiCrystal 公司、日铁不锈钢公司等均能够提供 6 英寸碳化硅衬底产品，日本昭和电工公司能提供 6 英寸碳化硅外延片产品。

3. 碳基材料

碳基材料定义为由纯碳组成的材料，通常指以碳元素异构体为基本材料，以及其扩展的复杂结构。前者包括石墨、金刚石、富勒烯、单壁碳纳米管（single-walled carbon nanotube，SWNT）、石墨烯等；后者包括巴基葱、多壁碳纳米管（multi-walled carbon nanotube，MWNT）、碳纤维等。一些重要碳基低维纳米材料如表 12-3 所示。

表 12-3　重要碳基低维纳米材料

单体纳米结构			薄膜、涂层、纳米结构表面	纳米结构的块体材料
零维结构	一维结构	二维结构		
富勒烯	SWNT	石墨烯	碳膜	纳米结构碳
巴基葱	MWNT	石墨炔	类金刚石膜	纳米孔碳
原子团	纳米锥		共价键碳化物类碳化硅	碳泡沫
炭黑	纳米线		金属碳化物类碳化钛	碳气溶胶
	纳米棒		纳米碳氢化合物	碳纳米晶

（1）在纳电子学方面[8, 9]。一方面微电子器件的尺寸不断减小，直到器件尺寸效应、量子效应起支配作用，称为自上而下路径。ITRS 指出，当发展节点尺寸为 16nm（2015 年）以后，需要探索碳基材料和有机分子材料。另一面是以组装原子分子为功能材料和器件，称为自下而上路径。两条路径发展的交叠区将是纳电子学领域。为此，国际上一些政府和大公司的纳米科技发展规划中都将碳基材料作为信息科技中的重要材料，在用富勒烯制造单电子晶体管（single

① 1 英寸 =2.54cm。

electron transistor，SET）、碳纳米管的场效应晶体管（carbon nanotube field effect transistor，CNT-FET）和电路、石墨烯场效应晶体管（graphene field effect transistor，G-FET）等都取得了重要进展。特别是在发现碳基材料导电载流子具有双极性后，钯（Pd）与碳基材料接触为 p 型导电，钪（Sc）与之接触为 n 型导电，以此为基础构造了两类三极管，进而制造倒相电路。

（2）在新型显示方面。以碳纳米管膜或图案化可控阵列生长碳纳米管场发射阴极，可构造碳纳米管场发射平板显示器。有些公司虽然演示了较大面积彩色显示屏电视机，但由于稳定性和成本问题，一直没有批量产品上市。从科技原理和技术发展前景估计，碳纳米管场发射平板显示器将是有希望的一代新型显示器，特别是有希望成为一类高亮度、高分辨率的新显示器，人们仍在继续深入研究。基于碳纳米管场发射的冷阴极电子源被用于高频大功率的微波管、X 射线管和新型自由电子激光器的电子源，显著地改善了功率器件的性能。

（3）在碳基纳米材料触摸导电膜方面。碳纳米管编织膜和石墨烯实现了较大面积的批量制造，制备的透明导电膜成功地应用于高性能的触摸显示屏，其中碳纳米管（carbon nanotubes，CNT）手机显示屏已经上市。2011 年，石墨烯的年产值超过 10 亿美元。

（4）在纳米传感器方面[10]。由于纳米尺寸的 CNT 极大的表面体积比，其电学特性对环境非常敏感，吸附各种气体会引起电导显著改变，因此人们研究制成了多种灵敏的气体传感器。当前存在的主要问题是，CNT 再生恢复时间较长，选择性差。因此，人们研究了大量的 CNT 与有机材料的复合物结构。例如，人们将聚邻茴香胺 [poly（*o*-anisidine），POAS] 沉积在 CNT 上，对酸（如盐酸）的灵敏度提高一个量级，显著增强了 POAS 与 CNT 间的电荷转移和提高导电能力。在此基础上，利用微电子技术研制的智能传感器主要用于军事上有害生物化学气体监控。此外，由于碳基材料与蛋白质、生物酶具有较好的兼容性，容易将蛋白质、酶固定在 CNT 表面，相互之间有较强的相互作用，促进氧化还原反应和增强电子转移，因此可以构造各类生物传感器，缩短反应时间并显著提高荧光效率。

4. 存储材料

在信息时代，数据作为一种重要的生产要素直接推动了存储、网络及计算技术的发展。数据存储的可靠性、安全性、容错性直接影响着国家和企业的经营安全和竞争力。在集成电路产业中，半导体存储器（图 12-5）颇为重要，并广泛应用于信息、安全、国防等领域。大数据、云计算、物联网等技术的发展使得存储分析信息的需求呈爆炸式增长。不断提高存储器的性能成为信息技术发展的关键之一。目前动态随机存取存储器（dynamic random access memory，DRAM）和 NAND 闪存的总产值占全球存储器产业的 95%。International Business Strategies（IBS）数据预计，未来 10 年 NAND 闪存的需求量还将持续增长 10 倍（图 12-6），主要应用在云计算、物联网及数据中心等领域。

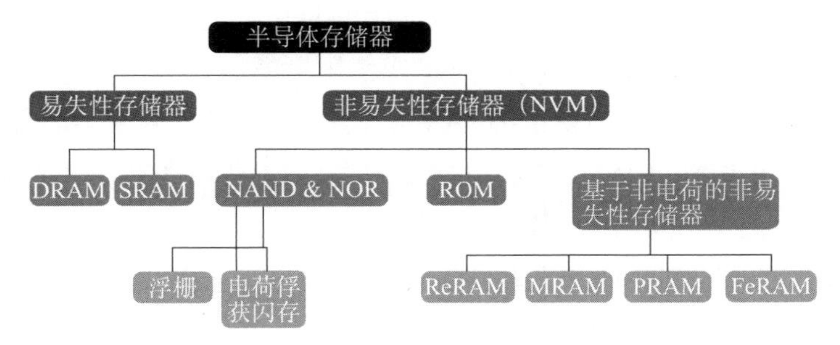

图 12-5　半导体存储器技术分类

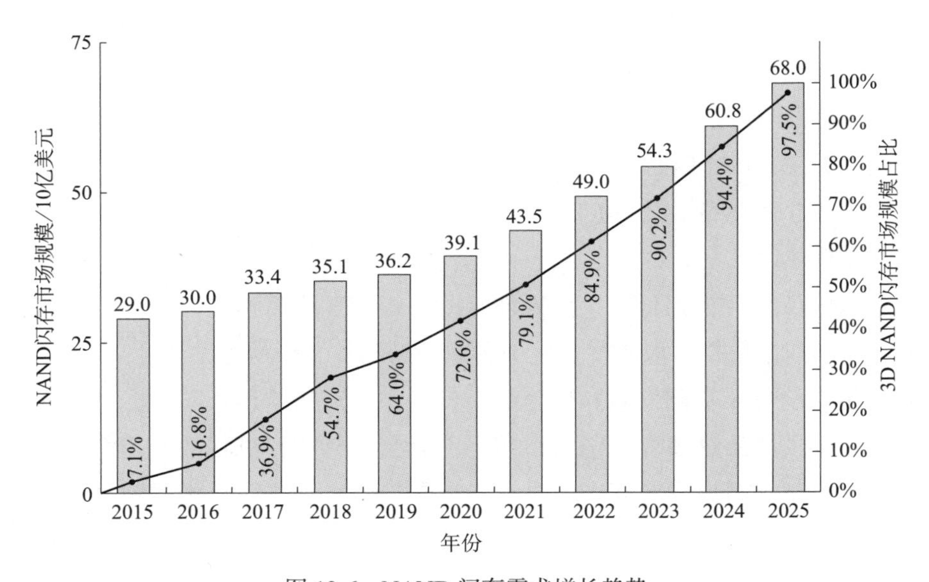

图 12-6　NAND 闪存需求增长趋势

1）DRAM

DRAM 是一种被广泛应用的存储器，每年市场容量超过 300 亿美元，几乎占整个全球集成电路市场的 1/10。作为集成电路销售量和销售额最大的单一产品，DRAM 器件的核心存储单元却十分简单，由一个晶体管和一个存储电容（1 transistor-1 capacitor，1T-1C）组成。DRAM 存储单元的面积目前已经从 $8F^2$ 降低到 $6F^2$。为进一步减小存储单元面积，基于垂直阵列访问晶体管的 $4F^2$ 技术虽然多年以来一直在产业界的研发路线图中，但是并没有获得任何技术突破。这说明，$4F^2$ 的 DRAM 技术确实可能存在可行性问题。DRAM 的制造工艺越来越复杂，电容器相关的制造成本也急剧增加，并达到了接近 30% 的 DRAM 芯片制造成本。因此，新型无电容 DRAM 技术或使用更简单、更小电容的技术越发具有吸引力。然而，虽然许多新型 DRAM 概念被提出来并得到实验证实，1T-1C 结构仍然牢牢占领整个 DRAM 芯片技术市场。这种 1T-1C 结构甚至逐渐渗透到 DRAM 芯片之外的其他应用，进入了中央处理器（central processing unit，CPU）领域并取代一部分的静态随机存取存储器（static random access memory，SRAM）缓存。

DRAM 的平面微缩正在一步步接近极限并向垂直方向扩展，18nm/16nm 之后，由于薄膜厚度无法继续缩减及不适合采用高介电常数材料和电极等原因，继续在二维方向缩减尺寸已经不再具备成本和性能方面的优势。同时，由于便携式设备市场在不断扩大，存储芯片的低功耗要求变得极其重要。因此，对于下一代的纳米 DRAM 存储芯片来说，更多研究芯片整体功耗的降低，将会比一味地扩大芯片存储容量更有价值和意义。

2）SRAM

SRAM 产品曾被大量用于微处理器的二级和三级高速缓存中。SRAM 凭借其低功耗和快速数据存取的特点发展迅猛，以至于 SRAM（尤其是高速 SRAM）在通信领域的各项基础设施和通信终端设备中被广泛应用。同时，当今社会的高端消费电子产品热潮将 SRAM 的优点及功能发挥得淋漓尽致，加之各个知名半导体厂商对于高集成度方法的探索，使得 SRAM 促进了便携式消费电子的发展。如今，各个国家和公司都致力于提高 SRAM 性能的研究与设计。通常通过等比例缩小器件的几何尺寸可以提高 SRAM 的速度，也可以提高存储密度。若要维持较低静态功耗，必须要增强系统的抗噪声干扰能力。存储单元的尺寸等比例缩小后，在 3V 或更低的电源电压下维持稳定的工作很难。因此，必须采用更先进的工艺和电路技术，同时优化芯片结构。

3）Flash

近 30 年来，根据不同的实际应用需求，Flash 存储器主要朝两个方向发展：①以高速、可随机存取为诉求的代码存储（以 NOR 结构为代表）；②以大容量为诉求的文件存储（以 NAND 结构为代表）。为了进一步提高容量、降低成本，NAND 的制程工艺也在不断进步，但 NAND 闪存和处理器不一样。先进工艺虽然带来了更大的容量，但 NAND 闪存的制程工艺是双刃剑。在容量提升、成本降低的同时，可靠性及性能都在下降。因为工艺越先进，NAND 的氧化层越薄，可靠性也越差，厂商就需要采取额外的手段来弥补，但这又会提高成本，以至于达到某个点之后制程工艺已经无法带来优势了。平面 NAND（或称 2D NAND）在进入 1*x*nm 节点之后，器件耐久性和数据保持特性持续退化，单元之间的耦合效应难以克服，很难解决集成度提高和成本控制的矛盾，进一步发展面临瓶颈。由于平面 NAND 闪存的量产已经达 15nm，几乎接近物理极限，因此为了提高存储器的容量及带宽，向 3D NAND 技术迈进是必然趋势。2013 年 8 月，三星集团率先宣布成功推出 3D NAND 技术（图 12-7）。3D NAND 解决问题的思路不一样。为了提高 NAND 的容量、降低成本，厂商不需要费尽心思去提高制程工艺，堆叠更多的层数就可以了。这样一来，3D NAND 闪存的容量、性能、可靠性都有了保证，东芝公司的 15nm NAND 容量密度为 1.28GB/mm^2，而三星集团 32 层堆栈的 3D NAND 可以轻松达到 1.87GB/mm^2，48 层堆栈的则可以达到 2.8GB/mm^2。2019 年 8 月，三星集团公布开始量产 136 层基于存储过孔（memory through hole）技术的 256GB 3D NAND 闪存。在堆叠层数增加的情

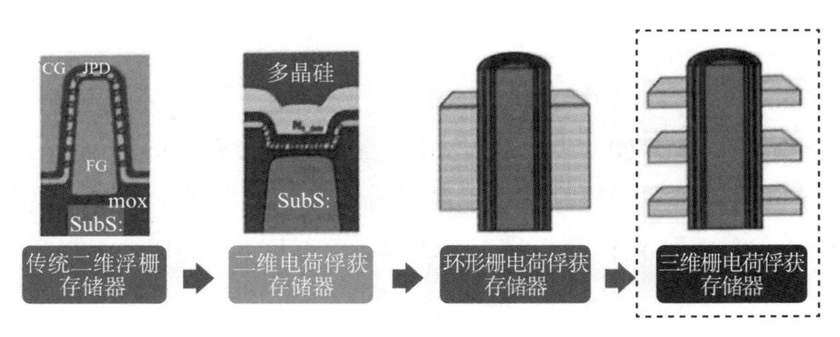

图 12-7　NAND 结构演化图

况下，虽然存储堆栈的高度增大，但每层的厚度却减小。按照目前技术发展趋势来看，升级会使堆栈厚度变成原来厚度的约1.80倍，层厚度会变成原来厚度的约0.86倍。层数增加意味着需要不断提升工艺与材料性能，读写速度、容量、功耗持续优化是3D NAND发展的重要动力。

4）新型存储器

在过去的30多年间，CPU的有效时钟周期实现了10 000倍的提升，特别是多线程、多核技术的长足发展和应用，使CPU处理速度飞速发展。但是，传统存储系统的访存速度仅分别提升了200倍和9倍。因此，传统存储无论从存储架构上，还是存储材料上，均无法满足当前的计算需求，制约了CPU计算性能的充分发挥。并且，随着计算设备对存储器的要求越来越高，传统基于互补金属氧化物半导体（complementary metal oxide semiconductor，CMOS）的易失性存储器在密度和功耗方面均受到一定的限制。随着微电子技术和材料工程领域的发展，由新的存储材料构成的存储介质不断涌现，得到了学术界和工业界的广泛关注和研究。未来新型存储器主要包括相变存储器（phase change memory，PCM）、铁电随机存取存储器（ferroelectric random access memory，FRAM，简称铁电存储器）、磁阻随机存取存储器（magnetic random access memory，MRAM，简称磁阻存储器）及阻变随机存取存储器（resistive random access memory，RRAM，简称阻变存储器）等。根据特性的不同，各种新型存储器有望被引入存储体系中的缓存、主存和外存等相应层次。

（1）相变存储器。相变存储器主要利用相变材料（最初是$Ge_2Sb_2Te_5$）在晶态和非晶态间的快速可逆转变特性实现非挥发性存储功能。相变存储器材料具有高密度、高速度、高擦写循环次数和低功耗等特点，并呈现比其他存储材料优异的持久性。三星集团于2011年研发并制造出容量达到8GB的相变内存颗粒，采用目前存储芯片最先进的20nm制程工艺。美国美光科技有限公司（Micron Technology，Inc.）于2012年开始量产面向移动设备领域的相变存储器，采用45nm制程工艺。2011年，美国国际商业机器公司（International Business Machines Corporation，IBM）发布了多值的相变存储器操作算法，然后推出了基于混合离子–电子导体（mixed ion electron conductor，MIEC）材料选通的多层Crosspoint存储器。2014年，IBM公司发布了6位多值存储电阻漂移的算法解决办法。2016年，IBM公司发布了多值相变存储器，采用90nm工艺。目前来看，相变存储器还需要克服几个缺点才能走向商业化。首先，相变存储器的单位容量成本高。相对目前流行的 MLC NADA，相变存储器的单位容量成本较高。这也是当年闪存所经历的过程。随着工艺的完善，这个问题应该能够得到解决。其次，相变存储器的发热和耗能过大。由于完成相变过程是依靠电压、电流控制发热功率来实现的，节点越来越小，对加热控制元件的要求也就越来越高，由此带来的发热问题就越来越明显。发热和耗能是目前制约其发展的重要原因。最后，相变存储器的电路设计不完善。相变存储器电路设计较其他存储器有很大不同，高速度、大数据量对电路要求十分苛刻，相变存储器在这方面还有很长的路要走。

（2）铁电存储器。在林林总总的非易失性存储器市场中，包括闪存、带电可擦可编程只读存储器（electrically erasable programmable read only memory，EEPROM）、磁阻存储器、非易失性存储器、相变存储器、固态驱动器（solid state disk，SSD）和移动硬盘等，铁电存储器可能是最不起眼的一种。它是利用铁电晶体的电滞回特性来存储数据的一种新型存储器。铁电存储器记忆体不需要定时刷新，掉电后数据立即保存，速度很快，且不容易写坏。铁电存储材料近期以锆钛酸铅（PZT）[或 $Pb(Zr, Ti)O_3$] 和 SBT（$SrBi_2Ta_2O_9$）为主，并采用化学溶液沉积法（chemical solution deposition，CSD）、物理气相沉积（physical vapor deposition，PVD）和金属有机物化学气相沉积（metal-organic chemical vapor deposition，MOCVD）等沉积薄膜，2014 年开始引入 BLT[$(Bi, La)_4Ti_3O_{12}$]、BFO（$BiFeO_3$）等材料，薄膜沉积方法使用原子层沉积（atomic layer deposition，ALD）。

目前铁电存储器的两大先驱是 Ramtron 公司和 Symetrix 公司。这两家公司的许可权购买方包括各大重要的半导体制造商，如富士通株式会社、海力士、IBM 公司、英飞凌公司、冲电气工业株式会社、松下电器产业株式会社、雷神公司（Raytheon Company）、日本罗姆半导体集团、三星集团、意法半导体集团（ST Microelectronics）、德州仪器（Texas Instruments）及东芝公司等，已有多款商业产品出现。目前铁电存储器产品主要集中在传感器、射频识别（radio frequency dentification ，RFID）控制器等需要非挥发存储且难以提供 Flash 所需要的高压的应用环境。由于价格贵、容量小和应用市场窄，铁电存储器的市场份额一直不大。而随着汽车电子行业和物联网技术的发展，铁电存储器的读写速度快、可擦写次数高、功耗低、出色的抗干扰能力（包括抗伽马射线）、极高的可靠性和工作寿命等优异性能会让其在市场上备受青睐。

（3）磁阻存储器。磁阻内存的存储完全不使用电容，它采用两块纳米级铁磁体，在界面上用一个非磁金属层或绝缘层来夹持一个金属导体的结构。通过改变两块铁磁体的方向，下面的导体的磁致电阻就会发生变化。电阻一旦变大，通过它的电流就会变小，反之亦然。目前的磁阻存储器采用一种称为“自旋扭矩转换”（spin torque transfer，STT）的新技术，即 STT-RAM。STT-RAM 结合了磁阻存储器的访问速度和 DRAM 的集成度，既有非易失特性又有良好的可扩展性。用 STT-RAM 替代基于 SRAM 的片上缓存有望提升系统的整体性能，同时降低能量的消耗。STT-RAM 具有高密度的特点，因此，基于 STT-RAM 的片上缓存可有效地减少缓存的缺失，从而提高系统性能。同时，零待机功耗的特点使其可以保持较低的功耗。然而，STT-RAM 较高的写延迟会导致缓存性能的下降，甚至抵消因减少缓存缺失而带来的性能优势。目前，多个公司和研究机构已经生产出 STT-RAM 原型芯片。Everspin 公司和日本电气股份有限公司（NEC）也推出了相应的商业产品。STT-RAM 的应用被广泛认可，Coughlin Associates 的报告指出，STT-RAM 市场营收规模可望由 2013 年的 1.90 亿美元左右提升到 2019 年的 21 亿美元。

（4）阻变存储器。阻变存储器通常采用金属 – 绝缘介质 – 金属（metal-dielectric-metal，MIM）的三明治结构，通过绝缘介质的电阻转变进行工作。阻变存储器技术由于简单的两端器件的特点近年来受到产业界的大力关注，特别是过渡金属氧化物阻变存储器在近两年内得到包括三星集团、夏普公司等国际大公司同时力推。从 2005 年起，在日本新能源产业技术综合开发机构（the New Energy and Industrial Technology Development Organization，NEDO）资助下，夏普公司、日本真空技术株式会社（ULVAC）、大阪大学、日本产业技术综合研究所开始合作开发阻变存储器。欧洲的比利时微电子研究中心（Interuniversity Microelectronics Centre，IMEC）和意法半导体集团等机构合作进入了这个方向的研究。三星集团于 2007 年报道了采用 Ti 掺杂 NiO 组成的双层 1D1R 型结构 8 × 8 阵列来演示阻变存储器高密度集成。台湾工业技术研究院在 2009 年的 IEEE 国际电子元件会议（International Electron Devices Meeting，IEDM）上报道了采用台湾积体电路制造股份有限公司 0.18μm 标准工艺成功制备的存储密度为 1kB 的阻变存储器阵列电路。2010 年，国际固态电路会议（International Solid State Circuits Conference，ISSCC）上美国的 Unity Semiconductor 公司报道了采用 90nm 工艺制造的 64MB 测试芯片。在 2013 年的 ISSCC 会议上，美国闪迪（Sandisk）公司和日本东芝公司联合报道了采用 24nm 工艺制造的 32GB 阻变存储器测试芯片。2014 年美光科技有限公司公布了 27nm 基于 CMOS 工艺制造的单颗容量 16GB 阻变存储器原型，但目前距离量产仍有较大距离。2015 年年初，美国 Crossbar 公司宣布其阻变存储器开始进入商业化阶段，加速进行容量更大的下一代阻变存储器研发。美国美光科技有限公司和日本索尼公司也在开展阻变存储器的联合研发。现在正在研发中的三维阻变存储器瞄准的是混合存储架构中的存储级内存（storage-class memory，SCM）应用，用于弥补 SSD 和 DRAM 之间读取速度巨大的差距，进一步发展目标是取代 SSD 和硬盘。这些研究成果正促进着阻变存储器技术的成熟和商用化。

（二）光电子材料

1. 半导体照明材料

半导体照明材料包括衬底材料、照明材料、外延片、芯片、封装用荧光粉和基板材料等。衬底材料主要有砷化镓、蓝宝石、碳化硅和硅衬底等；照明材料主要有以砷化镓衬底制备的红黄光外延片和芯片，以蓝宝石、碳化硅、硅衬底制备的蓝绿光外延片和芯片；封装材料主要是荧光粉、陶瓷基板等[11]。

衬底材料是半导体照明的基础，也是外延生长的基础。衬底材料包括蓝宝石、碳化硅、硅、氮化镓、砷化镓等。蓝宝石是目前运用最广泛、产业化程度最高的 LED 衬底材料，根据 Yole Développement 公司统计，全球蓝宝石生产商对 LED 外延供货量已达 LED 产品销售总额 92% 以上；随着 LED 产业链下游需求量不断扩大，蓝宝石市场呈现快速发展的态势，2018 年，全球 LED 用蓝宝石市场规模约为 37 亿美元。美国 Rubicon 公司、韩国 Sapphire Technology Company、俄罗斯 Monocrystal 公司、中国越峰电子材料股份有限公司、日本京瓷（Kyocera）公司、中国哈尔滨奥瑞德光电技术有限公司、云南蓝晶科技股份有限公司、日本 Namiki 公司、台湾鑫晶钻科技股份有限公司等企业属于蓝宝石衬底全球领先企业，产能占全球 70% 以上。碳化硅衬底具有宽禁带、高热导率、高电子饱和迁移速率、高击穿电场等特性，与氮化镓间晶格失配远小于蓝宝石，是适于氮化镓薄膜生长的关键衬底材料，美国科锐公司代表世界碳化硅衬底最高技术，目前市场占有率85%左右，其次是德国SiCrystal公司和日本新日铁公司，日本东纤－道康宁合资公司等位于第三梯队。

在照明材料方面，2012年4月，科锐实验室功率型XLamp MT-G2 LEDs产品光效突破254lm/W，居世界先进水平，最近推出商业化200lm/W产品。台湾胜华科技股份有限公司蓝光光效达到300lm/W，红光光效达到240lm/W，绿光光效达到160lm/W；产业化蓝光LED光效达到130～160lm/W，红光光效到80lm/W。半导体激光红外照明是实现远距离夜视监控的重要途径，激光具有亮度高、相干性好、单色性好、方向性好、寿命长和电荷耦合元件（charge-coupled device，CCD）波长感应度大于LED的特性，激光红外照明在远距离监控中有广泛应用。目前，国际领先的激光红外照明材料企业有美国相干（Coherent）公司、恩耐（Nlight）公司、帝纳斯（Dilas）半导体激光公司等。其中美国相干公司高功率半导体激光器采用发光面无铝技术，可靠性和效率高寿命超长；808nm单管激光器功率达到10W以上，处于世界先进水平。恩耐公司和帝纳斯半导体激光公司的激光器产量和技术处于世界先进水平。在荧光粉方面，1990年，日亚化学工业公司突破制造蓝光LED关键技术，由此开发出以荧光材料覆盖蓝光LED产生白光的光源技术。荧光粉作为LED关键材料之一引起广泛关注。目前，照明用LED荧光粉基本被国外垄断，我国近几年在荧光粉方面的投入逐年增加，发展势头迅猛。在基板方面，基板散热性能直接影响着LED照明产品寿命，也是LED照明关键材料之一。目前，很多功率型LED驱动电流都达到70mA、100mA甚至1A级。随着工作电流的加大，解决散热问题已经成为大功率LED实现产业化的先决条件。

在知识产权方面，早期全球半导体照明专利申请国主要为日本、美国、德国。这些国家不仅申请专利数量多，且专利科技含量高，主导了中上游大部分LED核心专利，集中于Nichia、Lumileds、Osram、Toyoda Gosei和美国科锐公司等巨头企业。2002年后，五大公司以专利交叉许可加速战略合作，形成了巨大专利网，提高了新入企业的门槛。其中，在外延芯片领域尤其对我国LED行业的发展和国际化形成了巨大压力。国内企业在2005年以后才开始申请专利，比国外知名企业晚了5～10年。目前，半导体照明产业整体关键技术基本趋于成熟，原始技术积累基本完成，更多工作围绕改进、提高和增效等方面，原始创新较难。

2. 液晶显示材料

进入21世纪以来，以薄膜晶体管液晶显示器（thin film transistor liquid crystal display，TFT-LCD）、有机发光二极管（organic light-emitting diode，OLED）为代表的新型平板显示技术全面替代了传统阴极射线管（cathode ray tube，CRT），成为显示领域的核心技术，近10年来得到突飞猛进的发展。2012年，全球新型显示产业总产值达到1243亿美元。其中，TFT-LCD面板总产值为1113亿美元，有源矩阵有机发光二极体（active-matrix organic light-emitting diode，AMOLED）面板总产值为68亿美元。预计未来几年内，新型显示产值仍将保持年均10%左右的高速增长趋势。

激光显示作为新一代显示技术，在大屏幕/超大屏幕、电视/家庭影院、计算机/游戏机显示、微型投影/手机投影/个性化头盔显示、真3D等五大优势市场引领下，预计将以30%以上的年均增长率发展，2025年可开拓出千亿美元级/年的规模市场，与LCD、OLED一同成为全球显示市场的三大主流产品。

三基色半导体激光器材料和器件是激光显示核心技术。目前，国外红光LD单管功率已达750mW，电光效率为30%，寿命长约20 000h，约30美元/W；蓝光LD单管功率1.6W，电光效率为20%，寿命长约20 000h，约25美元/W；绿光LD单管功率80mW，电光效率仅为6%，寿命不足千小时，样品价为400美元/W。相关企业有Mitsubish、Opnext、Osram、Nichia、索尼、夏普等。

3. 光电功能晶体材料

光电功能晶体是光电子高技术产业的关键材料，受到世界各国的重视。当前，光学功能晶体在向高质量、大尺寸、低维化、复合化和材料功能一体化方向发展，以满足以全国固态激光器为代表的光电器件在扩展波段、高频率、短脉冲和复杂极端条件下使用的要求，同时发展新的光电功能晶体以满足国家经济、社会发展、国防和国家安全的需求。

在国际上，美国在各种重要激光晶体的生产方面仍占领先地位，如大尺寸、高质量的Nd：YAG晶体的生长、加工及产业化。在一些重要的非线性光学晶体的研究上，如红外非线性光学晶体（包括$ZnGeP_2$及新的红外非线性光学晶体），美国具有明显的优势；俄罗斯在新红外非线性光学晶体Li_2InS类晶体研制方面具有优势；以色列近年来生产了高质量的磷酸钛氧钾（$KTiOPO_4$，KTP）系列晶体，除满足高功率激光器应用外还可用作电光；日本在大尺寸硼酸锂铯（$CsLiB_6O_{10}$，CLBO）和氮化镓单晶、氧化锌及各种衬底晶体的产业化方面有优势，以 Nd：YAG 透明激光陶瓷为代表的激光材料研制也居国际领先地位。

光电功能晶体的发展也力求为节能减排、发展新技术做贡献。目前激光晶体已经向大尺寸、高质量、高热导率、各种新波段方向发展；非线性光学晶体在进一步完善深紫外波段应用基础上，发展红外乃至太赫兹波段新晶体。新的压电、铁电、闪烁晶体、衬底晶体的产业化也是国际重视的发展方向。

4. 光纤材料

2009 年，全世界通信光纤产量为 1.74 亿 km，其中中国占 43.70%。在特种光纤材料方面，国际上 Nufern、Coractive、Liekki、OFS、Fibercore 和 Stockyale 等公司主要从事各种有源与无源光纤的研制与生产。目前，Nufern 公司大模场双包层掺镱光纤的纤芯直径达 70μm，Liekki 公司的纤芯直径达 100μm，而 IPG 公司的纤芯直径达 200μm。目前，ITF 公司能提供 N：1 及（N+1）：1 的集束器，每路输入功率达 100W，总输出功率可达 700W；而 IPG 代表的最高水平是每路输入功率可达 1kW，总输出功率可达 7kW。JDSU 公司采用 6/125μm 光纤隔离器，能够承受 10W 的光功率。OFR 公司可以提供 30μm 的大模场光纤隔离器，承受功率达到 30W。

（三）电子元器件材料

1. 传感材料发展现状

传感器技术的应用范围已经遍及信息、生物、能源、环境、先进制造和国防等多个领域，正朝着智能化、微型化、高集成、低功耗、无线传输、便携式方向发展。传感材料是传感技术的重要保障，从材料层面建立器件构件的力学、热学、声学、光学、电学、磁学、化学等性能，决定传感系统的界面、表面原结构，模拟工艺过程，设计和开发出新的智能传感器件的结构和功能材料，是未来新型传感技术的重要发展途径。目前，第一代物联网传感器模块已经面世，这些器件与其他电子元器件封装集成，以提供新的功能。无须花费大精力集成，重点在于为市场提供新的功能。未来传感集成的一个例子是集成传感器——物联网专用集成电子元器件，这意味着功耗极低、成本极低，如基于微机电系统（micro-electro-mechanical system，MEMS）的传感器非常适合批量生产应用。这种元器件的一个例子是工业领域工作环境的危险化学物质检测传感器，另一个例子是汽车发动机状态监测的集成传感器，预计 2021 年的市场容量为 20 亿美元，市场规模为 1070 亿美元。

新型敏感材料是传感器的技术基础，材料技术研发是性能提升、成本降低和技术升级的重要手段。除了传统的半导体材料、光导纤维等，有机敏感材料、陶瓷材料、超导材料、纳米材料和生物材料等成为研发热点，生物传感器、光纤传感器、气敏传感器、数字传感器等新型传感器加快涌现。例如，光纤传感器是利用光纤本身的敏感功能或利用光纤传输光波的传感器，有灵敏度高、抗电磁干扰能力强、耐腐蚀、绝缘性好、体积小、耗电少等特点，目前已应用的光纤传感器可测量的物理量有 470 多种，发展前景广阔；气敏传感器能将被测气体浓度转换为与其成一定关系的电量输出，具有稳定性好、重复性好、动态特性好、响应迅速、使用维护方便等特点，应用领域非常广泛。另据国际智库美国 BCC Research 公司指出，生物传感器和化学传感器有望成为增长最快的传感器细分领域，2016～2019 年的年均复合增长率可达 9.70%。

2. 红外探测材料

红外辐射波长介于可见光和微波之间，覆盖 0.75～1000μm 的宽波长范围，有更多的应用。近半个世纪以来，红外物理技术发展迅速，已经在军事、科研、工农业生产、医疗卫生及日常生活中得到广泛应用。

目前，美国、英国、法国、德国和瑞典等发达国家已研制出 640 像元 ×512 像元（包含 640 像元 ×480 像元）长波红外焦平面器件和中等规模的 320 像元 ×240 像元（包含 256 像元 ×256 像元、384 像元 ×288 像元）双色焦平面器件。美国国家航空航天局（National Aeronautics and Space Administration，NASA）和陆军研究实验室（Army Research Laboratory，ARL）联合研制的大面阵 1024 像元 ×1024 像元长波红外焦平面和 NASA 喷气推进实验室（Jet Propulsion Laboratory，JPL）研制的 1024 像元 ×1024 像元双色、640 像元 ×512 像元四色红外焦平面，代表了当前 GaAs/AlGaAs 量子阱红外探测器的最高研究水平。

2009年，JPL报道了1024A探测器的元规格、30μm像元的中波/长波双色红外焦平面列阵的性能，技术参数是在68K制冷、f/2视场角和300K背景下获得的。

1）量子点红外探测器材料

量子点作为提高电子与光电子器件性能的一种手段，已经被广泛应用。量子点具有独特的三维光学限制特性。与量子阱红外探测器（quantum well infrared photodetector，QWIP）相比，量子点红外探测器（quantum dot infrared photodetector，QDIP）具有无须制作表面光栅就能响应垂直入射的红外光照射，以及工作温度更高等优势。目前，QDIP的研究主要集中于在量子阱中嵌入量子点的异质结构，所制备的红外探测器兼备传统QWIP和QDIP特点。QDIP器件的光谱响应波段具有偏压选择特性，可在甚长红外波段（＞14μm）的光谱范围内实现双色、多色探测，非常适合发展三代及未来新一代红外光电探测器。

2）近室温InGaAs探测材料

国外InGaAs红外焦平面器件研究起步早，许多厂商拥有成熟的系列产品，如美国Goodrich公司的LC及LE系列、Judson公司的J系列、日本滨松公司的G系列、比利时XenICs公司的Xlin及Xeva系列等；美国Indigo公司、Aerius Photonics公司、波音Spectrolab公司及法国Thomson公司和Sofradir公司都有产品报道。上述公司InGaAs红外焦平面器件研发和生产有雄厚的技术实力，近年来，这些公司InGaAs焦平面探测器性能得到了很大提升，已可获得1280像元×1024像元近红外InGaAs焦平面探测器。目前，采用体材料作为敏感元件的非制冷红外焦平面热像仪主要使用低中档的传感器，如320像元×240像元和640像元×480像元阵列。未来，高性能非制冷热像仪将采用1024像元×1024像元更大型的阵列。640像元×480像元或640像元×512像元可以探测的温差为0.05K。国际上，美国Raytheon公司、Lockheed-Martin公司、Boeing Indigo公司，英国BAE公司、QinetiQ公司，法国ULIS公司，日本NEC等公司长期从事非制冷红外探测器研究，所采用的材料主要有热释电材料、氧化钒和非晶硅三种。最早用于红外瞄准的是基于钛酸锶钡（BST）热释电材料的320像元×240像元非制冷焦平面探测器，目前基于钛酸锶钡、钽钪酸铅（PST）热释电材料和基于氧化钒、非晶硅热敏电阻材料探测器技术也已成熟，美国、英国基于VO_x的产品规模已达640像元×480像元，法国ULIS公司非晶硅产品规模达到1024像元×768像元。

3. 电真空材料

尽管半导体功率器件发展迅速，高功率、高频微波真空电子器件在重大装备中的作用仍是不可取代的。美国制订了“三军真空电子学创新研发计划”和“海军电真空科学与技术计划”来支持其发展。在过去数十年，真空电子器件的平均功率密度以每两年翻一番的速度发展。电真空材料是真空电子器件的基础，主要包括各类微波管、放大器、激光器等真空器件用电子发射难熔材料、氮化铝等介质陶瓷材料、特种功能合金材料、磁性材料、真空维持材料和各类封接材料等。电真空材料质量要求苛刻、用量少、品种规格多、技术要求高、研制周期长、军事用途明显，属于列入美国军用关键材料目录的受控军用物资，在工业发达国家由分工明确的专业公司批量生产，规格品种齐全，供货进度合理，质量稳定。

二、国内发展现状

（一）硅材料

集成电路材料和零部件产业技术创新战略联盟（ICMtia）的调研数据显示，近几年我国硅材料销售额 60 亿元左右，在全球 80 多亿美元市场规模中所占份额极少。直径 200mm 的硅片已经实现大批量生产，直径 300mm 的硅单晶抛光片和外延片达到 55nm 集成电路技术节点应用水平并开始销售，制定了 10 余项与 300mm 硅片相关的国家标准或行业标准，直径 450mm 的硅单晶抛光片于 2002 年首次拉制成功，国内已经开发出 200mm 绝缘衬底上的硅（silicon on insulator，SOI）硅片制备技术，100～150mm SOI 硅片年生产能力达到 3 万片，但尚未应用于极大规模集成电路。

与国际上垄断性硅企业明显不同，国内硅企业多为中小企业，生产规模不大，资金和技术实力不强。半导体硅材料产业区域已经呈现集聚态势，产业分布主要位于环渤海地区和长三角地区。这两个地区各自在 200mm 硅片产业方面有良好的布局，环渤海地区的北京在 300mm 硅片技术开发和产业规划方面走在全国前面。近几年，随着国家集成电路产业基金和地方政府的支持，中西部地区在土地、水电、人力成本等方面表现出一定的优势，其半导体产业环境显著改善，半导体硅材料产业布局明显加强。

在硅及硅基材料发展的基础上，我国集成电路产业水平显著提升，2017 年达到 5411 亿元。

（二）半导体照明材料

我国半导体照明产业虽然起步较晚，但是发展迅速，产业链相对完整，产业初具规模，形成了以美国、日本、欧盟领跑，韩国和中国快速发展的产业格局。据国家半导体照明工程研发及产业联盟（China Soled State Lighting Alliance，CSA）统计，2017 年我国半导体照明产业总体规模超过 6538 亿元，同比增长 25.30%，预计到 2020 年，我国半导体照明产业总体规模将超过 1.30 万亿元，是整个半导体照明产业链上增长最快的环节。85% 以上的 LED 企业和 90% 以上的 LED 产值集聚在珠三角、长三角、环渤海、闽三角四大区域。珠三角地区封装和应用在国内规模最大，企业多，在国内外市场上表现活跃；长三角地区产业投资活跃，人才集中；环渤海地区研发机构集中，服务优势突出，国际交流集中；闽三角地区产业链完整，有硅衬底的自主技术，外延及芯片产业化规模较大，台湾地区企业转移比较多。广东、江苏等产业发达区域开始实施氮化镓衬底和外延、碳化硅电力电子器件的产业化。国内技术水平与国际领先国家（地区）还存在一定差距。在政府引导和支持下，国内照明级 LED 芯片技术研究、开发及产业化工作取得了长足进步。特别是在“十五”国家科技攻关“半导体照明产业化技术开发重大项目”和“十一五”国家高技术研究发展计划（“863 计划”）新材料领域“半导体照明工程”重大项目的引导下，国内各大 LED 制造商及研究所大力开展对功率型照明级 LED 芯片技术的开发。“十二五”期间，相关技术水平不断提升，产业化逐步深入，缩小了与国际领先业者的差距，目前我国功率型芯片封装白光效突破 120lm/W，功率型红光芯片光效达到 60～70lm/W，碳化硅基 LED 芯片封装白光光效突破 120lm/W。

（三）新型显示材料

新型显示材料是我国当代电子信息产业的重要支柱。我国新型显示产业历经 10 年的发展，已经进入快速发展期，产业投入近 3000 亿元，产业规模超过 1000 亿元，形成了包括薄膜晶体管（thin film transistor，TFT）、OLED 等比较丰富完善的产业链，多条高世代液晶面板生产线相继投产。在国际平板显示产业发展趋缓的形势下，我国产业呈现逆势而上的发展势头，2015 年，我国自产面板在全球面板市场占有率达到 25%。在技术方面，我国已掌握了 TFT 液晶显示器件的大规模生产技术，拥有大规模显示面板的生产能力，并培养了一大批技术骨干。目前，12 英寸低温多晶硅和 31 英寸金属氧化物的 AMOLED 全彩显示屏、30 英寸基于打印技术的氧化物 AMOLED 高清全彩显示屏等已经开发成功。

（四）高 K 栅介质材料

我国在金属 – 氧化物 – 半导体（metal oxide semiconductor，MOS）器件中采用新结构、引入新型铪基氧化物高 K 栅介质等方面开展了一些研发工作。研究了新型高 K 栅介质和金属栅电极材料与 MOSFET 器件集成工艺、可靠性等问题，研究涉及材料工程、界面工程、工艺整合与集成技术和模型模拟等方面工作，对更小特征尺寸下集成电路性能的提高起到重要的作用。目前，国内高 K/金属栅技术已经开始应用在 22nm 技术 CMOS 工艺方案中。16nm 及以下技术节点的技术攻关正在进行。

（五）光电功能晶体

“十二五”期间，我国功能晶体产业渐趋稳定，其中非线性光学晶体的产业已经成为国际市场的主体，占有 80% 以上的市场份额[12]。激光晶体除供国内产业需求外，还出口国外。2016 年，全球激光器行业应用领域中材料加工相关的激光器收入为 31.20 亿美元，占全球激光器收入的 30%，为仅次于通信的第二大激光器应用领域。以最常用的 YAG 晶体为例，2017 年，YAG 系列激光晶体国内需求量约为 6 亿元，到 2020 年，国内需求量将超过 10 亿元，国际需求量将突破 50 亿元。我国非线性晶体产业发展多年，BBO、LBO 和 KTP 晶体的生产量占国际市场的 80%，整体处于国际产业链中的前端，所生产的产品多为原晶或经简单加工的一般器件。但高抗光损伤阀值的 KTP 晶体、大尺寸的 BBO 晶体及大量晶体器件仍从先进工业国家进口，晶体生长、加工、镀膜的先进设备发展相对滞后，工业化生产和装备制造能力较弱。锗酸铋（BGO）是我国获得的重要科研成果，并且实现了高质量、大尺寸 BGO 晶体的批量化生产，为欧洲核子研究组织（European Organization for Nuclear Research，CERN）和通用电气公司等科研生产机构提供了大量的高质量BGO晶体，在国际上赢得了相当高的赞誉。以蓝宝石为代表的衬底晶体产业发展很快，国内有多家企业投产，规模和产量较大，并不断有新的企业建立和投产，形成一个新的产业热点，经历了一个马鞍形发展的过程。但除蓝宝石产业外，我国的功能晶体产业普遍规模较小，整体处于国际产业链中的前端，所生产的产品多为原晶或经简单加工的一般器件。

（六）自旋电子学材料

国内高校与研究所在自旋电子学材料基础研究方面取得了一些国际有影响力的研究成果，主要集中在巨磁阻（giant magneto-resistive，GMR）、庞磁阻结构，稀磁半导体，多铁性材料和有机磁分子材料，新型磁存储器件。研制出巨磁阻传感器芯片和传输速度高于100MHz的高速磁电耦合器，可以用于磁盘等IT产品与通信领域。新型磁存储器研究取得了有国际影响力的成果，成功地设计、制造了纳米环形、椭圆形存储元件。研制了新型磁电控制三极管和集成电路，其创新包括纳米环形隧道结的加工制备技术、小电流实现磁矩反转、电流驱动下弱信号检测。有机单分子磁矩研究取得了有国际影响的进展，对我国进一步发展自旋电子学和磁电子器件、电路产业创造了条件。高灵敏度隧穿磁阻（tunnel magneto-resistance，TMR）磁敏传感器、自旋纳米振荡器、磁逻辑和自旋晶体管等器件设计获得中国发明专利授权40余项和美国、日本国际专利授权5项。在国际上首次设计和制备出采用外直径为100nm的环状磁性隧道结为存储单元，并采用自旋极化电流直接驱动的新型4×4 bit Nanoring MRAM原理型演示器件，其纳米环磁随机存储器等多种设计具有自主知识产权。相对于国外，我国自旋电子学基础研究虽然有一定的基础与成果，但尚需加强原创性的研究。我国在研究成果转化方面（尤其是产业化方面）基础薄弱，与国外差距大，起步晚，投入少，亟须国家大力支持，研发出有自主知识产权的自旋芯片。

（七）红外探测材料

近几年，随着物联网技术的蓬勃兴起，我国红外探测材料与器件呈现迅速发展的态势，相关技术迅速从军用领域向民用领域拓展。国内制冷型探测器（包括 InSb 和 HgCdTe）达到的水平是中波（3～5m）有 256 像元 ×256 像元、512 像元 ×512 像元、320 像元 ×256 像元和 640 像元 ×480 像元，长波（8～12m）针对不同焦距的焦平面阵列有 160 像元 ×160 像元、320 像元 ×240 像元、384 像元 ×288 像元，但性能尚待稳定，需要改进大尺寸 CdZnTe 衬底单晶片的制备工艺，保证大面积组分的均匀性，降低外延层中的缺陷密度等。国内开展了非制冷型红外探测器的研制，已有部分产品面世。非制冷红外探测芯片原来主要从美国、法国等国家进口，但近几年取得了较大进展，低成本非制冷红外探测材料和器件通过与 MEMS 技术的结合，使整体技术水平得到了较大提升，并已开始进入产业化阶段。国内开展了光读出型 MEMS 非制冷红外传感芯片研制，目前已进入产业化中试阶段。开展了非晶硅薄膜晶体管（*α*-SiTFT）型非制冷型红外探测器研究，其工艺与集成电路完全兼容，已研制出了 8 像元 ×8 像元，$D^*=1.02\times10^9\text{W}^{-1}\cdot\text{cmHg}^{1/2}$。同时还开展了 *α*-Si 电阻型非制冷探测器及铝和 SiN_x 微悬臂热膨胀型非制冷探测器的研究。

第二节　新能源及环保材料

新能源及环保材料是指支撑新能源发展、具有能量存储转换功能、节能减排、环境友好的材料，是我国战略性新兴产业发展的基础和保证，本节主要介绍太阳能材料、锂离子电池材料[13]、燃料电池材料和节能玻璃材料等。

一、国际发展现状

（一）太阳能材料

国际上太阳能电池用多晶硅材料生产仍以美国、德国、韩国三国为主，在政府政策鼓励和大量财政援助下，依靠自备电厂或优惠电价条件，大量扩产并大量向我国倾销。德国瓦克化学（Wacker chemie）、美国 Hemlock、REC、韩国 OCI 等公司产能分别从 2 万～3 万吨扩产到 5 万吨。2017 年，海外主要多晶硅生产企业产能及产量如表 12-4 所示，全球及中国多晶硅产量及增长率如图 12-8 所示。

表 12-4　2017 年全球前四位多晶硅生产企业产能及产量

序号	企业	国别	2018 年产能 /t	技术路线	2015 年产量 /t	2016 年产量 /t	2017 年产量 /t
1	Wacker	德国	60 000	三氯氢硅法	55 000	60 000	56 000
		美国	20 000	三氯氢硅法	0	10 000	14 000
2	OCI	韩国	52 000	三氯氢硅法	46 500	46 850	48 000
		马来西亚	13 800	三氯氢硅法	4 100	8 592	12 000
3	HK Silicon	韩国	15 000	三氯氢硅法	12 500	13 400	15 000
4	Hemlock	美国	21 000	三氯氢硅法	16 500	16 000	12 000
	世界		495 600	—	349 900	386 780	440 400

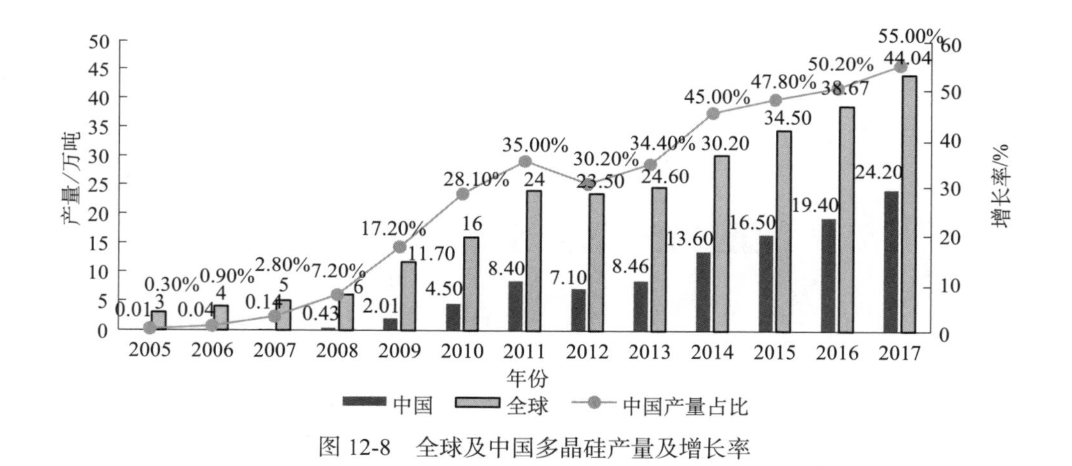

图 12-8　全球及中国多晶硅产量及增长率

2017 年，全球光伏市场强劲增长，新增装机容量达到 102GW，同比增长超过 37%，主要市场分布在中国（53GW）、美国（12.5GW）、印度（9GW）、欧洲（8.8GW）、日本（6.8GW）。

截至 2017 年年底，全球累计光伏装机容量达到 405GW，其中，中国（130GW）、美国（52.9GW）、日本（49.1GW）、德国（40.5GW）分列前 4 位。全球光伏装机量及预测见图 12-9。

近年来，全球太阳能电池技术快速进步，电池的转换效率提高了 3%～5%，且成本不断下降。按照产品分类，2013 年，商业化的电池组件转换效率中，单晶硅电池组件为 19.5%、多晶硅电池组件为 17.5%～18%、CIGS 电池组件为 15.7%、CdTe 电池组件为 12.8%、硅基薄膜电池组件为 6%～10%。根据美国 Solar-Buzz 公司统计，晶体硅太阳能电池成本 2017 年下降到 0.50 美元 /Wp 以下，薄膜电池组件成本降到 0.45 美元 /Wp 以下。

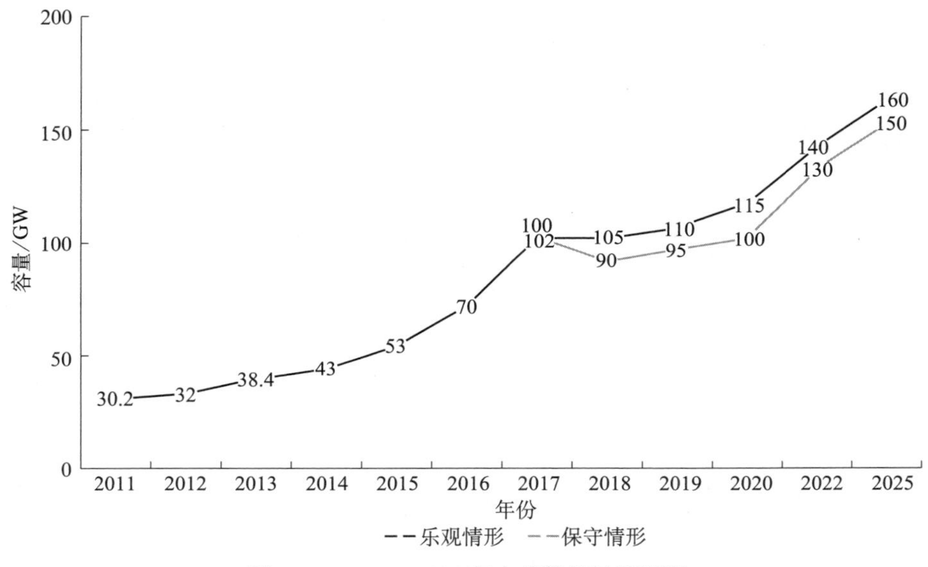

图 12-9　2011～2025 年全球装机量及预测

单结（同质结）单晶硅太阳能电池的最高转换效率是 25%、单结（同质结）多晶硅太阳能电池最高转换效率是 20.4%、单结（异质结、非晶硅 / 单晶硅）太阳能电池最高转换效率是 25.6%、三结砷化镓聚光电池最高转换效率是 44.40%。由此可见，太阳能电池技术有很大的发展空间。

为了提高太阳能电池性能、降低成本，促进太阳能电池大规模应用，国际能源署（International Energy Agency，IEA）、美国能源部（United States Department of Energy，DOE）、日本等国家和组织制定了未来 10～20 年技术路线图，太阳能电池性能提升和成本降低在很大程度上依赖于材料性能的提高和新材料的应用。

2009 年，日本 NEDO 对 2007 年制定的“PV Road Map 2030”进行了修订。从图 12-10 可以看出，至 2020 年，太阳能电池主要采用晶体硅、薄膜硅、CIGS 等技术，通过提升材料性能和电池制造水平，实现更高的转换效率（20%）和更低的成本；2020～2030 年利用新材料实现转换效率达到 35% 太阳能电池的实用化；2030 年以后将实现利用新原理和结构的超高效太阳能电池（约 40%）的投放。

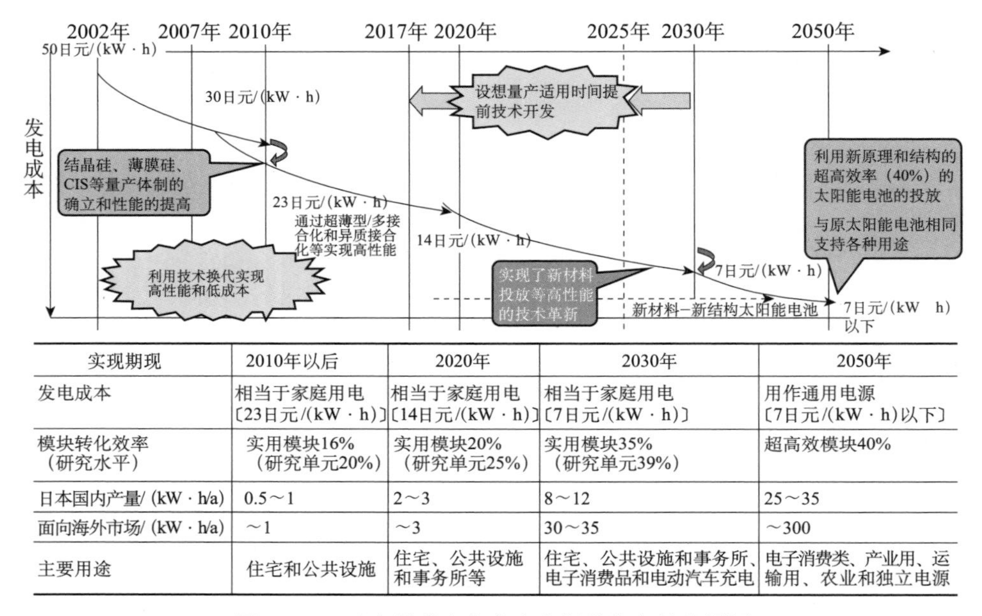

实现期现	2010年以后	2020年	2030年	2050年
发电成本	相当于家庭用电〔23日元/(kW · h)〕	相当于家庭用电〔14日元/(kW · h)〕	相当于家庭用电〔7日元/(kW · h)〕	用作通用电源〔7日元/(kW · h)以下〕
模块转化效率（研究水平）	实用模块16%（研究单元20%）	实用模块20%（研究单元25%）	实用模块35%（研究单元39%）	超高效模块40%
日本国内产量/ (kW · h/a)	0.5～1	2～3	8～12	25～35
面向海外市场/ (kW · h/a)	～1	～3	30～35	～300
主要用途	住宅和公共设施	住宅、公共设施和事务所等	住宅、公共设施和事务所、电子消费品和电动汽车充电	电子消费类、产业用、运输用、农业和独立电源

图 12-10　日本低成本方案和太阳能发电的发展图

总体上看，材料是提高电池转换效率和延长使用寿命的关键。预计至 2020 年，通过完善材料结构和性能，商业化晶体硅太阳能电池的转换效率可提高 21%～25%，薄膜电池转换效率提高 15%～18%。材料也是降低电池成本的主要因素。

（二）锂离子电池材料

2016 年，全球锂离子电池产业规模达到 378 亿美元，同比增长 16%。按容量计算，全球锂离子电池市场规模将首次超过 90GW · h，同比增长 18%。容量增速高于产值增速，原因在于锂离子电池产品价格不断下滑。消费型锂离子电池占比 44.70%，动力型锂离子电池占比达到 44.80%。在锂离子电池市场规模大幅增长的带动下，其上游产业锂离子电池关键材料的市场也有了较大发展，正负极材料、电解液、隔膜的市场规模均有超过 40% 的增幅。2017 年，全球锂离子电池出货量达到 143.50GW·h，预计至 2022 年，全球锂离子电池的出货量将超过 400GW·h。

近两年，电动汽车市场开始爆发性增长，电动自行车占比稳步提高，而全球手机出货量平稳增长，消费电子产品逐步退出市场，全球锂离子电池市场结构发生显著变化。2017 年，全球新能源汽车累计销量达到 1 223 000 辆，同比增长 58%。与此同时，新能源汽车销量在全球汽车总销量当中的占比也首次超过 1%。在纯电动汽车用电池方面，市场占有率排名前列的包括松下电器产业株式会社、三星集团 SDI 和 LG 化学等；在混合动力汽车用电池方面，市场排名前列的包括 PEVE、Blue Energy、AESC 及日立车辆能源。

全球锂离子电池产业主要集中在中国、日本、韩国三国，三者占据了全球 97% 左右的市场份额。从 2015 年开始，在中国大力发展新能源汽车的带动下，中国锂离子电池产业规模开始迅猛增长，2015 年已经超过韩国、日本，跃居至全球首位，2016 年领先优势继续扩大。在新能源汽车带动下，日本锂离子电池产量加快增长，韩国仍然保持稳步增长，但增速放缓导致其占比持续下滑。

（三）燃料电池材料

在燃料电池材料方面的研究，美国、日本、韩国、欧盟等处于世界领先地位。燃料电池在世界范围内的市场主要集中在北美洲、亚洲、欧洲。各国推进燃料电池研究与商业化的终极目标也有所不同：①美国追求的是全球技术制高点，产业化更侧重于大型商用固定式电站和叉车等更加成熟的领域；②日本追求的是能源节约和效率提高，产业化方面以乘用车和小型固定式电站占据主导地位；③欧洲追求的是减少排放与环境清洁。目前，作为燃料电池的主要应用之一的氢燃料电池汽车已经进入商业化应用前期。2016～2020 年将是氢燃料电池汽车的市场导入期。2020 年以后，氢燃料电池汽车将完全商业化。近两年来，国际上氢燃料电池技术突破很快，主要体现在：①寿命，主流产品都可以免维护运行 5000h；②低温性能，已有氢燃料电池汽车完成了北极测试；③材料体系，催化剂用量大幅减少，极板已经从第一代碳板发展到第二代超薄超轻不锈钢板，储氢装置安全、加氢高压枪、氢气纯度等问题已经获得突破。

2016 年，全球燃料电池出货量达到 500MW，比 2015 年增加了 2/3。其中质子交换膜（proton exchange membrane，PEM）燃料电池系统年出货量翻了一番，超过300MW。交通运输方面的燃料电池首次出货量超过固定类型。燃料电池单元（fuel cell unit）总出货量达到6.5万单元数。另外，便携式燃料电池（包括辅助动力系统、军用单兵电源及发电机、充电器、个人电子产品等）、固定式燃料电池（包括大型热电联供系统、小型热电联供系统、备用电源等）发展迅速，预计2025年可达1000万kW。日本松下电器产业株式会社、东芝公司等推出的千瓦级家庭热电联供系统，预计2030年达到530万套；美国BloomEnergy公司为苹果、AT&T的29个数据中心或设施提供分布式发电设备。

燃料电池汽车技术已经趋近成熟，但距离商业化推广仍然有一定差距，其中最大的制约因素就是成本问题。2016年，全球氢燃料电池汽车销量为2312辆，比2015年增加225%，主要有丰田Mirai、本田Clarity、现代ix35FC 3款车型，其中丰田Mirai销售2039辆，主要用于运营。2017年，少数车企计划推出氢燃料电池商品车，但预计全球总销售量不会超过5000辆。通用电气公司和本田汽车公司于2017年年初宣布投入4000多万美元成立合资公司（Fuel Cell System Manufacturing，FCSM），用于建设燃料电池电堆的生产线，对氢燃料电池系统进行量产。这是汽车行业内首家从事燃料电池系统量产业务的合资公司，计划量产的产品为燃料电池及相关系统。两家公司生产出来的燃料电池不仅用于汽车，也将尝试用于军事、航空及家用领域。丰田汽车公司与宝马汽车公司也签署了燃料电池汽车（fuel cell vehicles，FCV）合作协议。丰田汽车公司提供燃料电池等技术，宝马汽车公司提供汽车轻量化等技术。日产汽车公司、戴姆勒汽车公司及福特汽车公司联合开发价格合理的燃料电池汽车，共同加快燃料电池汽车技术的商业化。据美国能源部数据，截至2017年年底，已有约3500辆燃料电池电动车（fuel cell electric vehicle，FCEV）在美国向公众出售或出租，目前已经有30多个公共加氢站投入使用。工业界也推出了重型卡车等新应用。

（四）节能玻璃材料

节能玻璃正在助推美国的玻璃产业复兴。随着绿色建筑的兴起，新兴节能“动力玻璃”窗的制造商已经开始在美国建立工厂。美国75%的住宅和1/3的公共建筑采用Low-E镀膜玻璃。欧洲80%的中空玻璃使用Low-E镀膜玻璃。欧美发达国家和地区Low-E镀膜玻璃的生产能力占世界总量的90%。国际上节能玻璃的研究热点和发展方向如下：

（1）高性能低辐射玻璃迅速发展。在线低辐射镀膜玻璃已经可以大批量生产，辐射率约为0.15，具有性能稳定、可钢化、不易受潮变质的优点。对于离线节能镀膜玻璃，开发出了高透型和遮阳型等系列产品。同时，低辐射玻璃的生产成本不断降低，为中空玻璃和真空玻璃的质量提升及推广应用创造了条件。

（2）中空玻璃 U 值进一步降低。欧盟在玻璃门窗节能方面一直处于全球领先地位。早在1995年，德国就已经立法推广低辐射中空玻璃。目前，在推广 U 值约为1.1W/（m^2·K）的单低辐射中空玻璃的基础上，又开始推广 U 值约为0.7W/（m^2·K）的双低辐射双中空玻璃，且致力于进一步降低 U 值和玻璃重量与厚度。

（3）真空玻璃研发取得突破。与中空玻璃相比，真空玻璃具有 U 值低、厚度薄、重量轻的优点。美国Guardian公司希望与低辐射镀膜技术结合，开启真空玻璃市场；德国斯图加特大学和BBG公司开发了 U 值为0.6W/（m^2·K）的真空玻璃。

（4）智能调控玻璃获得重视。为了达到全天候、全时段高效节能的目的，发展了能够通过调节电场和温度场等外场主动调控光线的透过、吸收和反射的智能玻璃。这代表了产业的发展趋势。以电致变色、热致变色及可同时调节可见光和红外光的广谱调光智能玻璃在学术界、产业界都获得了广泛的重视。另外，透明光伏玻璃的研究也是新的发展方向。

二、国内发展现状

（一）太阳能电材料

2017年，中国新增装机量53GW，同比增长超过53.6%，连续5年位居世界第一，累计装机达到130GW，连续3年居全球首位。分布式光伏发电成为2017年市场发展的新亮点，全年新增装机量超过19GW，远超前5年分布式光伏总装机量，在新增装机量里占比超过36%。

2017年，我国境内电池片产量约为68GW，约占全球电池片产量的68%，产量吉瓦以上的企业达到21家；电池片技术持续进步，电池片转换效率屡创新高，实验室转换效率不断向前推进，普通单晶、多晶电池转换效率分别达到18.7%和20.2%，高效电池转换效率则达到19.2%和21.3%。

2017年，我国境内光伏组件产量约为76GW，约占全球光伏组件产量的71%。其中，产量2GW以上的企业达到12家。新型光伏组件双玻双面、半片、多主栅等技术开始规模化应用，光伏组件生产成本持续降低。截至2017年年底，电池组件生产成本下降至近0.3美元/W；生产制造环节已经部分实现生产自动化、数字化和网络化。

“十二五”期间，太阳能电池技术取得了快速发展，电池的转换效率提高了3%～5%，而成本不断下降（图12-11）。按照产品分类，2017年商业化的电池组件转换效率分别为：单晶电池组件产业化已从2016年的20%提升至21.3%，多晶电池组件也从18.5%提升至19%以上，P-PERC电池组件最高转换效率不断突破，达到23.45%；铜铟镓硒（CIGS）薄膜太阳能电池15.7%、碲化镉（CdTe）薄膜太阳能电池12.8%；硅基薄膜太阳能电池6%～10%。

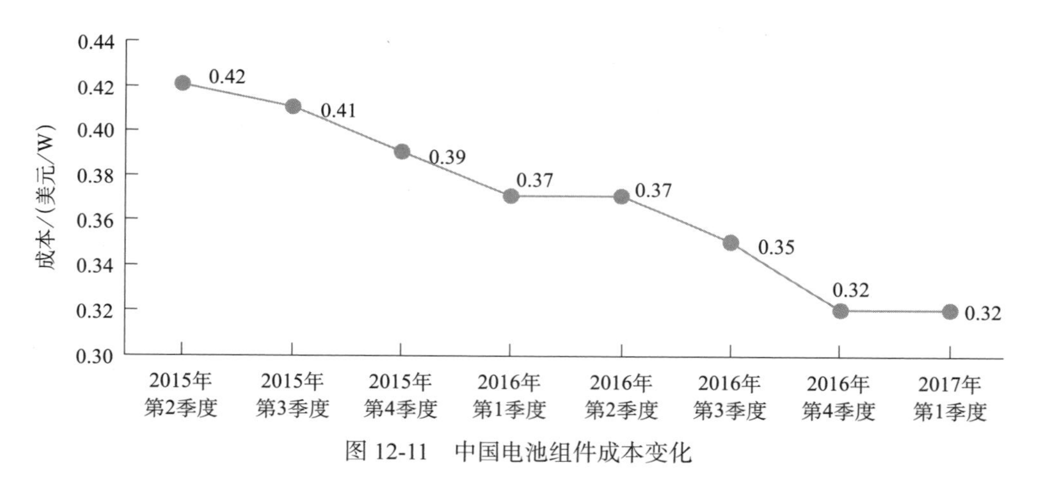

图12-11 中国电池组件成本变化

2017年，我国的多晶硅产量为24.2万吨，比2016年多晶硅产量的19.4万吨增长了24.7%。国产多晶硅主要供应太阳能电池市场，电路级多晶硅仍然依赖进口。目前，有几家骨干企业开展了集成电路用多晶硅和电子气体的研究及产业化，已有产品开展用户认证和产品试用。产业基础研究亟须加强，产品质量尚需提高，生产能耗还需要进一步降低，副产物综合利用需要进一步加强，大型装备和配套材料仍需进口。2008～2018年中国多晶硅产能和产量如图12-12所示。

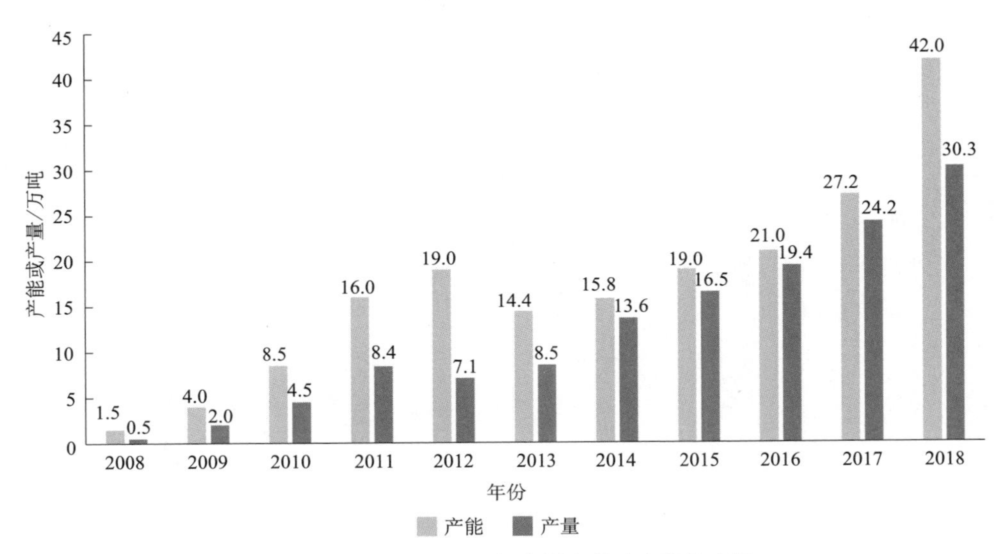

图 12-12　2008～2018 年中国多晶硅产能和产量

2017 年，中国多晶硅企业产能的增加表现在新增产能的释放和传统硅料厂的技术改革至 27.2 万吨，比 2016 年年底的 21 万吨增加了 29.5%，我国排名前十的多晶硅企业总产量占全国总产量的 85%，市场高度集中。

多晶硅生产成本持续降低，为电池组件成本下降创造了良好条件，2008～2016 年我国多晶硅及电池组件生产成本变化如图 12-13 所示。

（二）锂离子电池材料

据工业和信息化部数据显示，2017 年，我国新能源汽车产销分别完成 79.4 万辆和 77.7 万辆，分别同比增长 53.8% 和 53.3%。其中，纯电动汽车产销分别完成 66.7 万辆和 65.2 万辆，分别同比增长 59.8% 和 59.6%；插电式混合动力汽车产销分别为 12.8 万辆和 12.4 万辆，同比分别增长 28.5% 和 26.9%。随着各级政府新能源汽车产业政策的不断增加，我国新能源汽车产业发展迅速，而作为电动汽车核心部件的动力电池，其市场需求也将快速增长，锂离子电池市场正式进入黄金期。我国 2015～2017 年月度新能源汽车销量及同比变化情况如图 12-14 所示。

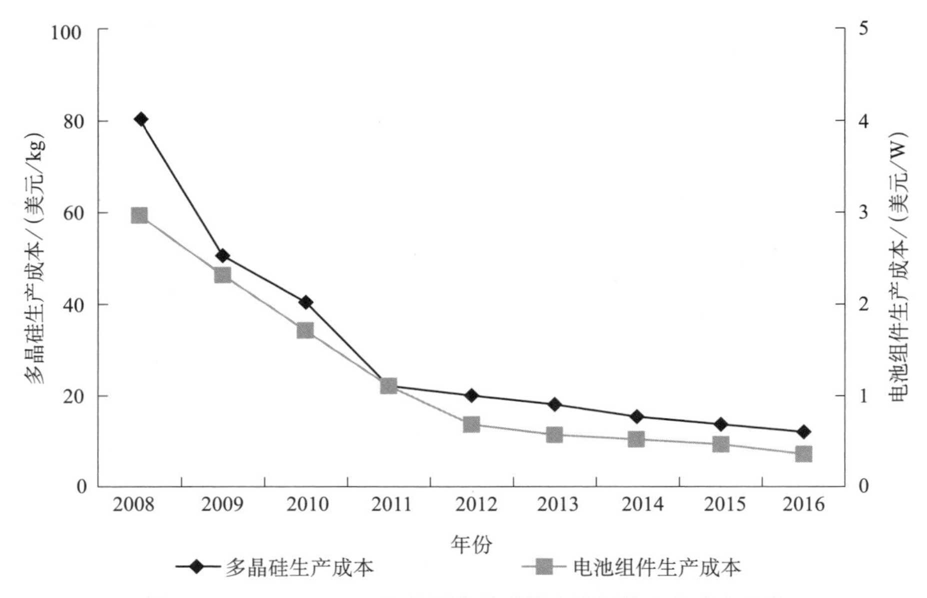

图 12-13 2008～2016 年我国多晶硅及电池组件生产成本变化

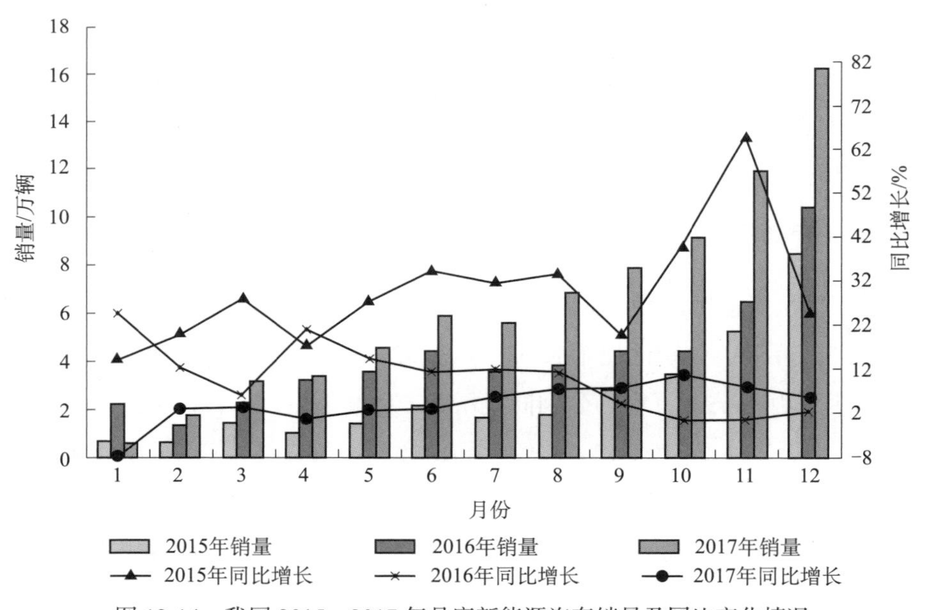

图 12-14 我国 2015～2017 年月度新能源汽车销量及同比变化情况

2017 年，中国锂离子电池出货量达到 74.8GW·h，已经占据全球出货量的 52.1%。其中，汽车动力锂电池的出货量达到 38GW·h，占全球汽车动力锂电池出货量的 65.4%。

2017 年，我国电池制造业主要产品中，锂离子电池累计完成产量 111.1 亿只，累计同比增长 31.25%。我国电池制造业累计完成出口交货值为 924.8 亿元，同比增长 18.3%，累计产销率达 95.5%，同比下降 1.7%。全国规模以上电池制造企业累计主营业务收入 6538.3 亿元，同比增长 26.45%，实现利润总额 422.3 亿元，同比增长 19.17%。其中锂离子电池产品主营业务收入 3749.3 亿元，同比增长 34.47%，实现利润总额 285.8 亿元，同比增长 25.8%。

根据中国有色金属工业协会锂业分会统计，2017 年，我国锂离子电池正极材料产量 32.3 万吨，同比增长 49.54%，消耗碳酸锂约 11 万吨，同比增长 52.14%。锂电负极材料产量为 14.9 万吨，同比增长 27.46%。

（三）燃料电池材料

近年来，中国政府也加大了对燃料电池的研究投入，尤其是在车用质子交换膜燃料电池方面。根据现在燃料电池的发展及我国与世界的差距，我国在新能源汽车中专门设立了燃料电池专项，重点关注高性能、低成本燃料电池关键材料及电堆的关键技术研究与工程化开发，开展新型低铂或非铂催化原理研究与催化剂研制，高性能、低成本气体扩散层传质机制研究与扩散层材料研制，金属双极板低成本、耐腐蚀导电改性层材料及制备技术研究。经过 10 多年的持续研发，我国培育了若干从事氢燃料电池及相关零部件开发和生产的小微型企业，燃料电池产业链已具雏形，燃料电池汽车、通信基站用燃料电池备用电源进展较大。

此外，为了缩短我国在氢燃料电池领域与世界发达国家和地区的差距，近些年，我国开始重视并密集出台政策支持燃料电池汽车的发展：“制造强国”战略、《汽车产业中长期发展规划》、《“十三五”国家战略性新兴产业发展规划》等都将发展氢能和燃料电池技术列为重点任务，将燃料电池汽车列为重点支持领域，并明确提出 2020 年、2025 年及 2030 年各个阶段的发展目标。

同时，全国各地方（如上海、佛山、武汉、苏州、如皋、台州等）政府也都为各自地区的燃料电池汽车产业发展提供政策支持，推进氢能及燃料电池汽车的产业化发展。

我国燃料电池汽车现在还处于商业化导入初期。“十三五”开始后，国内更多商用车企业涉足氢燃料电池商用车开发，近年来已初步具备小批量生产能力。

2017 年，全国共有 10 家车企的 22 款燃料电池商用车进入当年新发布的推荐目录，其中车型款数最多的为城市客车。2017 年，全国燃料电池商用车产量为 1226 辆，其中产量最大的车型为物流车。

（四）节能玻璃材料

到“十二五”末，我国浮法玻璃产量连续 20 年居世界第一。截至 2017 年年底，浮法平板玻璃年产量已达 10 亿重量箱，相当于 5mm 厚玻璃 40 亿 m^2，且产量以每年 10% 的速度增长，占全世界总产量的 50% 以上。“十二五”期间，以低辐射镀膜玻璃为代表的建筑节能玻璃产品发展迅猛，浮法在线低辐射镀膜玻璃和阳光控制镀膜玻璃生产线共有 25 条，其中在线低辐射节能镀膜玻璃的生产线有 5 条。离线磁控溅射节能玻璃生产线已经超过 130 条，截至 2017 年年底，总年产量约为 1.5 亿 m^2，占玻璃总产量的 4% 左右。节能玻璃材料产业规模达到每年 300 亿元。但是，我国节能玻璃材料产业技术与发达国家和地区还有一定的差距，主要表现在工艺流程、制造设备、产品设计、材料性能、能源消耗、自动化水平、产品质量等方面。现有的节能镀膜玻璃产品品种单一、适用范围窄、部分技术和装备依赖进口，难以支撑我国节能玻璃材料产业高速发展的要求[14]。

目前节能玻璃材料产品按功能和应用主要可以分为低辐射镀膜玻璃、阳光控制镀膜玻璃、中空玻璃、真空玻璃等几大类。低辐射镀膜玻璃具有红外反射率高（2.5～25μm 中远红外线反射比达 75% 以上）、辐射率低等特点，能有效地阻断室内外的辐射传热，具有很高的保温节能效果，是世界公认的综合节能效果较好的建筑玻璃品种之一。阳光控制镀膜玻璃又称热反射薄膜，对可见光有适当的透射率，对红外线有较高的反射率，对紫外线有较高的吸收率，即对 0.3～2.5μm 波长范围的近红外线有较强的反射及吸收，可以有效地屏蔽室外热量进入室内，具有很好的遮阳效果。中空玻璃是目前节能玻璃的主流产品，将两片或多片玻璃有效支撑均匀隔离开，周边用结构胶密封，间隔空腔内是空气或其他气体。经建筑节能效果的估算，若窗体采用 6mm 白玻璃 +12mm 空气 +6mm 阳光控制中空节能镀膜玻璃，节能效率为 15%～20%，平均每年每平方米窗玻璃节电约为 50kW · h。虽然近年来节能玻璃发展迅速，但是国内建筑行业的资源利用率不高，在这方面与国外的技术水平还有一定距离。我国冬季、夏季建筑散热分布如图 12-15 所示。

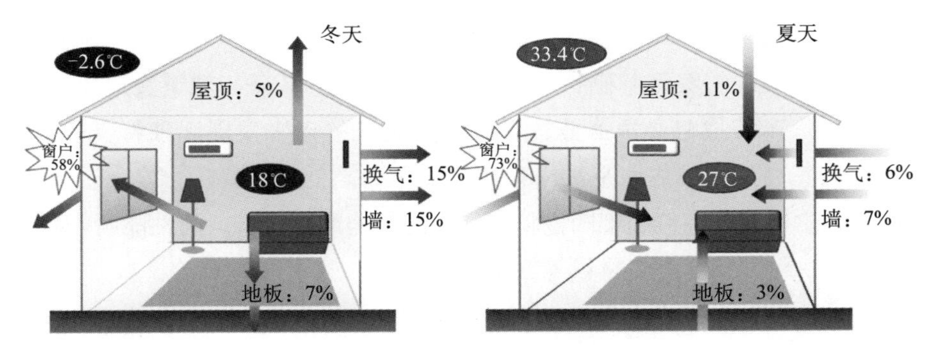

图 12-15　我国冬季、夏季建筑散热分布

（五）膜材料

近年来，中国膜产业的产值以年均 20% 以上的速度增长，远远超过了同期中国 GDP 的增长速度。2017 年，中国膜产业产值达到 1968 亿元，比 2016 年增长了 19.6%。近年来，国产的微滤膜、超滤膜、部分反渗透膜、气体分离膜、电池隔膜等产品由于质量不断提高、性能良好、价格低廉、服务及时等优势，有大批产品和工程进入国际市场并被国外公司纷纷采用。相应膜产品已远销日本、韩国、印度尼西亚、马来西亚、印度、巴西、俄罗斯、欧洲和美国等数十个国家和地区。但是我国膜产业技术水平与国际先进技术还存在差距，主要表现为产业化程度低、原料不规范、产品质量不稳定、品种少等。

“十三五”期间，我国继续推进生态文明建设，实施“美丽中国”战略。工业和信息化部提出“十三五”期间我国的膜工业发展目标是，年均增长率将达到或超过 20%。环境保护部环境规划院、国家信息中心发布的《2008—2020 年中国环境经济形势分析与预测》预计，“十三五”期间我国废水治理投入合计将达到 13 992 亿元。

第三节　先进无机非金属材料

先进无机非金属材料是航空航天、核能、信息、高端装备、石油化工、钢铁和有色金属冶金、新能源技术、国防军工等各类工业技术领域，特别是尖端工业技术不可或缺的关键基础材料，对航天、新能源装备、轨道交通等优势产业，航空、汽车等战略必争产业，重点武器装备的未来发展起独特支撑作用，已经成为国家高技术发展水平和未来核心竞争力高低的重要标志之一。本节所讨论的材料主要涉及高纯超细陶瓷粉体和先进结构陶瓷材料、高性能碳/碳复合材料、耐火材料、功能陶瓷材料等领域[15, 16]。

一、国际发展现状

（一）高纯超细陶瓷粉体和先进结构陶瓷材料

1. 高纯超细陶瓷粉体

精细陶瓷的起始原料陶瓷粉体具有小品量、多品种的特点，并且向易烧结、高纯度的方向发展，不断满足精细陶瓷制备的需求。国外发达国家在陶瓷粉体的纯度和粒径控制上达到先进水平。以氧化铝陶瓷为例，日本住友化学工业株式会社（Sumitomo Chemical Company，Limited）和德国Martinswerk GmbH可以生产含量为99%（2N）的氧化铝粉体，能够在1600℃烧结，密度大于92%；法国Baikowski公司可以生产纯度高于99.99%（4N）、中位粒径0.5μm的氧化铝粉体，用于高压钠灯和陶瓷金卤灯电弧管的透明氧化铝管的制备；日本大明化学公司可以提供粒径0.1～0.2μm、纯度高于99.99%的氧化铝粉体，用于制备亚微米晶氧化铝透明陶瓷。多数高纯超细先进陶瓷粉体需要通过高温冶炼工艺制备而成，人力、电力消耗量巨大，环境污染严重，发达国家近年来已经逐步关停初级产品冶炼工厂而向产品再加工方面扩展。这些国家的公司从发展中国家购买初级产品，利用自己掌握的先进技术进行深加工处理，提高产品附加值后再供应国际市场。

2. 先进结构陶瓷材料

先进结构陶瓷是以高纯、超细人工合成的无机化合物为原料，采用精密控制的制备工艺烧结制成的用于制造结构部件的陶瓷材料，常用的结构陶瓷材料主要包括碳化硅、氮化硅、氮化铝、氧化铝及其复合材料等。由于结构陶瓷材料的高强、高硬、耐高温、耐腐蚀、耐磨损的特性，其在非常严苛的环境或工程应用条件下展现出高稳定性与优异的机械性能，因而在航天、国防、军工、能源、环保、化工、高端装备制造等工业领域具有广泛的应用。碳化硅和氮化硅陶瓷应用于优质的密封材料、燃气发动机的耐高温部件、化学工业中耐腐蚀部件和半导体工业中的坩埚、高速重载无润滑陶瓷轴承、高端装备的横梁导轨、机械加工行业中高速切削工具、飞行器雷达天线窗/罩、核反应堆的支撑、隔离件和裂变物质的载体等。氮化铝陶瓷主要用作电路基板和封装材料及腐蚀性物质和容器的处理器。氧化铝陶瓷用作结构陶瓷可以广泛应用在耐磨损构件（喷嘴、坩埚等），其化学稳定性优良，生物相容性好，可以用来制成人体关节、人工骨等；透明氧化铝陶瓷用以制造钠蒸气灯管、红外窗口等。

发达国家竞相把先进陶瓷作为新型结构材料来发展，目标是利用陶瓷的特性（如高硬度、高耐磨性、耐高温性与抗腐蚀性）应用于极端环境领域。NASA在结构陶瓷的开发应用和加工技术方面极具代表性，并正在实施大规模的研究与发展计划。目前在美国从事电子陶瓷研究开发和生产的公司有300多家，从事陶瓷发动机研究开发和生产的公司有30～40家。为了提高航空发动机的推重比并降低燃料消耗，美国把高温结构先进结构陶瓷作为重点研究对象，目标是将发动机热端部件的使用温度提高到1650℃或更高，从而提高发动机涡轮进口温度，达到节能、减重、提高推重比和延长寿命的目的，满足军事和民用热机的需要。目前，美国格鲁曼公司正在研发新一代大气层超音速飞机发动机的陶瓷材料进口、喷管和喷口等部件。美国碳化硅公司用Si_3N_4/SiC制造导弹发动机燃起喷管。美国杜邦公司也已研制出能承受1200～1300℃、使用寿命2000h的陶瓷基复合材料发动机部件。

（二）高性能碳/碳复合材料

碳/碳复合材料诞生于1950年，用于运载火箭发动机喷管及喉衬。20世纪60年代到70年代末期，空间技术的发展对导弹端头帽、火箭发动机喷管及喉衬材料的高温强度提出了更高要求，有力推动了碳/碳复合材料的发展。随着高强度、高模量碳纤维的应用，编织技术和化学气相浸渍（chemical vapor infiltration，CVI）技术的发展，碳/碳复合材料得到迅速发展，并进入工程应用，成功用于各种型号航天飞机的鼻锥帽、机翼前缘、机翼挡板，以及导弹端头帽、火箭发动机喷管等热端部件。随着科学技术的发展，国外高性能碳/碳复合材料不断更新换代，性能和制造工艺不断提高，已在飞行器舱体、头锥、前缘等部件得到应用和验证。与此同时，带动了高强高模、超高模、高导热等高品质碳纤维的技术进步，并已实现产业化和规模化。长期以来，西方发达国家一直将碳/碳复合材料列为先进航空航天器及其动力系统的核心关键材料，重点解决制备周期长、热解碳结构难以控制、高温易氧化、极端服役环境下抗烧蚀性能不足、服役性能不稳定等难题。

碳/碳复合材料广泛应用于军民用飞机制动装置。自1974年英国Dunlop公司第一个将碳刹车材料应用于Vickers Super VC10飞机以来，碳刹车材料逐渐替代粉末冶金刹车材料，并发展为碳/碳复合材料主要应用领域之一。目前，国际民用和军用飞机的航空碳刹车材料基本由美国联合技术公司（Goodrich）、美国霍尼韦尔（Honeywell）集团（Bendix）、英国美捷特（Meggitt）集团（ABS & Dunlop）、法国赛峰（Safran）集团（Messier-Buggatti）四家大型集团公司垄断。俄罗斯Rubin公司为前独联体国家制造的军机和客机（如Tu204、An148等）提供碳刹车材料，但数量相对较少。经过几十年的发展，国际航空碳刹车材料已经形成高技术密集型的庞大产业，是典型的资金密集、技术密集型战略性产业，具有辐射面宽、带动性强、产业链长、周期长、投资大、风险大、市场高度集中等特点。

碳/碳复合材料在工业热场领域实现了规模化应用。近10年以来，太阳能电池行业快速发展，对电池组件的需求急剧增大。大量电池组件的制备拉动了碳/碳复合材料的热场应用，使其发展迅速，并正逐步取代传统石墨材料。但工业热场用碳/碳复合材料的核心技术被日本东海碳素公司和东洋碳素公司、德国西格里公司和Shunck公司及美国奈特公司等少数公司控制。它们掌握着民用工业应用高性能碳/碳复合材料的先进制造技术，依赖高品质控制定价权，把持高价位，阻碍碳/碳复合材料在民用领域的推广应用。

新型结构/功能一体化碳/碳复合材料的探索研究方兴未艾。在空间离子推进器结构中的格栅，超高功率微波系统阴极，核裂变装置中的控制棒套管、堆芯箍紧带和支撑板，核聚变地面实验装置中的第一壁材料等方面，美国、英国、德国、印度、日本、俄罗斯、荷兰等国家都不同程度地采用碳/碳复合材料作为关键部件，并对其进行了长期探索，取得了大量试验研究成果。

（三）耐火材料

国际上耐火材料行业的发展从19世纪中叶开始，并伴随着钢铁冶金和建材行业的发展而发展。各主要工业大国均有相应的耐火矿产和制品的大型企业。目前国际上主要的耐火材料（耐火原料和制品）企业有奥地利奥镁（RHI）公司、英国维苏威（Vesuvius）公司、日本黑崎播磨公司（Krosaki）、德国 LWB 公司、法国圣戈班工业陶瓷公司、美国安迈公司、挪威埃肯公司等，其中奥镁公司和维苏威公司为世界超大规模耐火材料企业，年销售收入折合人民币超过 100 亿元，其他企业的销售收入折合人民币 20 亿～50 亿元。目前，全球耐火材料产量约为 4500 万吨，除中国外，其他产能主要集中在欧盟、独联体、美国、日本和韩国等国家和地区。国外耐火材料产业发展有如下特点[17]：

（1）通过并购、重组和淘汰落后提高耐火材料工业生产集中度。发达国家 20 世纪 90 年代以来的并购、重组和在市场经济运行中的自然淘汰，使生产集中度迅速提高。例如，日本在 20 世纪 50 年代有 100 余家耐火材料生产企业，通过并购、重组和在市场经济大潮中倒闭、商标注销等形式，到目前为止，仅有 60 余家耐火材料企业；又如，1970 年时美国的 7 家独立的耐火材料生产企业，通过多次并购重组，到 2001 年合并成一个公司，即“RHI 耐火材料”。

（2）耐火材料总量增长逐步减弱，产品附加值稳步提高。在耐火材料需求量相对稳定的前提下，由于耐火材料品种结构的不断调整，产品质量的不断提高，耐火材料的需求量减少，但产品附加值仍在稳步提高。美国、日本和欧洲等发达国家和地区呈现耐火材料销售收入增长幅度高于耐火材料产量的增长幅度的良性发展态势。特别是有的国家耐火材料的产量在逐年下降，而销售收入在逐年增长。

（3）耐火材料行业向组建大型企业集团方向发展。目前，通过上百家企业的并购重组和企业自身发展，耐火材料产业形成了多家大型企业集团。大型企业集团使生产集约化程度不断提高，产业链逐渐延伸，并利用其强大的经济和技术实力及品牌优势谋取更大的利润空间。

（四）功能陶瓷材料

功能陶瓷是无源电子元件的核心材料。据国际智库美国 BCC Research 公司统计，其年均增长率在 9.4% 左右。随着电子信息技术日益走向集成化、薄型化、微型化和智能化，以多层陶瓷技术为基础的片式化成为电子元器件发展的主流。世界电子元件市场规模如图 12-16 所示。

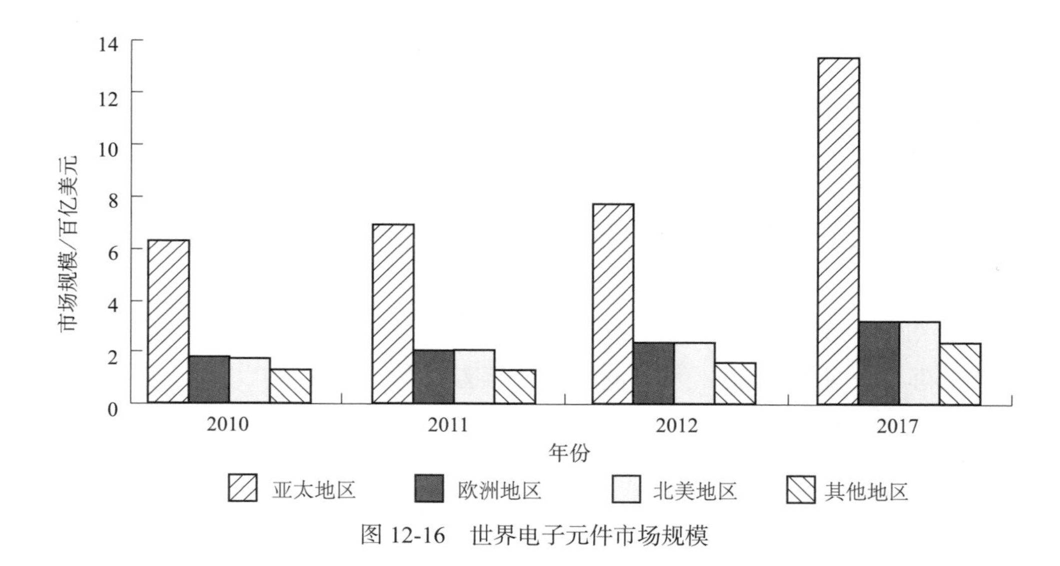

图 12-16 世界电子元件市场规模

多层陶瓷电容器（multi-layer ceramic capacitors，MLCC）是目前用量最大的片式元件之一。随着消费类电子产品、通信、电脑、网络、汽车、工业和国防终端客户的需求日益增多，其全球市场接近上百亿美元，并以每年 10%～15% 的速度增长。日本是 MLCC 的生产大国，日本的村田制作所（Kyocera）、TDK 集团、太阳诱电公司（Taiyo Yuden）、京瓷（Kyocera）公司，韩国的三星电机（SEMCO），我国台湾地区的国巨股份有限公司、信昌集团等都是国际上著名的 MLCC 生产企业。小型化、大容量、贱金属化、高频化、集成复合化是 MLCC 的主流发展技术，其中贱金属化是近年来发展最快的 MLCC 技术。采用贱金属内电极是降低 MLCC 成本的最有效途径，而实现贱金属化的关键是发展高性能抗还原 $BaTiO_3$ 瓷料。日本的一些企业较早就已经开发出这项技术，并一直保持领先地位，目前其大容量 MLCC 几乎全部实现了贱金属化。日本村田制作所当前处于国际领先地位，其 MLCC 研发尺寸已达 0.5μm，随着大容量薄层器件 MLCC 的单层厚度逐渐减小，陶瓷介质及电极材料的晶粒尺寸也要从目前的 200～300nm 减小到 100nm 以下，材料制备和器件加工技术变得更加复杂。介质材料的微细化是介质薄层化的基础。在减小介质层厚度的同时，为保证元件的可靠性，介质层中的陶瓷材料的晶粒尺寸也必须相应减小。未来的发展趋势是制备出晶粒尺寸小于 100nm 的陶瓷作为 MLCC 的介质层材料。

电感器是三大类无源元件中片式化难度最大的一类。目前世界片式电感器的总需求量在6000亿只左右，年增长速度在20%以上。日本在研制生产片式电感器方面居世界之首，其生产产量约占世界总量的70%。其中TDK集团、村田制作所和太阳诱电公司一直掌握着该领域的前沿技术。据工研院产业经济与趋势研究中心（Industrial Economics & Knowledge Center，IEK）统计，在全球电感市场中，TDK集团约占23%、太阳诱电公司约占21%、村田制作所约占19%，三家合计约占全球市场的63%。片式电感器发展的主要趋势包括小尺寸、高感量、大功率、高频率及高稳定、高精度，其技术核心是具有低温烧结特性的软磁铁氧体和介质材料。

为适应新的应用需求，压电器件正向片式化、多层化和微型化方向发展。近年来，多层压电变压器、多层压电驱动器、片式化压电频率器件等一些新型压电器件不断被研制，并广泛应用于机电、电气、电子等领域。同时，在新型材料方面，无铅压电陶瓷的研制已经取得较大的突破，可能使得无铅压电陶瓷在许多领域替代PZT基的压电陶瓷，推动绿色电子产品的升级换代。此外，压电材料在下一代能源技术中的应用开始崭露头角。过去10年中，随着无线与低功耗电子器件的发展，利用压电陶瓷的微型能量收集技术的研究与开发受到各国政府、机构和企业的高度重视。

随着电子元器件和电源系统向小型化、轻量化方向发展，迫切需要研发具有高储能密度的介质材料，以减小储能器件的尺寸和重量。国外研究动力电容器起步较早。美国、日本、俄罗斯、瑞士、韩国、法国等国均将动力电容器及其相关技术作为国家能源领域发展战略的重点。多年来，美国、日本、韩国等国家一直致力于开发高比功率和高比能量的动力电容器。其核心就是发展具有高比能量、高击穿场强的介电材料和满足储能密度、功率密度、耐高压、高比能量需要的动力电容器制备加工技术。

微波电磁介质（包括微波介质陶瓷和铁氧体材料）是现代微波器件的基石。微波介质陶瓷和铁氧体材料的发展初期曾形成美国、日本、欧洲激烈竞争的局面，但随后日本逐渐处于明显优势地位。随着第三代移动通信与数据微波通信的发展，美国、日本、欧洲均在调整这一高技术领域的发展战略。从最近的发展趋势看，美国将战略重点置于非线性微波介质陶瓷与高介电常数微波介质陶瓷方面，欧洲着重于固定频率谐振器用材料，日本则利用其产业化的优势大力推进微波介质陶瓷的标准化与高品质化。目前微波介质材料和器件的生产水平以日本村田制作所、德国EPCOS公司、美国Trans-Tech公司、Narda Microwave-West公司、英国Morgan Electro Ceramics等公司为最高。

在半导体陶瓷材料中，热敏陶瓷和压敏陶瓷的产量和产值最高。热敏电阻陶瓷材料及器件在国际上以美国VISHAY公司，德国EPCOS公司，日本的村田制作所、TDK集团、石冢公司、株式会社芝浦电子、三菱化学控股公司等公司的技术最先进、产量最大，年产量占世界总量的60%～80%。近年来，国外陶瓷半导体器件正向高性能、高可靠、高精度、多层片式化和规模化方向发展。例如，适用高亮度、大屏幕彩电、彩显需要的消磁电路用正温度系数热敏电阻（positive temperature coefficient，PTC），正向高电压、低电阻方向发展。目前，国外一些大企业相继推出了一些基于多层陶瓷技术的片式化半导体陶瓷器件，成为敏感器件领域的高端产品。

当代信息技术的迅猛发展很大程度上归功于半导体器件（有源器件）集成技术的不断突破。很长一段时间以来，半导体芯片的集成度一直以每18个月翻一番的速度发展（摩尔定律），构成了信息产业乃至整个信息化社会发展的主要技术支撑。半导体器件以外的其他元件被统称为无源元件，包括各类电阻器、电容器、电感器、变压器、滤波器、天线等，是各类电子信息系统中另一类必不可少的组成部分。由于这些元件的制造工艺在材料和技术上差异很大，很长时间以来一直以分立元件的形式使用。尽管人们一直在无源元件的小型化和片式化方面进行着一系列努力，但与半导体集成电路的发展速度相比，其发展相对缓慢。一般电子产品中，无源元件和有源器件的使用数量比例为20∶1～50∶1。无源元件的成本占元器件（包括无源元件和有源器件）总成本的1/3左右。有源器件集成度的快速提高和功能的不断增强凸现无源元件发展缓慢。尽管无源元件的尺寸越来越小，其分立化的结构无疑是电子信息系统功能提高和体积（重量）减小的重要制约因素。同时，分立结构所产生的寄生参量也难以满足电子信息系统高速化和高频化需要。因此，无源元件的分立结构已经构成了制约电子信息技术发展的一个“瓶颈”。

近年来，由于强大的市场需求牵动和低温共烧陶瓷技术（low temperature co-fired ceramics，LTCC）的研究突破，将庞大数量的无源电子元件整合于同一基板内的梦想已经成为可能。目前，无源集成已经成为备受关注的技术制高点。LTCC技术是无源集成的主流技术。该技术将低温烧结陶瓷粉制成厚度精确且致密的生瓷带，在生瓷带上利用激光打孔、微孔注浆、精密导体浆料印刷等工艺制出所需要的电路图案，然后叠压在一起，在900℃下烧结，将多个无源元件设计在其中，制成具有三维电路网络的无源集成组件。也可以制成内置无源元件的三维电路基板，在其表面可以贴装其他有源器件，制成无源/有源集成的功能模块。世界各国政府、产业界和军界对无源集成技术给予高度重视。美国国家科学基金会（National Science Foundation，NSF）、美国国家标准与技术研究院（National Institute of Standards and Technology，NIST）、NASA、美国国防部（United States Department of Defense）等机构均投入大量经费开展无源集成技术及相关的器件和模块的研制；欧洲共同体通过其Brite-Euram框架，支持了“微波与电力模块的快速制造”研究计划（Rapid Manufacture of Microwave and Power Modules，RAMP）；日本政府将无源集成技术列入了政府优先支持的“关键技术中心计划”（Key Technology Center Program，JKTC）；德国政府启动了旨在推进用于卫星通信用集成模块的KERAMIS项目，旨在研究多功能无源集成模块的4M项目等。一些大型高技术企业，如美国的杜邦公司、IBM公司、摩托罗拉公司，日本的TDK集团、NEC公司、村田制作所、3M公司、富士通公司，荷兰的菲利普公司等均投入巨资参与无源集成技术。由国际微电子与封装协会（international microelectronics and packaging society，IEAPS）发起的旨在推动世界范围内由无源集成技术发展的名为Ceramic Interconnect Initiative（CII）的计划得到世界各国很多研究结构和企业的积极响应。目前LTCC技术的核心工艺技术主要掌握在日本手中，而相关材料主要提供商是美国杜邦公司、美国福禄（Ferro）公司及德国赫利氏公司。“十一五”期间，清华大学和深圳顺络电子股份有限公司发展了具有低损耗硅铝氟氧玻璃基系列化LTCC材料，在提高无源集成器件的性能上发挥了重要作用。

二、国内发展现状

（一）高纯超细陶瓷粉体和先进结构陶瓷材料

高纯超细的陶瓷粉体是获得高性能陶瓷材料的根本。航天用轻量化碳化硅光学部件、舰船用大型高强度高韧性碳化硅密封部件、核反应堆用碳化硼中子吸收部件、高硬度碳化硼防弹装甲部件、电子信息领域用高热导高绝缘氮化铝、

LED照明用高效氮化硅基荧光粉等领域需要的高纯粉体被国外公司控制。这些高端粉体在国防军工领域具有重要应用，通常被视作战略物资，因此国外发达国家对这类产品出口中国市场均实行较严格的国家安全审查制度，不仅受到严格的技术封锁，而且时刻面临禁运风险。目前，我国从事先进结构陶瓷材料粉体研究开发和生产的企业约有几千家，其中年产值在千万元以上的不超过100家，占比不到10%，年产值达亿元以上的更是凤毛麟角，且多是陶瓷初级粉体企业。例如，河南平顶山易成新材料股份有限公司从事碳化硅粉体生产、大连金玛硼业科技集团有限公司从事碳化硼粉体生产等，企业生产规模小，技术水平和管理水平普遍较低，绝大部分客户是国内用户，出口到国外的少量产品也缺乏竞争力，与我国先进结构陶瓷材料研究在国际上的地位极不相称。国内生产99%和99.99%氧化铝粉体的企业不少，控制纯度基本没有问题，但是缺乏对易烧结内涵的真正了解。一般企业从事某品种氧化铝粉体的批量制备生产技术，却不了解陶瓷材料制备对粉体的要求，也没有提高粉体性能的研发能力。国内研究机构希望对国外的粉体特性加以研究跟踪，但是却没有经费支持。上述情况造成年复一年的原料粉体依赖进口的问题。

我国先进陶瓷材料的研究起步较晚。大规模的研究始于20世纪80年代实施的先进结构陶瓷与绝热发动机“七五”“八五”国家重点科技攻关项目，其中包括汽车用陶瓷涡轮增压透平机的研制和高温燃气轮机的部分研究工作。当时许多高校和科研机构都参与了该项计划，系统研究了氮化硅、碳化硅、氧化铝、氧化锆等陶瓷的组织、性能和制备工艺，使我国先进结构陶瓷的研究到达鼎盛期。原料成本、陶瓷制备工艺设备一系列问题和其他一些复杂原因使得汽车陶瓷发动机的整体开发没有实现预期目标。但毫无疑问，这些科技攻关项目的开展极大提高了我国在先进结构陶瓷材料领域的研究水平和在相关高技术领域中的应用水平。结构陶瓷研究水平的提高带动了相关产业的技术进步。国内结构陶瓷生产企业的技术大多来源于这些攻关项目成果。同时，国家“863计划”高科技项目、国家自然科学基金委员会、国内首个陶瓷基复合材料工程化中心（西北工业大学陶瓷基复合材料工程中心）成立，承担并完成了多项国家级工程化技术研究和条件建设项目。该中心通过小批量制造三类典型构件来突破工程化技术，用工艺稳定性、批量一致性和质量可靠性来考核工程化的成熟度，以满足国家重大项目对该材料的技术要求。

（二）高性能碳/碳复合材料

我国碳/碳复合材料的研发和应用发端于航空航天领域，经过近40年的发展，其向国民经济各领域不断拓展，目前在航空航天、武器装备和交通运输的刹车系统、航天发动机、高温炉热场等领域，初步形成了包括研发、设计、生产和应用的产业化体系，涌现了一批自主创新能力强、初具规模的龙头生产企业，如湖南博云新材料股份有限公司、湖南金博复合材料科技有限公司、江苏天鸟高新技术股份有限公司、西安超码科技有限公司等。湖南碳/碳复合材料基地作为国家新材料“十二五”发展规划区域布局的唯一基地，已经具有良好的研发和产业基础。

1. 航空刹车用碳/碳复合材料

我国自1970年开始开展碳刹车材料的研制，在21世纪初形成产业能力，建立起对军用市场的完整支撑，并在民用航空重要机型（如B757、A320等）取得中国民用航空局（Civil Aviation Administration of China，CAAC）适航认证，部分替代进口，使航空公司的采购成本降低了20%左右，促进了民航运输业的发展。虽然国产碳刹车材料的“有无”问题得到了解决，但是目前产业化水平较低，产品尚未取得美国联邦航空管理局（Federal Aviation Administration，FAA）、欧洲航空安全局（European Aviation Safety Agency，EASA）等国外适航认证，主要原因为：①我国现役大型民用航空客机均从国外进口，附带捆绑协议，形成技术和市场壁垒；②材料性能一致性和质量稳定性差，制造成本过高。

2. 工业热场用碳/碳复合材料

我国通过自主创新开发出碳/碳复合材料工业热场部件，已经形成多类品种，如坩埚、紧固件、衬板等结构材料部件，发热体、隔热件、保温毡等功能材料部件，兼顾结构与功能的导流筒和保温筒等部件。产业已初具规模，典型部件已实现批量供货。但产业装备研发滞后，使用性能研究和个性化设计薄弱，制品性能不稳定，加之国外传统石墨材料价格竞争，导致产品制造成本较高，严重制约着碳/碳复合材料的推广应用。国内亟须开展低成本制造工艺技术、结构与性能一体化控制技术、批量制造关键设备的设计与开发。

3. 新型结构/功能一体化碳/碳复合材料

在空间结构、超高功率微波系统、核聚变/裂变实验装置的研发方面，国内相关技术的研究单位主要有中国科学院、中国工程物理研究院、清华大学、中南大学、中国核工业集团有限公司。同时，一些相关企业与加拿大进行了国际合作，积累了相关经验。从材料应用方面看，需要针对特定的需求系统开展新型结构 / 功能一体化碳 / 碳复合材料在空间结构、超高功率微波系统、核聚变 / 裂变实验装置中的技术开发、评价方法、典型环境考核和应用研究。

（三）耐火材料

我国耐火材料技术水平随着 20 世纪七八十年代引进大高炉 – 转炉 – 连铸连轧的冶金技术、大型干法旋窑生产水泥、大型浮法玻璃生产线等的发展，耐火材料行业从模仿进口耐火材料，实现了全面国产化，满足了钢铁、水泥、玻璃等行业的需要，现在开始创新发展新型耐火材料体系和制品。例如，在大型高炉炼铁系统方面，研发的高炉陶瓷杯用微孔刚玉砖和高炉热风炉系列低蠕变耐火材料产品，在武汉钢铁集团公司 5 号 $3200m^3$ 高炉的使用寿命达 16 年。棕刚玉 – 碳化硅 – 硅高炉陶瓷杯耐火材料在国内 100 多座高炉使用，效果良好。在转炉炼钢系统方面，研制的镁钙系耐火制品替代镁铬砖应用于 AOD 炉（argon oxygen decarburization furnace），效果良好，既保证了 AOD 炉的生产运行，又减少了铬污染；电熔再结合镁铬砖应用于 RH 炉（RH furnace），使用效果达到世界先进水平。在高效连铸方面，开发的中间包透气上水口、洁净钢用无炭无硅水口、整体复合塞棒、铝锆炭浸入式水口、不烘烤薄壁长水口和金属 – 氮化物结合滑板等新产品，技术水平居国际前列，被各大钢铁企业广泛应用，促进了高效连铸技术的发展。在水泥熟料生产方面，开发的镁铝尖晶石、镁铁尖晶石和方镁石 – 铁铝尖晶石砖应用于大型新干法水泥回转窑烧成带和过渡带，达到或超过了镁铬砖的使用寿命，完全可以替代镁铬砖，大量减少了 6 价铬的污染。在玻璃熔窑方面，研制的 α-β 和 β– 刚玉熔铸耐火制品，在大型浮法玻璃窑的应用效果良好。在有色金属冶炼方面，氮化硅结合碳化硅砖在铝电解槽的应用，既保证了生产运行又取得了间接节能的效果。

（四）功能陶瓷材料

2015 年，我国以陶瓷元件为主体的电子元件行业重点企业共实现销售收入 18 000 亿元。从产值来看，我国电子元件产业规模仅次于日本和美国，居全球第三位。从产品产量来看，我国电子元件产业规模已经跃居世界第一位，其中产量居世界第一位的产品有阻容元件、磁性材料、压电器件等。在产业技术方面，已经形成了一批拥有世界先进水平的功能陶瓷及其元器件产品生产基地，高端产品已经可以与世界先进水平的大企业相抗衡。相关领域的研发得到国家"863 计划"、"973 计划"、国家自然科学基金重大项目、国家自然科学基金重点项目等的持续支持。同时，产学研结合加速了研究成果的转化，提升了企业自主创新能力，有力地推动了我国功能陶瓷及其相关产业的发展。由广东风华高新科技股份有限公司和清华大学牵头，联合 20 家大中型企业、研究机构和高校组建的无源元件与集成省部产学研创新联盟对于推动功能陶瓷材料研究开发与产业的结合发挥了重要作用。

1. MLCC 方面

我国 MLCC 行业规模较大，在国际竞争中占有一席之地。然而，由于全球顶级的 MLCC 制造厂商（如日本的太阳诱电公司、村田制作所、京瓷公司、TDK 集团和韩国的三星电机等大型企业）陆续在中国大陆建立了制造基地，把产能向中国大陆转移，目前国内 MLCC 产量一半以上在外资和合资企业生产。同时，国内市场高端 MLCC 的需求主要依赖进口。由于缺少自主知识产权和先进工艺设备，高性能陶瓷粉体、电极浆料、先进生产设备大量依赖国外厂商。从市场情况看，MLCC 消费主要集中在亚洲，占全球的 75%，而中国占到亚洲的一半以上。随着移动通信产品等整机制造业的不断扩张，我国 MLCC 产品的需求仍在迅速增长。

2. 片式电感器方面

我国从 20 世纪 90 年代初开始开发、生产片式电感器及相关材料。目前已基本建立了一个传统与新型产品兼顾、具有相当经济规模、在国际市场占据一定地位的电感器行业，产量约占世界总产量的 15%。其中，深圳顺络电子股份有限公司、山东同方鲁颖电子有限公司等企业已经凭借材料和工艺方面的技术优势在国际竞争中占有一席之地。然而，目前国内片式电感生产厂商的大部分产品是消费类电子产品，应用于通信领域和汽车电子领域的基础元件主要被日本、韩国和我国台湾的企业所垄断。并且国内片式电感生产厂商低端市场的价格战造成了利润空间的萎缩。目前，全球市场对片式电感器的需求在不断增长，市场结构也在不断变化，尤其是移动/无线通信的增长速度惊人。虽然以手机为代表的移动通信产品的生产厂家大部分在中国，但是目前大部分用于移动通信的片式电感器件却由国外供货。计算机和汽车电子也是国内对高端片式电感器产品需求增长较快的领域。预计未来若干年，我国在高端片式电感器方面的市场缺口相当大。我国内地的压电陶瓷企业数量较多，但多数企业是中小企业，产品结构以低端产品为主，如点火器、蜂鸣器及少量的滤波器、换能器等。尽管在过去几十年，我国压电陶瓷的研究开发取得了一批有自主知识产权的技术成果，但从目前行业的总体情况看，其市场竞争力、产业技术水平亟待提高，产品结构有待升级。随着信息技术、新能源技术、生物医学及航空航天技术迅速发展的需求，一些新型的压电陶瓷器件的应用市场将迅速崛起，成为压电陶瓷器件的市场主体。

3. 高介、耐高压、高储能密度介电陶瓷材料方面

我国的高储能密度的介电材料还处于研发阶段，相关的产业、技术与装备水平、核心技术知识产权、重点产品、检测评价标准等还未建立和完善。未来10年，全球太阳能、风能电站变电系统、电动汽车电池、民用超级电容器市场预计为3000亿～4000亿美元，我国大功率电容器储能器件企业占全球25%～30%份额。未来10年，将形成至少每年100亿～150亿元的大功率介电储能电容器的市场。

4. 微波电磁介质材料方面

我国微波电磁介质的研究开发起步较早，始于20世纪六七十年代，基本上与发达国家同步，早期主要围绕国防军工上的关键微波器件的需求开展研究开发和生产。近十几年来，形成了若干一定规模的企业，但在技术水平、产品品种和生产规模上有较大差距。以移动通信、无线互联网、无线传感网、卫星通信与定位系统为代表的无线信息技术迅速崛起，对高性能微波器件提出了更高的要求。而微波器件的核心介质材料仍然主要依赖进口。仅移动通信手机生产一项，每年需要进口的天线、滤波器的器件就需要上千亿元。

5. 半导体陶瓷材料方面

目前，国内半导体陶瓷及相关敏感器件的生产企业较多，但以中小型企业为主，企业的成立时间多数在20世纪90年代，以民营企业与外资企业为主体。

外资企业纷纷以独资或合资的方式在国内市场上建立了生产基地，其技术优势明显且产品性能优良，在国内高端市场上占据主导地位，且每年的出口量也较多。从技术方面看，国内生产工艺较落后，在生产设备、检测设备、原材料、质量控制等方面还存在较大不足，导致产品线比较单一，尤其无法满足高端市场的需求，产品结构以中低端为主。从未来需求方面看，物联网和传感网的迅猛发展将带来我国半导体陶瓷传感器需求的爆炸式增长，目前国内半导体陶瓷敏感器件为 50 亿只左右，未来还面临较大的发展空间。

6. LTCC 产品方面

“十二五”期间，我国 LTCC 技术发展较快。初步形成了一批 LTCC 无源集成产品生产基地，同时建成了多条以军用无源集成产品研发为目标的 LTCC 工艺线，产品年产值近百亿元。其中“863 计划”无源集成项目技术成果成功实现了转化，形成了覆盖材料、工艺、设计的具有特色的 LTCC 自主知识产权系统和技术优势，首次实现了高端无源集成产品的国产化。

第四节　高性能金属材料

钢铁和常用有色金属（铝、镁、钛和铜）是传统材料，在经济和社会发展中具有广泛的用途。随着工程科技的发展，世界钢铁和常用有色金属材料应用领域不断拓展，仍然充满活力，在促进人类文明进程中占有重要地位。

一、国际发展现状

近年来，世界钢铁产量增长缓慢。国际钢铁协会（World Steel Association）的统计数据表明，2017 年，全球粗钢产量为 16.91 亿吨，同比增长 5.3%，除独联体地区粗钢产量与 2016 年持平外，全球其他地区粗钢产量均同比增长。2017 年全球粗钢产量前十的国家（地区）如表 12-5 所示。

表 12-5 2017年全球粗钢产量前十国家（地区）

排名	国家（地区）	粗钢产量 / 万吨	增长率 /%
1	中国大陆	83 170	5.7
2	日　本	10 470	–0.1
3	印　度	10 140	6.2
4	美　国	8160	4.0
5	俄罗斯	7130	1.3
6	韩　国	7110	3.7
7	德　国	4360	3.5
8	土耳其	3750	13.1
9	巴　西	3440	9.9
10	意大利	2400	2.9

数据来源：世界钢铁协会

（一）高品质特殊钢材料

国外特殊钢（不含电工钢）材料年产量约8800万吨，产量和所占钢产量比例也相对稳定且呈缓慢增长趋势。工业发达国家特殊钢产量一般占其钢总产量的15%～20%，其中瑞典的特殊钢占比高达45%～50%。日本特殊钢的产量和出口量位居发达国家之首。其他发达国家在某些特殊钢品种上也各有特色。例如，瑞典是世界上“特殊钢比重”最高的国家，其SKF公司的轴承钢、山德维克公司的工模具钢在国际上具有很高的知名度；法国的不锈钢、精密合金，奥地利的工模具钢，美国和英国的高温合金等都为国际一流水平。国外的特殊钢产品具有尺寸精度高、钢中有害物质少、夹杂控制水平高、使用寿命长、耐热耐腐蚀等优异使用性能。

海洋工程装备建造商的第一阵营公司主要在欧美地区。这些公司垄断了海洋工程装备开发、设计、工程总包及关键配套设备供货；而海洋工程装备用钢的国外生产厂家分布在日本和德国，其中的代表厂家为日本JFE公司、日本新日铁公司与德国迪林根公司。国外由于海洋工程装备用钢开发时间较长，产品更加成熟，主要体现为如下特点：

（1）标准专用化。日本JFE公司对海洋平台钢板形成了自己的企业标准系列，如JFE-HITEN系列高强钢板、JFE-HITEN系列良好焊接性及大线能量焊接钢板、低温用钢板及耐海水腐蚀钢板等；美国有针对海洋平台用钢的 API2W 和 2Y 标准，对有特殊要求的钢板，如低温、应变时效、表面质量等进行了规定。

（2）大规格高强度。JFE 公司海洋平台用钢抗拉强度为 360～980MPa，可以生产厚度达 125～150mm 的特厚板。

（3）特殊使用性能。

（二）高温合金材料

高温合金材料的研发和生产不断受到用户技术发展和经营模式变化的影响，获得了长足的发展。航空发动机提高推重比、增加安全性和经济性，航天器速度超声速倍率的增大，车用发动机降耗减排的高增压技术等，牵引了粉末高温合金、单晶高温合金、金属间化合物等新材料的发展，且使研发与产业部门更加重视材料的工程化技术研究，以加快新材料进入工业化稳定生产的过程；竞争的压力驱使发动机用户提高燃料效率、减少油耗（趋势是年平均减少 1%），而这主要需依靠空气动力效率、燃烧室设计的改进和材料使用温度的提高而产生的热力学效率提高。其中，双性能 / 双组织涡轮盘由于更符合涡轮盘的工况特点将成为高推重航空发动机的必然选择，而使用温度可达 1100℃的第三代单晶高温合金高压涡轮叶片和密度只有 4.0g/cm^3 的钛铝金属间化合物低压涡轮叶片将是提高涡轮机效率的重要材料基础。

（三）有色金属材料

世界各发达国家都非常重视有色金属材料（特别是先进轻型合金）的研究发展及产业化技术开发工作。随着发展中国家制造业的兴起，低端有色金属材料的生产加工正逐步转向发展中国家，但日本、美国、德国、俄罗斯等发达国家在新型有色金属材料领域仍然保持着技术资本的领先优势，在一些关系到高技术工业的高性能有色金属结构和功能材料上一直占据着垄断地位。奥科宁克、诺贝丽斯、海德鲁等世界先进企业在高强高韧铝合金材料的研制生产领域占据世界主导地位，是全球航空航天、交通运输等领域轻质高强材料的供应主体；全球钛加工企业经过联合和兼并，已向集团化、国际化的方向迈进了一步，形成了美国、日本、独联体三足鼎立的局面。美国的 Timet、RMI 和 Allegen Teledyne 三大钛生产企业的总产量占美国钛加工总量的 90%，也是世界航空级钛材的主要供应商。日本的三菱化学控股公司、古河及美国的奥林等企业则主导着全球高强高导铜合金市场，凭借技术先导优势赢得了高额利润和竞争优势。

二、国内发展现状

“十二五”期间，我国的金属材料产业取得了举世瞩目的成就，钢铁和常用有色金属的产量都接近全球产量的一半。2017年，全国10种有色金属的产量为5378万吨，比上年增长3%，增速比上年提高0.5个百分点。其中，铜的产量为889万吨，增长7.7%，增速比上年提高1.7个百分点；电解铝的产量为3227万吨，增长1.6%，增速比上年提高0.3个百分点；铅的产量为472万吨，增长9.7%，增速比上年提高4个百分点；锌的产量为622万吨，下降0.7%，增速比上年增长2%；氧化铝的产量为6902万吨，增长7.9%，增速比上年提高4.5个百分点。

我国的金属材料产业顺应国民经济的高速增长、工业化、城镇化等对钢铁和有色金属材料的旺盛需求，在规模扩张上创造了举世空前的纪录，同时产品质量也有了较大提高。目前钢铁材料除少数大类品种外，其他钢材的自给率都达到100%，关键钢材产品（如汽车用钢、管线钢、硅钢、船板等）的产量大幅提高，22大类钢材品种中有18类钢材的国内市场占有率达到95%以上。而且一些钢材（如板材、管材）已经打入美国、日本、西欧和韩国等发达产钢国家和地区的市场。这说明，我国钢铁行业不仅在品种质量上已经基本能满足各用钢部门的需求，而且部分品种达到发达国家用户的要求。我国有色金属品种也基本满足国内经济发展需求，多种新研制的轻合金材料已经实现批量生产和应用，钛合金大规格棒材用于国际航空制造业，铜及铜合金复杂管材、大型铝合金型材进入国际市场并占据主导地位。

（一）高品质特殊钢材料

近年来，我国特殊钢行业与整个钢铁行业一样发展迅速，取得了举世瞩目的成就。不锈钢、轴承钢、齿轮钢、模具钢、高速钢等的产量均居世界第一，为我国国防工业及国民经济建设提供了重要的原材料保障。但我国特殊钢行业的整体发展水平和产品质量与先进国家仍有很大差距。根据战略性新兴产业的需求，现对能源、交通、海洋及航空航天用先进钢铁材料进行阐述。

1. 先进能源用钢

先进能源用钢主要包括风电、水电、核电装备用钢。我国已经具备了风电用宽厚板、高级别 Φ80mm 风电轴承用钢（GCr15SiMn）的批量生产能力，偏航轴承总成和风叶主轴轴承总成还在研制之中。目前国内生产风力发电机用轴承钢的企业有江阴兴澄特种钢铁有限公司、湖北新冶钢有限公司、宝钢特钢有限公司等。我国自主生产的 600MPa 级压力钢管能满足使用要求，800MPa 级的压力钢管正在开发中，基本掌握了水电、核电装备所用的大型不锈钢铸锻件的生产技术，改变了依赖进口的局面。

2. 现代交通用钢

现代交通用钢包括高速轨道用钢和汽车用钢。

高速轨道用钢主要有列车转向架、车轮、掣肘、轴承、弹簧及钢轨用钢。目前我国自主研制的微合金化车轮用钢已经成功用于时速 200km 的列车，时速高于 200km 的车轮用钢正在研发中；对于高端车轴用钢 S38C，我国正处于工业试验阶段；车辆轴承用钢的高端产品 GCr18Mo 能够立足国内生产；高铁弹簧钢研究已有重大突破，有望实现国产化；我国高铁用钢轨的产能已达世界第一，质量也处于世界先进水平。我国的钢轨生产厂家主要是鞍钢集团有限公司、包头钢铁（集团）有限责任公司和攀钢集团有限公司的国有大型企业。

在汽车用钢方面，强塑积 20GPa% 的第一代汽车用钢、强塑积在 60GPa% 的第二代汽车用钢均可实现国产化，强塑积在 30～40GPa% 的第三代高性能汽车用高强度钢的研发已经接近世界先进水平。我国的高强度汽车用钢生产厂家主要是中国宝武钢铁集团有限公司、鞍钢集团有限公司、武汉钢铁集团公司和首钢集团等企业。

3. 海洋用钢

海洋用钢主要包括海洋平台、海底油气管线、特种船舶用钢。目前屈服强度 355MPa 以下海洋平台用钢基本实现国产化，占海洋平台用钢量的 90%；海底管线钢 X65、X70、X80 及厚壁海洋油气焊管均已实现国产化；化学品船用中厚板已经实现国产化，自主研制的2205型双相不锈钢已被成功地应用在化学品船上；液化天然气船用9%Ni钢和液化乙烯储罐用12Ni19钢已经能够批量生产。我国的海洋工程用钢的主要生产厂家为中国宝武钢铁集团有限公司、鞍钢集团有限公司、首钢集团、新余钢铁股份有限公司、武汉钢铁集团公司、南京钢铁集团有限公司、湘潭钢铁集团有限公司、济钢集团有限公司等，其他大部分钢厂产品并不能达到厚度和强度的要求，目前这几个生产厂已具有年产50万吨以上的生产能力。

4. 航空航天用钢

大部分航空航天用钢已经实现国产化，但大型客机的轴承、连接螺栓、着陆齿轮等部件用的结构钢还需要进口。大推比运载火箭系统壳体、动力连接装置、星箭或船箭解锁包带等部件用特殊钢及各类空间环境设施用高品质特殊钢还有待进一步开发。

（二）高温合金材料

经过近60年的发展，我国的高温合金产业在航空发动机、战略导弹等武器装备方面取得了很大进展。在变形高温合金方面，仿制Inconel 718合金并结合我国的国情和生产装备状况，形成了国内牌号GH4169及相应的技术条件和标准，基本满足了我国航空航天领域对GH4169合金的需求。在铸造高温合金方面，单晶合金以仿制为主，已经发展了第一代、第二代单晶合金，并逐渐走向工程化应用。第三代、第四代单晶合金尚处于研制阶段，基本满足了我国先进航空发动机研制的迫切需求。在粉末高温合金方面，目前国内的研究主要集中于前三代粉末高温合金的应用研究，第四代粉末高温合金研制处于起步探索阶段。国内高温合金行业代表企业有宝钢特钢有限公司、抚顺特殊钢股份有限公司、攀钢集团有限公司江油长城特殊钢有限公司、北京钢研高纳科技股份有限公司、沈阳中科三耐新材料股份有限公司、北京航空材料研究院、沈阳黎明航空发动机有限责任公司、西安航空动力股份有限公司等。

（三）高性能有色金属结构材料

高性能有色金属材料主要包括高性能铝合金、镁合金、钛合金等轻型合金材料，高强高导铜合金及钨钼等难熔硬质合金，是我国发展大飞机、信息技术、高速铁路、海洋工程等国家重大工程的基础。

目前我国已经成为世界有色金属材料的生产消费大国，已连续10多年居世界产量首位。通过引进消化与自主制造相结合，我国有色金属行业装备水平已达世界一流水平，其中大型冶炼与电解装备，连轧与连铸连轧装备，挤压、轧制与锻压设备的单机规模和整体数量都处于世界前列。在新材料及其制备加工领域取得了一批具有世界先进水平的自主知识产权，具备了一定的产业和技术优势，取得了一批具有自主知识产权、达到国际先进的成果。例如，我国新一代高强高韧高淬透性航空铝合金研究及其工程化制备技术取得突破性进展，铝合金大型特种型材及其挤压工模具研究开发取得成功；成功开发了具有我国自主知识产权的铜带、管拉铸技术及铜铝复合技术等新材料技术；大型钛合金铸锭和锻件研制生产取得明显进展，产品走向国际市场；新一代高强高导铜合金材料及其电子引线框架铜带产业化关键技术研究取得突破，达到万吨级产业规模。

但是，我国有色金属新材料核心技术和知识产权还比较落后，长期处于技术跟踪状态，还没有建立有特色的完整合金牌号体系，具有自主知识产权并取得国际注册的新材料和热处理制度也寥寥无几，处于新材料开发和应用中美系、俄系、欧系合金混用的局面，巨大的市场优势和规模优势没有转化为技术优势。

我国有色金属行业已经遍布全国，形成了数千家国有、民营企业和合资企业大小不一、技术水平差别较大的市场化竞争局面。我国重大工程用先进有色金属材料主要由国有大型骨干企业研制生产，其中中国铝业集团有限公司和北京有色金属研究总院联合研制的新一代高强高韧铝合金和镁合金基本满足了我国航空航天重大工程新材料需求，以宝钛集团有限公司为首的钛合金骨干企业为国家重大工程研制并提供了一批重要钛合金材料。我国钨钼业形成了地勘–采选–冶炼–加工–科研开发比较完整的工业体系。硬质合金及钨钼材加工等工艺技术和设备仪器的档次显著提升，部分产品质量达到世界先进水平；钨丝和掺杂钨丝制取和加工方面的主流技术和装备已达世界先进水平；国防和航空用高性能耐震钨丝、汽车和电子行业用抗震耐热钨丝、微波炉和彩电钨热阴极部件已能生产；电子束熔炼加工电子级细晶钼开发成功并得到应用。

第五节　先进高分子材料及其复合材料

一、国际发展现状

（一）碳纤维

全世界碳纤维年用量约为8万吨，生产线年产能约为14万吨，市场价值约为20亿美元。碳纤维的工业化起步于20世纪五六十年代，经过半个多世纪的发展，已经形成聚丙烯腈（polyacrylonitrile，PAN）基、沥青基和黏胶基三大材料体系，成为技术最成熟、应用最广泛的纤维增强材料。其中，聚丙烯腈基碳纤维由于兼具良好的结构和功能特性，占据了高性能纤维体系的核心地位。日本和美国在聚丙烯腈基碳纤维领域技术领先，先后完成了聚丙烯腈基碳纤维的标准化、系列化和通用化。以日本的东丽公司和美国的Hexcel公司为例，东丽公司形成了T、M和MJ三个系列（表12-6）；Hexcel公司形成了AS、IM两个系列。面对潜力巨大的碳纤维技术与产品市场，各碳纤维优势企业开展了激烈的竞争。Hexcel公司经过多年的研究，在IM9高强中模碳纤维基础上，研制出IM10碳纤维，主要力学性能超过日本东丽公司的T1000碳纤维，被成功应用于大型客机等领域，并推出了高强高模系列HM63。之后，东丽公司于2014年初宣布推出T1100碳纤维，重新夺回高强碳纤维领域的领先地位。同时，东丽公司收购Zoltek大丝束碳纤维厂，德国SGL与日本三菱化学控股公司同时推进大丝束碳纤维的生产。

表12-6　日本东丽公司碳纤维主要产品参数

牌号	丝束大小/K	拉伸强度/GPa	拉伸模量/GPa	断裂延伸率/%	线密度/（g/km）	体密度/（g/cm³）
T300	1/3/6/12	3.53	230	1.5	66/198/396/800	1.76
T700S	12/24	4.90	230	2.1	800/1650	1.80
T800H	6/12	5.49	294	1.9	223/445	1.81
T1000G	12	6.37	294	2.2	485	1.80

续表

牌号	丝束大小 /K	拉伸强度 /GPa	拉伸模量 /GPa	断裂延伸率 /%	线密度 /（g/km）	体密度 /（g/cm^3）
T1100G	12/24	7.00	324	2.0	505/1010	1.79
M40	1/3/6/12	2.74	392	0.7	61/182/364/728	1.81
M35J	6/12	4.70	343	1.4	225/450	1.75
M40J	3/6/12	4.41	377	1.2	113/225/450	1.77
M46J	6/12	4.21	436	1.0	223/445	1.84
M50J	3/6	4.12	475	0.8	109/218	1.88
M55J	6	4.02	540	0.8	218	1.91
M60J	3/6	3.82	588	0.7	103/206	1.93

聚丙烯腈基碳纤维具有较高的力学性能，但由于 PAN 基碳纤维晶粒尺寸较小，即使经高温石墨化处理，其晶粒尺寸也难有较大改善，故聚丙烯腈基碳纤维的热导率不高［一般不超过 150W/（m·K）］。高性能中间相沥青基碳纤维由于其更易石墨化且石墨微晶尺寸大、石墨晶体结构沿纤维轴高度择优取向且晶格缺陷较少、晶界热阻较小，具有高热导率和高模量的优势。目前只有美国、日本等国家拥有高性能中间相沥青及高性能沥青基碳纤维的生产技术和装备，能够批量生产碳纤维系列产品。1975 年，美国联合碳化物公司（Union Carbide Corporation，UCC）公布了用中间相沥青制造高模量碳纤维的 Thornal P 方法，并很快将其投入商业生产。从此，沥青基碳纤维进入发展的快车道，成为继聚丙烯腈基碳纤维之后的第二大原料路线。目前，美国 Amoco 公司生产的牌号为 P100、P120、P130、K1100 的圆形截面中间相沥青基碳纤维的室温轴向热导率依次为 520W/（m·K）、640W/（m·K）和 1100W/（m·K），具备约 400t/a 的生产能力。日本三菱化学控股公司是世界上首先研制开发煤系沥青基碳纤维的公司之一，其生产的连续长丝 K13C2U 和 K13D2U 沥青基碳纤维模量达 900GPa 和 935GPa，热导率分别为 620W/（m·K）和 800W/（m·K），具备约 1000t/a 的生产能力。日本石墨纤维公司依托新日本制铁公司和新日本石油公司两大巨型企业的技术实力，主要产品是各种沥青基碳纤维，其中航空航天用 Granoc YS-A 系列超高模、高热导率沥青基碳纤维，模量高达 920GPa，热导率在 600W/（m·K）左右，日本石墨纤维公司具备 180t/a 的生产能力。多年来，高性能沥青基碳纤维的生产工艺和设备技术不断改进，产能逐步增加，生产成本不断降低，应用领域从国防高科技扩展至民用和工业领域。

（二）碳纤维复合材料

全世界碳纤维复合材料年用量约12万吨，市场总价值超过120亿美元，至2020年将保持10%以上的年增长，虽然用量占整个复合材料不足3%，但高技术集成性决定其市场价值占比超过15%，碳纤维复合材料的高技术集成性和高战略性决定其目前仍占据着全世界复合材料技术与产业的核心地位[9]。国外碳纤维复合材料技术已渐趋成熟，应用部位由次承力构件扩大到主承力构件；产业也正由推广开拓期向快速扩张和高成长期迈进，碳纤维复合材料应用已由航空航天、兵器等国防领域扩展到风电、轨道交通、汽车等众多民用领域。

在产业方面，目前全球的航空复合材料市场估计为80亿美元，其中75%为碳纤维复合材料（运输机45%、军机21%、公务机及民用直升机9%）。航空复合材料用量约为2.25万吨，其中运输机占79%、军用飞机占9%、直升飞机占6%、商业和通用航空占6%。进入20世纪90年代以后，尤其是2000年以后，碳纤维复合材料在大型飞机结构上的应用取得巨大的进展，其中以波音公司和空中客车公司两大飞机制造商推出的A380、B787、A400M、A350等大型飞机的复合材料应用最具代表性。A380和A350飞机中复合材料的用量分别高达结构重量的25%和53%。B787是最先采用碳纤维复合材料机翼和机身结构的大型客机，复合材料的用量达到结构重量的50%以上。空中客车公司研制的A400M军用运输机也采用复合材料机翼和机身结构，复合材料的用量占到结构重量的40%左右。第四代战斗机F22的复合材料用量达到其结构重量的24%，F35的复合材料用量达到其结构重量的35%，EF-2000的复合材料用量达到其结构重量的43%。在V-22、RAH-66、NH-90等新型直升机中，复合材料的用量分别达到了其结构重量的约80%、90%和95%。

在技术方面，碳纤维复合材料的基体材料主要朝着高韧性和耐高温方向发展。环氧树脂、双马树脂是航空碳纤维复合材料最常用的基体，广泛应用于大型飞机、直升机、通用航空和歼击机等飞行器。这类碳纤维复合材料经历了标准韧性、中等韧性、高韧性和超高韧性树脂基体的发展过程。基本型树脂基碳纤维复合材料（标准韧性）的冲击后压缩强度（compress after impact，CAI）在100～190 MPa；第一代韧性树脂基复合材料（中等韧性）的CAI在170～250MPa；第二代韧性树脂基复合材料（高韧性）的CAI在245～315MPa；

第三代韧性树脂基复合材料（超高韧性）的 CAI 已经达到 315MPa 以上。碳纤维增强树脂基复合材料在原材料、结构设计与验证、成型工艺技术等方面具有显著提升。

聚酰亚胺树脂基碳纤维复合材料在高温下具有优异的综合性能，可以在 280～450℃的温度范围内长期使用，在航空发动机和飞机高温结构中广泛应用。PMR-15 是 NASA 开发的第一个应用于航空发动机的高温树脂，也是目前应用最广泛的聚酰亚胺树脂，使用温度为 288～316℃。为了进一步提高 PMR 型聚酰亚胺复合材料的耐热性，美国开发了耐温 315～370℃的第二代、耐温 370～426℃的第三代及耐温 426～500℃的第四代聚酰亚胺树脂，以及可以采用 RTM 工艺成型的苯乙炔苯酐封端聚酰亚胺树脂基体。但这些耐高温树脂仍存在与碳纤维匹配性和工艺相容性差等问题。

目前，航空碳纤维复合材料主要采用预浸料热压罐成型方法。采用预浸料自动裁切和激光定位辅助铺层技术，基本实现了预浸料热压罐成型制造过程自动化、数字化生产。随着大型复杂整体复合材料构件制造的技术要求和生产效率的经济性要求不断提高，自动铺带和自动铺丝工艺等自动化技术得到了发展。液体成型工艺是继热压罐成型工艺之后开发最成功的低成本复合材料成型工艺，主要有 RTM、VARI 和 RFI。

高强度高模量碳纤维复合材料已应用于导弹发射筒、导弹主结构和卫星承力筒等航天大尺寸主承力结构。碳 / 酚醛防热功能复合材料已广泛应用于三叉戟、民兵、和平卫士、德尔塔、阿里安等系列战略导弹与运载火箭；发展了高强高韧碳 / 环氧结构复合材料，已广泛应用于运载火箭、卫星和导弹等航天结构。

碳纤维复合材料在卫星主承力结构、太阳翼结构、卫星天线反射器及馈源结构，以及空间相机结构上也得到成功应用。目前，美国、德国、法国和日本的卫星本体结构，除因温控限制而采用其他材料外，几乎全部采用高模量碳纤维复合材料制造，进一步提高了结构效率，使卫星结构占卫星总质量的比例大幅下降。目前，国外卫星结构重量仅占卫星总重量的 5%。高模量碳纤维复合材料已经成为国外卫星结构必不可少的关键材料。

高性能低成本的碳纤维复合材料已应用于兵器弹箭武器高温高动压结构。国外弹箭武器用结构材料已经从合金钢发展到铝合金和碳纤维复合材料。战术和陆军弹箭武器主体结构材料为铝合金和碳纤维复合材料并存，碳纤维复合材料逐步占据主导地位。目前国外最先进的单兵反坦克导弹（如美国的“标枪”“网火”和以色列的“长钉”）大量采用碳纤维复合材料，应用的部件包括弹翼、喷管、弹体、战斗部舱体、发动机壳体等结构部件，并已被应用于更加苛刻的服役环境，如高速飞行、大长细比、高发动机工作压力的远程野战火箭和空空导弹的舱体、稳定器、翼片、发动机壳体、喷管等主承力结构部件等。

碳纤维复合材料在能源、交通领域的应用取得了突破进展。在产业方面，处于全球领跑地位的是德国宝马汽车公司，已销售全球首款量产型全碳纤维复合材料车身电动车i3，并建立了一条碳纤维复合材料车身产业链（包括汽车专用碳纤维生产线），产能可达100辆/年。美国特斯拉公司推出全球首款Roadster纯电动跑车，整车重1200kg，采用碳纤维增强树脂基复合材料车身，成型周期为20min/套，年生产量为1500辆左右。日本东丽公司已研发出“TEE WAVEAR1”电动汽车，碳纤维复合材料用量约160kg，车身成型周期为10min/套。日本东邦公司与丰田汽车公司合作成立“复合材料创新中心”生产LEA跑车。

国外广泛开展了轨道交通车体大型承力结构构件的研发和应用验证研究，包括列车司机室、车体和转向架构架等。日本铁道综合技术研究所与东日本旅客铁道公司合作，开发了碳纤维复合材料高速列车车顶，每节车厢减轻约300～500kg，且降低了车辆的重心，增加了车体运行的稳定性。日本铁道综合技术研究所试制了新一代高速新干线车辆大断面碳纤维复合材料车体结构，比铝合金减重30%。法国国有铁路公司（Société Nationale des chemins de Fer FranCis，SNCF）研制了石墨纤维/环氧复合材料面板蜂窝夹层复合材料整体车体，比铝合金减重40%。德国AEG和MBB公司研制了HLD-L和HLD-300转向架；日本试制成功碳纤维复合材料转向架构架，自重仅300kg。

碳纤维复合材料是大功率风电叶片减重的有效解决途径。国外广泛采用了碳纤维复合材料制造大型风电叶片，长度已达120m，并已开发出适合于叶片主要成型的工艺及其配套用原材料体系，其中成型工艺：一类是应用厚重碳纤维预浸料带的低压中温预浸料真空袋法成型技术；另一类是碳纤维复合材料液体成型技术，主要是真空导入成型技术。目前国外包括通用电气公司、VESTAS、GAMESA等大公司所生产的碳纤维复合材料的风电叶片，均采用液体成型制备方法。

在输电领域，美国和日本在碳纤维复合材料芯导线的研发上处于国际领先地位，已经开展了碳纤维复合材料芯导线的挂网试用，总量约为20000km，电压等级覆盖了 13.6～550kV。

（三）碳纳米管纤维及其复合材料

碳纳米管纤维是碳纳米管沿轴向高取向、高密度排列组装成宏观连续的碳基纤维。由于其结构特点，可比传统碳纤维具有更高的强度和更优异的导电、导热、屏蔽、耐高温、防腐蚀等特性以及更宽的功能复合与调节空间。此外，碳纳米管纤维的合成比传统碳纤维更绿色、更节能，因而成为高性能碳基纤维未来发展的重要方向，有望作为兼具超强超韧、隐身、防热等多种功能复合材料的下一代增强材料。

法国于 2000 年首先利用湿法纺丝技术获得碳纳米管纤维，制备得到的纤维中碳管较短（＜10m），且含有大量的聚合物，因此纤维的力学性能和电学性能较差。我国于 2002 年报道了碳纳米管纤维阵列纺丝技术，证明了通过长碳纳米管阵列制备高纯度碳纳米管纤维的可能性。随后美国、澳大利亚、韩国、日本等国家也对这一纺丝技术领域进行了跟踪研究。2004 年，英国剑桥大学研究团队报道了利用浮动催化气相沉积法制备连续碳纳米管纤维，纤维的最高拉伸强度达到 8GPa 以上，平均拉伸强度在 3GPa 左右。美国空军研究实验室资助美国乔治亚理工学院进行了碳纳米管纤维的工程化开发。美国 Nanocomp 公司受到军方长期支持，目前正在进行碳纳米管纤维的工程化探索，基本实现了碳纳米管纤维的小批量生产，纤维强度可达到 4GPa，并于 2009 年开始向美国军方和 NASA 提供批量样品，开展空天领域和军事装备的应用研究。

（四）石墨烯纤维等纳米纤维及纳米复合材料

2004 年，英国学者因发现具有一系列极致特性的石墨烯而获得诺贝尔物理学奖。石墨烯纤维是由石墨烯片组装成的新型碳质纤维，碳含量高于 90%。连续的石墨烯纤维一般通过湿纺氧化石墨烯液晶分散液并经还原处理制得。其理论强度和模量可远超传统碳纤维，成为新兴碳质纤维发展的战略制高点。石墨烯纤维可发展成为一种兼具多功能和高性能的全新纤维品种，可广泛应用于飞行器防雷击、电磁屏蔽电缆线缆、抗电磁辐射织物、装备快速除冰及高效热管理等功能需求领域，也可用于结构功能一体化装备领域。

石墨烯纤维于 2011 年首先由中国研究人员发明并报道，但国外紧跟研究前沿，投入巨资研发，积极突破石墨烯核心技术，有关石墨烯纤维的研究呈现快速增长态势。澳大利亚卧龙岗大学研究人员通过氧化石墨烯液晶湿法纺丝制备了具有多孔结构的石墨烯纤维和石墨烯线，并将其应用在纤维储能器件中。新加坡南洋理工大学研究人员在石英毛细管中利用水热法制备了氮掺杂的石墨烯/单壁碳管复合纤维，在保证高导电性和纤维密度的同时，纤维具有适于离子传输的高比表面积，因此具有高体积比电容。澳大利亚研究人员还将不同片层大小的氧化石墨烯与聚氨酯复合，制备了弹性石墨烯纤维。在弹性保持相似水平的基础上，添加石墨烯后纤维的模量提高了 80 倍，屈服强度提高了 40 倍。有报道称通过将涂布制备的氧化石墨烯膜卷曲得到了具有高断裂伸长率（76%）和高韧性（$17J/m^3$）的氧化石墨烯纤维，还原后的石墨烯纤维电导率为 416S/m，可用于电子场发射器。韩国研究人员首次采用 3D 打印的方法以纯氧化石墨烯为原料制备了石墨烯纳米纤维。

二、国内发展现状

（一）碳纤维

在国家科技和产业化示范计划支持下，历经十余年的协同攻关，我国高性能纤维制备与应用技术取得了重大突破，探索出国产化碳纤维原丝制备正确的技术方向，从“无”到“有”，初步建立起国产高性能纤维制备技术研发、工程实践和产业建设的较完整体系，产品质量不断提高，产学研用格局初步形成，碳纤维及其复合材料技术发展速度明显加快，有效满足了国防建设重大工程对国产高性能碳纤维的迫切需求，部分型号用碳纤维及其复合材料的国产化自主保障问题基本解决[10, 11]。

截至 2016 年，在航空航天需求牵引下，建成了 10～200t 小丝束碳纤维生产线 4 条（产品为 T300 级碳纤维）、用于 T700 级碳纤维制备的百吨级（12K 计）生产线 3 条、用于 T800 级碳纤维制备的百吨级（12K 计）生产线 3 条。主要服务于民用领域的千吨级生产线 8 条，50～300t 级碳纤维生产线 5 条，几十吨以下产能的工程化线若干条，产品质量普遍较低。除此之外，DMAc 二步法原丝工艺形成了 5000t 级的聚丙烯腈原丝生产能力。

国产湿法 T300 级碳纤维产业化体系、湿法及干喷湿纺 T700 级碳纤维工程化体系初步形成，但所有的生产装置都存在产能释放能力弱、产品质量稳定性不高等问题。截至 2016 年，已建成碳纤维生产线的理论设计产能约 2.4 万吨，但实际年产量不足 4000t，不到设计产能的 20%。目前国内生产企业的重点是提高产品稳定性及降低生产成本。

高模系列产品中，M40 级碳纤维具备小批量供货能力，并通过了航天型号应用验证；M40J 级碳纤维已突破关键制备技术，具备单线 50t 以上的生产规模，产品性能与国外产品相当；M55J 级产品正在积极推进工程化。

我国开展高性能中间相沥青基碳纤维研究已有近 30 多年的历史。“十一五”之前曾经开展过高性能中间相沥青基碳纤维研究的单位主要有中国科学院山西煤炭化学研究所、北京化工大学、天津大学和中国石油大学。“六五”和“七五”期间，国家曾经立项攻关通用级沥青基碳纤维及长丝试制，并设立“863 计划”专项攻关研制中间相沥青基碳纤维，“八五”期间又设立了重大科研项目攻关中间相石墨纤维连续长丝，得到了 0.5K/500m［热导率 185W/（m·K）］的中间相沥青基碳纤维长丝。但是这些研究成果仅限于实验室的研究，未能实现规模化制备。之后国家政策调整，集中力量发展聚丙烯腈基碳纤维，沥青基碳纤维的研发工作在国内几乎停滞。武汉科技大学在“十二五”期间采用进口及自主合成的萘基中间相沥青在实验室制得了带状和圆形截面的高导热碳纤维样品［≥600W/（m·K）］。

（二）碳纤维复合材料

我国碳纤维复合材料技术已跟踪发展起步，经过多年的技术推动和市场培育，碳纤维增强树脂基复合材料技术与产业均取得了长足的进步[18-20]。航空航天用碳纤维增强树脂基复合材料体系基本建立，先后发展了酚醛、环氧、双马、聚酰亚胺等多种树脂基体，构建了碳 / 酚醛烧蚀防热和碳 / 环氧、碳 / 双马结构承载两大复合材料系列，建立了预浸料铺层模压、缠绕、热压罐、液体成型等多种工艺手段，并在多种型号上得到应用，形成了较完备的复合材料设计、制造、检测、应用一体化体系，为我国航空航天事业的跨越式发展提供了重要支撑。

20 世纪 80 年代起，我国碳纤维复合材料体育休闲用品的加工制造、碳纤维预浸料、立体织物预制件等中间制品的加工生产，成为我国碳纤维复合材料产业的主体内容，并基于进口的碳纤维产品开展了匹配性树脂研发、碳纤维应用工艺研究和制品的制造技术研究，建设了相应的软硬件条件，奠定了碳纤维复合材料国产化发展的基础。

经过“十五”至“十二五”期间的多年攻关，国产T300级碳纤维复合材料已经实现批量稳定供货，基本解决了国防装备的紧急供货，但自主保障还存在较大风险。T700级碳纤维复合材料正在进行工程化研制和应用评价研究。T800级碳纤维复合材料制备原理和工程化关键工艺技术已基本掌握。但总体来说，目前国产T700级碳纤维复合材料存在工艺技术落后、制造成本高、产品质量稳定性较差等问题。

经过30多年的发展，我国已建立了多个复合材料构件研发平台和制造基地，主要包括中国航空研究院、成都飞机工业（集团）有限责任公司、沈阳飞机公司工业集团、西安飞机公司工业（集团）有限责任公司、中航二集团哈尔滨飞机工业集团有限责任公司、昌河飞机工业（集团）有限责任公司和洪都航空工业集团，航天科工集团、航天科技集团、兵器工业集团有限公司、船舶重工集团所属科研院所，中材科技股份有限公司、安徽金诚复合材料有限公司和保定惠阳航空螺旋桨有限责任公司等。

国内已经建立了热熔预浸料生产和热压罐复合材料成型工艺技术、纤维/布带缠绕成型技术、RTM成型技术和复合材料结构整体成型技术，可研制和小批量生产碳纤维增强高性能酚醛、环氧、双马和聚酰亚胺等多种树脂基碳纤维复合材料，基本满足了当前航空、航天、兵器、能源和交通运输领域的需求。自动铺带、自动铺丝及预浸料自动拉挤等先进高效的工艺技术正逐步投入应用，初步形成了碳纤维复合材料制造技术体系。

碳纤维复合材料开始大规模应用，在航空领域，已经在各种型号军用飞机上得到批量应用，但在民用飞机型号上的应用有限，与国外的先进水平尚存在相当大的差距。例如，我国最新研制的ARJ21支线客机中碳纤维复合材料的用量不足2%，正在研制的C919中碳纤维复合材料的用量仅为15%～25%。

在航天领域，先后发展了板壳、空间和内压壳体三种典型的碳纤维复合材料结构形式。其中，板壳和内压壳体主要采用高强型碳纤维/环氧复合材料；空间结构主要采用高模型M40J/环氧和M55J/环氧复合材料。同时，我国航天结构碳纤维复合材料的应用正由小尺寸次承力结构向大尺寸主承力结构发展。

在汽车领域，“十一五”和“十二五”期间，国内车企与科研单位联合先后研发出四代碳纤维复合材料示范电动车。采用快速固化预浸料成型工艺制备了碳纤维复合材料纯电动客车车身；采用非连续性纤维成型工艺制备的汽车零部件已实现了量产及规模化应用。碳纤维复合材料在汽车领域的产业化应用，最主要的瓶颈在于产品成本高、生产效率低。同时，部件、整车的设计、验证及量产技术，自动化装配技术，质量控制等尚处于探索中，离规模化应用还有一定距离。

在轨道交通领域，碳纤维复合材料机车头罩、导流罩、司机室仪表台、机车内装、门立柱罩、座椅、门窗框、裙板等产品都已成功应用于多种型号的轨道交通车辆。但是，碳纤维复合材料原材料体系配套不完善、大尺寸构件成本低、整体成型技术不成熟，离规模化、工程化应用还有一定距离。

在风电领域，我国于 2011 年在 56m 长（3.6MW）叶片上首次采用碳纤维预浸料制备了主梁部件，随后分别在 65m、75m 和 77.7m 长的叶片上也实现了碳纤维复合材料主梁的应用。碳纤维复合材料叶片在原材料、设计、结构验证、长期安全性验证等问题都没有形成完善的解决方案，碳纤维复合材料在风电叶片上的规模化应用尚处于尝试阶段。

在输电领域，我国碳纤维复合材料线芯及导线生产厂家接近 20 家（已有供货业绩的厂家 5 家），各主要生产厂家制备的碳纤维复合材料线芯导线技术指标均能满足架空导线技术要求，技术指标已达国外同类型产品的技术水平。累计投运碳纤维复合材料线芯导线线路约 4500km。碳纤维复合材料线芯的成本高是制约其规模化应用的主要障碍。若碳纤维复合材料线芯导线价格降到等外径钢芯铝绞线的 0.4～0.5，则在新建输电线路中使用碳纤维复合材料线芯导线具有经济性，具备大规模推广应用前景。

碳纤维复合材料在建筑等其他民用领域的应用处于前期技术探索和积累阶段，制约其应用的瓶颈仍然是碳纤维复合材料的成本问题。

（三）陶瓷纤维复合材料

我国陶瓷纤维（包括氧化硅、硅酸铝、氧化铝基纤维等）的制备研究工作开始于 20 世纪 60 年代，比发达国家起步略晚。在国家项目支持下，我国相关企业在氧化铝前驱溶胶制备、可纺性调控、干法纺丝工艺、纤维结构表征与控制等方面积累了经验，目前已突破了氧化铝纤维前驱胶体批量制备、可纺性、连续纺丝、纤维热处理及烧结等关键技术，并自行设计建造了氧化铝纤维干法纺丝实验机，实现了 φ60 喷丝板 36 孔 /0.08mm 孔径下连续稳定纺丝及卷绕，制备得到直径 10μm 左右、单丝强度≥1.7GPa、断裂伸长率 1% 左右的莫来石纤维，但工程化关键技术尚未突破。

第六节　生物医用材料

一、国际发展现状

生物医用材料是用于诊断、治疗、修复（或替换）人体组织（或器官）或增进其功能的一类高技术新材料。生物医用材料的作用是药物不能替代的，是发展医疗保健和健康服务产业的重要物质基础，其产业是典型的低原材料消耗、低能耗、高技术附加值的高技术产业。按国际惯例，其管理划属医疗器械范畴，生物医用材料及其终端产品在医疗器械中的占比为40%～60%。生物医用材料按使用领域可分为高值或高技术生物材料及一般性或低值材料。前者指植入体内及直接连接血液等循环系统的材料和器械等，如人工骨、人工关节、人造皮肤、血管支架、心脏瓣膜、血液净化材料、牙科植入材料、医用高值耗材等；后者指药棉、纱布、一次性输注器械等。

随着人口老龄化、中青年创伤的增加、高技术的注入，以及人类对自身健康关注度的提高，生物医用材料产业高速发展。2000～2008年，生物医用材料产业全球市场复合增长率（compound annual growth rate，CAGR）高达15%。即使在世界发生金融危机的2008～2009年，美国市场仍保持7%的年均增长率。2015年，生物医用材料全球市场达2455亿美元，预计2015～2020年的市场CAGR可保持10%左右，2020年将达4000亿美元左右，同时带动相关产业（不含医疗）新增产值约为直接产值的1.9倍。同时，它也是世界贸易中最活跃的领域，贸易额复合增长率达25%，正在成长为世界经济的一个支柱性产业。

美国是全球最大的医疗器械生产和消费市场，占全球市场份额的40%左右，消费全球产品的37%，年均增长率约为8%；欧盟是全球第二大医疗器械市场，占全球市场份额的29%；亚太地区是全球第三大医疗器械市场，占全球市场份额的18%，其中日本是亚太地区医疗技术最先进且发展最快的国家。我国和印度拥有最多的人口，因此具有很大的潜力与成长空间；拉丁美洲是另一个成长最迅速的区域，墨西哥、巴西、阿根廷和智利等国家逐步向工业化国家发展，预估未来对医疗器械的需求也会保持较高速度的增长[12]。世界医疗器械和生物医用材料市场和发展预测如图 12-17 所示。

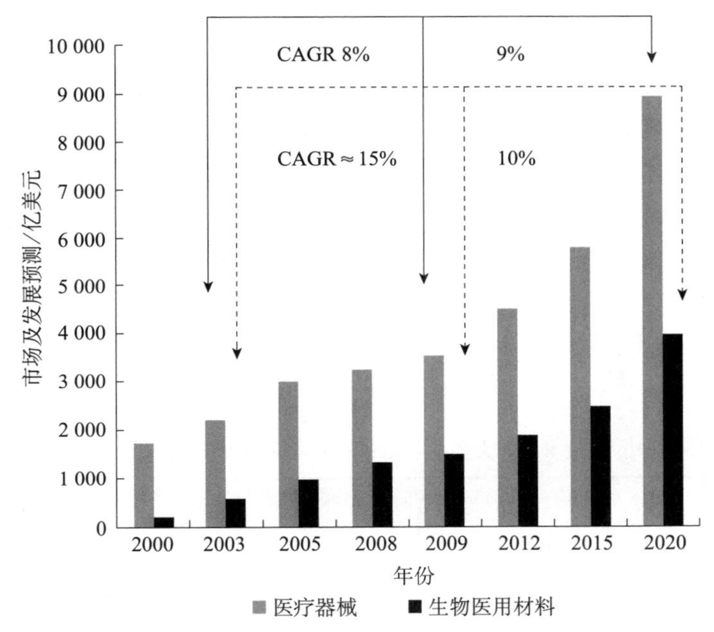

图 12-17　世界医疗器械及生物医用材料市场和发展预测

国际生物医用材料产业主要由表 12-7 所示几大类产品构成。

表 12-7　国际生物医用材料市场主要产品类别及其销售额

类别	2015 年销售额 / 亿美元	2015 ～ 2020 年复合增长率 /%	2020 年估计销售额 / 亿美元
骨科材料及植入器械	501	8	737
心血管系统介 / 植入材料和器械	469	11	790
生物医用高分子材料及耗材	936	8.7	1427
①生物医用高分子材料及高值术中耗材	363	7	509
②血液净化及体外循环系统耗材	210	10	339
③眼科材料	151	8	222
④其他（伤口护理材料、盆底重建及疝修补材料、美容整形材料等）	212	11	357

续表

类别	2015年销售额/亿美元	2015～2020年复合增长率/%	2020年估计销售额/亿美元
牙科材料	197	10	317
神经调节及植入性微电子器械等（除心血管）	132	15	266
其他	220	15	443
总计（约）	2455	10	3980

（一）骨科材料

骨科材料是生物医用材料中应用最成功的领域，全球骨科材料及植入医疗器械市场在近10余年取得了极大的发展。据统计，2015年全球骨科材料市场规模在500亿美元左右。全球骨科材料销售收入的60%来自美国，80%集中在美国、欧洲和日本。分布在这些地区的大公司控制了全球的市场和先进的技术。几大类骨科材料和植入器械市场及预测如表12-8所示。

表12-8　几大类骨科材料和植入器械市场及预测

产品类别	2015年销售额/亿美元	2015～2020年复合增长率/%	2020年估计销售额/亿美元	代表性公司
人工关节	181	8	267	捷迈、强生、史赛克、施乐辉、巴奥米特、瑞特医疗
脊柱植入体及相关器械	91	7	129	美敦力、强生、史赛克、NuVasive、Globus Medical、捷迈
创伤修复材料	70	6	94	强生、史赛克、施乐辉、捷迈、巴奥米特
软组织修复材料及关节镜、运动医疗器械	52	8	78	Arthrex、强生、史赛克、施乐辉、Arthrocare、康美
生物性骨科材料	65	12	114	美敦力、史赛克及上千家中小规模公司

2015年，全球骨科材料及植入器械市场份额排名前10的公司如表12-9所示。

表12-9　全球排名前10的骨科材料及植入器械代表性公司和销售额

国家	公司	2015年销售额/亿美元	2015～2020年复合增长率/%	2020年估计销售额/亿美元	主要产品
美国	强生	87.75	2.4	101.20	人工关节、脊柱植入器械、创伤修复材料、软组织修复材料及关节镜

续表

国家	公司	2015 年销售额 / 亿美元	2015 ～ 2020 年复合增长率 /%	2020 年估计销售额 / 亿美元	主要产品
美国	捷迈	72.56	3.2	87.66	人工关节、脊柱植入器械、创伤修复材料
美国	史赛克	56.34	5.1	75.98	人工关节、脊柱植入器械、创伤修复材料、软组织修复材料及关节镜
美国	美敦力	29.45	3.0	35.21	脊柱骨科植入器械和生物性骨科材料
英国	施乐辉	20.04	3.2	24.23	人工关节、创伤修复材料、软组织修复材料及关节镜、运动医疗器械
美国	Arthrex	17.13	4.0	21.74	运动医疗器械、关节镜
美国	NuVasive	8.87	6.6	13.04	脊柱植入器械
美国	Wright Medical Group	6.90	10.8	12.76	可植入关节
美国	Globus Medical	5.64	8.3	9.08	脊椎植入物
美国	Orthofix International	4.10	2.9	4.86	脊柱

（二）心血管系统材料和器械

心血管系统材料和器械已成为生物医用材料的第二大市场（表 12-10）。心血管系统材料和器械已从 20 年前国际生物医用材料市场的一个小产业发展成为一类重要的产业，不仅包括血管支架，还包括人工心瓣膜、心脏起搏器、植入性除颤器等[21]。

表 12-10　心血管系统介 / 植入材料和器械市场及预测

产品类别	2015 年销售额 / 亿美元	2015 ～ 2020 年复合增长率 /%	2020 年估计销售额 / 亿美元	代表公司
血管支架及介入手术器械	172	12.5	308	美敦力、圣犹达医疗、波士顿科学、百多力、索林
①血管支架	121	13	223	
②介入手术器械	51	11	85	

续表

产品类别	2015年销售额/亿美元	2015～2020年复合增长率/%	2020年估计销售额/亿美元	代表公司
心律调节器械	194	10	309	美敦力、雅培、波士顿科学、强生、日本泰尔茂、Edwards Lifesciences、圣犹达、巴德、索林
①心脏起搏器	92	8	135	
②植入式除颤器	71	10	113	
③电生理器械	31	15	61	
心脏植入器械	103	10	166	
①心脏瓣膜	31	13	56	
②其他（包括人工心脏、封堵器等）	72	9	110	
总计（约）	469	11	783	—

2016年，全球心血管系统介/植入材料和器械市场份额排名前10的公司如表12-11所示。

表12-11 全球排名前10的心血管系统介/植入材料和器械代表性公司及销售额

国家	公司	2016年销售额/亿美元	2016～2022年复合增长率/%	2022年估计销售额/亿美元
美国	美敦力	104.98	3.5	129.31
美国	雅培	27.98	23.1	97.24
美国	波士顿科学	53.85	6.2	77.25
美国	爱德华	29.64	8.5	48.36
日本	泰尔茂	21.73	8.9	36.22
美国	强生	18.49	6.8	27.39
美国	W.L.Gore & Associates	15.96	4.9	21.21
瑞典	洁定	13.80	2.7	16.21
日本	旭化成	12.60	5.6	17.50
中国	乐普医疗	5.19	23.0	18.00

（三）生物医用高分子材料及术中耗材

生物医用高分子材料及术中耗材主要包括生物医用高分子材料及常规术中耗材和医用高分子及高值术中耗材。

1. 生物医用高分子材料及常规术中耗材

生物医用高分子材料及常规术中耗材涵盖药物存储与输注（液）类医用耗

材、血液存储与分离类医用耗材、医用敷料、腹膜透析袋、营养袋及各类医用导管等。医用耗材大多为一次性耗材，使用量和市场空间大。美国是全球医用耗材使用最大的国家，占世界市场份额的 40%。欧洲是第二大市场，占世界市场份额的 29%。亚太地区则是第三大市场，占世界市场份额的 17%～18%。主要生物医用高分子材料及其年耗量见表 12-12。

表 12-12　主要生物医用高分子材料及其年耗量

名称	年耗量 / 万吨	用途
医用聚烯烃	500	药物存储及输注类耗材
聚氯乙烯、聚酯、聚碳酸酯等	200	血液存储、输注类耗材
羧基纱、聚乙烯醇、聚乳酸、海藻酸钠、壳聚糖、胶原等	约 100	医用敷料
营养袋和各类医用导管普遍采用的乙烯 – 乙酸乙烯酯共聚物、聚氯乙烯、聚烯烃、聚氨酯和硅橡胶等	约 100	腹膜透析袋、营养袋、导管等

2. 生物医用高分子材料及高值术中耗材

生物医用高分子材料及高值术中耗材包括血液净化材料、眼科材料、伤口护理材料、组织黏合剂、盆底重建及疝修补等软组织修复材料、整形（美容）外科材料等。随着肾病、肝病及自身免疫系统疾病（红斑狼疮、高血脂、类风湿、重症肌无力等）患者不断增加，对血液净化材料和体外循环系统耗材（表 12-13）的需求迅速增长。国际透析产品市场主要被费森尤斯（61 亿美元）及百特（31 亿美元）等大型公司垄断。

表 12-13　血液净化材料和体外循环系统耗材的市场及预测

类别	2015 年销售额 / 亿美元	2015 ～ 2020 年复合增长率 /%	2020 年估计销售额 / 亿美元
肾透析系统	177	10	285
①透析器	95	9	145
②透析机	82	11	140
血液灌流器及自身免疫系统病毒吸附剂等	33	10	54
总计（约）	210	10	339

（四）眼科材料

眼科材料涵盖角膜接触镜（俗称隐形眼镜）、人工晶状体、人工角膜、人工泪管、人工眼球、人工眶骨、眼用长效药膜等。目前市场规模最大的是用于近视和散光治疗的隐形眼镜，其次是用于白内障治疗的人工晶状体。全球眼科材料市场主要被爱尔康、博士伦、强生、库博及雅培5家大型公司垄断，主要眼科材料市场及预测如表12-14所示。

表12-14 主要眼科材料市场及预测

类别	2015年销售额/亿美元	2015～2020年复合增长率/%	2020年估计销售额/亿美元
隐形眼镜	108	8.5	163
人工晶状体	32	6.8	44
其他（人工泪管、人工眼球、眼用长效药膜等）	11	6.5	15
总计（约）	151	8.0	222

（五）口腔材料

口腔材料主要包括常规牙科修复材料（牙冠、桥接材、镶嵌体、牙贴面材料等）及牙种植体、颌面修复材料、口腔再生材料等，市场规模约55亿美元，主要由登士柏、士卓曼、诺保科、巴奥米特等公司控制，韩国的奥齿泰在亚洲国家占据了很高的份额。牙科材料市场简况如表12-15所示。

表12-15 牙科材料市场简况

类别	2015年销售额/亿美元	2015～2020年复合增长率/%	2020年估计销售额/亿美元
牙科重建、耗材及假体	120	10	192
①牙种植体	42	10	67
②CAD/CAM牙修复材料（牙桥、牙冠等）	27	10	43
③口腔组织再生材料（骨移植物、膜、软组织修复材料等）	5	10	8
④其他（传统牙科修复材料、牙贴面材料、假牙等）	46	10	74
牙科预防、治疗类耗材	77	10	125
总计（约）	197	10	317

（六）植入式微电子器械

植入式微电子器械是一类埋置在人体内的电子器械，主要用来测量体内的生理、生化参数的长期变化与诊断、治疗某些疾病，也可用来代替功能业已丧失的器官的功能，主要产品包括心脏起搏器、除颤器、人工耳蜗、电子视网膜、植入式芯片、骨骼生长刺激器、药物输注泵，以及用于缓解疼痛感，治疗癫痫、帕金森病、肠胃病症、急性尿失禁等的神经刺激器械（表 12-16）。

表 12-16　植入式微电子医疗器械市场简况

类别	2015 年销售额 / 亿美元	2015 ～ 2020 年复合增长率 /%	2020 年估计销售额 / 亿美元
心脏植入器械（起搏器、除颤器、心率监控仪等）	195	10.0	313
生物芯片	64	10.5	104
神经调节植入器械（治疗癫痫、帕金森病、慢性疼痛等）	48	19.6	117
植入性助听器械	17	19.0	40
其他（脊柱融合刺激器、药物输注泵、视网膜植入器械等）	3	11.0	5
总计（除心脏植入器械）	132	15.2	266

国际神经调节器械市场主要被美国美敦力、圣犹达、波士顿科学及 Cyberonics 4 个大型公司垄断。人工耳蜗市场主要被澳大利亚科利尔、瑞士 Sonova 及奥地利 Med-EL 3 个大型公司垄断。

二、国内发展现状

由于党和政府的高度重视，近 10 年来，我国生物医用材料科学与工程已成功走上世界舞台，生物医用材料科学与产业高速发展 [22]，以 30% 以上的复合增长率持续增长，2015 年的销售额为 200 余亿美元，占同期国际市场的 7.5% 左右，预计 2015～2020 年复合增长率可保持 25% 左右，2020～2030 年复合增长率可保持 15% 左右，2020 年的销售额将可达 715 亿美元，并可带动相关产业（不含医疗）新增直接产值的约 1.9 倍，即 2015 年和 2020 年直接和间接销售总额分别可达 680 余亿美元和 2070 余亿美元。我国医疗器械和生物医用材料市场及发展

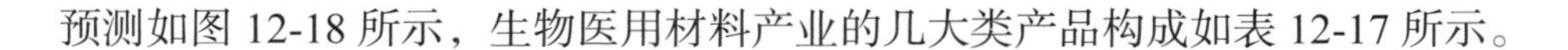
预测如图 12-18 所示，生物医用材料产业的几大类产品构成如表 12-17 所示。

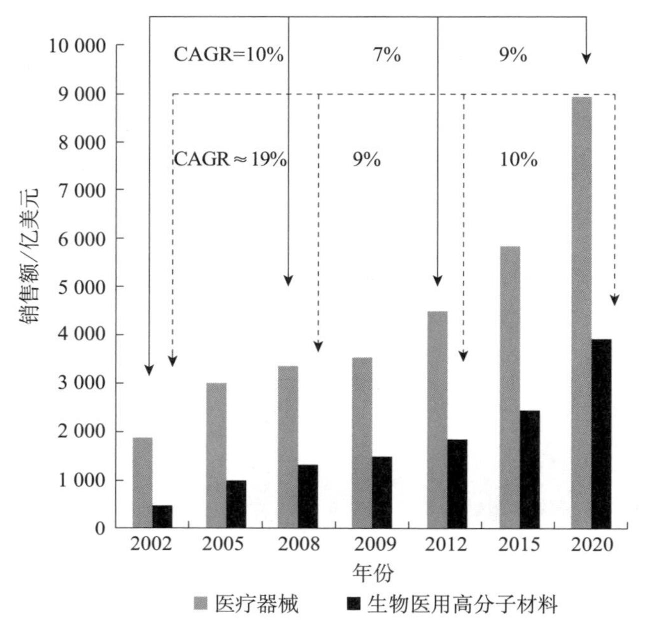

图 12-18　我国医疗器械和生物医用高分子材料市场及发展预测

表 12-17　国内生物医用高分子材料产业主要产品

类别	2015 年销售额 / 亿元	2015 ～ 2020 年复合增长率 /%	2020 年估计销售额 / 亿元
骨科材料及植入器械	31	25	95
心血管系统介 / 植入材料和器械	65	24	190
生物医用高分子材料及术中耗材	105	24	308
①生物医用高分子材料及常规术中耗材	74	23	210
②眼科材料	16	25	48
③血液净化材料及体外循环系统耗材	15	28	50
牙科耗材	15	27.5	49
其他	19	30	73
总计（约）	235	25	715

驱动我国生物医用材料产业高速发展的主要因素包括以下几点：

（1）人口老龄化，人体组织器官均有一定的寿命，我国 60 岁以上的老龄人口持续攀升，2017 年达 2.3 亿人，占总人口的 16%，且以 800 万人 / 年的速度增长，预计 2050 年将超过 4 亿人。人口老龄化导致对生物医用材料的需求大大增加。

（2）交通、体育等事业发展导致的中、青年创伤增加。2017 年，我国创伤住院人数已达总住院人数的第四位。

（3）经济持续的增长，人们生活水平的提高、健康意识的增强，以及生活方式及疾病的变化，导致了新的需求。医改政策的实施尤其刺激了对生物医用材料的消费和需求。

（4）行业技术创新能力和技术层次提升，促进产业向价值链上游转移[13]。

（一）骨科材料

近 10 余年来，我国骨科材料产业高速增长，复合增长率高达 20% 以上，市场规模近 200 亿元。目前，关节类、创伤类和脊柱类材料是中国骨科医疗器械三大主流类别产品，其中增长比较快的是关节和脊柱类材料。用于骨折等创伤修复的材料和器械国产率已达 65%，进一步发展可基本实现进口替代。我国骨科患者众多，骨关节炎患者已达 1.2 亿人，骨质疏松患者达 1 亿余人，骨创伤患者年达 300 万人，但用于创伤、脊柱及关节患者的材料和器械植入率仅分别达患者数的 2.7%、1% 和 0.4%，分别相当于美国的 1/8、1/6 和 1/108。三大类骨科医疗器械中，我国主要生产技术含量低的骨创伤修复器械（骨板、骨钉等），技术含量高的人工关节、脊柱修复材料仅占国内骨科材料市场的 24.6% 和 16.4%。我国骨科材料的关键技术仍主要被外商控制，70% 的高端产品仍依靠进口，远不能满足临床的需求。几大类骨科材料及植入器械市场规模及其增长预测如表 12-18 所示。

表 12-18　几大类骨科材料及植入器械市场规模及其增长预测

产品类别	2015 年销售额 / 亿元	2015 ～ 2020 年复合增长率 /%	2020 年估计销售额 / 亿元	国内代表公司
人工关节	62	26	197	创生*、康辉*、威高、微创、纳通、普华和顺
脊柱植入体及相关器械	51	27	168	
创伤修复材料	55	24	161	
生物性骨科材料	13	30	48	
合计	181	25	574	

* 已被外资收购

（二）心血管系统介/植入材料

人口老龄化使中国正进入心血管疾病暴发的“窗口期”。近年来，中国心血管疾病发病率逐年上升，并呈现发病“年轻化”的趋势。目前，冠心病患者达2000余万人，年新增100万人；心衰及房颤导致心律不齐的患者达420万人，年新增54万人；先天性心脏病年新增12万～13万人，其中可治疗者7万～8万人。在2005年以前，中国心血管支架介入器械市场主要被国外产品占据，随着我国对海外优秀人才的积极引进及核心技术的不断探索和创新，国产支架的市场占有率逐年增加，2016年已占据超过75%的国内市场份额。

我国目前有风湿性心脏病患者223.5万人，理论上国内每年需要进行心脏瓣膜及其修补材料置换的患者大约有20万人，而实际上我国每年置换人工心脏瓣膜只有2万例。目前人造血管基本上依赖进口。介/植入治疗是近年来发展迅速的心血管疾病治疗的最有效和最经济的治疗技术。在巨大的需求推动下，心血管系统介/植入器械成为生物医用材料第二大市场（表12-19）。

表12-19　几大类心血管系统介/植入材料和器械的市场发展情况

产品类别	2015年销售额/亿元	2015～2020年复合增长率/%	2020年估计销售额/亿元	国内代表公司
血管支架及介入手术器械	325	24.95	986	乐普、微创、威高、先健、吉威
①血管支架	232	25.00	709	
②介入手术器械	93	24.50	277	
心律调节器械	53	19.80	131	
①电生理器械	14	20.00	34	
②起搏器	23	18.00	53	
③除颤器	16	22.00	44	
心脏植入器械	18	22.50	51	
①心脏瓣膜	14	25.50	43	
②封堵器	4	13.00	8	
总计	396	24.08	1168	

（三）生物医用高分子材料及常规术中耗材

我国是生物医用高分子材料及常规术中耗材生产、使用及出口大国，产销量排名世界第一。2015年，我国市场年销售总额近千亿元。生物医用高分子材料及常规术中耗材应用量大、面广，使用安全性关系到每个人的健康。

我国许多生物医用高分子材料及常规术中耗材采用聚氯乙烯（polyvinyl chloride，PVC）材料制作，年用量达30多万吨。PVC材料中添加了邻苯二甲酸二辛酯（dioctyl phthalate，DEHP）增塑剂（又称塑化剂），质量分数达40%～60%。DEHP可经口、呼吸道、静脉输液、皮肤吸收等多种途径进入人体，给肝脏、肾脏、血液和生殖系统等带来潜在危害。国内外均已禁止在食品、蔬菜包装和儿童奶嘴、玩具等领域使用PVC材料，亟须研发新型PVC替代材料。

在欧洲、美国等发达国家和地区，输液产品的软袋化率普遍达到95%以上，但我国的使用率尚不足10%。采用三层或五层复合的聚丙烯薄膜生产软袋，需要医用聚丙烯近40万吨，但生产大输液软袋薄膜的原材料医用聚丙烯则全部依赖进口。

高端医用敷料在世界医疗卫生领域日益受到重视，今后将成为推动敷料市场发展的主要驱动力。我国现有3100多家医用敷料生产企业，但能够生产高端敷料的企业极少，绝大部分市场被进口产品占据。制约我国高端医用敷料发展的瓶颈基础原材料（聚乳酸、海藻酸钠、壳聚糖、水凝胶和胶原蛋白等）能够达到医用水平、可工业化生产的品种很少。

目前，生物医用高分子材料及耗材领域主要采用的环氧乙烷灭菌消毒法有极大弊端，如灭菌不彻底、具致癌性、排放到大气中破坏臭氧等。《蒙特利尔公约》规定，2015年全球禁止使用环氧乙烷消毒，以辐照灭菌技术取代环氧乙烷灭菌法迫在眉睫。目前国内还没有耐辐照老化生物医用高分子材料的生产企业，如全部从国外进口，每年需要量将超过50万吨，会严重制约国内生物医用高分子材料及常规术中耗材辐照灭菌技术的推广应用。

可吸收手术缝合线PGA和PEGL原料线在国际市场的当前年容量约为12亿m。国内年用量在5000万m以上，销售额占全部缝合线的一半，其中95%为进口材料（线）。针线连接后的成品约为17亿元，市场潜力巨大。目前国内对医用缝合线的研究落后于西方发达国家，国产缝合线在品种、数量、质量、功能上还有很大差距。

（四）血液净化材料及体外循环系统或人工器官

中国肾病和肝病患者数量约占全球患者数量的1/3。据统计，我国肾衰竭发病率为10～200人/百万人，全国有200多万名肾衰竭患者，但目前接受人工肾血液透析治疗的不到10万人，只占患者人数的5%。

中国有1.2亿名乙型肝炎病毒表面抗原携带者，重型乙肝年发病在10万例以上，加上其他类型肝炎、药物性肝衰竭、外科型肝衰竭等，每年的发病人数高达50万，病死率高达60%～80%，其中肝衰竭患者将近1200万。人工肝被认为是治疗肝衰竭最有效的方法，国内目前采用人工肝治疗的方法是非生物型支持系统，主要引进国外品牌进行治疗，市场被国外公司垄断。接受血液透析治疗的患者每年将以10%～15%的速度递增，人工肾、人工肝的市场需求将会进一步增加，中国是世界上潜力最大的市场。截至2016年年底，全国开展体外循环手术的医院有729家，2016年总心脏手术量为21.87万例，其中体外循环手术占总心脏手术量的74%。氧合器以国外品牌为主，占有国内50%以上的市场份额。

（五）口腔材料

2017年的中华口腔医学会第四次全国口腔健康流行病学调查显示，我国儿童龋患情况呈现上升态势。其中，12岁儿童恒牙龋齿患病率为34.5%，中年人与十年前变化不大，平均龋齿患病率在80%左右，且相当一部分人的龋病造成牙列缺损和缺失，丧失咀嚼功能。目前90%以上的针对龋齿的牙体充填修复材料依靠进口，尤其是中高端充填修复材料尚未出现国产化产品，如低收缩复合树脂、高性能有机水门汀类材料等。仅有的一些低端国内产品也基本上是购买进口原材料进行加工，价格昂贵，产品在市场上的竞争力受到限制。2017年，我国种植牙、种植体及手术整体市场规模约为101.5亿元，其中人工种植牙种植体行业市场规模约为25亿元，占比约为25%。近几年，我国人工种植牙行业市场增长速度保持在30%以上，预计到2020年，我国人工种植牙行业市场规模将达到62.1亿元。目前，我国人工种植牙种植体对进口依赖较大。我国人工种植牙种植体生产仍以中低端为主，大部分市场份额被国外品牌占有。

（六）眼科生物医用材料

眼科疾病在医学上属于大病种，目前已了解的眼科疾病至少有数十种。最常见的有近视、散光、白内障、青光眼等。中国约有30%的人口（超过4亿人）患有近视，且近年来近视患病率在年轻人群中呈急剧增长趋势，在16～22岁的群体中已达80%左右。我国有近700万盲人，占全球盲人的19%，年均增长率为11%。随着世界人口老龄化，盲人数量将大幅度增加，预计到2020年，我国将有 2000 万盲人。白内障失明患者可通过白内障手术植入人工晶状体而复明。

第七节　稀土功能材料

一、国际发展现状

稀土元素（rare earth element）是指化学元素周期表中的镧系元素——镧（La）、铈（Ce）、镨（Pr）、钕（Nd）、钷（Pm）、钐（Sm）、铕（Eu）、钆（Gd）、铽（Tb）、镝（Dy）、钬（Ho）、铒（Er）、铥（Tm）、镱（Yb）、镥（Lu），以及与镧系的 15 个元素同族的元素——钇（Y）和钪（Sc），共 17 种元素。稀土元素因其自身独特的电子结构而具有优异的电、光、磁、热性能，可与其他的材料形成性能各异、品种繁多的新型功能材料，并大幅度地提高产品的性能和质量，尤其是在稀土永磁材料中的应用已占到 30% 左右，超出工业“黄金”和“维生素”的概念，被世界各国视为战略性资源[23]。稀土材料产业链结构如图 12-19 所示。

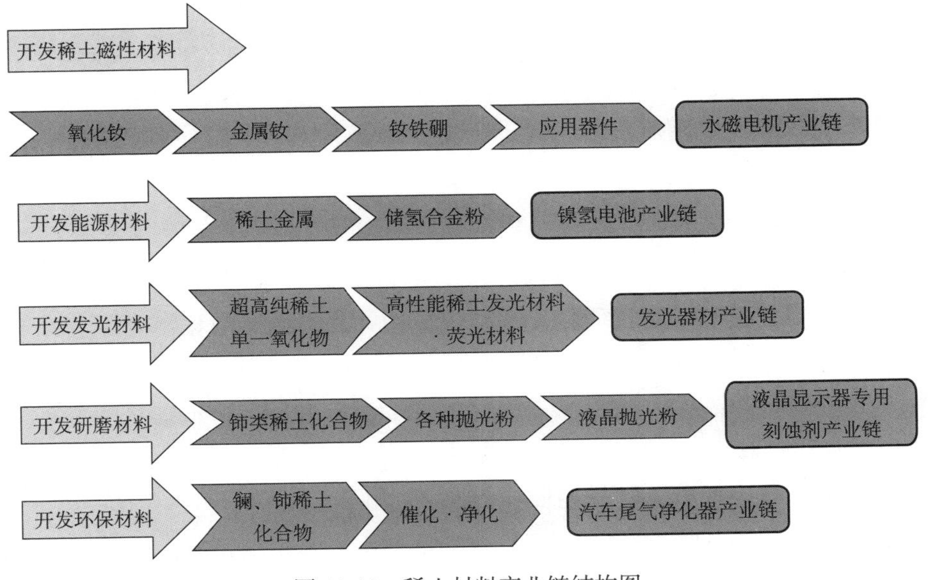

图 12-19　稀土材料产业链结构图

（一）在稀土资源及开采冶炼技术方面

为了保护稀土资源，减少环境污染，我国近年来出台了一系列政策和管理规定，稀土价格大幅度提升，引起了美国和日本等主要稀土消费国的“恐慌”，国际上掀起了稀土资源开发热潮，停产的国外企业纷纷恢复或扩大生产，并启动一大批稀土资源勘探、开采项目。

美国TMR公司的研究报告显示：中国之外在建和规划建设的稀土项目主要集中在美洲、欧洲和非洲，共有37个国家和地区的总计261家公司的429个稀土项目。美国、澳大利亚、巴西等13个国家的38个项目进展较快，其中比较有代表性的项目有美国Molycorp公司在凤凰城的冶炼项目和澳大利亚Lynas公司在马来西亚的冶炼项目。

芒廷帕斯稀土矿是中国境外在运营的最大轻稀土矿山之一，稀土储量约1669万吨，2010年美国上市公司Molycorp投入巨资重启芒廷帕斯矿山，于2011年开始扩建稀土生产线，第一阶段产能将达到19 050t REO/a。其中引入零排放废水概念，只使用盐酸和液碱进行稀土冶炼分离，同时配套建立一个回收NaCl废水的工厂，通过电解NaCl获取生产所需的盐酸和液碱，而含放射性废渣仍然采用集中堆放。但由于技术、市场、财务成本等综合因素，芒廷帕斯矿山复产后持续亏损，Molycorp公司于2015年进入破产程序。2017年6月，由财团JHL、QVT和盛和资源联合成立的美国MPMO公司成功竞购了芒廷帕斯矿山资产，同年7月完成资产交割，开始着手恢复矿山生产。目前芒廷帕斯矿山复产工作进展顺利。随着技术的改进和工人操作熟练度的提升，矿山生产日趋稳定，产量持续攀升。

澳大利亚稀土生产商Lynas公司将从澳洲韦尔德山稀土矿选矿获得的稀土精矿出口至马来西亚关丹市的新材料厂进行冶炼分离，2012年10月，年产1.1万吨的稀土氧化物的一期工程投产。该厂采用的是高温硫酸化焙烧工艺，是我国硫酸法处理包头混合型稀土矿工艺的翻版。Lynas公司在2017年下半年的稀土总销量为8839t，同比增长16%。钕/镨（Nd/Pr）是稀土磁体的关键元素，销量增长6%，达到2664t，销售额为2.09亿澳元（约合1.56亿美元），而上年同期为1.15亿澳元，产品主要销往日本。

2012年前后，日本信越化学工业公司为了减少对中国稀土的依赖，与印度稀土有限公司合作，在印度东部的奥里萨邦建设稀土工厂；同时，在越南北部海防市工业区投资 20 亿日元，建造了面积约 8 万 m^2、年处理能力为 1000t 的稀土加工厂。

总体来看，近年来，国外加大了稀土矿的开采力度，虽然仍没有撼动中国稀土供应大国的地位，但平抑了国际市场的稀土价格，减缓了日本、美国和欧洲等稀土永磁产业强国对我国稀土的依赖程度。

国外对环保的要求普遍高于我国，其特征污染物氨氮、氟化物等的排放限值远低于我国标准。国外稀土冶炼分离企业以末端治理为主，环保投资比我国高 10 倍以上，因此国外的稀土冶炼分离企业生产运行成本高，短期内不具有竞争优势，但随着中国环保理念和标准的进一步加强，我国运行成本低的优势在日益减小。

日本是全球第二大稀土消费国，稀土原料全部依赖进口。日本的稀土应用技术水平高，开展了包括荧光粉前驱体钇铕共淀物、高性能液晶抛光粉及电子所需的小粒度或大比表面稀土氧化物等产品的研究、开发和生产，获取了高额利润，且在这些领域一直处于领先地位。法国国内没有稀土资源，全部依赖进口，但拥有世界最大的稀土分离加工企业之一——罗地亚电子与催化剂材料公司（现归属比利时索尔维集团）。近年来，其主要稀土分离已转移到中国生产，经营重点转向汽车催化剂、荧光粉、抛光粉、MLCC 多层陶瓷电容器及特种颜料用稀土氧化物。

国外在超高纯稀土金属制备方面的研究始于 20 世纪 60 年代，主要研究机构有美国的 Ames 实验室、英国的伯明翰大学、俄罗斯科学院的固体物理研究所、日本东京大学等，其中 Ames 实验室的研究最具代表性。该实验室在 20 世纪 90 年代已掌握了大部分 4N 级稀土金属的制备技术，其组建的材料制备中心（materials preparation center，MPC）现阶段侧重于利用超纯稀土金属作为原料开发高性能功能材料。稀土金属的熔盐电解研究始于 1875 年。20 世纪 40～60 年代末，Ames 实验室开发了氟盐体系氧化物电解法，奠定了熔盐电解工艺方法的产业化基础。1975 年，美国在氟盐体系进行了 20kA 槽型制备混合稀土金属的工业试验。20 世纪 70 年代末，日本三德金属公司也用同规模槽型实现了混合稀土金属和金属钕的规模生产。

从产业分布方面看，在欧洲，目前只有一家烧结钕铁硼磁体生产企业——

德国真空熔炼公司（Vacuumschmelze GmbH，VAC）。它有两个生产基地，一个位于德国的 Hanau（VAC 总部），另一个位于芬兰的 Pori（VAC 子公司 Neorem 公司）。在日本，除日立金属株式会社外，还有两家稀土永磁材料生产企业，一家是日本老牌的磁性材料生产企业 TDK 集团，另一家是信越化学工业公司。2011 年 11 月，美国钼公司（Molycorp）、日本大同制钢（Daido Steel）与日本三菱化学控股公司宣布成立合资企业，建设地点在日本本州岛中部岐阜县中津川市。钼公司股份为 30.0%，大同制钢股份为 35.5%，三菱化学控股公司股份为 34.5%。合资企业将采用佐川真人（Masato Sagaw）领导的公司 Intermetallics, Inc.，所提供的低重稀土或无重稀土烧结钕铁硼磁体新工艺年生产能力可达 500t。2011 年 12 月，日立金属株式会社宣布计划在美国建立一个新工厂，为日立金属株式会社铁氧体生产基地，地点在美国北卡（North Carolina）。新工厂拟投资 20 亿日元，生产能力为 40t/ 月，并可以根据需求扩大产能。新工厂将为混合动力汽车和电动汽车生产烧结钕铁硼磁体，以保证日立金属株式会社在美国烧结钕铁硼磁体的稳定供应。

中国稀土冶炼分离产品主要用于生产各种稀土功能材料。我国稀土永磁材料产能 30 多万吨，产量约占世界的 88%。储氢材料产能 2.5 万吨，产量约占世界的 40%。发光材料产能 2.5 万吨，产量约占世界的 90% 以上。抛光材料产能接近 7 万吨，产量约占世界的 80% 以上。催化材料包括石油催化裂化和汽车尾气净化催化剂，产量仅占世界的 20% 左右。稀土磁性材料对稀土冶炼分离产品的需求产值约占 85%。因此，稀土磁性材料产业及市场目前是驱动稀土行业发展的主要领域。

（二）在稀土磁性材料方面 [15, 16]

稀土永磁材料是稀土应用领域所占比例最大的材料，也是目前已知的具有最高磁能积的一类永磁材料。美国、欧盟和日本等地之所以对我国稀土产业高度重视，就是因为稀土永磁材料是新一代武器装备中的关键材料 [24, 25]。日本的钕铁硼磁体发明人 M. Sagawa 预测未来 20～30 年内稀土永磁材料仍不可被替代。目前，日本、美国、欧盟仍然占据着稀土永磁新材料科学及产业技术发展的制高点，如纳米双相永磁理论的提出和重稀土扩散等技术的应用。最高性能永磁磁体的纪录均为日本创造并保持。日本开发了多功能三体速凝熔炼炉用于钕铁硼材料的生产，减少了一半以上一线操作工人，提升了 50% 以上生产效率，占据着高性能、低成本稀土永磁产业技术与智能化装备发展制高点。国外不但掌握了高端稀土永磁新材料的核心专利、关键制备技术和装备，且对我国设置了严格的技术和政策壁垒。例如，日本经济产业省早在 2016 年就开始实行了新的出口贸易管理政令，限制高性能磁石（主要指稀土永磁材料钕铁硼）及其相关制造设备、零部件出口，实行出口许可制管理；美国一直严禁向中国出口各种规格的钐钴永磁材料产品并封锁制备技术。又如，2017 年美国将所有类型和任何形式的磁性金属（包括稀土永磁材料）列入对我国出口管制清单，而日本一直封锁热压永磁环技术及装备。我国是世界上最大的稀土永磁材料生产国，2017 年烧结稀土永磁材料的产量达 14.8 万吨，占全球的 85% 以上。即便如此，高档稀土永磁材料仍然进口 2000t 左右，其原因在于我国高端稀土永磁产品的一致性和稳定性与国外有较大差距。

近年来，世界各地在稀土永磁材料技术领域均投入了较大精力，美国、日本、欧盟分别提出“关键材料战略”“元素战略计划”“危急原材料”来发展永磁材料科学及新技术，并在多个方面取得了突破性进展。国外加速发展可能导致我国稀土永磁材料在知识产权、技术、产品和市场等方面面临风险。2016 年 9 月，北京中科三环高技术股份有限公司与日立金属株式会社在中国设立了钕铁硼磁体成品年产能为 6000t 的合资公司，即日立金属三环磁材（南通）有限公司，其股权结构为：日立金属株式会社持有 51% 的股权，北京中科三环高技术股份有限公司持有 49% 的股权。第一期产能为 2000t 的目标已在 2016 年完成。随着中国多项稀土产业政策的出台和中美贸易战的进一步升级，再次引发了全球稀土永磁产业布局的调整。2018 年 10 月，安徽大地熊新材料股份有限公司也在包头成立了包头大地熊磁电有限公司。预计在未来几年，中国将有一些稀土永磁生产和下游应用产品企业走出国门，布局全球。

开发的镧、铈、钇等高丰度稀土元素替代镨、钕的永磁材料技术，不仅是充分利用我国资源特色和优势的发展方向之一，也是平衡利用稀土资源的战略布局，其中的铈磁体已脱胎于原有的钕铁硼永磁材料，成为新永磁材料的代表。目前，铈磁体产业已在浙江宁波地区初具规模。据统计，近三年稀土永磁材料中铈（及含铈）磁体产量比 2014 年提高了近 5 倍。2017 年，全国稀土永磁材料中含铈磁体产量已超过 3 万吨。2016 年，钢铁研究总院在铈磁体及制备技术的开发与产业化推广方面又取得了新的突破，通过工艺优化制备出铈含量高于稀土总量35%、磁能积（BH_{max}）大于40实验室水平（MGOe）的双主相磁体；双主相含铈磁体的矫顽力加最大磁能积超过63MGOe，并改善了其热稳定性。突破了高效率、低能耗的双主相高性能烧结态铈磁体制备技术，实现了产业化的生产。2017年，又开发出高铈含量占稀土总量80%的高铈磁体，磁能积达到15.6MGOe，更新了人们早前对含铈磁体的认识，形成了磁体性能全覆盖和高性价比的铈永磁材料和知识新体系。2017年，中国发明专利“一种低钕、无重稀土高性能磁体及制备方法”和“一种低成本双主相Ce永磁合金及其制备方法”获美国、德国发明专利授权。

目前，全球黏结钕铁硼磁体生产能力大部分集中在东南亚地区，其中代表性企业有上海爱普生磁性器件有限公司（北京中科三环高技术股份有限公司控股子公司）、北京安泰深圳海美格、成都银河、台湾天越和、日本大同电子公司、日本美培亚等。虽然黏结钕铁硼产业与烧结钕铁硼产业同时起步，但相对发展较为缓慢。从产量上看，黏结钕铁硼磁体的产量不足烧结钕铁硼磁体产量的1/10。其原因主要有两个：①麦格昆磁（Magnequench）长期拥有钕铁硼磁快淬磁粉的成分及制备工艺专利，尽管专利已到期，但其长期形成的市场份额并未有太大改变；②黏结钕铁硼磁体的磁性能和机械强度较低，应用上受到较大制约，应用范围没有烧结钕铁硼磁体广泛。烧结钐钴方面，国外生产企业主要有日本TDK集团、美国电子能源公司（Electron Energy Corporation，EEC）、美国阿诺德公司（Alnord）、VAC和俄罗斯托尼公司等。

2017年，日本研究人员利用长时间固溶热处理工艺优化磁体微观组织结构，获得了磁能积达到34MGOe、20℃下矫顽力H_{cj}达到11.3kOe的高方形度2：17型钐钴磁体。同年，Arnold公司又推出磁能积32～34MGOe的产业化钐钴磁体，并对我国进行技术和产品封锁。中国在钐钴永磁材料的产业化研究方面已达磁能积28～32MGOe范围的批量化生产技术水平。2017年，全球烧结钐钴磁体的产量约4000t，其中中国产量超过70%。在制备新技术研究方面，近年来，北京航空航天大学将单晶生长技术用于合成耐高温钐钴，通过区域定向凝固法制备出高性能准单晶高温钐钴。钢铁研究总院从理论和实验上阐明了结构对矫顽力H_{cj}温度依赖特性的影响机制及微结构对矫顽力机制随温度的演变影响，首次从理论和实验两方面证明了室温高矫顽力不一定等于高温高矫顽力，解决了一个长期困扰用户的技术概念；2017年，成功制备出500℃时磁性能为B_r=7.2kG、H_{cj}=8.2kOe、BH_{max}=11.9MGOe的高性能钐钴的烧结永磁体。该磁体综合磁性能为已有文献报道的最高值，达到世界先进水平。

美国、欧洲和日本早在1985年前后就已经开始对热压/热流变稀土永磁体进行基础研究和产业化技术与装备的研制，但一直没有取得重大进展。直到21世纪初，美国戴顿大学采用热压/热流变技术，从磁体成分、材料体系、磁性能、微观结构、各向异性形成机制等方面进行了深入而系统的研究，制备出磁能积≥55MGOe的磁体。随后，钢铁研究总院在国内率先开展了热压/热流变磁体产业化技术的研究，并联合中国科学院宁波材料技术与工程研究所、宁波金鸡强磁股份有限公司进行产业化示范，取得重大突破。钢铁研究总院制备出磁能积≥54MGOe的热压磁体，是目前通过第三方检测的已有报道的国际最高性能的磁体。但在产业化技术开发方面，我国与日本还有相当的差距，产业化水平仍以件计量，而日本大同公司热流变磁环产品已年产超过2000t，其中磁能积为43MGOe的热流变磁环产品已被应用于汽车助力转向系统的电机中。目前，在汽车电子助力转向装置和变频家电伺服电机等部件方面，热变形磁体已经占有相当的比例，并且其市场份额仍在迅速扩大。

（三）在稀土超磁致伸缩材料研究开发方面

美国海军将Terfenol-D作为下一代声呐系统的核心材料，美国Lockheed-Martin公司采用该材料研制的主动拖拽声呐阵列Sea Talon及已使用的SSAM（small synthetic aperture minehunter）系统可以实现低频条件下获取高分辨图像（低频率条件下图像分辨率3英寸×3英寸）。Etrema公司生产的CU18A超声换能器带宽15～20kHz、最大输出位移10μm、最大动态输出力3250N，已经被应用在超声振动声源、超声化学等领域。Etrema公司的主动加工系统（active machining systems，AMS）可快速精确地加工器件，加工精度达到微米级，同时该系统可安装到普通车床。国外稀土超磁致伸缩材料生产主要集中在美国Etrema公司。该公司联合Ames实验室、NAVSEA公司、Iowa大学等单位，将材料成分设计、材料制备、生产设备开发、材料器件的设计、产品应用技术整合在一起，形成完整的产业链。该公司生产稀土超磁致伸缩材料的方法主要有基于布里奇曼法的ECG系统、悬浮区熔法（float zone method，FZM）及粉末冶金法。ECG 系统可用来生产直径 10～65mm 的棒材产品；悬浮区熔法可用来生产高 <112>取向度的高性能磁致伸缩材料，成本较高，所生产的产品直径最大仅有 9mm，主要用于研究；粉末冶金法是一种近终成型的方法，但产品性能不高。该公司具有稀土超磁致伸缩材料生产能力的同时还具备器件设计研发能力，已经开发出超声换能器 CU18A、主动加工系统、声波采油、功率超声换能器在内的多种设备器件，此外还可根据用户需求进行磁致伸缩材料相关器件的设计开发。2016 年，北京有色金属研究总院稀土材料国家工程研究中心采用自行开发的“一步法”新工艺（即熔炼 – 定向凝固 – 热处理在一台设备上连续完成）成功地制备了目前我国直径最大（直径 70mm、长度 250mm）的稀土超磁致伸缩材料（giant magnetostrictive material，GMM）。其低磁场下的磁致伸缩应变、机械性能、产品一致性、成品率等主要技术经济指标达到世界先进水平。2018 年，北京航空航天大学主持的北京市重大项目通过验收。该项目解决了大尺寸超磁致伸缩材料及器件的制备难题。

（四）在稀土催化材料方面

随着催化裂化原油重质化，需要催化剂具有更高的重油裂化能力、抗重金属污染能力和良好的焦炭产率选择性。例如，Grace Davison 公司开发了渣油催化裂化催化剂 IMPACT 家族技术，组合了突出的钒捕集能力、沸石分子筛良好的稳定性和基质对金属优异的钝化能力等技术；Albemarle 公司开发的 Centurion 渣油催化剂，采用 ADZ 沸石与基质材料 ADM 相结合，在加工重质原料油方面具有更突出的性能。Engelhard 公司（现 BASF 公司）基于 DMS 基质推出了一系列重油转化催化裂化催化剂，如第一个用于短接触时间的 NaphthaMax 催化剂；在渣油转化基础上可同时降低汽油硫含量 50%、不损失汽油收率和辛烷值的 NaphthaMax R-LSG 催化剂；Flex-Tec^{TM} 催化剂和 Converter^{TM} 助剂等。

为了进一步改善环境质量，自汽油无铅化之后，美国、日本及欧洲各国又相继颁布了新的汽油标准，对汽油中的苯、芳烃、烯烃及硫含量进行了限制。Grace Davison 公司开发的催化裂化（fluid catalytic cracking，FCC）汽油降烯烃 RFG 家族催化剂与其他几项技术相结合，可以降低 25%～40% 的烯烃，同时还能保持辛烷值和轻烯烃（C_3、C_4）产率不下降。Engelhard 公司开发了 Syntec-RCH 降烯烃催化剂，其特点是沸石含量高、稀土含量高，可增加氢转移反应来饱和烯烃。Akzo Nobel 公司开发了 TOM 技术降烯烃催化剂，通过在分子筛中增加稀土含量促进氢转移反应，达到烯烃饱和的目的，在研究法辛烷值（research octane number，RON）不变的情况下降低烯烃含量。降硫助剂本身需要具有裂化活性，而且物化性质应与常规裂化催化剂接近，并具有良好的稳定性和抗磨性能。Grace Davison 公司成功开发了 GSR 系列降硫催化剂，通过高稀土含量分子筛的引入，易裂解多种形态的硫，使汽油硫含量减少 15%～25%，已在 10 多家炼油厂应用。GFS-1 降硫助剂在意大利 Priolo 炼油厂 FCC 装置上的应用结果表明，FCC 汽油硫质量分数减少 35%，同时提高了汽油选择性和辛烷值，并减少了焦炭和气体产率。

（五）在稀土发光材料方面

关于白光 LED 用氮化物荧光粉的制备，国外主要采用高温高压的合成技术，并基本实现产业化。目前普遍使用的氮化物 / 氮氧化物荧光粉的核心专利被日本三菱化学控股公司和日本物质材料研究所（National Institute for Materials Science，NIMS）等国外企业、研究机构拥有。日本的三菱化学控股公司、电气化学控股株式会社等企业在氮化物荧光粉制备技术和产品方面均占据领先地位。在高端背光源液晶显示领域具有广泛潜在应用前景的 β-Sialon 氮氧化物荧光粉的合成条件更加苛刻，国外采用高温高压烧结炉进行合成；在金属卤化灯方面，美国 APL 公司、韩国的 Microchem 等企业在金属卤化灯用卤化物发光材料造粒、提纯技术等方面拥有绝对的优势，两者占有约 80% 以上的全球市场份额。国际上的金属卤化物灯逐步向陶瓷金属卤化物灯发展。陶瓷金属卤化物灯集高压钠灯的光效高和石英金属卤化物灯的光色、显色指数高等优点于一身，光效可达 120lm/W 以上，显色指数一般大于 85，甚至可达 95，寿命可超过 15 000h，是一种优质的节能照明光源。目前，闪烁晶体 LSO（Lu_2SiO_5 : Ce）已在商用聚对苯二甲酸乙二醇酯（polyethylene terephthalate，PET）中获得广泛应用。美国拥有该晶体生长技术，但国内制备技术尚未过关。被誉为第四代闪烁晶体的 $LaBr_3$: Ce 等稀土闪烁晶体，由于稀土卤化物极易潮解，这些晶体的产业化开发严重受制于晶体生长用高纯无水金属卤化物原料的批量制备技术和供应水平。美国的 Sigma-Aldrich 公司是目前高纯金属卤化物的主要供应商，技术水平居世界领先地位，市场份额几乎占全球的 90%，但相关产品售价非常昂贵，高达数千美元每千克，且制备技术严格保密。国内目前尚不具备此类原料的自主供应能力，因此相关闪烁晶体材料的发展对大批量、低成本的高纯无水稀土卤化物原料供应具有十分迫切的需求。

（六）在稀土储氢材料方面

日本在稀土储氢材料领域的主要工作是开发实用技术并布局相关专利，如三德金属公司公开了稀土－镁－镍基储氢合金的制造工艺；日本汤浅株式会社（Yuasa Trading Co., Ltd.）、FDK 株式会社（FDK Corporation）、日本重化学工业株式会社（Japan Metals & Chemicals Co., Ltd.）、日本矿业金属公司（Nippon Mining & Metals Co., Ltd.）等公开的专利主要涉及特定性能（高功率、高容量、长寿命）稀土储氢材料技术，而且除了限定材料组成，对材料组织结构也有具体的要求。日本稀土储氢材料研究工作与工业应用结合较紧密，主要涉及材料表面处理技术及 MH-Ni 电池和气相储氢装置使用的低成本储氢材料。

美国在稀土储氢材料领域重点开展基础研究工作，如储氢材料的组成、表面结构、制造工艺对材料性能的影响。挪威能源技术研究所在稀土储氢材料研究方面开展广泛的国内、国际合作，合作机构有挪威科技大学、美国橡树岭国家实验室、乌克兰国家科学院、俄罗斯科学院、澳大利亚格里菲斯大学、瑞士日内瓦大学、南非西开普大学等，研究重点是储氢材料的基础理论、新材料的开发和气相储氢应用，同时开展了材料热处理工艺与结构和性能关系的研究。

此外，法国、西班牙、韩国、印度、阿根廷、加拿大等国家的一些机构对气相储氢装置及其储氢材料的组成、制备和动力学模型、储氢合金电极的容量衰减机制及控制方法、储氢合金的组织结构及其与材料性能相关因素的共性特征、新型稀土储氢合金等进行了研究。

（七）在其他稀土添加剂方面

近年来，高强度钢一直是国外稀土钢的研究热点。美国卡耐基梅隆大学与铁姆肯公司合作研究发现，当质量分数为 0.015% 的稀土镧加入 AF1410 高强度钢时，非金属夹杂物的几何尺寸虽有所增大，但数密度明显减小，可以显著改善 AF1410 钢的断裂韧性。当镧加入量超过 0.06% 时，AF1410 钢的断裂韧性迅速恶化。美国萨吉诺谷州立大学研究发现，对 1010 钢、1030 钢等碳素结构钢进行稀土处理，形成的复合稀土夹杂物可以作为异质形核核心，从而细化晶粒尺寸，提高钢的屈服强度。斯洛伐克科希策工业大学研究发现，稀土铈可以明显改善 R6M5 高强度低合金钢的高温强度，其合理的铈铁合金加入量为 0.1%。西班牙加泰罗尼亚理工大学在研究高强度低合金钢热处理过程时发现，稀土元素主要通过溶质拖拽而不是析出物钉扎发挥作用，从而实现固溶强化，同时抑制动态再结晶，有效提高钢的高温强度。这说明稀土在高强度钢中已表现出稳定的固溶强化作用。

耐热钢一直是国外稀土微合金钢的研究热点。稀土在奥氏体耐热钢、铁素体耐热钢中的作用体现在改善抗高温氧化性能、改善热加工性能等方面。欧洲、美国、日本、澳大利亚都实现了稳定批量生产。代表性钢号是瑞典的 253MA 钢，其稀土含量较高，为 0.03%～0.08%，稀土加入方法是保密的。稀土在奥氏体不锈钢、双相不锈钢、形状记忆不锈钢中的作用体现在改善耐腐蚀性能和力学性能等方面。韩国延世大学的研究表明，超级双相不锈钢在加入稀土后，不但力学性能明显改善，而且还表现出优良的耐腐蚀性能。日本住友金属工业株式会社在输油管用不锈钢中至少加入了 0.001% 的稀土，以抑制位错向奥氏体晶界的聚集，提高不锈钢的抗应力腐蚀开裂能力。美国贝克休斯公司研究开发出一种含稀土的抗点蚀无锰不锈钢，稀土的加入量为 0.001%～0.5%。

稀土在管线钢和无缝管用钢中的作用主要体现在改善力学性能和耐腐蚀性能等方面。乌克兰国家科学院将输送油气管线钢的硫含量降低至 0.002%～0.005%，同时采用稀土处理控制硫化物形态，从而改善钢的抗 H_2S 应力腐蚀开裂性能。日本住友金属工业株式会社向高强度钢管加入 0.0003%～0.01% 的稀土，可以提高钢管 T 方向的韧性和抗爆能力。稀土加入无缝钢管中可起到类似作用。

国外为改善镁合金的耐热性，拓宽其在汽车上的应用范围，将稀土元素作为镁合金的添加剂，开发了稀土镁合金。加入稀土元素后，镁合金可在 150℃下长时间使用。其主要牌号 AE44、QE22、WE43 及 AZ 系中加入少量稀土来改善镁合金的流动性。在镁合金的应用方面，国外做了大量的稀土镁合金汽车零部件的开发和应用，如汽缸罩盖、方向盘、转向架、仪表盘、发动机支架、变速箱、铝 / 镁合金复合发动机等，在航空航天、国防军空产品上也大量应用稀土镁合金材料，如导弹筒体、仪表箱、仪器支架、卫星侦察平台、飞机蒙皮、机匣、齿轮室、月球车等。

二、国内发展现状

在中央和各级政府的持续支持下，经过全国稀土科技和产业界近60年的共同努力，我国稀土行业已实现了从资源大国到生产大国的第一次跨越，成为世界上稀土产品产量与消费量最多的国家，在国际稀土贸易中的份额占95%以上。伴随着稀土行业的发展，稀土科学技术得到了长足的进步，部分技术已达或超过世界先进水平，引领相关行业或产业的进步。

（一）稀土永磁材料

稀土永磁材料已成为中国稀土应用领域中发展最快和最大的产业，在高性能烧结磁体永磁材料的产业化关键技术突破方面取得了多项核心自主知识产权，材料的综合性能稳中有升，具备了生产高牌号烧结钕铁硼磁体的能力，产品的部分性能达到世界先进水平。近年来，稀土永磁材料在块体材料、纳米颗粒、磁性薄膜和稀土磁体回收技术方面取得了很大的进步。

1. 产品性能和技术发展趋势

我国烧结钕铁硼磁体的性能逐年提高，目前高端产品BH_{max}（MGOe）+H_{cj}（kOe）可达70。同时，凭借着资源优势和低成本，我国烧结钕铁硼磁体产业得到快速发展。近10多年来，在我国的带动下，全球烧结钕铁硼磁体产量持续增长。2011年，稀土价格波动较大、涨幅过高。虽然稀土高价格对稀土永磁材料及其下游应用产生了一定的影响，但旺盛的市场需求惯性使得我国烧结钕铁硼磁体毛坯产量仍然保持了小幅振荡向上的格局。2016年，全球钕铁硼磁体总产量为14.6万吨左右，其中中国钕铁硼磁体产量为13万吨左右，占全球产量的89%。就具体品种看，当前烧结钕铁硼磁体占据钕铁硼磁体主要市场，占比为94%左右。2001～2016年，全球烧结钕铁硼磁体产量的年均复合增长率为16%。

中国烧结钕铁硼磁体的产量超过世界的85%，年均增长率超过18%，日本烧结钕铁硼磁体产量基本维持在1万吨左右。因此，目前国内烧结钕铁硼磁体产能严重过剩，大多数厂家的开工率只有30%～60%。随着新能源汽车、风电、节能家电等快速发展，稀土永磁材料的产量仍将保持高速增长，预计 2035 年的需求量将达到 50 万吨以上，产值将达到 1000 亿元以上。

中国现有稀土永磁材料生产企业 200 家左右，主要分布在沪浙地区、京津地区和山西地区。由于钕铁硼磁体应用日益广泛，市场前景广阔，近年来又有不少投资进入钕铁硼产业。两大稀土原料产地包头和赣州，还有山东显得尤为突出，已经形成相当的产业规模。

由于我国钕铁硼磁体产业突飞猛进，国外稀土永磁产业不断整合和调整，目前仅存 4 家大的钕铁硼磁体企业。欧洲一家，VAC，生产工厂在两个地方：一个在德国的 Hanau（VAC 总部），另一个在芬兰的 Pori（Neorem 公司）。日本有三家，日立金属株式会社、TDK 集团和信越化工。近年来的发展趋势是，欧洲和日本的企业均逐步在中国布局。

全球有实力的稀土永磁材料生产企业都在重新规划自身的发展规划、专利布局和产品市场。2012 年 8 月 17 日，全球稀土专利巨头日立金属株式会社向美国国际贸易委员会（International Trade Commission，ITC）就 4 项烧结钕铁硼磁体的工艺专利提起“337 调查”申请（案件号：337-TA-855），被告为包括中国企业在内的 29 家公司。由此，在全球引发了针对专利权限和时效的司法纠纷。美国的“337 调查”得名于美国《1930 年关税法》（*Tariff Act of 1930*）第 337 条款。根据该条款，美国国际贸易委员会有权调查有关专利和注册商标侵权的申诉。如果涉案企业被裁定违反了第 337 条款，美国国际贸易委员会将发布相关产品的排除令和禁止进口令，即意味着涉案产品将无法进入美国市场。涉及诉讼的 3 家中国企业（烟台正海磁材料股份有限公司、宁波金鸡强磁股份有限公司和安徽大地熊新材料股份有限公司）于 2013 年 5 月 14 日与日立金属株式会社达成谅解，并同时获得了日立金属株式会社专利授权。使中国获得专利许可的企业达到 8 家，专利覆盖包括北美洲、欧洲、亚洲等地的大多数国家和地区。

2. 在低（无）重稀土永磁材料研究方面

我国在晶界扩散、细化晶粒、双液相和添加稀土氢化物等工艺方面进行了大量工作，许多研究院所、大学和企业采用不同技术方法使镝进入主相和晶界相的界面层，通过取代钕的晶位，增强硬磁性，抑制反磁化畴形核。通过对磁体微观组织结构的控制，降低磁体的不可逆损失，改善退磁曲线的方形度，获得低温度系数。实验室已经将气流磨粉粒度降至2μm左右，磁体晶粒度为5～6μm，使重稀土含量降低，同时，明显降低矫顽力温度系数。采用该工艺将2μm左右的磁粉制备成镝钕铁硼磁体，其矫顽力为16.84kOe，磁能积仍保持50MGOe，相当于降低了同类磁体20%～30%的重稀土用量。

3. *在黏结钕铁硼磁体制造方面*

全球的生产能力大部分集中在东南亚地区，其中规模大的代表性企业有上海三环磁性材料有限公司（原上海爱普生磁性器件有限公司）、日本大同股份有限公司、成都银河磁体股份有限公司、日本美培亚三美株式会社、台湾天越和安泰科技股份有限公司下属的海美格磁石技术（深圳）有限公司等。在硬盘驱动器（hard disk drive，HDD）的主轴电机应用方面，黏结钕铁硼磁体主要由上海爱普生、日本大同和成都银河三家企业生产。光盘驱动器（optical disk driver，ODD）主轴电机黏结钕铁硼磁体主要由成都银河、上海爱普生和天越公司生产。我国黏结钕铁硼磁体企业有20余家，代表企业有上海三环磁性材料有限公司、成都银河磁体股份有限公司、深圳海美格磁石技术公司、浙江英洛华磁业有限公司、宁波韵升高科磁业有限公司、平湖乔智电子有限公司、广东江粉磁材股份有限公司等。2004～2017年，黏结钕铁硼磁体的产量全球年均增长率为3%，中国年均增长率为6%。2017年，全球黏结钕铁硼磁体总产量接近8000t，我国黏结钕铁硼磁体产量超过6000t（其中包括在中国麦格昆磁公司的磁粉有1000t）。

主导各向同性黏结稀土永磁体的磁粉是麦格昆磁（Magnequench）公司的快淬钕铁硼磁粉（或称MQ磁粉）。麦格昆磁公司不仅依赖强大的专利垄断占据了80%以上高性能磁粉的市场份额，而且以成熟的技术控制着高性能磁粉的供应。MQ磁粉2013年的产量为5884t，2014年的产量为5748t，比上年减少2.3%。4/5的MQ磁粉用于黏结磁体，1/5用于热压/热流变磁体。由于国内黏结磁体市场的需求带动，近年来国内快淬钕铁硼磁粉生产能力已超过1000t，代表性厂家有浙江朝日科磁业有限公司、夹江县园通稀土永磁厂、绵阳西磁新材料有限公司和沈阳新橡树磁性材料有限公司等。东芝公司、大同公司等开发的$TbCu_7$结构的各向同性Sm-Fe-N磁粉虽然综合性能较好，但批量稳定生产还不理想。

各向异性黏结稀土磁体是一个亟待开发的重要分支，也一直是人们关注的热点，但也一直没有形成所期望的市场规模。爱知制钢株式会社（Aichi Steel Corporation）采用Nd-CuAl晶界扩散技术，结合粉末表面包覆处理，制备了高性能d-HDDR磁粉；住友金属矿山采用还原扩散法生产的单晶Sm-Fe-N磁粉已经市场化。国内经北京科技大学、吉林汇圣强磁有限公司、大连凯翔磁业有限公司的努力，N36、N36H和N40牌号的d-HDDR磁粉已进入批量生产。北京大学开发的单晶Sm-Fe-N磁粉批量生产工艺也建立起来，磁粉BH_{max}达到35～40MGOe。

除了烧结钕铁硼磁体、黏结钕铁硼磁体之外，还有热压/热流变钕铁硼磁体。钕铁硼快淬磁粉可以通过缓慢而大幅度的热压热流变诱发类似的晶体择优取向，制成优异的全密度各向异性磁体（即热流变磁体），而且很适合制造辐射取向薄壁磁环。热压和热流变磁体的制造需要从快淬钕铁硼薄带或磁粉开始，原因是热压过程并不能形成类似液相烧结那样的金相结构和矫顽力机制，而必须预先在合金颗粒内建立足够高的矫顽力。在实际生产中，由于$Nd_2Fe_{14}B$相的硬度和脆性不适合用来塑性加工，还需要引入少量富Nd相，在热流变中形成液相起到取向润滑的作用，批量生产的热压钕铁硼磁体BH_{max}为40MGOe左右。更有特点的热流变压制方法是背挤压。由于磁体的压力来自阴模和冲头间的侧向压力，主要的压缩变形发生在环形磁体的径向，压延各向异性的易磁化轴正好在圆环径向，所以这是制造辐射取向薄壁圆环较为理想的方法。

4. 在稀土永磁材料回收利用方面

回收方案的选择取决于磁体的组分和杂质的含量。如果采用短循环，磁体的性能会有所降低；采用化学提纯的方法可得到高品质的磁体，但是成本和周期会大大提高和加长。而对于高氧含量的废旧NdFeB，可行的办法是重新熔炼除氧。

（二）特种稀土磁性材料

1. 在稀土磁制冷材料方面

磁热效应是磁性材料的内禀性能，通过磁场与磁次晶格的耦合而感生。研究磁熵变、磁热效应除了对基本磁学问题的研究有重要理论意义之外，对于利用大磁热材料作为制冷工质来获得磁制冷应用也具有重要的实际意义。由于具有优越的应用前景，磁制冷技术除了超低温区应用之外，中、低温乃至室温区磁制冷材料和技术的研究也已经引起人们的极大关注。磁热效应和材料已成为磁性物理、材料物理的研究热点。近些年来全球发现的几类室温区巨磁热材料大大推动了室温磁制冷技术的发展。2015年1月，海尔集团在美国举行的国际消费电子展（International Consumer Electronics Show，CES）上展出了全球首台磁制冷酒柜，引起轰动，标志着磁制冷技术进入家庭，实现了广泛应用的可能性。中、低温区是液氦、液氢和液氮制备的重要温区，在相关温区具有磁有序相变的材料一直是人们关注的研究对象。目前报道了多种在中、低温区具有巨磁热效应的重稀土金属间化合物。这些化合物的代表有：RAl_2（R=Er，Ho，Dy，Gd，Pd）；RCo_2、RNi_2（R=Gd，Dy，Ho，Er）；RNi（R=Gd，Ho，Er）；RNiAl、RCoAl、RCuAl（R=Tb，Dy，Ho）。其中，具有拉弗斯（Laves）相的RCo_2，特别是$ErCo_2$，由于费米能级附近特殊的能带结构表现出丰富的磁相互作用从而呈现显著的磁热效应，是低温区最受瞩目的磁制冷材料之一。

室温磁热效应材料由于广谱的磁制冷应用受到人们更多的关注。过去10多年发现的几类新型室温巨磁热材料体系大大推动了室温磁制冷技术的进展。这些材料包括Gd-Si-Ge、$LaCaMnO_3$、Ni-Mn-(Ga, In, Sn)、$La(Fe, Si)_{13}$基化合物、FeRh化合物、MnAs基化合物等。它们的共同特点是磁热效应均大幅超过传统材料Gd，相变性质为一级，并且多呈现强烈的磁晶耦合和磁弹效应，磁相变伴随显著的晶体结构相变的发生和大的体积变化效应。

在已发现的几类新型室温磁制冷材料中，$La(Fe, Si)_{13}$基化合物由于原材料价格低廉、无毒、易制备、对原材料纯度要求不高等特点受到人们更多关注，被国际同行公认为是最具应用前景的室温区磁制冷材料。$La(Fe, Si)_{13}$基化合物的相变性质、制冷温区随组分宽温区可调（50～450K），多数组分的熵变幅度大幅超过Gd。无论是室温还是低温磁制冷材料，要制作成主动或被动式磁制冷工作床，都需要经历规模化和稳定化制备、切割、加工成型、磁性与非磁性测试的这一流程。

近年来，国内外学者在开发新材料体系的同时，也在加紧部署和实施磁制冷材料加工的战略路线，正是这个关键环节的突破推进了磁制冷样机的发展。

2. 在稀土微波磁性材料方面

兰州大学研究组首先从理论上分析了通过超越斯诺克极限可同时提高材料的微波磁导率和将材料的自然共振频率控制在5～20GHz范围。在此基础上，研究人员做了大量的实验工作，制备了几类不同晶体结构的易面型稀土微波磁性材料，并用于微波吸收和抗电磁干扰，取得了很好的效果。阐述了描述磁性材料高频磁性的双各向异性模型，并指出双各向异性模型可以指导我们开发在高频下具有高磁导率的新型磁性材料，如平面型稀土 –3d 金属间化合物。用第一性原理计算分析了 $NdCo_5$ 的磁晶各向异性。用轨道磁矩的各向异性及其与点阵几何的关联解释了 $NdCo_5$ 平面磁各向异性的微观起源、$R_2Fe_{17}N_{3-\delta}$（R=Ce，Pr，Nd）的制备、电磁特性及微波吸收应用研究等。

3. 在稀土超磁致伸缩材料方面

磁致伸缩材料是智能材料的一种，其长度和体积会随磁化状态的改变而发生变化，从而实现电磁能和机械能的相互转换，在换能、致动、传感等领域有重要应用。新型稀土超磁致伸缩材料以其磁致伸缩性能高、转换效率高、响应速度快等优点而广受关注。对稀土超磁致伸缩材料，包括磁致伸缩机制、材料制备技术、新的合金体系及应用进展等，已经开展了大量的研究工作。例如，磁场凝固和磁场热处理对稀土超磁致伸缩合金块体的技术处理可提高磁致伸缩性能；稀土超磁致伸缩薄膜材料是采用闪蒸、粒子束溅射、直流溅射、射频磁控溅射等方法在基片上进行镀膜，主要用于开发微型功能材料器件；用轻稀土 Nd 代替重稀土 Tb 和 Dy 来降低磁晶各向异性提高材料的磁致伸缩性能。

（三）稀土催化材料

大量的研究表明，稀土与其他组分之间可产生协同作用，进而显著提高催化剂的性能。目前稀土元素（特别是镧、铈等）已在石油加工、天然气等的催化燃烧、机动车尾气和有毒有害气体的净化、碳一化工、燃料电池（固体氧化物燃料电池）、烯烃聚合等诸多重要过程中得到了广泛的应用。催化裂化（fluid catalytic cracking，FCC）是石油炼制最关键的一步。

我国催化裂化催化剂的发展经历了跟踪、模仿、二次创新、技术创新等阶段。1987～1990 年，国内开发的超稳 Y 型催化剂和国外催化剂处于同等水平，但从 1996 年以后，国产新催化剂性能明显优于国外同时代的新产品。许多国产催化剂是根据各炼油厂原料和装置的实际情况“量体裁衣”设计制造的，因此某些性能指标在实际使用过程中优于国外催化剂。例如，国内在增产柴油重油裂化催化剂品种的开发方面占有领先地位。国内还开发了增产低碳烯烃的催化裂化家族技术，在增产低碳烯烃专用催化剂的品种开发方面也占有优势。从总体上看，国产裂化催化剂在使用性能上已达国外同类催化剂的水平，某些性能指标在实际使用过程中已优于国外催化剂。

机动车尾气净化是稀土催化材料应用最广泛的另一领域。在机动车尾气催化剂的发展历程中，稀土材料始终扮演着至关重要的角色，机动车尾气催化剂技术的发展与稀土材料技术的发展在一定程度上是一个密切联系、相互推动的过程。清华大学、华东理工大学、天津大学、无锡威孚力达催化净化器有限责任公司等合作完成的“稀土催化材料及在机动车尾气净化中的应用”，开发出超过国家排放标准要求的机动车尾气净化催化剂的关键材料及系统集成匹配技术，获得2009年度国家科学技术进步奖二等奖。

与汽油车尾气催化剂相比，国内在柴油车尾气催化剂的技术发展上起步更晚。由中国科学院生态环境研究中心、中国重型汽车集团有限公司、北京奥福（临邑）精细陶瓷有限公司、中国人民解放军军事交通学院、无锡威孚力达催化净化器有限责任公司和浙江铁马科技股份有限公司合作完成的“重型柴油车污染排放控制高效SCR技术研发及产业化”，自主设计研发了具有世界先进水平的SCR催化剂及制备技术，打破了国外技术和产品垄断，并在国产重型柴油车上实现了规模化应用，获得2014年度国家科学技术进步奖二等奖。

催化燃烧技术具有高效、无二次污染、使用范围宽等特点，不仅在天然气发电、工业窑炉等方面有广阔的应用前景，也是工业源挥发性有机物（volatile organic compound，VOC）最有效的净化技术。其中，高性能的催化剂是其关键，稀土氧化物可作为载体或助剂，发挥不可替代的重要作用。

除石油化工、机动车尾气净化、催化燃烧等传统领域外，国内在稀土催化材料应用的新领域也取得了长足的进步。例如，开发了千瓦级天然气重整制氢系统和10kW级甲醇重整制氢系统，并实现了商业应用；基于高性能稀土复合电池材料，成功开发了千瓦级管式固体氧化物燃料电池（solid oxide fuel cell，SOFC）电池堆；突破了稀土氧化物一般只作为助催化剂的限制，开发了稀土作为主催化成分的催化反应体系，如用于含氯烃催化燃烧的CeO_2基催化剂；甲烷氯氧化或溴氧化经CH_3Cl或CH_3Br进一步转化制丙烯的反应过程，通过调控CeO_2形貌和表面修饰显著提高了CH_3Cl和CH_3Br的选择性等。

（四）稀土储氢材料

近5年来，稀土储氢材料在基础研究、高新技术研发、关键技术研究方面取得了一定的进展。

MH/Ni电池的发展方向主要是进一步提高电池的能量密度及功率密度、改善放电特性及提高电池的循环寿命等。储氢合金在充放电循环过程中易粉化、易氧化、不耐腐蚀等问题严重影响了电池的各项性能。为了减少这些现象的发生，对合金的表面处理研究（如氟化处理、碱处理、镀覆等）日益广泛和深入，目的在于改变合金的表面状态，使合金的潜在性能得以发挥。研究结果证明，稀土储氢合金粉经过表面处理后，某些性能显著改善。

在气固相储氢领域，应用稀土储氢材料的固态储氢技术已被应用于仪器配套、燃料电池、半导体工业、保护气体、氢原子钟、氢气净化等领域。通过材料组成和结构的调控，调整了材料的平衡氢压和储氢容量，开发了具有实用价值的“合金对”用于金属氢化物压缩机。

为了开发新型稀土储氢材料，研究了RE-Mg系储氢合金，如Mg_3RE、$LaMg_{12}$、La_2Mg_{17}及其他稀土镁合金；研究了AB_2型RE-Mg-M（M为某些过渡金属元素）系储氢合金和AB_4型La_5MgNi_{24}系储氢合金；研究了不含Mg元素的稀土系储氢合金，如AB_3型LaY_2Ni_9、A_2B_7型$LaY_2Ni_{10.5}$、A_5B_{19}型$LaY_2Ni_{11.4}$储氢合金及La-Fe-B（$La_8Fe_{28}B_{24}$、$La_{15}Fe_{77}B_8$、$La_{17}Fe_{76}B_7$）系储氢合金；研究了钙钛矿型（ABO_3）储氢氧化物等。这些新的稀土储氢材料体系经过进一步的开发研究，有望成为具有自主知识产权的稀土储氢材料产品。

（五）稀土发光材料

近年来，稀土发光材料学科领域内的新技术成果、新制备工艺及新应用领域获得了较快的发展。新型白光LED照明用氮化物/氮氧化物稀土发光材料设计与制备关键技术、量子剪裁、医疗及航空用闪烁晶体及陶瓷材料、稀土配合物发光材料（OLED）及生物荧光标记材料（上转化/长余辉）等方面取得了较大进展，已成为稀土发光材料领域中的研究热点。与此同时，灯用三基色、阴极射线、高压汞灯、金卤灯等用稀土发光材料及显示用冷阴极CCFL荧光材料市场需求量及研究论文数量逐年降低。

目前，LED荧光粉的研究热点是硅基氮化物和氮氧化物荧光粉。国内制备了系列高性能氮化物红色荧光粉，产品性能达到世界先进水平；开发了具有完整自主知识产权的氮氧化物绿色荧光粉，有望突破国外核心专利。在交流LED领域，发光余辉寿命可控稀土LED发光材料有效地改善了交流LED照明设备的频闪问题，使我国成为世界上唯一掌握通过稀土荧光粉生产低频闪交流LED产品的国家。

上转换发光是指长波长的光辐射转换为短波长的光辐射的过程。激发光能量大于入射光的能量被称为上转换发光，所以上转换发光也被称为“反斯托克斯荧光”。目前，上转换发光用于红外探测、红外成像（如夜视仪）已经是非常成熟的技术，而且随着学科发展，上转换发光材料在激光器、光通信、显示领域（如三维显示、生物医学显示）都有良好的应用前景，是一类重要的稀土功能材料。

稀土发光材料用于荧光探针技术具有灵敏度高、不破坏大分子结构等特点，因而被广泛用于生物大分子的研究。

在稀土发光材料的基础研究方面，针对稀土功能材料的结构复杂多变、合成控制难等问题，充分利用纳米材料表界面相对于体相材料活性高、易于受配位作用影响和调变的特点，发展了基于配位化学作用准确控制功能纳米晶结构、性质和组装的方法，提出了制备有机/无机杂化及纳米复合光电材料的新方法和技术，为材料的设计和性能预测提供科学依据。利用三体耦合系统的微扰波函数与离子间的电多极相互作用，建立了多离子合作跃迁理论，并在$CaF_2:Yb^{3+}$体系中进行了验证。

（六）稀土晶体材料

由于具有特殊的原子核外电子排布，稀土元素在人工晶体材料中的应用日益广泛和重要。在光功能材料，如激光晶体、闪烁晶体、电光晶体、磁光晶体、非线性光学晶体及复合光功能晶体中，稀土元素的作用尤其显著，已成为新型激光晶体和闪烁晶体中不可或缺的元素。稀土激光晶体和稀土闪烁晶体显示出无与伦比的优越性。新型晶体的出现正有力地推动着相关行业的发展。

稀土闪烁晶体近十多年来先后有数十个品种被发现、研究和开发，其中多个Ce^{3+}激活的闪烁晶体品种已进入规模化生产和实用阶段。

稀土卤化物闪烁晶体近几年来成为研发的热点之一。这类材料的特点是光输出很高、能量分辨率高、衰减时间短，因而在核辐射探测和应用方面具有非常强的竞争优势。但是，它们的吸湿性都很强，制作难度较大。其中，Ce^{3+}激活的LnX_3（$X \neq F$）类闪烁晶体开发较成熟，最典型代表是$LaBr_3$:Ce晶体。我国多家单位也在对该晶体进行开发，已生长出Φ7676mm晶体毛坯，相关探测器件也在研制中。不过，$LaBr_3$:Ce晶体存在放射性本底辐射，应用领域受到一定的限制。当前，新型稀土闪烁晶体的开发正在由晶体生长向晶体器件和闪烁探测器研制的方向快速推进。

（七）稀土在钢铁及有色金属中的应用

从总体上看，我国稀土在钢铁及有色金属中的应用处于世界前列，为我国的航天发展、国民经济和社会发展做出了应有的贡献，为增强我国的综合国力发挥了积极作用。

包头钢铁（集团）有限责任公司成功开发了VD精炼炉稀土加入工艺，基本解决了大方坯、大圆坯稀土加入方法的问题，使稀土重轨和稀土无缝钢管能够顺利生产。鞍钢集团有限公司于2014年在宽厚板坯连铸结晶器在线加稀土丝方面取得重大成功，稀土加入工艺平稳，钢坯中夹杂物尺寸均小于5μm，钢坯各点稀土含量在0.016%～0.018%，稀土收率达80%以上。本钢集团有限公司在汽车车轮钢中加稀土效果显著，年产量已达20万～30万吨。包头钢铁（集团）有限责任公司开发的稀土铬重轨钢成功出口巴西、美国、墨西哥等共计5.7万吨，也已成功用于我国高速铁路；成功开发了高强度稀土微合金热采井专用套管BT100H，产品的延伸率及横、纵向冲击韧性达到国内先进水平。

近年来，随着对铸铁材料高性能化、高可靠性的追求，稀土已经成为生产高品质铸铁不可或缺的元素，特别是在大型、复杂、特殊铸件的生产中。采用钇基重稀土复合球化剂，相应的强制冷却、顺序凝固、延后孕育等生产工艺措施解决了大断面（壁厚≥120mm）球铁件中心部位的石墨畸变和组织疏松等问题，成功地制作了各种重、大、特型球铁件。利用钇基稀土复合球化剂制备了多种球墨铸铁，其球铁件重85t，壁厚为440mm，能承受800℃供运输和储存核燃料的储运器；采用钇基重稀土制作断面为805mm的球墨铸铁薄板轧辊，可以提高使用寿命50%，显著降低了轧辊的折断率。

AE44合金是含Al镁合金中最典型的耐热型稀土镁合金。该合金具有优异的室温力学性能、高温力学性能、抗蠕变性能、抗腐蚀性能、减震性能等，是目前最有潜力的可以广泛应用到高温使役条件下的镁合金之一。

向Mg-4Al-4La-0.4Mn合金中加入微量的硼元素，合金的微观组织发生了显著的改变。加入0.03%的硼时，合金的抗拉强度提高了30多兆帕，延伸率提高了70%左右，抗盐雾腐蚀性能也提高了近50倍。新型稀土镁压铸合金（AZ91X）、AM - SCI和AE44分别被应用于大马力发动机汽缸罩盖、试制三缸发动机缸体和轿车发动机托架上。最新开发的MB26、NZ30k和WE43分别应用于汽车保险杠、航天产品部件上。

（八）稀土高分子材料助剂

添加各种功能助剂是实现高分子材料高性能化的重要途径，稀土在高分子材料中作为功能助剂是一个新领域。近年来，稀土助剂的基础研究和应用开发研究均取得很大发展，已在聚氯乙烯多功能助剂、合成橡胶防老剂、聚丙烯β晶成核剂、聚酰胺纤维纺织助剂等领域获得了成功的应用。

1. 环保型聚氯乙烯助剂

聚氯乙烯是重要的塑料建材基础树脂，改善其加工应用性能十分重要。近年来，经过设计、制造新的稀土化合物、优化配方和应用技术，稀土稳定剂在种类、效果和性价比等方面有明显提高，形成了稀土/钙/锌多功能热稳定剂等多种新品，较好解决了无铅化热稳定剂开发过程中存在的初期着色、锌烧、长期高温耐热差、易析出等共性难题，成为重要的无铅/镉、环保聚氯乙烯热稳定剂。在年产4万吨级自动化连续生产无铅化窗型材及万吨级发泡聚氯乙烯化学建材的示范生产中，使其制品190℃静态老化变黑时间长于70min，200℃刚果红变黑时间长于20min，高速挤出连续加工周期达到8～12天，发泡制品密度在0.45～0.75g/cm^{3}可控生产，全面实现了替铅/镉技术。

2. 聚烯烃助剂

聚丙烯是近年来增长最快的通用塑料，添加“β成核剂”是目前工业制备高含量β–聚丙烯的唯一途径。相比于国外类似功能的芳酰胺类β晶型成核剂产品，我国的产品具有更好的成核稳定性和β晶型选择性，在提高聚丙烯制品热变形温度方面具有明显优势，售价仅为国外产品的60%。与目前广泛使用的偶联剂相比，它对改善无机粒子在聚烯烃中的分散、提高复合物的加工流动性及使用性能等方面优势明显，具有更高的性价比。目前已实现了 10 万吨级聚丙烯合成生产线“釜外”添加直接制备 β– 聚丙烯的成功应用。

3. 聚酰胺纤维纺织助剂

聚酰胺中的酰胺基团与金属离子（特别是稀土离子）具有一定的配位能力，这为突破细旦 / 超细旦聚酰胺纤维的技术瓶颈提供了机会。目前国内已建成富镧稀土助剂生产线和年产 100t 细旦 / 超细旦聚酰胺纤维中试示范线，成功生产出 50t 细旦 / 超细旦聚酰胺 6 纤维，实现规律化生产。在此基础上建立了生产细旦 / 超细旦聚酰胺 6 纤维的技术标准和能够满足下游纺织产品加工要求的质量标准，为细旦 / 超细旦聚酰胺纤维工业化生产提供技术支撑。国内稀土功能助剂的研究、开发、生产、应用已初步有机集成，形成了新兴产业，暂处于国际领先地位。

（九）稀土陶瓷材料

稀土在陶瓷中的应用本质上源于稀土元素的金属性、离子性、4f 电子衍生的光学和磁学性能。这四种基本属性是贯穿稀土陶瓷材料发展的主线。与稀土有关的透明陶瓷主要有稀土倍半氧化物和石榴石结构，前者有 Y_2O_3、Lu_2O_3；而后者主要是 $Y_3Al_5O_{12}$、$Lu_3Al_5O_{12}$ 及其各种混合金属元素乃至掺杂的衍生物。当前已经商业化及正在大量研究的稀土基透明陶瓷都是以立方晶系为主。

近期闪烁透明陶瓷的快速发展与激光透明陶瓷相类似，也是以石榴石 $RE_3Al_5O_{12}$ 及倍半氧化物 RE_2O_3（RE= 稀土）立方体系为主。另外，新出现的白光 LED 透明陶瓷主要是将黄粉 Ce∶YAG 透明陶瓷化，从而与芯片组合成白光 LED。由于陶瓷内部的光路传输与粉末内部不一样，因此这种组合结构实现了全立体发光。稀土在电光陶瓷中主要是作为添加剂。在透明陶瓷研究方面，国内研究紧随国际潮流并且自主创新，在石榴石体系和倍半氧化物体系领域均取得了进展，研制的透明氧化铝陶瓷已经成功应用在商业高压钠灯上，Nd∶YAG 陶瓷板条可实现的 1064nm 激光输出与目前日本、美国等制备的激光陶瓷处于同一数量级。

稀土纳米陶瓷是传统陶瓷与新兴纳米技术相结合的产物。功能性稀土纳米陶瓷主要作为发光粉，其中稀土元素既可以作为基质组分也可以作为发光添加剂，目前的研究方向包括各类形貌控制合成技术及生物荧光示踪、各种照明显示（尤其是LED）高发光快衰减应用的材料。国内在功能性稀土纳米陶瓷方面以基础研究为主；利用稀土掺杂钨酸盐纳米晶体自组装而实现单一基质白光发射，通过Eu掺杂纳米晶的相变提高红光强度等技术，已经达到世界先进水平。

在光学材料应用方面，以红外波段的光通信材料、激光材料、闪烁材料和照明显示发光材料为主，大多数研究主要处于光致发光表征或者初步的动力学机制研究阶段。目前国内研究主要是紧跟国际发展前沿的基础性工作，面向红外上转换和传统照明是主流。总之，国内在稀土陶瓷材料研究方面拥有雄厚的研究力量，有助于相关产业的发展。

第八节　前沿新材料

一、国 际 现 状

（一）高温高效隔热材料

美国、欧洲等发达国家和地区为实现自己的空天发展战略，大力研发、应用新型高温高效隔热材料，以满足现阶段及未来航天飞行器的发展需求，保持航天领域的全球领导地位。X-37B是美国研制的新型可重复使用空间机动飞行器，翼前缘和机头锥放弃使用航天飞机成熟的抗氧化碳/碳复合材料，而采用最新研制的整体韧化单片纤维增强抗氧化复合材料（Toughened Uni-Piece，Fibrous，Reinforced，Oxidization-Resistant Composite，TUFROC），其成本仅为碳/碳复合材料的1/10，制造周期为碳/碳复合材料的1/6～1/3，在重量、最高使用温度等方面也具有显著的优势；大面积使用的新型隔热瓦比航天飞机隔热瓦的可靠性提高了10倍。近几年NASA研发的PICA烧蚀型热防护材料被应用于多个星际探测器，性能也显著超过早期研制的烧蚀防热材料。Space-X公司进一步开发了热导率更低[0.05W/（m·K）]、综合性能更优的PICA-X复合材料。PICA-X 整个制造成本仅为原 PICA 复合材料的 1/10，能够在 $10MW/m^2$ 的热流环境下安全使用。PICA-X 复合材料已被成功应用于 Space-X 公司自主研发的“龙飞船”（dragon）货运飞船的热防护系统中。NASA 正着手研制柔性 PICA 材料，以满足深空探测技术对“未来充气式柔性防热体系”的需求。

高温高效隔热材料更加注重多学科的交叉与融合，综合利用相关学科的最新成就，如高温高效隔热材料与化学、纳米技术等融合，发展新的材料科学技术。过去几十年来，高性能纤维（SiO_2、C、SiC、Al_2O_3、Si_3N_4 等）一直是推动高效防隔热复合材料性能提升的关键因素。时至今日，新型陶瓷纤维的研究和开发仍是复合材料研究的重要领域，在分子水平上设计陶瓷前驱体的组成和结构来提高陶瓷纤维的性能，开发具有新颖分子结构的陶瓷基体对提高 CMC 的性能非常重要。此外，随着未来飞行器的发展，对材料的性能要求越来越高，甚至有些已经趋近材料性能的极限。单纯依靠原材料性能提高和材料制备工艺的改进和优化，材料性能提升的潜力已越来越小，难以满足未来的应用需求。近年来，已经有很多研究实例与结果表明，通过对材料微纳米尺度结构单元的设计与构筑组装，实现隔热材料多功能化、高性能化，是材料性能进步的重要途径与方向。作为超级隔热材料的气凝胶，原来以溶胶凝胶技术制备，现在已经可以通过控制纳米颗粒的自组装获得各种组成的气凝胶材料。

（二）超宽禁带半导体材料

禁带宽度 $E_g > 3.5eV$ 的材料，如氮化铝、金刚石、氧化镓等也被称为超宽禁带半导体材料，在高压大电流电力电子器件、高频大功率微电子器件和深紫外光电发射和探测器件等领域有极为重要的应用前景，也是发展超高性能电子和光电子器件的重要战略基础材料。

1. 氮化铝

氮化铝单晶材料（图 12-20）因优越性能和明确的需求背景，历来备受关注。国际上有 30 家研究机构和公司从事氮化铝单晶研发工作，如美国的 Crystal IS 公司、Hexatech 公司、FOX 公司、俄罗斯的 Nitride Crystals 公司、德国的 Erlangen 大学、柏林晶体技术研究所、Crystal-N 公司、日本的藤仓公司、日本产业技术综合研究所（National Institute of Advanced Industrial Science and Technology，AIST）、住友化学株式会社等。Crystal IS公司、Hexatech公司、Nitride Solutions公司曾先后受到美国国防高级研究计划局（Defense Advanced Research Projects Agency，DARPA）巨额资金资助。物理气相传输法是氮化铝体单晶的主流生长方法。此外，多家机构开展了氮化铝衬底上紫外探测器、LED、HEMT器件的研制和应用验证工作，其结果明显优于采用碳化硅、硅、蓝宝石衬底的器件。总体而言，氮化铝单晶材料尚处于研发阶段。当前氮化铝单晶片最高性能指标为：2英寸、电阻率≥1011Ω·cm、265nm波长透光率50%、位错密度103～105cm^{-2}、XRD双晶衍射摇摆曲线半高宽≤50arcsec。

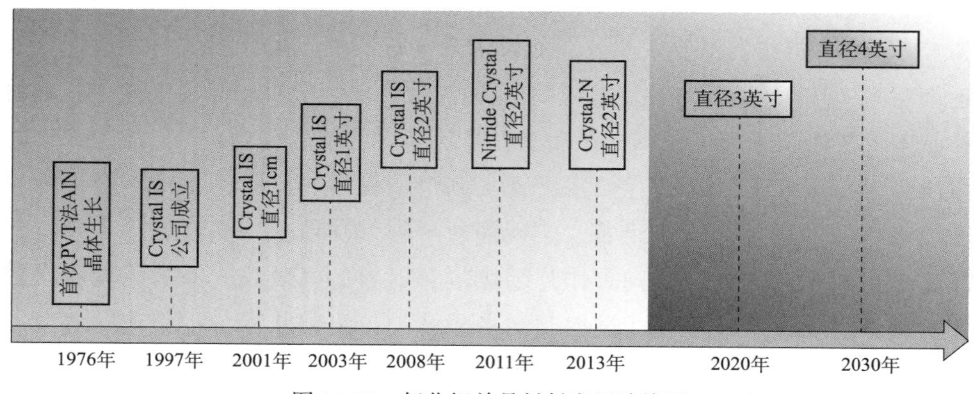

图12-20 氮化铝单晶材料发展路线图

2. 半导体金刚石

金刚石具有目前已知最高的硬度、强度、热导率和击穿电场、电子迁移率和空穴迁移率、较宽的透过波段和优异的电绝缘性能，在高频通信、大功率转换和高能粒子探测等应用领域有明显的优势。微波等离子体化学气相沉积法（microwave plasma chemical vapor deposition，MPCVD）是生长高品质单晶金刚石的有效方法，国外MPCVD金刚石的研究单位主要是AIST、美国地球物理实验室（Geophysical Laboratory）、美国卡内基研究所（Carnegie Institution of Washington）、SP3钻石技术公司（SP3 diamond technologies Inc.）、英国元素六公司Element Six、美国阿波罗公司（Apollo Diamond，现更名为SCIO Diamond）、日本物质材料研究所等。美国阿波罗公司在2003年首次将经过切割和抛光的化学气相沉积（chemical vapor deposition，CVD）单晶金刚石推向首饰市场，引起了极大的关注。2005年，美国阿波罗公司生长出2ct的宝石级金刚石。2010年，美国阿波罗公司改组为Scio公司，该公司能生产出高质量Ⅱa型金刚石，并且可实现多片单晶金刚石同时生长。2004年，美国卡内基地质物理实验室生长出对角长10mm、厚4.5mm的单晶金刚石，平均生长速率为100μm/h。2009年，他们又生长出厚度在10mm以上的克拉级单晶金刚石，生长速率为50～100μm/h。目前，该实验室已经能够让方形金刚石单晶在6个（100）晶面上同时生长，使得大单晶的生长成为可能。2012年，卡内基地质物理实验室的研究员称他们在制造克拉级无色的CVD金刚石方面取得重要进展，制备出的无色单晶金刚石加工后重达2.3ct，生长速率达50μm/h。CVD金刚石对微波能的吸收率低，且热导率高、介电常数小，在微波应用中是至关重要的材料。为了加快金刚石电学器件的开发，Element Six（元素六公司）成立了Diamond Detectors Limited与Diamond Microwave Devices两家子公司，分别研制金刚石基探测器和微波功率器件。目前正在研究采用元素六公司生产的单晶CVD金刚石制造金属半导体场效应晶体管的可能性，据称可能彻底改变未来微波功率元件的设计。AIST利用离子注入剥离技术、同质外延技术与“马赛克”拼接技术，获得了大尺寸、高质量的单晶金刚石。金刚石微波透射窗是目前德国和日本正在进行的核聚变试验的关键部件，也是正在法国建造的国际热核试验反应堆的重要部件。元素六公司与世界上主要的核聚变研究机构合作研制的金刚石微波透射窗可应付超过1MW的微波功率，其能力比任何其他材料的透射窗都大1倍以上。

3. 氧化镓

稳定型氧化镓单晶带隙宽度高达4.8～4.9eV，在深紫外区透光率为80%左右，具有良好的透明性、化学稳定性、热稳定性和导电性，耐压能力强，击穿电场强度可达8MV/cm。因此，其可广泛应用于微电子和光电子器件领域。使用NH_3在氧化镓晶面进行处理后，可形成与氮化镓完全匹配的优良衬底材料。国际上已开展大尺寸氧化镓晶体生长研制工作，相关研究成果已逐步开始向实用化转变。氧化镓单晶主要的研发国家有日本、德国和印度等。日本的早稻田大学、东北大学、Nippon Steel公司等多个研究组对该单晶材料展开了生长研究工作，主要采用浮区法和导膜法进行生长，生长的单晶直径达1～2英寸。

日本信息通信研究机构（National Institute of Information and Communications Technology，NICT）的研究小组和田村制作所及其子公司光波公司，对氧化镓单晶基板的晶体管市场给出充分肯定。田村制作所目前已实现产品化2英寸口径的氧化镓基板，计划推出4英寸产品，并还将挑战开发直径6英寸的产品。日本针对LED照明产业用低损耗、高功率氧化镓单晶衬底展开了大量研究。氧化镓单晶生长较多地使用浮区法、导模法和直拉法等溶液生长法。采用直拉法容易制备得到结晶缺陷较少、尺寸大的体单晶。由于工艺方法和设备的限制，浮区法生长晶体的尺寸很难扩大，一般小于10mm。日本和德国学者生长的氧化镓单晶分别如图12-21和图12-22所示。

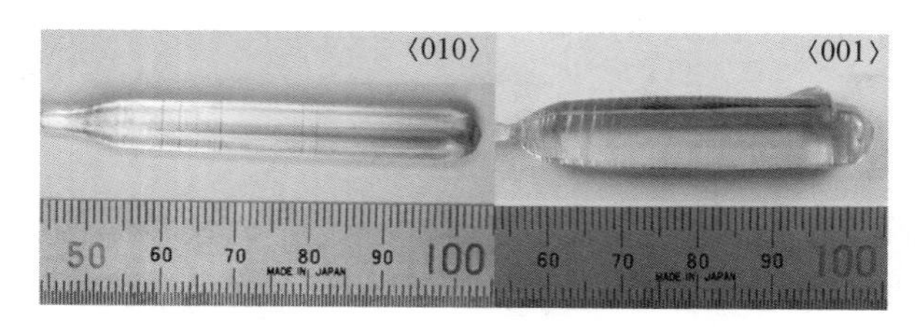

图12-21　日本学者生长的氧化镓单晶晶体

图12-22　德国学者生长的氧化镓单晶晶体

（三）超导材料

超导材料具有常规材料所不具备的零电阻、完全抗磁性和宏观量子效应，是当代凝聚态物理学中最重要的研究方向之一，也是新材料领域一个十分活跃的重要前沿。它与凝聚态物理学中一系列有重大意义的基本科学问题都有紧密联系，并推动了新材料研究的持续发展。超导材料主要分为低温超导材料（工作在液氦温区4.2K，以NbTi和Nb_3Sn为代表）、中温超导材料（工作在制冷机温区20～30K，以MgB_2为代表）及高温超导材料（工作在液氮温区77K，以

YBCO 和 BSCCO 为代表）。利用超导材料的基本特性可以制造大尺寸（直径 1.5m 以上）、高场强（高达 20T 以上）超导磁体，实现零电阻输电和高性能量子超导电子学器件。发达国家清楚地看到了超导材料产业所蕴藏的巨大商机和具有的重要战略地位，纷纷制定相关战略计划并投入巨资进行开发。国际高温超导材料产业化技术取得重大突破，高温超导材料已经进入了商品化阶段，以美国和日本为代表的发达国家政府和跨国公司大规模地开展了高温超导应用技术研究，大部分应用产品已开发出样机，并投入实际应用。“十二五”期间，我国在高温超导理论、超导材料及超导应用等方面取得了长足的进步，缩小了与世界先进水平的差距。同时我国超导材料的产业化也开始了实质性的进展，以超导材料为主业的高技术公司相继成立。由于市场及技术需求的双重推动，国际上超导材料产业化重点发生了变化，低温超导材料的产业化和应用项目的发展不断加快。YBCO 第二代高温超导带材的制备受到高度重视，高温超导技术在民用和国防的应用发展迅速。目前，发达国家正进一步加大投入，开始了以商业化产品为目标的新一轮研究与开发热潮，高温超导应用技术不断取得突破，今后几年是在未来高温超导技术产业的国际竞争中取得优势的关键时期。可以说，高温超导材料与技术正处在大规模产业化的前夜。总体看来，我国超导材料与技术的发展，在低温超导材料产业化、超导强电应用技术、超导弱电应用技术等方面已达国际水平，但是在高温超导材料与技术研究，尤其是在 YBCO 第二代高温超导带材的制备和电力、医疗设备、国防装备等领域，高温超导技术应用方面与世界先进水平存在明显差距。同时高温超导材料产业化整体水平也亟待提高。因此，必须在保持优势的基础上整合国内研究力量，以民用和国防应用项目的实施带动超导材料的发展和产业化。

（四）石墨烯

石墨烯是由碳原子紧密堆积构成的二维晶体，也是包括富勒烯、碳纳米管、石墨在内的碳的同素异形体的基本组成单元[26]。石墨烯以 sp^2 杂化轨道组成六角型晶格，形成只有一个碳原子厚度的石墨单层薄片。2004 年，英国曼彻斯特大学物理学家安德烈·盖姆和康斯坦丁·诺沃肖洛夫成功从石墨中分离出石墨烯，证实它可以单独存在，两人也因此共同获得 2010 年度的诺贝尔物理学奖。石墨烯材料具有高导电性、高强度和超轻薄等特性，在电子、光学、磁学、生物医学、催化、储能和传感器等诸多领域具有巨大的应用潜力。近年来，石墨烯获得我国政府系列政策的大力扶持，已成为“十三五”新材料的发展重点。“制造强国”战略明确提出，要求加快新材料发展，做好石墨烯、生物基材料等战略前沿材料提前布局和研制。国际上已有包括欧盟、美国、韩国、日本等20多个国家和地区投入石墨烯材料及其应用的研发，一些科技巨头公司，如IBM、英特尔公司、美国晟碟、陶氏化学、通用、美国杜邦公司、施乐、三星集团、洛克希德·马丁、诺基亚、空中客车公司、波音公司等均参与其中。欧洲是石墨烯的诞生地，十分注重在这一领域提前布局。欧盟委员会认为，石墨烯材料可能同钢铁、塑料一样重要，有可能成为信息技术的基础材料，还可能在能源、交通和医疗领域发挥重要作用。2013年1月，欧盟委员会将石墨烯列为“未来新兴技术旗舰项目”之一，将提供10年共计10亿欧元的资金支持。该项目是欧盟有史以来最大的研究资助类项目，已在2013年10月正式启动。整体来看，欧盟将石墨烯产业发展列入战略层面，从技术实现到资金投入，政府、大学、科研院所及跨国企业通力合作，产业布局涉及材料的制备、光电产品、传感器、医疗器件、柔性电子产品、储能器件、集成电路等，但尚未进入产业化阶段。美国石墨烯产业布局呈现多元化，从石墨烯制备及应用研究到石墨烯产品生产，最后到石墨烯产品的下游应用，已形成了相对完整的石墨烯产业链，在信息、光电、生物等领域正在进行专利布局。在亚洲，日本、韩国、新加坡及马来西亚等国也非常重视石墨烯产业的发展，并出台了相应的政策大力推动石墨烯的研发、应用及产业化进程。除了政府的相关投入外，众多企业，如日立集团、索尼公司、东芝公司、三星集团、LG集团等投入了大量资金和人力从事石墨烯的基础研究及应用开发，并取得了显著进展。整体来看，这些企业主要集中于CVD石墨烯薄膜的连续化制备及其在电子器件等领域中的应用开发。韩国在石墨烯产业发展上拥有很高的话语权。这一是因为在石墨烯应用的一些重要领域，韩国占据了全球多半的产业资源；二是因为韩国近些年在石墨烯各项技术研发和产业化方面做了很多努力。政府的高度重视、大学院所的全力攻关和骨干企业的领衔参与是韩国石墨烯产业发展的最大优势。在商业化方面，三星集团投入了巨大研发力量，以保证其在石墨烯应用于柔性显示、触摸屏及芯片等领域的国际领先地位。

（五）超材料

超材料是一种新型的人工微纳结构材料，通过特殊的微结构单元设计来调制电磁波和弹性波，展示出均匀材料所不具备的新颖的力、热、声、光学性能。超材料作为前沿性新材料，可被广泛应用于微型天线及无线互联、光电磁隐身、医学完美成像、国防民用各种交通工具的智能蒙皮等领域，引领人工材料设计发展前沿[27，28]。超材料技术是一种新兴的材料逆向设计技术。超材料具有传统材料所不具备的超常物理性质，可以突破某些表观自然规律的限制，从而突破制约材料应用技术的瓶颈问题，引领新材料领域的革命性变革，也将触发和引领信息通信、航空航天、生物医疗、高端装备制造等众多战略性新兴领域的技术创新。超材料技术在 2010 年被 *Science* 评为过去 10 年人类 10 大科技进展中排名第二位的重大突破。美国国防部在 2012 年的咨询报告中把超材料列为未来影响美军作战能力提升的“六大颠覆性基础研究领域”之首。2010 年以来，通过美国联邦政府的中小企业科技创新与技术转化（small business innovation research/small business technology transfer，SBIR/STTR）项目，美国海、陆、空三军支持了至少 90 家企业进行超材料应用研究。超材料的诞生，不但引起了世界各国军方的高度重视，而且迅速传递到科技界和产业界，成为各国追逐的焦点。人们可以在不违背物理学基本规律的前提下，人工获得与自然界中的物质具有迥然不同的超常物理性质的“新物质”，并用这种“新物质”开辟出全新的应用疆界。由于超材料的材料创新设计思路及其超常的性能，美国、欧盟、日本等发达国家和地区均在超材料方面进行了投入。2013 年，全球超材料产业市场规模约 20 亿元，据国际智库美国 BCC Research 公司预测，未来 20 年，其年均复合增长率将超过 20%，前景十分广阔。

二、国内发展现状

（一）高温高效隔热材料

总体来看，我国已经初步形成了较完整的高温高效隔热材料体系。目前，国外航天飞行器上使用的典型材料，国内相关单位基本均有所涉及，但材料的技术成熟度处于不同阶段。

在高温长时轻质防隔热一体化材料方面，我国研制了 PQ、SPQ、编织改性石英酚醛等系列材料，已和美国进入同步发展的新阶段。在超高温陶瓷材料方面，重点发展了以 MB_2（M=Zr、Hf）为基体，以 SiCp、SiCw、SiCf、$MoSi_2$、C 等为添加相的二元或多元材料体系，在材料抗热冲击性能、材料抗氧化性能及烧结致密化等方面取得了长足进展。

在高温高效隔热材料方面，我国已经突破了陶瓷隔热瓦技术，并进行了考核实验，材料性能已超过美国第二代陶瓷隔热瓦的水平，综合性能接近第三代陶瓷隔热瓦。在高温纳米隔热材料方面，我国高温纳米超级隔热材料实验室规模的研制水平与国外水平逐渐接近，形成了小批量供货能力，材料主要性能与国外产品相当。

（二）超宽禁带半导体材料

与世界先进水平相比，我国对超宽禁带半导体材料的研发起步晚、材料制备技术不成熟。由于材料匮乏，应用研究尚未起步。

在氮化铝单晶材料方面，国内从事氮化铝单晶研发的单位有中国电子科技集团公司第四十六研究所、中国科学院物理研究所、中国科学院半导体研究所、深圳大学等。中国电子科技集团公司第四十六研究所研制了直径 35mm 单晶材料，中国科学院物理研究所研制了直径 20mm 准单晶材料，中国科学院半导体研究所研制了直径 15mm 单晶材料，但结晶完整性和晶体质量与国外先进水平差距较大，整体水平与国外差距明显，尚无法应用于器件研制。

在金刚石单晶材料方面，我国在“七五”期间就已经启动关于金刚石膜的重大关键技术项目，但是在高温半导体和探测器等应用领域表现欠佳，并未推进金刚石膜深层次的产业化应用。与国外先进水平相比，国内受限于制造设备、量测设备、封装测试设备的技术水平，电子级金刚石单晶材料的研制才刚刚起步。

在氧化镓单晶材料方面，国内对于氧化镓单晶材料的研究尚处于生长工艺研究阶段，应用研究尚未启动。国内对于浮区法生长研究较多，在单晶生长、掺杂机制及光电学性能方面已有很多报道，中国科学院上海光学精密机械研究所等单位已能制备 10mm 左右氧化镓单晶。近年来，中国科学院上海硅酸盐研究所和中国科学院上海光学精密机械研究所研制了导膜法生长片状氧化镓单晶，但在晶体尺寸、成晶率、晶体质量方面与国外研究仍有较大差距。2014 年，山东大学报告指出采用常压提拉法成功生长了氧化镓单晶，并就相关技术申请了专利。

（三）超导材料

我国在“十二五”期间对超导材料研究与应用技术开发给予了持续支持，使我国的超导技术研发一直保持与世界同步，并在超导材料制备、应用开发和产业化方面取得了一系列重要成果。在 MgB_2 线带材、Bi-2223 长带、YBCO 涂层导体、低温超导线材、超导强电和弱电应用等领域形成了一批自主知识产权的技术，相关材料和应用装置性能已达世界先进水平。

以 NbTi 合金和 Nb_3Sn 合金为主的低温超导材料具有优良的机械加工性能和超导电性，是目前最主要的实用化超导材料，我国于 2011 年已开始具备高性能 NbTi 和 Nb_3Sn 超导线材量产能力。基于低温超导材料的高场磁体、医疗用磁共振成像（magnetic resonance imaging，MRI）和科学仪器产业每年有百亿美元市场。高温超导材料在材料基础研究和工艺研究方面都有长足进展，材料性能已基本满足应用需求。

在 MgB_2 研究领域，千米长线的批量化制备技术已趋成熟，使绕制大口径 MgB_2 超导磁体成为可能。我国于 2011 年成功制备出国内第一根千米级 MgB_2 长线，建成继美国、意大利之后国际上第三条千米级 MgB_2 超导线材中试线。

YBCO 涂层导体制备技术及其应用开发仍然是超导领域研究的重中之重，我国于 2014 年成功制备出长度达到千米量级的带材，综合性能达到世界先进水平。该类材料在应用领域的研究也已展开。

目前，我国高温超导材料大规模应用的瓶颈问题是材料价格过高，需要进一步提高技术成熟度、提升产业化能力，并改善材料综合性能，从而提高材料性价比。在超导技术领域，2012 年，我国研制出室温孔径 50cm 的世界首台制冷机直冷 0.6T 新型 MgB_2 超导 MRI 系统；突破了高电压等级三相铁芯型超导限流器设计及制造关键技术，完成了目前世界上电压等级最高、容量最大的 220kV 超导限流器并在天津石各庄电站挂网运行；制备出 1000kW 高温超导电动机并实现满功率稳定运行，标志着我国成为国际上少数几个掌握高温超导电机关键技术的国家；制备出满足 1GHz 通信用超导滤波器，用要求的高带边陡峭度、低插损超导滤波器并在16个省市的通信设备投入长期应用，标志着我国成为继美国之后第二个实现超导滤波器产业化的国家。2013年，我国突破了大电流超导电缆设计、制造机系统集成控制技术，成功研制了目前全世界传输电流最大、长度360m、载流能力10kA的高温超导直流电缆并投入工程示范应用。总体来看，我国在超导物理、超导材料和超导电力技术的研究方面已有很好的研究基础，若干研究方向甚至达到世界先进水平。

（四）石墨烯材料

我国对石墨烯材料的重视程度日益提高。近年来，科学技术部基础研究和国家自然科学基金关于石墨烯相关研究的资助经费超过了10亿元。随着国际石墨烯研究和工业化开发的进程，国内石墨烯研究和产业化进程逐渐展开，且在主要研究领域均有涉猎，整体接近国外先进水平，部分领域可处于先进水平并掌握了自主知识产权。据不完全统计，目前全国有80多所研发机构的1000多支团队涉足石墨烯研究。2015年11月30日，工业和信息化部、国家发展和改革委员会与科学技术部三部委联合发布了《关于加快石墨烯产业创新发展的若干意见》，欲在2020年形成完善的石墨烯产业体系，实现石墨烯材料标准化、系列化和低成本化，在多领域实现规模化应用。在利好政策和广阔的应用前景面前，常州、无锡、青岛、宁波、深圳、重庆、德阳、北京、上海等地正在加快石墨烯的产业化布局。我国石墨烯粉体产能约3000t，已经有数家企业具备了年产百吨以上的生产能力。我国石墨烯研发基本以科学技术部"973计划"和国家自然科学基金支持下的基础研究为主；产业以地方政府支持、民间资本和制造业企业投资的传统产业升级转型为主。但总体上看，石墨烯材料产业还存在不少问题，如基础研究原创性不足等。虽然国内的石墨烯论文数量全球领先，但是质量与世界先进水平还有不小的差距。此外，欧洲、美国、日本、韩国等国家和地区对石墨烯应用在信息、生物、光电等战略高技术领域投入较大。一批大型企业，如IBM、英特尔、三星、洛克希德·马丁、三星、巴斯夫、诺基亚等，在国家资金的支持下，在上述领域深耕，进行专利战略布局。我国在这些战略高技术领域的布局、规划仍未形成，研发投入较少，国内企业也很少涉足。

（五）超材料

“十二五”期间，我国超材料领域的科研机构、大学和企业对超材料源头技术创新及产业发展进行了富有开创性和卓有成效的探索，在超材料基础前沿理论、关键应用技术、大规模快速设计方法、复杂微结构制备、先进测试技术、器件开发和工程化应用等领域取得重要突破。通过国家“863计划”、“973计划”、国家自然科学基金等对超材料给予有力支持。现阶段，清华大学、深圳光启高等理工研究院、哈尔滨工业大学、西北工业大学等高校在光子晶体、负介电常数材料、电流变液软材料及左手超材料等领域取得明显成就。部分科研机构也已研制出多项高性能超材料器件和产品。然而，尽管超材料在中国飞速发展，但其仍处于发展的初期阶段，尚未建立超材料技术开发和产业化的完备体系。此外，由于制备工艺和设备不完善，复杂微结构加工条件难以满足产业化需求。作为新兴学科，当前超材料在测试技术规范、测试标准、产品标准等方面尚属空白，在一定程度上阻碍了超材料科学研究成果快速转化为产品，不利于推动超材料产业有序化、规范化发展。另外，作为新生事物，超材料很难立即得到市场的认可，导致当前超材料创新产品的市场化推广起步艰难，严重阻碍了后续的进一步产业化和大规模应用。

第十三章
我国新材料产业发展存在的问题

改革开放以来，我国新材料产业取得了长足的进步，产业规模持续扩大，产业技术水平不断提升，在个别领域已经处于世界先进水平，产业集聚区加快布局，宏观发展环境积极改善，为下一步加快发展奠定了坚实基础。但总体来看，我国新材料产业与世界先进水平仍有较大差距，发展过程中还存在一些突出矛盾和问题，这已成为制约加快新材料产业发展的瓶颈[20]，主要体现在以下五个方面。

一、顶层设计和统筹协调不够，存在低水平重复建设现象

从国内各地区发布的新材料产业规划来看，相关产业的区域布局还没有立足于各地区自身条件和优势，科学合理定位，实现差异化分工，存在严重的趋同现象。一些产业已出现产业链上游的产品无法在下游使用，呈现上游产能过剩、下游市场有效供应不足的现象。例如，在太阳能电池产业领域，很多地方新的加工制造项目并未掌握关键技术，只是在一般加工制造过程发展得较快。目前，仍有投资商拟在若干过剩地区投资多晶硅，存在过热倾向，需要严控低水平重复建设。这种盲目跟风式投入不仅会造成重复建设和产能过剩，还会影响产业发展的可持续性。

二、原始创新能力不足，高端产品自给率不高

我国新材料领域原始创新能力不足，缺乏不同学科之间的深层次交流和原创性研究。企业作为创新的主体，在产品研发方面重视不够，参与创新研发少、生产跟踪仿制多，普遍存在关键技术自给率低、发明专利少、核心技术受制于人等问题，大多数企业仍在“引进 – 加工生产 – 再引进 – 再加工生产”的怪圈里挣扎，企业放弃了创新的主动权，使得“中国制造”产品中缺乏“中国创造”因素，往往只能依靠廉价销售与低层次竞争手段寻找出路，这在很大程度上成为新材料产业实现跨越式发展的短板和瓶颈。例如，我国稀土材料产品仍以原材料和一些初级产品为主，高端产品及核心技术多被发达国家掌握。半导体照明材料领域的核心专利以美国、日本、德国等国为主，专利总数占到国际相关专利数量的 70% 以上。

三、共性技术研发不强，基础支撑体系不健全

产业共性的关键技术是提高自主创新能力。我国大多数行业没有专门的产业共性技术研发机构，共性技术研发处于缺位状态，共性和前沿技术研发缺乏良好的资源配置机制和持续有效投入，因而无法在技术源头上支撑自主创新。此外，目前我国新材料基础支撑体系缺位，没有形成大批具有自主知识产权的材料牌号与体系和通用基础原材料的国家及行业标准，统一的设计规范和材料工艺质量控制规范尚不完善，缺乏符合行业标准的新材料结构设计 / 制造 / 评价共享数据库。例如，我国是世界锂离子电池生产大国，但所涉及的数百种材料一直处于分散状态，未形成相关数据库和检测标准体系，严重制约了高端锂离子电池产业的发展。另外，我国材料配套的装备工程化水平和制备能力不高，产品性能及稳定性很难得到保证，全面引进装备导致产品成本难以降低。

四、新材料领域投资分散，产业链不够完整

我国部分新材料领域的产业结构不够合理，新材料产业的投资和支持只看到一些“点”，尚未形成以点带线、以线带面的联动效应。并且，国家更愿意把

扶持资金发放到国有企业和科研院所的现象，对民营企业设置的条件太多。虽然从政策上鼓励民营企业参与国家大型项目的竞争，但效果不明显。此外，作为发展主体的新材料企业普遍规模较小，产业发展缺乏统筹规划，投资分散，规模化生产程度低，产业链不够完整。有些产业的企业大多集中在中下游环节，产业配套能力不强。例如，我国生物医用材料产业已向全球提供了 60% 以上的低端医用耗材，但尚没有金属、高分子材料等基础原材料专门供应商，大部分精密加工设备及加工工具也依靠进口，从源头上妨碍了产业链的形成，导致国内新材料公司在市场竞争中处于劣势地位，存在被跨国公司收购或控股的现象，不利于我国经济发展。

五、相关政策及保障机制难以适应新材料产业发展要求

新材料产业的关键环节和重点领域存在着“老办法管新事物”的现象，创新产品进入市场困难。行政审批周期长（如医疗产品）阻碍了企业创新的积极性；对于开发风险较大的项目，缺少资金险等保障机制的支持。市场的准入机制也存在一定的缺陷。此外，新材料产业服务平台尚未建立，风险投资、中介服务不能满足企业创新创业的需要；新材料成果转化和工程化过程需要大量投入，但面向工程化服务的多元化投融资体系和中介服务体系尚不完善，制约了我国新材料的创新和产业的发展。

第十四章
新材料产业发展趋势及前沿问题

材料是制造业的基础，制造业的发展需要大量的新材料作为支撑和保障。我国新材料产业经过几十年的发展特别是近20年的发展，取得了巨大的成绩和进步，形成了不断增强的产业体系和规模巨大的竞争力，有力地支撑了我国的工业经济和国防建设。从当前的高速发展时期到2035年这一段时期内，我国对新材料数量和种类的需求都将持续增长，并且更加重视新材料的性能、可靠性和成本，要求新材料具有多种功能、更少依赖资源与能源，更加具备环境友好性；同时要解决新材料关键产品稳定性不高、高端应用比例较低、关键材料保障不力等问题，推动新材料产业做优做强。

第一节　世界发达国家与新材料相关的科技计划

一、美　　国

（一）《全球450mm联盟计划》

发布时间：2011年。

计划介绍：《全球450mm联盟计划》（*The Global 450 Consortium*，G450C）为推进下一代450mm晶圆技术发展而成立的公私合作联盟计划。联盟最初由全球最顶尖的5家半导体厂商英特尔公司、台湾积体电路制造股份有限公司、格罗方德半导体股份有限公司（The Foundry Company）、IBM、三星集团和美国纽约州共同发起，总部设于纽约奥尔巴尼，并在总部设立450mm晶圆技术研究中心。该计划目标是：确保下一代450mm晶圆的顺利、协调过渡；拓展测试晶圆应用，加速和支持供应商开发；支持设备验证；对整个450mm线的设备群验证；连续的450mm研究开发；加强创新，支撑等比例缩小技术发展；在纽约州的财政杠杆支持下，以高度协作方式推动设备厂商跨越到450mm；与供应商及其他协会或联盟协作建立450mm相关标准。

重要投资案例：英特尔公司宣布与阿斯麦（ASML）公司达成一系列协议，将向后者投资总计41亿美元，用于加速450mm晶圆技术、极紫外光刻（extreme ultra-violet，EUV光刻）技术的研发，推动硅半导体工艺的进步，台湾积体电路制造股份有限公司也加入了该计划，共投资13.8亿美元，三星集团最后加入，计划对阿斯麦公司投资约9.75亿美元。基于多种原因，该计划暂缓，但450mm硅片的标准制定工作仍在进行。

（二）《固态照明研发计划》

发布时间：2015年5月。

计划介绍：固态照明（solid-state lighting，SSL）的研发重点为LED和OLED。除了荧光粉等，LED的研发重点包括封装材料、新发射器架构、集成发射器、系统级的元素及灯具设计的新方法。OLED虽然在效率和光输出方面显著滞后于LED，但美国能源部依旧看好其固有的漫射光源特质，继续挖掘技术潜力。OLED的研发重点包括材料研究、光取出效率、灯具的开发，提高生产和采用柔性衬底制造。着重强调LED和OLED的制造路线图、颜色均匀性问题及制造业进步要解决的问题等。新计划还指出，目前全球的照明装置中SSL的占比不到10%，未来多年，SSL技术将继续在减少能源消费方面做出巨大努力。美国能源部预测，到2030年，LED技术将可帮助年省261亿度电①，SSL占比增

① 1度=1kW·h。

加 40%。

（三）《材料基因组计划战略规划》

发布时间：2014 年 12 月。

预期执行时间：2015～2018 年（计划）。

资金投入：美国联邦政府已投入 2.5 亿美元用于基础设施研发和创新，未来投资将持续加大。

计划介绍：2014 年 12 月 9 日，美国联邦政府在白宫网站上公布了首个《材料基因组计划战略规划》（*Materials Genome Initiative*，MGI），以国家层面最高级规划的形式保证了 MGI 的后续实施。MGI 的目标是，将发现、发展、生产先进材料的时间缩短一半（由原来的 10～20 年缩短到 5～10 年），并将成本降为原来的一小部分。这个战略规划将协调和指导联邦政府的投资和研发活动，为 MGI 的发展指明方向。该战略规划公布了 9 大材料类别研究领域下的 63 个重点方向，其中树脂基复合材料、关联材料、电子和光子材料、储能材料及轻质结构材料这 5 类材料涉及的 37 个重点方向对国家安全影响重大。

（四）《国家纳米技术项目战略计划》

发布时间：2014 年 2 月。

计划介绍：《国家纳米技术项目战略计划》（*National Nanotechnology Initiative*，NNI）的目标是在未来有能力去理解和控制纳米尺度上的物质，促进社会发展，带来一场技术和产业革命。NNI 加快了纳米科学、工程和技术的发现、开发和部署，通过一个协同研究和发展的项目，协调参与机构的任务，服务公共利益。

（五）《美国国家制造创新网络计划》

发布时间：2012 年 3 月。

资金投入：10 亿美元。

计划介绍：《美国国家制造创新网络计划》（*National Network for Manufacturing Innovation*，NNMI）是美国联邦政府提出的一项旨在建立起全美产业界和学术界间有效的制造业研发基础、解决美国制造业创新和产业化的相关问题的综合性项目。其主要模式是组建各领域的制造创新研究所，从而建立起全国性的制造业领域的产学研联合网络。目前，美国联邦政府的目标是建立超过 15 个制造创新研究所，从而建立一个健全的国家创新生态系统，促使新的制造工序和技术能够顺利地从基础研究过渡到制造应用。下一代功率电子国家制造创新研究所于 2014 年 1 月 15 日正式启动，总部设在北卡罗来纳州立大学内，共有 25 个成员单位，初期获得来自美国能源部的 7000 万美元资金支持。其设立的目的是在现有硅基电子技术基础上发展具有成本竞争力的节能、高功率半导体电子设备制造技术。

2014 年 2 月，创新网络首个制造业中心——先进复合材料制造业中心成立，由 122 家企业、非营利机构、大学和研究实验室与美国能源部合作，启动投资 2.5 亿美元。2015 年 3 月，创新网络另一个制造业中心——革命性纤维与织物制造创新机构开始竞标，启动投资 1.5 亿美元。

电子制造和设计创新研究所于 2014 年 2 月 25 日由美国总统奥巴马宣布成立，总部设在芝加哥。该研究所成员由 73 家单位构成，包括高校、非营利组织和研究型实验室。其获得的美国联邦投资有 7000 万美元，主要来自美国国防部。该研究所旨在促进供应链间的合作，发展设计和测试新产品的电子技术，从而降低各类制造产业在制造流程中形成的成本。

（六）《SunShot 计划》

2011 年 2 月 4 日，美国能源部发起《SunShot 计划》，拟在 2020 年前将太阳能电池系统总成本降低 75%，达到 6 美分 /（kW · h）。随后，美国能源部宣布在 SunShot 计划框架下分别投资 1.7 亿美元和 1.125 亿美元用于太阳能电池技术研发。

（七）有条件贷款担保计划

美国能源部宣布了一系列有条件贷款担保太阳能项目，包括 Sempra Generation 公司在亚利桑那州 150MW 的 Mesquite 太阳能电池发电项目、1366 Technologies 公司发展多晶硅硅片制造技术项目和美国第一太阳能公司（First Solar Inc.）发起的三个位于加利福尼亚州的碲化镉（CdTe）薄膜太阳能电池发电设施项目等，总金额近 85 亿美元。这些项目总计将创造约 6670 个工作岗位，以扩大美国的清洁能源经济。

（八）建筑节能计划

2011 年 12 月 2 日，美国总统奥巴马宣布将投资 40 亿美元开展建筑节能计划，旨在提高政府和私营部门的建筑能效，在不损害纳税人利益的情况下减少燃料使用并增加就业。这项投资也是对奥巴马于 2011 年 2 月宣布的“更好的建筑”倡议（Better Buildings Initiative）的回应。该倡议制定了商业建筑到 2020 年节能 20% 的国家目标。

（九）电动汽车普及计划

2011 年 4 月 19 日，美国能源部公开了两项推动电动汽车普及的计划。其一是将拨款 500 万美元用于电动汽车基础设施和充电站的建设。其二是美国国家可再生能源实验室将和谷歌公司合作，推出一个涵盖全美电动汽车充电站和充电桩的数据库。消费者可以通过谷歌地图获得其位置，并获得驾驶路线。8 月 10 日，美国能源部宣布，未来 3～5 年将拨款 1.75 亿美元以上，加速先进汽车技术的开发和部署。

（十）Materials Development for Platform 计划

2014 年，DARPA 启动了名为 Materials Development for Platform（MDP）的计划，目的是开发新的方法和工具，将国防军军工用材料的研发时间由 10 年以上缩短为 2.5 年。具体为：①建立跨学科的组织机构，包括材料科学与工程、集成计算材料工程（integrated computational materials engineering，ICME）、工程平台、设计、分析和制造；②建立并贯彻新的材料研发方法，以“设计意图”和制造技术为指导。

二、俄 罗 斯

（一）《2030 年前材料与技术发展战略》

发布时间：2014 年 1 月。

预期执行时间：2014～2030 年。

资金投入：从 2014 年开始实施，5 年内总拨款规模约为 500 亿卢布。

计划介绍：2012年，俄罗斯联邦政府所属的军事工业委员会科学技术委员会批准了全俄航空材料研究院及其他合作研究机构合作制定的《2030年前材料与技术发展战略》。从2014年1月开始，该战略的重点材料发展方向相继公布，主要有18个战略发展方向，即智能材料、金属间材料、高温金属材料、聚合物材料、纳米结构复合材料和涂层等。战略本身将附带10个主要计划。在18个战略发展方向中约80%的方向与发动机研制和现代化有关，主要有以下5个方面：单晶耐高温合金发动机叶片、自组织纳米复合材料涂层、高梯度定向结晶技术、真空熔炼技术、发动机材料与国际标准接轨。

（二）《俄罗斯2020年前科技发展计划》

发布时间：2012年12月24日。

预期执行时间：2013～2020年。

资金投入：521亿美元。

计划介绍：新的科技发展计划是一个规划俄罗斯未来一个阶段科技发展方向的纲领性文件。计划的任务包括：发展基础科学；完善研究部门运行机制、管理系统和财政系统；实现科学教育一体化；为研究部门建立现代化的物质技术基础，确保俄罗斯研究部门与世界接轨。计划涉及节能环保材料、纳米材料、生物材料、信息材料等。

（三）《2025年前国家电子及无线电电子工业发展》

发布时间：2012年12月3日。

预期执行时间：2012～2025年。

资金投入：167亿美元。

计划介绍：该项规划框架内将主要发展武器、军工和特种设备所需的特殊电子产品。计划涉及纳米材料、信息材料等。

三、欧　　盟

（一）《七纳米技术》

发布时间：2015年8月。

预计执行时间：2015～2018年。

资金投入：在欧洲范围内共有研发经费1.81亿欧元。德国联邦教研部和欧盟委员会共资助1400万欧元。

计划介绍：《七纳米技术》是欧洲研究计划“欧洲领先电子元件和系统”（Electronic Components and Systems for European Leadership，ECSEL）的一部分，其目标是开发高精度、高速机、生产工艺和高精度测量技术，这些技术将在只有7nm宽的下一代芯片生产中得到应用。7nm是目前可用的最好芯片尺寸的一半，甚至是10年前的1/10。项目的重点之一是开发芯片结构的新型平版印刷设施，先前使用的光学透镜必须由复杂的镜像系统所取代。德国最大的合作伙伴Carl Zeiss SMT有限公司将在项目中开发这些新的组件。

（二）《石墨烯旗舰计划》

发布时间：2014年2月。

预期执行时间：2013～2020年。

资金投入：初始阶段（2013年10月1日～2016年3月31日）共资助5400万欧元；稳定阶段（从2016年4月开始）预计每年资助5000万欧元。

计划介绍：2014年2月初，欧盟未来新兴技术《石墨烯旗舰计划》发布了首份招标公告和科技路线图，介绍了拟资助的研究课题和支持课题及根据领域划分的工作任务，每项课题涉及多项工作任务。根据路线图，《石墨烯旗舰计划》将分初始热身阶段和稳定阶段两部分进行。主要包括以下3个重点研究方向：新兴传感技术与生物学的融合、面向射频应用的无源组件、高频电子学。

（三）《欧盟纳米安全2015—2025：向安全和可持续的纳米材料和纳米技术创新迈进》

发布时间：2014年。

计划介绍：该报告指出，纳米技术是建设一个以精明、可持续和包容性增长为基础的创新欧盟的关键技术驱动之一，也是创新欧盟提出的关键使能技术之一。纳米技术快速地促进了新一代智能和创新产品与处理过程的发展，为众多工业部门创造了极大的增长潜能。保持这一增长势头非常重要。只有这样，纳米工程材料的所有有用特性才可以在为数众多的纳米科技应用中得到全面的发挥。该报告旨在提供对该时间段内欧盟纳米安全研究的理解，还甄别了该阶段研究应该取得的主要成就。之所以选取这一时间段，主要是依据欧盟《地平线2020》科研规划项目的时间而设定。该项目的第一批研究计划于2015年启动，其研究成果执行的时间将会在2019～2020年；最后一批项目征集将会在2020年关闭，项目结束时间为2025年左右，项目成果的实施将会在2025年以后。

（四）《地平线2020》

发布时间：2013年12月。

预期执行时间：2014～2020年。

资金投入：总投入资金770亿欧元。

计划介绍：《地平线2020》是欧盟实施创新政策的工具；计划周期为7年（2014～2020年）。《地平线2020》要求欧盟所有的研发与创新计划聚焦于三个共同的战略优先领域。在工业领域，目标是在使能技术和工业技术中保持领军地位，如信息通信技术、纳米技术、材料技术、生物技术、制造技术、空间技术。

（五）《欧洲微纳电子元器件及系统工业战略路线图》

发布时间：2013年5月。

计划介绍：2013年5月23日，欧盟委员会宣布了欧盟范围内的微型和纳米电子元器件与系统的战略《欧洲微纳电子元器件及系统工业战略路线图》（*A European Industrial Strategic Roadmap for Micro-and Nano-Electronic Components and Systems*），目的是扭转这一行业的下滑态势，确保欧洲集成电路制造（integrated circuit，IC）领域的技术优势，以创新提升经济增长和就业。该战略明确了应采取的主要措施，其中就包括指定欧洲主流公司结合产业界意愿投资，创造就业机会。为此，欧盟委员会于2013年9月成立了微电子领域企业领袖小组，目标是制定微型和纳米电子产业发展路线图。路线图由代表欧洲该产业整个价值链的各主要代表通力合作制定，是欧洲策动小组（European Launch Group，ELG）的工作成果。

（六）《能源投资计划》

2011年7月20日，欧盟委员会发布了2012年70亿欧元的科研资助计划，这是欧盟《第七研发框架计划》下最大的一次年度资助计划，范围涵盖从基础研究到应用研究及示范应用。这一投资额比 2011 年的 64 亿欧元增加了 9.375%，预期可在短期内创造近 17.4 万个工作岗位，并在未来 15 年拉动 GDP 增长 800 亿欧元和新增近 45 万个就业机会。该计划提出了 48 个项目招标，其中能源部分为 3.14 亿欧元，包括可再生能源（光伏、光热发电、风能、生物能、太阳能热利用）、碳捕集与封存 / 洁净煤技术、智能电网及智能城市 / 社区 3 个主题领域，其他主题领域（如能效、研究基础设施、新材料、交通运输等）的部分项目也涉及能源相关研究。2012 年的能源投资计划预算有 3.14 亿欧元，其中 6000 万欧元将资助中小企业，预计将有近 800 家单位（包括 160 家中小企业）参与其中。

2011 年 9 月 16 日，欧盟宣布了一项合作研究藻类生物能源计划，汇集了欧洲多家研究机构，开展了为期四年半的藻类生物能源研究，项目经费达 1400 万欧元，目的是解决目前西北欧地区缺乏巨藻和微藻生产率信息的问题，预计将建立一系列中试规模的海藻农场和微藻养殖设施，以提供评估藻类生物能源生产率所需信息。该项目包括 6 个欧盟成员国（英国、比利时、德国、法国、爱尔兰和荷兰）的 19 个大学、研究机构、产业协会和企业等参与单位，由英国可持续水生生物研究中心主导进行。

2011 年 10 月 19 日，欧盟委员会公布了投资 500 亿欧元改善欧盟交通运输、能源和数字网络的《连接欧洲设施》（*Connecting Europe Facility*，CEF）计划，其中用于能源基础设施升级的投资额达到 91 亿欧元，这些资金来自 2014～2020 年的欧盟预算，将以项目债券、补助金和贷款担保的形式提供，有助于调动公私资本投资。这也是欧盟首次以经常性预算的方式为大型能源基础设施建设投资。通常每个获资助的项目最高可获得项目成本 50% 的资助，个别关键项目可高达 80%。

2011 年 12 月 1 日，欧盟理事会、欧洲议会和欧盟委员会就《国际热核聚变实验堆》（*International Thermonuclear Experimental Reactor*，ITER）计划未来两年的 13 亿欧元资助经费达成初步共识，暂定协议目前进入机构内部正式确认流程。

（七）《欧洲材料科学与工程：挑战与机遇》

根据靶向机械性质改进和优化再生医学用生物材料、用于组织支架的生物材料和自组装生物材料构建人工肌肉的材料、用于癌症治疗的磁性纳米材料、用于疾病诊断的生物材料、用于模块器官的芯片材料、抗感染的生物材料及细胞打印生物材料等。

（八）《“欧洲冶金”计划》

预期执行时间：2014～2020 年。

资金投入：10 亿欧元。

计划介绍：2014 年 9 月 9 日，欧洲航天局联合一些知名研究机构和超过 180 家欧洲公司，于伦敦科学博物馆正式启动《“欧洲冶金”计划》的研究，旨在发展 21 世纪新型金属及其制造技术，参与该计划的大型公司有：空中客车公司、罗尔斯 · 罗伊斯公司、西门子公司、BAE 系统公司等。《“欧洲冶金”计划》将围绕 13 个主题开展研究，包括用于空间和核系统的新型耐热合金、基于超导合金的高效电源线、可将废热转化为电的热电材料、生产塑料和药物的新型催化剂、用于医疗移植的生物相容性金属、高强度的磁系统等。

（九）《欧洲设备及材料供应商 450mm 推动联盟计划》

发布时间：2009 年。

计划介绍：欧洲设备及材料供应商 450mm 推动联盟（EEMI450）由欧洲半导体设备与材料产业共同发起。欧洲半导体设备与材料产业认为下一代晶圆技术是欧洲增大全球市场份额的重要机会。通过该计划，可以增强欧洲半导体设备与材料产业各大公司、研究机构、半导体制造商相互间的合作，建立和维护对欧洲有利的研究、开发和创新的良好氛围，从而使相关产业从这个机会中受益；支持向半导体产业下一代 450mm 晶圆的过渡，促进经济增长；推动与欧洲其他技术平台的合作。该计划第一阶段是建立相关欧洲生态；第二阶段是建立 450mm 厂房，开展初期设备测试；第三阶段是建立 450mm 中试线，开发成熟设备、工艺和器件；第四阶段是初步生产。

四、英　国

（一）《量子技术国家战略——英国的一个新时代》

发布时间：2015 年 3 月 23 日。

计划介绍：该计划的目的是指导英国未来 20 年与量子科学技术相关的工作

和投资，促进培育一个有益的、增长的、可持续发展的植根于英国的量子产业。该报告指出，作为新兴技术，量子技术对金融、防务、航宇、能源、电信行业都有重要影响。近年来随着科学进步及新型工程与制造能力的发展，英国已具备将量子技术市场化的条件，未来将有数十亿英镑的市场空间。

（二）《碳行动计划》

2011 年 3 月 8 日，英国能源与气候变化部（Department of Energy and Climate Change，DECC）发布了《碳行动计划》（*Carbon Plan*），重点是低碳经济的就业和经济发展机遇，以及帮助英国免受未来能源价格冲击的政策。《碳行动计划草案》强调了英国经济需要做出的三个重大变化：发电方式将从化石燃料向低碳替代能源转变；在家庭和企业供热方式方面，对于远离集中供热的燃气锅炉的家庭，可以使用低碳替代品（如热泵）；在公路运输方面，减少汽油发动机、柴油发动机的排放和转向电动汽车等替代技术。

（三）《英国可再生能源发展路线图》

2011 年 7 月 12 日，英国能源与气候变化部发布了《英国可再生能源发展路线图》，阐述了英国可再生能源行动计划，确定了到 2020 年的发展目标：可再生能源满足 15% 的能源需求，同时逐步降低可再生能源成本，提高其市场份额。路线图主要内容如下：① 2020 年，英国可再生能源装机容量将达到 29GW；②确定了实现2020年目标的八大技术：陆上风能、海上风能、海洋能、生物质发电、生物质供热、地源热泵、空气源热泵和可再生能源运输；③到 2020 年，将能够安装 12.4 万个可再生能源供热装置；④生物燃料到 2014 年将增加到 5%；⑤可再生能源技术的成本会随着时间的推移而下降。

（四）《能源投资计划》

2011 年 2 月 21 日，在英国研究理事会（UK Research Councils，RCUK）“从工程到应用的纳米科学”的计划框架下，工程与物理科学研究委员会（The Engineering and Physical Sciences Research Council，EPSRC）与英国技术战略委员会（Technology Strategy Board，TSB）投资 500 万英镑用于 4 个工业界主导的联合研究开发项目，主要研究纳米技术在下一代太阳能利用技术中的应用，解决建立供应链和规模化技术的挑战。6月17日，英国技术战略委员会在伦敦举行的一次氢能和燃料电池技术会展上宣布，投资成立750万英镑的“氢能与燃料电池：完整系统的集成与示范”竞争性资助基金，以开展示范项目来帮助加快氢能和燃料电池技术在低碳能源和交通系统中的应用。

（五）《促进增长的创新和战略研究》

2011年，英国在《促进增长的创新和战略研究》中将石墨烯确定为今后重点发展的四项技术之一，建立了英国国家石墨烯研究院，集中全英的研究力量，支持石墨烯技术的早期开发和应用研究；在剑桥大学建立了石墨烯中心，建设了专门的石墨烯大楼，汇聚了世界一流学者；英国又花巨资在曼彻斯特大学建立了石墨烯工程创新中心，并斥资9000万英镑，助力开发石墨烯技术，推动科技创新，引领未来发展。

（六）《英国复合材料战略》

2010年，英国政府宣布《英国复合材料战略》：先期投资2200万英镑，推进复合材料开发计划，包括设立国家复合材料中心，1600万英镑；对新复合材料制造技术开发企业进行奖励，500万英镑；其他100万英镑。2014年，英国政府宣布对国家复合材料中心增扩投资2800万英镑。2015年，英国政府设立复合材料领导论坛，消除发展障碍，建设国家复合材料中心，建设产业集群，整合高校复合材料研究资源，扶持复合材料应用示范，对“大规模、低成本汽车复材技术”重奖，补贴技术人员培训。

五、德　　国

（一）《德国工业4.0战略》

发布时间：2013年4月。

战略介绍：“工业4.0”概念包含了由集中式控制向分散式增强型控制的基本模式转变，目标是建立一个高度灵活的个性化和数字化的产品与服务的生产模式。《德国工业4.0战略》的实施，将使德国成为新一代工业生产技术（即信息物理系统）的供应国和主导市场，会使德国在继续保持国内制造业发展的前提下再次提升它的全球竞争力。

（二）《思想·创新·增长——德国2020高技术战略》

发布时间：2010年。

计划介绍：为应对未来挑战，德国新战略聚焦在气候/能源、健康/营养、交通、安全和通信五大领域，并在这五大领域提出各自的行动计划和措施。新战略希望通过这五大领域开辟未来的新市场，提高关键技术并改善创新相关条件，最终促进进步。

六、日　　本

（一）《新的能源和环境战略》

2011年6月7日，日本内阁官房国家战略室召开会议，决定在2012年推出《新的能源和环境战略》。以下6个方面将作为重点领域予以推进：

（1）节能（潜力挑战）。在不影响生活品质的情况下实现节能，全面提高民生、交通运输和工业部门的能效。

（2）可再生能源（实用性挑战）。消除技术、经济等障碍，实现可再生能源的商业化和人与自然和谐共生。

（3）化石燃料资源（环境性挑战）。采用最先进技术最高效利用化石燃料，制定资源可靠供应战略，保证石油天然气的稳定供应。

（4）核电（安全性挑战）。彻查核事故和核反应堆安全性，实现最高水平的核能安全。

（5）电力系统（克服电力短缺、高成本结构、平衡分布式发电及核风险管理挑战）。响应电力短缺、削减成本，协调分布式电源，管理核项目，实现恰当的发电、输电分离的电力业务形态。

（6）能源环境产业（构建强大的能源环境产业的挑战）。培育新体系的领导者，创造就业，培育具有国际竞争力的产业。

（二）《中远期碳纤维计划》

发布时间：2014年2月。

执行时间：2014～2017年。

预期成果：日本最大碳纤维供应商东丽公司拟投资1800亿日元用于技术开发，投资4000亿日元用于资产建设。拟在项目“AP-G 2013”基础上扩大业务增长的支柱业务领域和地区及增强竞争力，利用其综合优势，彻底实现绿色创新的业务扩展计划、亚洲和新兴国家的业务扩展计划及总成本降低计划。截至2017年3月，实现销售额2.3万亿日元，净利润1800亿日元。

七、韩　国

《ICT研发中长期战略（2013—2017）》

发布时间：2013年10月。

预期执行时间：2014～2019年。

资金投入：85亿美元。

计划介绍：研发投入重点领域涉及数字内容、平台、网络、设备终端和信息保护五个领域。下设十大重点推进项目，分别是全息照片、数字内容2.0、大数据云服务、智能软件、物联网、第五代移动通信、智能网络、感知手机终端、智能型ICT融合模块和网络攻击应对技术等。

第二节　新材料产业发展趋势及前沿问题

一、发展趋势

（一）信息技术是当前世界经济复苏和推动未来产业革命的重要引擎，对于信息基础材料的需求不断攀升

信息技术向泛在、融合、智能和绿色的方向发展，推动产业转型升级，促使产业组织方式发生深刻变革，孕育形成新的产业生态体系。未来，人们将拥有越来越多的通信终端保有量，汽车电子化趋势不断增强，智能家居、智能穿戴设备、医疗电子不断兴起，消费娱乐电子不断增多，先进制造业强力推进，

大数据时代来临，航空航天电子需求快速增长。这些都将促动信息基础材料需求的急剧攀升。国际新一代信息技术领域的战略布局和重点发展方向如表 14-1 所示。

表 14-1　国际新一代信息技术领域的战略布局和重点发展方向

国家和地区	重点发展的新一代信息技术方向
美国	大数据、社会计算、智慧城市、无线通信、未来网络、网络安全和隐私保护、高性能计算机、高可信软件与系统、人机交互、信息－物理融合系统、智能制造、智能电网、机器人、医疗 IT、认知计算、大脑活动图谱等
欧盟	新一代通信、下一代计算、智能制造（工业 4.0）、智能机器人、个人通信与居家通信、物联网、智能基础设施建设、数字内容、数字文化、虚拟现实、嵌入式系统、信息安全技术、石墨烯、人类大脑工程等
日本	新一代光网、下一代无线网、云计算、下一代计算机、智能电网、机器人、下一代半导体与显示器、嵌入式系统、3D 影像、语音翻译、软件工程、泛在计算、基于云平台的电子政府、医疗及教育等领域云服务、高级道路交通系统、国民电子个人信箱等
韩国	高速无线网接入、数字多媒体广播、家庭网络、车载无线网络、无线射频识别、传感器网络、IPv6 互联网、新一代移动通信、平板显示、新一代电脑、嵌入式系统、数字内容、智能机器人等

信息化的水平取决于光电信息功能材料，其主流仍然是半导体材料。全球硅片消耗约 100 亿平方英寸。未来 10 多年，全球消耗硅片的面积仍将快速增加，2015～2020 年及 2020～2030 年的增长率分别为 6% 和 5.5%，硅片需求在 2020 年和 2025 年可能分别达到 150 亿平方英寸和 210 亿平方英寸。另外，以砷化镓、碳化硅和氮化镓等为主的宽禁带半导体材料也将对光纤通信、互联网做出重要贡献。到 2035 年，以金刚石为代表的超宽禁带半导体材料也可能得到很大的发展并趋于实用。集成电路的发展面临或已经受“后摩尔时代”的考验和挑战，人们必须考虑更新型的半导体材料，为 2035 年以后的信息产业提供材料基础。

量子通信和量子计算将成为信息领域的发展热点。互联网和物联网将进一步扩大应用，致力发展将互联网和物联网引入千家万户“最后一公里”所亟须的光电信息材料，如大曲率半径光纤、可变曲率半径光纤、相关光器件材料。同时，2035 年应开发新材料和芯片，解决关键材料和器件的设计和设备。传感器和显示技术将得到全面发展，需要为高临场感的显示技术和无所不在的贴身信息传输、收集、处理及服务提供关键材料与技术。

我国“极大规模集成电路制造装备及成套工艺”作为国家中长期科学和技术发展规划的 16 个重大专项之一，已将 32nm 及 22nm 技术研究列入中长期规划，与之相配套的极大规模集成电路用关键材料的基础研究显得尤为重要。随着硅基集成电路技术朝摩尔定律极限发展，硅材料与新型半导体材料的结合将有利于吸纳新型半导体材料高性能优势，突破硅的极限，同时又可顾及硅基集成电路技术的经济成本优势。SOI、硅上化合物半导体等硅基材料、新型相变材料、阻变材料、自旋电子材料及宽禁带碳化硅、氮化镓半导体材料等是目前成熟硅集成电路和砷化镓基半导体功率器件的重要补充和未来的发展方向。应变硅、高 K 栅介质材料已经成为继续提高集成电路性能和集成度的重要技术解决方案之一。

发展半导体照明产业对提升传统照明产业，带动信息显示、数字家电、汽车、装备等产业的发展具有极其重要的意义。中国作为世界制造业中心的地位和城市化进程将成为半导体照明产业的两大需求动因。激光晶体、非线性光学晶体、电光晶体等是全固态激光器（diode pumped solid state laser，DPL）的核心元器件，Nd：YAG、Nd：YVO_4 等激光晶体，LBO、BBO、KTP 等非线性光学晶体等具有巨大的市场空间，工程化前景十分广阔。硅基低维光电子材料作为硅基光电子学的一个发展方向，对计算机、信息通信、航空航天等一大批高新技术产业的发展起着先导作用。纳米硅薄膜由于具有优良的光电性能，可促进全硅光电子器件的发展，并引发纳米硅在太阳能电池方面的应用热潮。OLED 成为全色、高亮度发光材料研发的一个重要发展方向，印刷显示和激光显示可能成为下一代平板显示的佼佼者。总体上说，提高光电材料的转换效率，研发新型显示材料，才可能解决未来信息显示和海量信息处理的挑战。

在元器件材料领域，为了在“物联网”时代赢得先机，我国需大力发展用于制作各种传感器的半导体材料。我国发展大型飞机、深井勘探重大项目，迫切需求光传感器件，解决光传感材料及其关键技术问题，将为这些重大项目的发展提供支持。我国大型基础设施工程和重大装备建设规模庞大，包括已经开工建设的客运专线和高速铁路在内，大多需要加装周界入侵防范系统，迫切需要安装光纤传感器来保证其安全运行。

随着电子信息产品进一步向小型化、集成化、宽带化的方向发展，信息功能陶瓷的细晶化、电磁特性的高频化、低温共烧陶瓷技术等将成为发展新一代片式电子元器件的关键技术，一系列新型电子元件和模块的出现，将形成潜力巨大的应用市场。在能源技术领域，可再生能源利用发展有赖于功能陶瓷材料的新突破；在环境技术、工业控制等领域，种类越来越多的传感器要求有更多、更高性能新型敏感陶瓷材料的出现。目前，以功能陶瓷元器件为基础的无源电子元器件正向多层化、片式化、集成化和多功能化发展。片式电容、片式电感和片式电阻是应用最广泛的三大无源元件，已经发展为规模化的产业群。片式驱动器、片式变压器、片式天线、片式传感器及片式换能器等发展也十分迅速。移动通信和远距离通信技术的快速发展，对微波陶瓷介质材料及其微波谐振器、微波滤波器、微波电容器等提出了广阔的市场需求。压电陶瓷在超声和水声换能器、滤波器和点火器等方面已获得广泛应用，随着自动控制、机器人、空间技术、纳米测量和控制技术的发展需求，压电陶瓷微驱动器和超声微马达应运而生。半导体敏感陶瓷作为热敏、压敏、气敏等传感器的重要材料持续发展，铁电压电陶瓷厚膜与薄膜材料在微电子机械和铁电存储器中的应用一直引人注目，压电微泵、微加速度计、微红外阵列探测器、微相声器、微开关及薄膜微马达等是压电与微电子、铁电与半导体集成的典型应用，发展潜力巨大。

（二）新能源革命推动产业发展，绿色消费逐步被公众接受，绿色生产和制造被广泛重视

新能源技术、高效节能技术、清洁生产技术、资源循环利用技术等节能环保技术已成为突破资源、能源、环境瓶颈，推动社会经济和节能环保产业发展的巨大动力。为了顺应可持续发展与绿色经济的发展潮流，各国都重视绿色制造的转型和绿色产品的开发和应用。从工业来看，传统工业制造模式既损害环境质量又影响企业形象，因此各国工业界正在积极推行清洁生产和绿色制造转型，努力在降低物耗能耗的同时减少污染物排放，部分污染严重的工业正在逐步走向没落。发达国家建立了产品生命周期评价体系，提出了低碳经济发展策略，开发节能环保技术，渗透到经济社会的各个领域。同时，各国政府也实施了一系列支持节能环保技术发展的政策，如加拿大制定的环保技术创新计划，日本倡导以环保技术推动绿色革命。

未来 10～20 年，晶体硅太阳能电池的主导地位不会发生根本性变化。由于多晶硅成本下降和晶体硅太阳能电池转换效率提升，薄膜太阳能电池的成本优势并未得到太大体现，未来薄膜和晶体硅太阳能电池技术还将并行发展。预计 2020 年世界的光伏发电累计装机容量将达到 200GW，其中美国、日本、欧洲安装总量超过50%。我国光伏产业具有较强的竞争优势，未来需要着力推动关键技术创新、提升生产工艺水平、突破装备研发瓶颈、促进市场规模应用，使我国光伏产业的整体竞争力得到显著提升。至2015年，光伏组件成本下降到7000元/kW，光伏发电具有一定经济竞争力；到2020年，光伏组件成本下降到5000元/kW，发电成本下降到0.6元/kW时，可在主要电力市场实现有效竞争，预计到2035年，光伏组件成本还会大幅下降。

未来10年，锂离子电池市场将呈快速增长趋势，在新能源汽车和储能领域占据主导地位。日本、美国、欧洲、韩国等加大力度，支持锂离子电池的研发和产业化。预计到2020年，全球锂离子电池将超过500亿美元，其中动力及储能电池将超过300亿美元；到2035年，全球锂离子电池将超过1000亿美元，其中动力及储能电池将超过750亿美元。

目前，我国燃料电池商业化刚起步。2013年年底，中国联通招标119台燃料电池备用电源。这是我国首次商业化采购燃料电池，标志着我国燃料电池备用电源商业化市场开始启动。预计在2020年，燃料电池的商业化将加速发展，针对质子交换膜燃料电池关键基础材料及气固相储氢材料的需求将成倍增加。

根据2012年1月工业和信息化部发布的《新材料产业“十二五”发展规划》，2015年，我国建筑节能玻璃的占比要达到50%。我国现有400亿m^2建筑，95%以上用的是普通玻璃，每年新增加20亿m^2的建筑中仅有少量采用节能玻璃。未来5～10年，我国将大力发展Low-E中空/真空玻璃、涂膜玻璃、智能玻璃等建筑节能玻璃，大力推动浮法在线低辐射节能镀膜玻璃技术创新和新产品的推广应用，加快兼并重组的步伐。

此外，在全球淘汰白炽灯和限制荧光灯（含汞）使用的大趋势下，半导体照明成为世界各国抢占产业制高点的热点之一。未来3～5年，是我国半导体照明产业替代式照明爆发增长、智能照明市场规则建立、超越照明全面布局的最关键时期。

膜材料在我国海水淡化、溶剂回收、自来水净化方面已经获得应用，其已成为节能环保领域的重要材料。同时环保的制程也成为关注的重点，高纯超细陶瓷粉体原料制造重点向降低能耗、控制污染的绿色合成技术发展。耐火材料被誉为高温工业的“支撑工业和先行工业”，在国民经济中的重要性主要体现在作为基础材料，为高温工业的正常运行提供支撑。近年来的钢铁冶炼新技术，如非高炉炼铁、大型高炉高风温热风炉、铁水预处理及炉外精炼、洁净钢等，都有赖于优质高效耐火材料的开发。在新的历史时期，耐火材料需要更好地满足钢铁冶金、建材等用户行业低碳、生态发展的新需求。

（三）健康产业进入加速发展的新时期，生物技术和其他技术的交叉融合成为创新热点

生物医用材料是高技术材料市场中技术附加值最高（知识成本可高达总成本的 50%～70%）的材料，是保障全民医疗保健基本需求和发展健康服务的重要物质基础。其产业是低原材料、低能耗、低环境污染的典型高技术战略性新兴产业。生物医用材料产业的高速发展，为满足全民基本医疗需求、降低医疗费用提供了保障，而且有助于国家发展健康服务产业，保证国民经济的稳步持续增长。我国生物医用材料具有巨大的潜在市场和发展空间，国家医改政策的实施显著提高了我国对生物医用材料的消费能力（我国医疗保健费用从 2010 年的 255 元 / 人增加至 2015 年的 705.7 元 / 人），受外部经济环境变化影响较少。随着人口老龄化、偶然事故创伤增加、经济发展、医改政策的实施，生物医用材料正以高达 25%～30% 的复合增长率持续增加。

骨植入生物医用材料是生物医用材料的重要组成部分。2013 年，全球骨科材料及植入器械销售额已达 431 亿美元，约占生物医用材料及其制品销售额的 15%。以骨缺损修复材料为例，美国每年有 600 多万例骨伤，50 万～60 万人需骨修复材料，市场每年逾 100 亿美元。2013 年，中国骨质疏松患者有 8000 万人，2010～2015 年，骨质疏松的患者数以 3.4% 的复合增长率增加。骨创伤患者每年达 300 万人，但用于创伤、脊柱及关节患者的材料和器械植入率仅分别达到患者数的 2.7%、1% 和 0.4%，分别相当于美国的 1/8、1/6 和 1/108。目前中国大陆每年关节置换约 20 万人次。随着经济的稳定发展、健康观念的更新进步，未来 10 年中，关节置换率将以每年约 20% 的速率递增，最终会达到 100 万例 /a 的水平。随着老龄化社会的到来，医疗卫生等服务需求膨胀，骨科疾病、心血管疾病等方面的需求更是日渐增长。无论是出于降低老年人的医疗费用开支，还是满足老年人的骨科医疗需求，高质量、低成本国产骨组织植入产品的研发都显得十分关键。因此，发展骨植入生物医用材料已经成为我国提高人民健康水平、促进社会效益和减轻国家经济压力的战略需求。

人口的不断老龄化使得中国正进入心血管疾病暴发的“窗口期”。近年来，中国心血管疾病发病率逐年上升，并呈现发病“年轻化”的趋势。冠心病患者已达2000余万人，年新增100万人；心衰及房颤导致心律不齐的患者达420万人，年新增54万人；先天性心脏病年新增12万～13万例，其中可治疗者7万～8万例。在巨大的需求推动下，心血管系统介/植入器械成为生物医用材料第二大市场。此外，生物医用高分子材料及常规术中耗材、血液净化材料及体外循环系统或人工器官材料、口腔材料、眼科材料等均是我国当前亟须的生物医用材料。

目前，生物技术正在进入大规模产业化阶段，生物医药、生物农业日趋成熟，生物制造、生物能源、生物环保快速兴起。全球生物产业的销售额每5年翻一番，年均增长率高达30%，是世界经济增长率的10倍。生物产业已成为增长最快的经济领域。基因组学、蛋白质组学及干细胞等前沿生物技术的发展使人类对生命世界的认识水平发生质的飞跃；医药生物技术将大幅提高人类的健康水平，提高生活的质量；合成基因器件、合成免疫器件、分子诊断、细胞治疗与组织工程、数字医学及健康管理与健康服务成为生物医药产业的新生长点。高性能计算、大数据及基因组学等技术创新推动了个体化医疗的发展。

正因如此，世界发达国家均制定了相应的发展对策。2017年美国发布的《2016—2045年新兴科技趋势报告》从700项科技对比分析中选出了20项最值得关注的科技发展趋势，其中第16项“医学”中的三项代表性技术为定制化（精准）医疗、再生医学及生物医学工程。三项技术均与生物医用材料密切相关。2015年，美国总统办公室公布的《材料基因组计划发展战略规划》中也将生物医用材料列为示范性研究材料之一。

（四）先进制造技术正在向智能化的方向发展，高端装备制造支撑材料已经成为新材料产业发展的核心关键

随着信息技术和互联网技术的飞速发展及新型感知技术和自动化技术的应用，先进制造技术正在向智能化的方向发展，智能制造装备在数控装备的基础上集成了若干智能控制软件和模块，使制造工艺适应制造环境和制造过程的变化达到优化，从而实现工艺的自动优化，具有感知、分析、推理、决策、控制功能，实现高效、高品质、节能环保和安全可靠生产的下一代制造装备的支撑材料是未来材料产业发展亟须的。

民用航空产业对于材料的需求也迫在眉睫。美国、欧洲提出了一系列研究计划来实现“绿色航空”“绿色飞机”的目标。在“绿色航空”的背景下，民用飞机将向更安全、更经济、更舒适、更环保的方向发展。在安全性方面，从材料、设计、制造、试验和使用等全过程考虑，不断提高最低适航要求。在经济性方面，采用轻质材料和一体化综合设计、进行全生命经济评估、降低保障费用等策略，来提高经济性。在舒适性方面，主要着眼于提高乘坐品质，降低噪声，扩大个体空间，改善舱内压力、温度、湿度和视界环境等。环保性方面的研究主要集中在减少发动机排放、降低舱外噪声等方向。

随着世界海洋油气开发等的不断推进，海洋油气开发设备等海洋工程设备用材料成为海洋高端装备制造业的重要内容。50% 以上的世界海洋工程装备市场份额在北美地区，日本、韩国也逐步具有了海洋工程产品建造的总承包能力；新加坡获得了众多欧洲、美国及第三世界国家各类石油钻采平台的加工制造权；英国、法国等欧洲国家已经成为海洋工程技术研发的先行者和领头羊。

发展高端装备制造业材料对带动我国产业结构优化升级、提升制造业核心竞争力具有重要战略意义。近年来，我国制造业得到了快速发展，占国民生产总值的 1/3、整个工业生产的 4/5，为国家财政提供了 1/3 以上的收入，贡献了出口总额的 90%，我国制造业的规模和总量已经进入世界前列，成为全球制造大国。但是我国产品偏于低端，附加值低，万元产值的能耗远高于发达国家，属于粗放型发展。资源环境的约束和人力成本的逐渐提高，使制造业必须向高端发展。我国当前确定的重大工程科技专项中，IC、大飞机、核电、惯性约束核聚变、对地观测、航空发动机等 2/3 的科技重大专项的实施需要高端制造装备提供支撑，各类交通工具（如飞机、舰船、高速列车、汽车等）、能源装备（如核电压水堆、水电水轮机、火电蒸汽系统、风电叶片等）、可生物降解材料和植入器械、组织工程支架等对于先进钢铁材料、关键有色金属材料及其复合材料等高端装备制造业基础材料提出了更高的需求。

（五）关键保障材料提质升级迫在眉睫，军民两用材料成为关注的重点

当今世界，科技革命迅猛发展，关键材料产品日新月异，产业升级换代步伐加快。碳纤维及其复合材料仍是国防军工及国民经济重大领域亟须的关键材

料。我国碳纤维及其复合材料的发展较国外落后，尚处于追赶阶段。碳纤维制备核心技术有待进一步加强，亟须解决高强型碳纤维的高质量低成本产业化技术，高模中模的稳定制备技术，超高模与超高强碳纤维的关键制备技术，同时需要开发针对我国特殊应用需求的碳纤维新产品。我国型号装备对碳纤维增强树脂基复合材料及其批量稳定化制备技术提出了明确的需求，亟须发展主承力结构用高强中模碳纤维增强高韧性树脂基复合材料，次承力结构用低成本高强型碳纤维复合材料，航空发动机和空天飞行器用高温树脂基和高模量碳纤维复合材料；亟须发展制造过程自动化、数字化技术，满足大型复合材料构件的制造技术和制造效率要求，发展低成本复合材料制造技术，满足大型/大批量装备和民用领域的经济性要求。在碳/碳复合材料方面，新型航天器的发展亟须高温、超高温热结构碳/碳复合材料；亟须发展轻质、长寿命、高可靠性飞机碳/碳制动材料和发动机喷管热结构材料；亟须发展新一代长寿命、高效节能工业热场碳/碳复合材料及碳/碳复合材料新型的结构/功能一体化材料。

国际社会也在努力研发性能更好的碳纤维技术，如新型碳纳米管纤维和石墨烯纤维技术。这些高性能碳基纤维发明较晚，我国与世界发达国家的机会均等，处于同一起跑线，我国政府可加大投入。在大力推进碳纤维技术、突破高性能碳纤维技术瓶颈的同时，可以开展新概念纤维材料的创新研究，积极推动新一代超高强度的碳基纤维的产业核心技术储备，建立新型碳基纤维标准战略，对提高我国高性能碳基纤维材料的自主研发能力和国际竞争力具有重要作用。

针对极具战略性的高性能陶瓷纤维材料，可依照国外发展思路，逐步顺次实现国产第一代、第二代及第三代碳化硅纤维的工程化研制及产业化，形成系列化成熟商品。纤维价格和质量具有国际竞争力，并深入研发新型高性能（耐温等级更高）、多功能陶瓷纤维，纤维性能及产能达到世界先进水平，满足高新技术发展对综合性能优异的关键原材料的迫切需求。深入开展陶瓷纤维复合材料制备技术及应用研究，通过多领域集智攻关，突破陶瓷纤维复合材料制备关键技术，深入开展工程部件的研制及工程应用试验，打造工程部件研试基地，构建材料研制、分析测试及应用考核平台，建立和完善复合材料性能数据和质量评价体系，有效支撑国家高新技术稳步快速发展。

能源问题已经成为全球性问题的重中之重。在实现替代化石燃料的革命性技术之前，采用能耗更低、功率转换效率更低的产品是缓解现实能源问题的重要途径之一。发展高功率的电子功能器件是一项有效解决能源问题的渠道。相对于硅材料，超宽禁带半导体材料具有更优异的材料性能、更高的击穿电压与更低的功率损耗，因此具有更高的效率。宽禁带半导体材料制成的功率器件在降低自身功耗的同时提高了系统其他部件的能效，可节能20%～90%，是未来节能技术发展的最大支撑。发展基于超宽禁带半导体材料的高效低损耗微电子器件是解决全球性的能源问题的有效方法之一。此外，超宽禁带半导体紫外探测技术是对红外探测技术的有效补充，具有高可靠性、高效率、快速响应、长寿命、全固体化、体积小等优点，在宇宙飞船、空间探测等领域内将发挥重大作用。

总体看来，当前新材料发展呈现结构功能一体化、材料器件一体化、纳米化、复合化的特点。这些特点在高马赫数飞行器、微纳机电系统、新医药、高级化妆品和新能源电池方面发挥得淋漓尽致。

此外，新材料在行业科技进步中具有举足轻重的作用。例如，高性能特殊钢和高温合金是高铁轮对和飞机发动机最好的选择，超高强铝合金是大飞机框架的关键结构材料，高强高韧耐腐蚀钛合金则是“蛟龙号”载人潜水器壳体及海洋工程不可或缺的材料，先进陶瓷基复合材料则为高超声速飞行器、高分辨对地观测卫星等新型航空航天器提供了关键技术支撑。

新材料联用或与其他学科、领域的深度融合成为其发展的另一特点。高K和更高K材料与新型金属栅结合引领集成电路顺利走向45nm及45nm以下技术节点。钙钛矿材料和有机材料联用催生了有前景的新型太阳能电池。智能材料与3D打印技术结合形成4D打印技术。有机复合材料、生物活性材料与临床医学结合分别产生和发展了“电子皮肤”和组织再生工程。碳纤维及其复合材料已用于航空航天和先进交通工具。化合物半导体材料使太赫兹技术在环境监测、医疗、反恐方面得以应用。超材料以微结构和先进材料结合，在电磁波和光学领域获得了引人注目的成果。柔性电子学材料、新能源材料、生物医用材料的市场前景广阔。自旋电子学材料、铁基及新型超导材料的研究方兴未艾。阻变、相变及磁存储材料将改变传统的半导体存储器。富勒烯、石墨烯、碳纳米管开辟了碳基材料的发展前景；石墨烯剥离成功，更引发了二硫化钼、单层锡、黑磷、硅烯、锗烯等二维材料的研究热潮。

新材料的研发与生产重视节能环保与可再生，并进行全生命周期评价，如有毒材料的替代、中重稀土的减量使用、膜材料用于海水淡化、建筑节能材料的应用、生物基材料的研发及“短小轻薄”理念付诸实践等。同时，低碳及环境友好的制备技术也得到快速发展。

注重军民融合、开拓军民两用产品市场是新材料发展的趋势。宽禁带碳化硅、氮化镓基的下一代射频高能效、高功率器件即为有潜力的军民融合的高端电子产品。

新材料制备的新方法、新工艺、新装备至关重要，必须协调发展；新材料的研究成果正快速产业化并不断降低成本；其工程化与产业化成为各国研究单位、大学、企业、政府、市场关注和着力的重点。

二、相关前沿问题

（一）面向物联网的关键传感材料和器件传感器

面向物联网的关键传感材料和器件传感器是人类感知器官的延伸和物联网技术的结合，将拓展到众多应用领域。国际发展趋势是进一步扩展探测器的探测波段和范围，提高探测灵敏度，实现使役条件下长期稳定可靠工作，缩短响应时间，减小功耗，保证长期工作。

研究重点聚焦为解决国民经济、重大工程、人体健康和国家安全等领域亟须重要材料、器件和系统技术问题，发展基于新材料新原理的探测新器件。重点提高中远红外、紫外和高能射线等波段探测器灵敏度和探测效率；应用于人类健康和疾病预防的可集成和可穿戴的柔性传感器技术；集成化的多功能探测材料器件的材料、工艺和应用技术，为形成产业打好基础。

（二）面向极限制造的微电子材料

微电子技术的发展趋势是不断突破极限，缩小器件尺寸，增加功能，提高集成度和速度，降低功耗和成本。我国正积极布局极限制造微电子技术，已经达到28nm制程，未来将向更极限的制程发展。

未来研究的重点是解决大直径衬底材料的晶体完整性和精密加工问题，研究衬底材料上外延异质材料调制性能，并将其应用在新型器件结构方面，探索在硅基衬底上的微电子和光电子集成，促进我国微电子极限制造技术的发展。

（三）新一代高性能探测器材料及应用

立足于弛豫铁电单晶新一代热释电材料和探测器国际领先优势，面向我国生态环境和智慧城市战略需求，解决基于高性能热释电探测器的环境气体污染监测技术，实现对 CO_2、SO_2、NO_2 和 CO 等多种气体污染物浓度的协同实时监测，为构筑一体化、信息化和智能化生态都市的环保体系提供创新技术和产业支撑。按照全链条创新设计，分解出环境气体监测设备研发、前沿共性技术研究、应用推广方案、评价和示范应用四项任务。研发出基于新一代弛豫铁电单晶热释电材料的新型高性能环境气体监测设备及其核心红外气体传感器部件，形成有国际竞争力和自主知识产权的新产品，以及国际领先的环境气体监测设备产品标准和气体监测规范体系。建立新兴产业联盟，建成基于新一代高性能红外气体传感器的技术应用中心和转化平台，提供多区域 CO_2、SO_2、NO_2 和 CO 等多种气体污染物浓度的信息化、一体化和智能化方案，建成环境气体监测设备应用和服务的新商业模式或业态。

（四）新型无源器件及传感器件材料与集成技术

利用环境能量收集器实现传感器无源化在诸多领域有很多应用。在可利用的环境能源中，振动能具有密度高、分布广、形式多、回收易等特点。在太阳光无法照射、传统电池难以更换或充电的场合，该技术更具有无可替代的优势。而基于压电材料的压电效应对环境振动能量进行收集，具有机电转换效率高、功率密度高、输出电压高、抗电磁干扰、体积小、易于集成等许多特点。利用能量收集技术构建自助供电系统，转换储存环境中可收集利用的能量，可以为无线传感器提供电能，实现无源化工作。围绕传感器无源化重大共性关键技术开发部署，重点解决自助供电系统的能量转换效率问题，可以满足无线传感器无源化工作。取得能量收集器、自助供电系统、无源传感器等相关知识产权，并能够形成一系列无源传感器产品，可以广泛应用于无线传感网节点及车辆、飞机、桥梁、建筑物、石油输油管道等的安全监测及海啸预警、矿山周边环境监测等，在工业、环境、能源、交通运输、健康监测等诸多领域实现市场应用。无源电子元器件是电子信息技术的关键技术基础。小型化、片式化、高性能和集成化是国际无源电子元器件发展的主要趋势。我国高端无源器件大量进口，开发高稳定压电陶瓷、系列化微波介质、高性能声表面波等电子器件材料，突破超薄型、细晶化功能陶瓷制备、成型与烧结技术、低损耗低温共烧陶瓷材料技术，以及模块化无源集成器件和三维陶瓷基多层电路制程技术，全面掌握高端无源器件和高集成度无源集成模块化设计与制备技术，并推广应用示范、建立完整产业链。

（五）石墨烯制备与应用技术

石墨烯是新一代纳米功能材料，其高质量可控制备及应用技术是国际研发热点。我国在大面积单晶石墨烯、多层石墨烯粉体宏量制备方面与国际同步，但在石墨烯的基础物性、高质量制备和应用技术方面差距明显。因此，我国应加快研发高品质（层数＜3 层、比表面积＞1500m^2/g）、低成本、高产率（＞50%）的绿色规模化制备、分级、改性新技术和关键设备，发展面向高性能器件（光电、微电子、光学、储能、导电、导热等）、特种分离、功能涂层等重大应用的关键技术。

（六）高端功能纳米材料与规模化制备技术

高端功能纳米材料是实现纳米技术产业化的基础。发展易分散的纳米材料的规模化制备技术是该领域的国际研究热点。我国在常规中低端纳米材料制备和生产方面有较好的基础，但高端纳米材料短缺。未来，我国应加快突破高质量单分散纳米材料在低成本宏量制备技术、生产装备及高性能应用技术等方面的瓶颈，精确可控纳米材料尺寸（0.5～100nm）及其晶体结构，形成高端功能纳米颗粒、纳米薄膜、纳米多孔材料及纳米分散体产品的生产能力，满足战略性产业对高端纳米材料的需求。

（七）新型显示技术

显示技术是信息电子产业的基石之一，对带动国民经济发展、促进信息消费具有重要意义。国际上正在积极研发柔性、轻薄、大面积、低成本的印刷显示，开发高品质、高能效的激光显示。我国应重点突破印刷显示材料和器件技术、半导体激光器与模组技术、新型显示集成技术与工程化技术，开发可卷绕印刷 AMOLED、量子点显示技术、高亮度超高清激光投影机，全面掌握新型显示未来发展的核心技术、集成技术和工程化技术，开发出60英寸4K2K超高分辨率AMOLED显示器、20英寸1920像元 ×1080像元全高清量子点显示器件，研制2000lm超高清短焦距激光投影机，为新型显示实现跨越发展提供技术支撑。

（八）印刷电子制造技术

印刷电子制造技术是基于印刷或涂覆原理，以加成方法制造电子器件与产品的新型制造技术，具有大面积、柔性化、低消耗、低成本、绿色环保等显著优点。欧洲、美国、韩国、日本等国家和地区十分重视印刷电子技术的开发和应用，并已开始在有机光伏、柔性显卡、有机半导体照明、可穿戴电子等领域得到实际应用，具有极其广阔的开展前景。

（九）半导体自旋电子材料与器件

对新型自旋电子学材料、物理和原理型器件的研究，具有重大基础科学研究价值。新型的自旋电子学元器件及其构成的系统，对推动工业和信息产业发展、提高国民经济中低能耗 – 可环保 – 高效益产业链比例成分、保障国防安全和高技术产业可持续发展等具有重要的战略意义。因此，我国应开展高性能自旋电子学材料制备、相关物理实验和科学问题探索，推广先进的自旋电子学功能材料的应用，积极探索新型自旋电子学功能材料，并以稀土掺杂的新材料为重点开展广泛的磁特性、电子自旋、磁电、磁热、磁光效应和自旋量子调控等方面的应用基础研究，探索微观电子结构、自旋相关的微磁结构、交换耦合、表面和界面效应等对材料功能特性的影响，开展新型自旋电子学原理型器件的研制。

（十）太阳能电池材料能量转换效率研究

太阳能电池作为光伏发电系统的核心单元，其能量转换效率和成本的高低直接影响光伏发电系统的应用。太阳能电池的转换效率是由其输出参数开路电压、短路电流和填充因子决定的。根据国际能源署和美国能源部的技术路线图，2030年前后，商业化晶体硅太阳能电池的转换效率可提高21%～25%，薄膜太阳能电池转换效率提高15%～18%。材料和电池的制备技术也将进一步完善。

未来 5 年，晶体硅尺寸将增加至 400cm^2，厚度降至 120μm；薄膜太阳能电池将实现大面积沉积技术。

发展方向为通过分析材料的禁带宽度、少数载流子寿命、表面复合、温度、寄生电阻等影响规律，选择合适禁带宽度的材料制作单结太阳能电池；利用不同禁带宽度的材料制作叠层电池；改善制作工艺，提高太阳能电池的质量，减小太阳能电池内部与表面缺陷态密度；减小串联电阻，增大并联电阻；合理设计太阳能电池结构，制备背电场，利用 PN 结的浅结设计等方法，进一步提高太阳能电池转换效率。

（十一）燃料电池使用寿命研究

氢燃料电池一般是以氢气和空气作为原料，经过化学反应产生电能。发展燃料电池技术，需要重点解决寿命和成本问题。目前车用燃料电池寿命平均为 2000～3000h，距 5000h 商业化目标存在较大差距。此外，质子交换膜燃料电池要使用价格昂贵的铂金属催化剂，从而造成高成本的问题。燃料电池成本的降低极大地依赖于燃料电池关键材料与部件的成本降低及性能和寿命的大幅提升和延长。

（十二）高纯超细陶瓷粉体和先进结构陶瓷材料关键制备技术

传统先进结构陶瓷制备技术主要是指采用高纯超细粉体的压力烧结，但其存在生产成本高、样品尺寸小、形状受限的缺点，应大力发展绿色、近净尺寸成型技术，如凝胶注模（图 14-1）、先驱体转化（图 14-2）、3D 打印（图 14-3）等制备技术。目前在碳化硅先进结构陶瓷的应用研究中，考核时间都不太长，而可重复使用飞行器的发展对服役寿命提出了越来越高的要求。

未来主要研究方向为揭示先进陶瓷材料在服役过程中的失效机制，为其性能优化提供理论支持；开发长寿命抗氧化技术、冷却技术和热障技术；开发新型耐超高温材料体系及其制备技术。为满足高超声速飞行器机头、机翼前缘等部位对耐 2000℃以上高温材料的迫切需求，应开发新型耐超高温复合材料体系及其制备技术，解决涉及工程应用的关键技术，以为先进结构陶瓷的实际应用奠定基础。

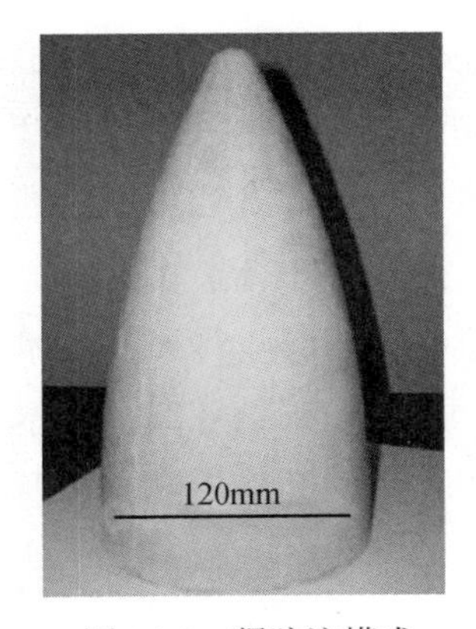

图 14-1 凝胶注模成型陶瓷天线罩

图 14-2 先驱体转化陶瓷基复合材料喷管

图 14-3 3D 打印陶瓷涡轮

（十三）高性能碳 / 碳复合材料关键技术

碳 / 碳复合材料（图 14-4）关键技术主要包括碳 / 碳复合材料的低成本制备，异形大尺寸碳 / 碳复合材料的设计、结构、制造一体化制备，碳 / 碳复合材料的超高温抗烧蚀氧化防护制备。虽然国外碳 / 碳复合材料厂商在上述技术问题方面有所突破，但由于保密原因，国际碳 / 碳复合材料市场被少数发达国家垄断。未来发展重点是通过自主创新，加强技术突破，增强核心竞争力，突破其关键核心技术。

图 14-4 碳 / 碳复合材料刹车盘（左）和喷管（右）

（十四）基于材料基因组的先进钢铁材料设计研发技术

从钢铁材料研发历程和发展趋势来看，高性能先进钢铁材料将向高强度、优异的强韧性匹配、高均匀化、长寿命化等方向发展，以实现材料的绿色化、智能化及定制化生产制备。传统炒菜或试错设计研发模式已难以满足上述需求。例如，航空航天、高技术船舶、轨道交通等高端装备制造用先进钢铁材料的疲劳、持久、蠕变、氢脆、腐蚀等使役性能研究需要大量的数据样本和长期的数据积累；传统超高强度钢研发从原型设计到材料应用至少需要 20 年。因此，面对先进钢铁材料新的发展需求，基于材料基因组的先进钢铁材料设计研发技术将成为创新和引领材料设计研发的重大基础技术。美国、欧盟、俄罗斯、日本等发达国家和地区均出台了相应的发展规划和计划，以加速高性能钢铁结构材料的研发。

该技术将结合第一性原理、热 / 动力学、相场、有限元等计算方法与模型进行多因素模块化耦合，研发先进钢铁材料成分 – 工艺 – 组织 – 性能 – 使役行为多尺度集成化计算方法，探索先进钢铁材料电子 – 原子层次每个“基因”片段对钢铁材料各项性能的影响和相关机制（包括合金元素扩散迁移过程、固溶体和析出相驱动力、亚稳相和析出相的材料物理化学性质等），实现合金设计、制备加工及服役行为全流程的高通量计算；发展高通量凝固及锻造基础理论；开发合金成分、微观组织、界面偏聚等多维、多尺度、多参量的高通量表征方法；为构建先进金属材料设计计算方法、高通量实验、高通量计算模拟和智能化数据库管理一体化集成计算创新平台，实现先进金属材料加速研发、综合性能提升及材料构件短流程、低成本和性能可控的高效制备提供理论支撑。

（十五）有色金属材料的绿色冶炼技术

在铝冶炼技术方面，目前全球采用的熔盐电解铝工艺围绕进一步降低电力消耗的目标，以提高电流强度、实现电解槽大型化为主攻方向，仍在继续完善，预计吨铝交流电耗能够降到 13 000kW・h 以下。碳还原等新原理金属铝生产工艺以突破使用材料为重点，继续进行深入研究。一旦取得突破，能够使吨铝电耗降低到 8000kW・h。这将大幅度降低绿的生产成本和能源消耗。

在镁冶炼技术方面，目前普遍采用的硅热法镁冶炼工艺围绕进一步提高能源利用效率的目标，以余热利用为主攻目标，继续完善，预计吨镁标煤消耗能够降低到 4t 以下。电解法镁市场工艺以降低生产成本为重点，继续进行深入研究。一旦取得突破，将大幅度减少金属镁生产的二氧化碳排放，降低能源消耗。

在钛冶炼技术方面，目前全球采用的克劳尔法海绵钛生产工艺围绕进一步降低电耗的目标，以镁电解电耗为主攻目标，继续完善，预计吨海绵钛电耗能够降低到 18 000kW · h 以下。电解法金属钛以实际应用为重点，继续进行深入研究，一旦取得突破，将大幅度降低金属钛的生产成本，促进钛的广泛应用。

（十六）高性能轻合金的性能优化

在提高材料高强高韧性能方面，为满足航空等领域不断提高的要求，超高强铝合金研制基本上沿着高强度、低韧性→高强度、高韧性→高强度、高韧性、耐腐蚀方向发展，热处理状态则是沿着 T6 → T73 → T76 → T736（T74）→ T77 方向发展。

在合金设计方面的发展特点是，合金化程度越来越高，铁、硅等杂质含量越来越低，微量元素添加越来越合理，最终达到大幅度提高合金强度且同时保持合金优良的综合性能的目标。在提高材料耐高温性能方面，钛合金是先进航空发动机的关键支撑材料，高性能航空发动机的发展，对钛合金耐高温性能的要求越来越高。未来发展的主要方向是利用合理的微量元素添加和热处理技术，突破高温强度和热稳定性障碍，不断提升高温钛合金的使用温度，满足高性能航空发动机发展的需要。

在提高材料耐腐蚀性方面，腐蚀问题制约着镁合金的推广应用，提高镁合金的耐腐蚀性能，成为镁材料工程科技的重点。发展方向一是使其相间电位差趋于零，二是把镁合金表面的氧化膜由疏松变为致密，采用不同的元素形成不同的氧化产物，用多元氧化物填补空隙，提高镁合金的耐腐蚀性能。

（十七）金属近净加工技术

粉末冶金技术是一种高效率、低成本的金属近净成型技术。随着现代信息技术的发展，金属材料领域中基于粉末冶金技术出现的 3D 打印技术取得重要突破，形成材料领域新的生产方式、产业形态、商业模式。在粉末冶金金属近净加工技术领域，智能制造的技术主要有注射成型（powder injection molding，PIM）、喷射成型、近终形成型（混合元素和预合金）、激光快速成型等。从技术进展看，在未来 10～20 年时间里，粉末冶金金属近净加工技术完全可以在人体器官、机械装备零部件等领域得到广泛应用。在金属近净挤压技术方面，相对于传统的金属铸造、锻造、压延轧制、普通挤压等技术，依托智能制造的金属近净挤压技术可以省略热轧坯锭制造环节，生产流程短、材料消耗少、能源消费低，将大幅度降低金属材料的制造成本。我国对铜及铜合金近净挤压技术开发进行了积极探索，在产业化方面取得了重要进展，居世界领先地位。在此基础上，深入开展多种金属的近净挤压技术开发，用于改造、完善传统金属加工技术，对金属加工技术具有重要意义。金属近净挤压技术主要围绕等静压、凝固成型等方面展开。

（十八）碳纤维的持续低成本化与高性能化

发达国家的碳纤维制造已实现标准化、系列化，国际发展趋势是碳纤维的低成本化和高性能化。基于成本最优化的碳纤维差别化制备技术越来越受到重视，扩大单线产能是低成本化的主要发展战略，大丝束制备技术是关注热点，以市场应用为导向的碳纤维的亚型种类不断丰富；针对更高应用要求的高性能化碳纤维也一直是研发重点。

发展重点围绕解决国家安全、重大工程等领域亟须的碳纤维技术问题。重点实现现有碳纤维型号的高质量低成本化，开发满足应用要求的更高性能碳纤维型号，同时根据市场需要针对性地开发差别化特种型号碳纤维产品，全面满足国防军工和国民经济各领域的应用需求，并最终在本领域具备国际竞争力和国际领导力。

（十九）新一代树脂基体及其复合材料

先进复合材料是大型飞机、战略导弹、卫星和新型装甲及船舶等武器装备研制和更新换代的首要物质基础。国外碳纤维增强树脂基复合材料技术已趋成熟，应用部位由次承力构件扩大到主承力构件；产业也正由推广开拓期向快速扩张期和快速成长期迈进，国际基体树脂朝着高韧性和耐高温方向发展，复合材料技术向低成本、自动化、高性能化发展。

发展重点是突破基体树脂强韧化设计和制备关键技术，突破第二代先进复合材料多尺度结构设计、多模式强韧化、高效稳定成型、全面应用考核等技术，研制直径 6～7μm 的高强高模聚丙烯腈基碳纤维，开发拉伸强度 200MPa、拉伸模量 8GPa、断裂伸长率 5% 的高强高模高韧树脂体系，研制准各向同性强度＞550MPa、模量＞70GPa、压拉比＞0.8 的新型高强高模高韧且拉压平衡碳纤维复合材料；研制发展以硅/氮等杂原子为主链的新型可原位陶瓷化抗氧化树脂及其复合材料，实现复合材料技术引领发展。

（二十）可纺丝碳纳米管阵列纤维丝束的连续稳定工程化制备技术

碳纳米管阵列由于其独特的宏观组装结构呈现许多独特的物理和化学性能，在场发射器件、传感器、电池及电容器电极材料、热界面材料及其复合材料等功能器件制备方面具有广泛的应用前景。目前仅可以实现单片小直径碳纳米管阵列的制备，限制了其规模化生产。亟须突破大面积可纺丝碳纳米管阵列的制备工艺技术和提高结晶度和取向度的工艺方法。

（二十一）纳米纤维多尺度计算模拟和表征技术

尚难以实现碳纳米管纤维性能的理论和模拟分析设计。另外，尚无法实现碳纳米管、碳纳米管束和碳纳米管网络结构性能及多尺度界面性能传递的表征。

（二十二）碳基纤维的工程应用技术

高性能碳纤维复合材料是碳纤维实现工程应用的最终形式。在碳纤维复合材料的研制中，复合材料结构设计、高性能基体树脂的匹配、快速成型工艺、自动化制造是材料研制中需要解决的关键技术，而高质量、低成本化制备工艺是制约其产业化规模应用的关键因素。由于与碳纤维存在较大结构差异，碳纳米管纤维和石墨烯纤维与树脂的界面特性和碳纤维复合材料差异很大，因此亟须开展碳纳米管纤维和石墨烯纤维复合材料的设计原理和制备工艺及在各领域应用的技术研究。

（二十三）高陶瓷转化率、可纺性良好、反应可控的纺丝前驱体批量制备技术

前驱体法制备陶瓷纤维在热处理过程中会发生残留溶剂挥发、有机助剂分解及前驱体向陶瓷的转化等反应。这些反应会对纤维的结构造成破坏。因此制备陶瓷纤维时通常希望陶瓷纤维前驱体具有尽量高的陶瓷转化率，保证纤维的质量。此外，在前驱纤维纺丝过程中，一方面希望前驱体具有较好的可纺性，另一方面也希望前驱体的黏度等流变学性质在一段时期内保持稳定，从而保证纺丝过程的稳定性。如果不能合理地控制反应条件，将会导致前驱胶体黏度、

可纺性、固含量等参数发生变化，对纤维纺丝成型及纤维最终的力学性能等造成不利的影响。

（二十四）前驱纤维连续、稳定、细旦纺丝技术，前驱纤维连续化热处理及均匀烧结控制技术

陶瓷纤维的力学性能及柔韧性与纤维的直径大小密切相关，直径小的纤维具有较少的缺陷，力学性能较好。因此，实现陶瓷前驱纤维细旦、连续、稳定纺丝是制备高性能连续陶瓷纤维的前提。在生产中，需要控制纺丝参数以控制纺丝稳定性。如果成型条件过于剧烈，将导致在前驱纤维表面及内部造成大量缺陷，从而造成最终纤维力学性能的裂化。由于陶瓷前驱纤维的强度较低，因此需要控制前驱纤维在热处理过程中的体积收缩。烧结中张力大小的控制不但影响纤维成分和组织，也是决定纤维力学性能的关键因素。需研究针对不同陶瓷纤维的制备过程，获得适用于本身的连续化热处理及深入研究氨化热解机制，从而针对性地设计氨化热解技术方案，获得低残碳量的氮化硅纤维。

（二十五）陶瓷纤维微结晶结构控制技术和工程应用

对于氧化物陶瓷纤维而言，其结晶结构的控制是获得高质量陶瓷纤维的关键前提。当纤维内晶粒尺寸超过纤维直径的1/20时，纤维强度降低、脆性增加，最终使纤维断裂、粉化。因此，抑制莫来石纤维高温下晶粒生长，有利于提高纤维高温条件下的力学性能。在氧化铝纤维制备过程中，α–氧化铝结晶生长速度非常快，形成的晶粒尺寸大，因此在晶粒之间会形成大量的孔洞；同时α–氧化铝的密度较大，在由过渡态氧化铝向α–氧化铝转化过程中，会伴有较大的体积收缩，加速形成孔洞，使纤维无法获得力学强度。而在使用过程中，α–氧化铝不受控制地快速生长也是导致纤维破坏的主要因素。

陶瓷基复合材料是陶瓷纤维实现工程应用的最终形式。在陶瓷基复合材料的研制中，复合材料成分和结构设计、界面控制技术及烧结和结构均匀性控制技术是材料研制中需要解决的关键技术。

（二十六）生物相容性

材料的生物相容性是表征材料发生适当的机体反应的能力，是生物医用材

料区别于其他高技术材料的最重要的特征。早期生物相容性的研究着重于材料的生物安全性，即材料不致对机体产生毒副作用。在分子水平上深入认识材料与机体相互作用，充分了解和表征材料表面/界面的组成、结构、分子构型，植入体形态、多孔结构及液流等生物力学因素，影响组织重建和功能的体内生物化学信号（蛋白质、生长因子、酶等），以及它们的相互作用和规律，在分子水平上揭示材料生物相容性的本质，指导生物学反应可控的材料设计，探索评价材料长期生物相容性和可靠性的分子标记，是当代生物材料科学研究的核心和基础。

（二十七）生物表面和表面工程

生物医用材料对细胞的黏附是在细胞膜内的整合素及其他受体介导下，通过被吸附于材料表面的蛋白质层进行的。材料黏附的细胞类型及其触发的细胞内信号，首先取决于被吸附的蛋白质种类、构型及特征。常规材料的主要问题是对蛋白质的随机吸附，包括对蜕变蛋白的吸附，从而导致炎症、异体反应，植入失效。控制材料表面/界面对蛋白质的吸附，是控制和引导其生物学反应、避免异体反应的决定性因素。因此，研究材料表面组成、结构和性质与体内蛋白质分子的相互作用，以及其对蛋白质和细胞特异性吸附/黏附的影响，是生物医用材料科学的基本问题之一。研究材料表面和表面改性成为现阶段改进和提高常规材料的主要途径，也是发展新一代生物医用材料的基础。其研究热点主要集中于：①清洁表面，即阻碍蛋白质和细胞吸附/黏附的表面改性，这对心血管系统修复材料特别重要，可使其不吸附血液中的蛋白质而获得抗凝血性能；②特定功能表面的设计与改性，即可以选择性吸附/黏附蛋白和细胞的表面，也称可控制生物学反应的表面，通过材料表面化学改性及固定有特定结合区结构的生物分子等，可实现材料对特定蛋白和细胞的选择性吸附/黏附。

（二十八）纳米生物材料及软纳米技术

纳米生物材料的结构和特点更类似于生物组织。尽管其生物学效应还远未被认识，但现有研究表明纳米生物医用材料的纳米效应可以提高材料的生物学性能。然而，纳米生物材料也可产生生物学风险。这是纳米生物材料研究有待且必须解决的问题。具有纳米结构的自然组织不但未表现出纳米效应的风险，且其性能十分优良。其主要原因之一可能是自然组织是在生理条件下自装配而成。因此，在常规或生理条件下，仿生装配纳米生物材料成为纳米生物技术的一个重要方向。纳米生物材料和软纳米技术已成为当代生物材料科学与工程的十分活跃的新的前沿领域。

（二十九）先进的生物医用材料制造方法

生物医用材料的性能不仅与材料的组成和结构有关，还与其制造工艺相关。对于相同组成、不同用途的材料，其制备工艺往往不相同。为得到按生物学原理设计的新一代生物医用材料和植入体，先进的制造方法学成为 21 世纪生物医用材料科学的另一个重点。其研究集中于如下几点：

（1）自装配。公认的观点是，材料越接近自然组织就越被机体所接受。材料的性质取决于其组成和结构，天然组织是通过分子自识别而装配形成的分层结构。模拟天然组织自装配新一代生物医用材料是生物材料科学发展的重点。

（2）微制造技术。这是沿用电子学微加工技术、正在发展的生物医用材料制备新技术，特别适用于临床诊断材料和药物控释载体及系统的设计和制造。

（3）生物制造。即基于发散堆集原理，逐点堆集生物材料的计算机三维仿生快速成型技术。通过计算机仿真设计并在其控制下快速成型生物材料和植入体，不仅可以模拟患者缺损部位形态，且可以模拟自然组织的分级结构，还可以装载活体细胞，特别适用于个性化治疗。

第十五章
我国关键新材料产业中长期发展战略

第一节 发展思路

围绕新一代信息技术、节能环保、新能源、生物等新兴产业发展的战略需求，着力提高新材料产业的自主创新能力。通过优化组织实施方式，支持量大面广和国家重大工程亟须的新材料产业化建设，着力促进一批关键新材料实现产业化和规模应用。建立新材料产业链上下游优势互补、密切合作机制，有效缩短新材料研发、产业化和规模应用的周期，并促进新材料企业加强技术创新，形成持续的创新能力。着力解决新材料产品稳定性较差、高端应用比例较低、关键材料保障能力不足等问题，进一步增强我国新材料产业的技术创新能力和产业化技术水平，实现我国从材料大国向材料强国的战略性转变，全面满足我国国民经济、国家重大工程和社会可持续发展对材料的需求。

第二节 基本原则

一、坚持统筹布局，突出发展重点

从全球视野和国家利益的立场出发，科学谋划整体的发展目标和发展方向，立足当前、面向未来、统筹规划，总体部署产业布局发展，正确处理速度、规模、效益之间的关系。重点围绕经济社会发展重大需求，坚持重点突破、整体推进，组织实施重大工程；突破新材料规模化制备的成套技术与装备，加快发展产业基础好、市场潜力大、保障程度低的关键新材料；及早部署重要前沿性领域，培育先导产业，促进重点领域和优势区域率先发展。

二、坚持创新驱动，占领产业高端

创新是新材料产业发展的核心环节，要强化企业技术创新主体地位，激发和保护企业创新积极性，完善技术创新体系，通过原始创新、集成创新和引进消化吸收再创新，突破一批关键核心技术，加快新材料产品开发，提升新材料产业创新水平。以关键核心技术的研究、颠覆性技术的突破来驱动产业发展，着重原始创新和集成创新，增强核心技术的自主能力，着重核心部件研发和高端产品开发，培养高附加值产业链，增强产业核心竞争力，占领全球新兴产业发展制高点。

三、坚持市场导向，完善政府调控

遵循市场经济规律，突出企业的市场主体地位，充分发挥市场配置资源的基础作用，重视新材料推广应用和市场培育。突出企业的主体地位，充分发挥中小企业的创新作用，将资源逐渐向优势企业聚集，形成具有自主知识产权和国际竞争能力的龙头企业。同时，积极发挥政府部门在组织协调、政策引导、改善市场环境中的重要作用，加强新材料产业规划实施和政策制定，实施重大专项，重点发展成长潜力大、市场潜力大、产业基础好、带动作用强、综合效益好的产业，确保新材料产业高效可持续发展。

四、坚持协调推进，促进开放合作

加强新材料与下游产业的相互衔接，充分调动研发机构、生产企业和终端用户的积极性。加强新材料产业与原材料工业融合发展，在原材料工业改造提升中不断催生新材料，在新材料产业创新发展中不断带动材料工业升级换代。加快军民共用材料技术双向转移，促进新材料产业军民融合发展。同时，充分利用全球创新资源，走出去、请进来，培育特色产业集群，走开放式协同创新和国际化发展道路。

五、坚持绿色发展，节能环保低碳

牢固树立绿色、低碳发展理念，重视新材料研发、制备和使役全过程的环境友好性，提高资源能源利用效率，促进新材料可再生循环，改变高消耗、高排放、难循环的传统材料工业发展模式，走低碳环保、节能高效、循环安全的可持续发展道路。对支撑能源、资源、环境等关键瓶颈领域的新材料实施集中突破，建立资源节约、环境友好型的技术体系、生产体系和效益体系，实现有控制的健康发展，有力支撑经济发展方式的转变，保障我国的可持续发展。

第三节　战略目标

一、2025 年目标

新材料产业整体水平达到世界先进水平，新材料实现大规模绿色制造使役和循环利用，基本建成新材料产业创新体系，新材料基本能够满足我国国民经济、国家安全、社会可持续发展的需求，实现由材料大国向材料强国的战略性转变。材料制造能力达到世界先进水平，实现绝大部分关键材料的国产化，支撑“制造强国”战略，满足高新技术、生命与健康等人本环境的需求。

二、2035年目标

新材料产业创新体系完全建成，全面满足我国国民经济、国家安全和社会可持续发展的需求，供给保障有力，资源利用高效，关键新材料产业全面实现国产化，使我国处于国际领先地位。新材料领域发展路线如图15-1所示。

第四节　关键新材料产业的发展战略

一、电子信息材料

（一）发展思路

围绕现代通信、计算机、信息网络技术、微机械智能系统、工业自动化和家电等现代高技术产业，重点突破以微电子材料、光电子材料、电子元器件材料、碳材料为代表的电子信息材料的核心技术，保障关键材料的有效供给。着力提高电子信息材料工程科技的自主创新能力，以科技与人才为支撑，构建我国电子信息材料工程科技创新体系。推动实施电子信息材料工程化工程，支持量大面广和国家重大工程亟须的电子信息材料领域的工程化建设，重点解决这类电子信息材料规模化生产工艺、装备技术及环保配套设施建设等问题，从而进一步增强我国电子信息材料工程科技创新能力和工程化技术水平，大幅度提高我国电子信息材料产业的国际竞争力。

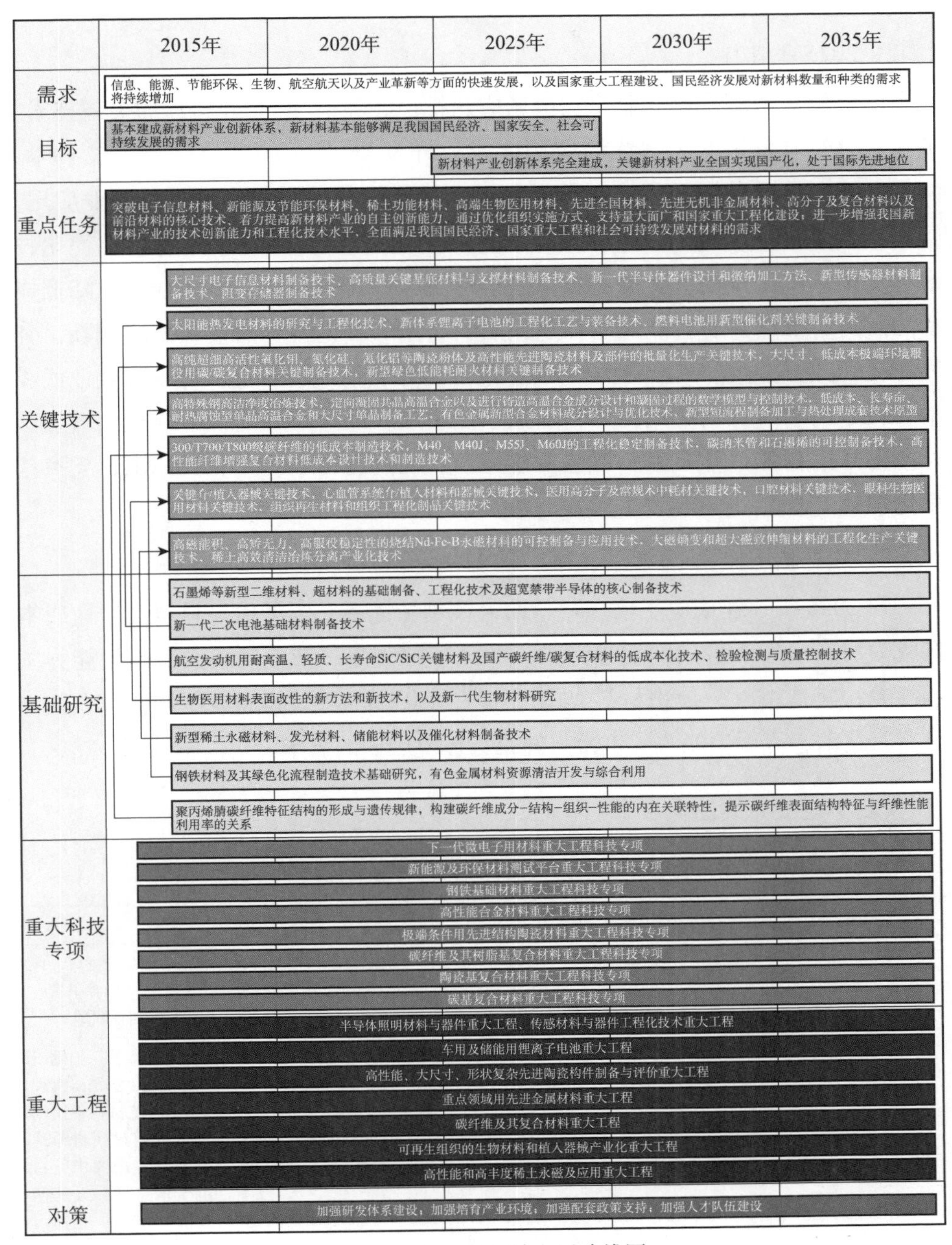

图 15-1　新材料领域发展路线图

（二）战略目标

1. 2025年目标

加快信息功能材料产业化和市场应用推广，突破300mm硅片的关键技术，满足线宽≤14nm集成电路的应用要求；开发450mm硅单晶材料生长技术、FDSOI片制备的关键技术；4～6英寸碳化硅和氮化镓材料实现批量商业应用；锆铪系高K材料和金属栅极材料得到商业应用；突破海量存储材料工程化技术，实现小批量试用；实现MRAM批量生产。在继续提高LED性能、降低成本的同时，重点开展智能照明和超越照明应用等关键技术研发与集成创新，开展LED可见光通信、医疗、农业等超越照明领域的应用研究；开发高效、低成本OLED材料及照明应用技术；加强系统布局和产业发展环境的优化。增强国外市场开拓能力，包括LED在内的整体产业规模达到10 000亿元以上，支撑信息化带动工业化，推动我国信息产业达到世界先进水平。

2. 2035年目标

到2035年，建成电子信息材料的完整创新体系，电子信息材料全生命成本将成为材料研发和应用的引导因素；部分基础研究和新工艺新设备研发能力国际领先；实现由电子信息材料大国向电子信息材料强国的战略性转变，全面满足高新技术、可再生能源、生命与健康、环境保护的需求。

（三）发展路线图（表15-1）

表15-1　电子信息材料产业发展路线

内容	2015～2025年	2026～2035年
面临的需求	支撑微电子制造技术发展，增强中国制造产业核心竞争力，促进“互联网+”新产业生态的发展，加强国防能力	满足高新技术、可再生能源、生命与健康、环境保护的需求，保障国家安全，支撑并引领经济社会发展，建成电子信息材料科技强国
目标	关键电子信息材料具有自给能力。突破直径300mm硅基衬底材料关键技术，满足线宽≤14nm/10nm集成电路应用要求，自给率达到10%～20%；4～6英寸碳化硅及氮化镓材料实现批量商业应用；锆铪系高K材料和配套栅极材料得到商业应用；突破海量存储材料工程化技术，实现小批量试用；实现MRAM批量生产。突破普遍应用的高效低成本LED材料和器件技术；开发高效、低成本OLED材料及照明应用技术	建成电子信息材料的完整创新体系；基础研究和新工艺新设备研发能力国际领先；实现由电子信息材料大国向电子信息材料强国的战略性转变，直径300mm硅基衬底材料达到线宽≤7nm/5nm集成电路应用要求，自给率达到40%左右，电子信息材料发展能够全面满足高新技术、可再生能源、生命与健康、环境保护的需求，支撑并引领人类经济社会发展

续表

内容	2015～2025年	2026～2035年
重点任务	（1）14nm/10nm水平大尺寸硅衬底材料制备技术研究和产业化； （2）绝缘体上硅或锗的制备技术开发； （3）高效半导体材料的开发及其在半导体照明的应用； （4）新型显示材料的开发与批量应用； （5）大尺寸低损耗激光材料与器件的开发与商业化； （6）新型海量存储材料与器件的开发和商业化； （7）先进传感材料与器件的开发与商业化； （8）研究石墨烯等二维半导体制备技术； （9）研究碳化硅、氮化镓等宽禁带半导体材料制备技术	（1）7nm/5nm水平大尺寸硅衬底材料制备技术研究； （2）大尺寸硅衬底材料的异质材料集成调制及其在新型器件的应用研究； （3）硅基微电子与光电子集成探索研究； （4）激光材料在大功率器件的应用研究； （5）高智能多级集成材料开发； （6）量子通信材料的开发； （7）开发具有实际价值的石墨烯二维半导体应用技术； （8）类人脑计算材料开发
关键技术	（1）300mm硅衬底材料的晶体生长技术及精密加工技术； （2）绝缘体上硅或锗的制备技术； （3）面向新型照明的高质量大尺寸衬底材料制备技术； （4）新型显示材料的制备和应用技术； （5）用于先进电子材料与器件制备的国产关键装备制造技术； （6）高性能驱动和多功能传感技术； （7）关键靶材和光刻胶制备技术； （8）碳化硅和氮化镓等衬底同质外延材料的物理特性、应变状态及位错密度控制技术	（1）450mm硅衬底材料的晶体生长技术及精密加工技术； （2）大尺寸硅衬底上的异质材料集成与应用技术； （3）硅基微电子与光电子的集成技术； （4）基于高品质、大尺寸新晶体的高功率激光、拓展波长，发展紫外、中远红外非线性晶体、器件及应用； （5）基于介电体超晶格高功率、宽调谐中红外激光系统； （6）面向互联网时代发展，基于新原理、新材料的新型传感器，实现微型化、集成化、多功能化、智能化和网络化； （7）量子通信材料的设计及制备； （8）类人脑计算材料的设计及制备
开展的基础研究	石墨烯等二维半导体材料及超宽禁带材料基础研究	相变、阻变、自旋电子材料研究
重大工程	传感材料与器件工程化技术重大工程	
重大工程科技专项	先进半导体材料重大工程科技专项	
政策建议	（1）继续加强政府资金及基金的引导； （2）推动企业和科研机构形成科技成果转化细则，加强科技成果转化政策的落实； （3）强化企业创新能力建设	

二、新能源及环保材料

（一）发展思路

新能源材料工程是未来20～50年世界各国新能源利用中竞争的关键，应把新能源材料产业作为新材料战略性新兴产业的重点，加快建设，大力发展。未来半个世纪，我国要大力发展具有自主知识产权的太阳能材料、锂离子电池材料、燃料电池及储氢材料，抢占新能源与技能环保产业发展的战略制高点。

（二）战略目标

1. 2025年目标

突破新能源及节能环保材料工程的关键科学问题，建立以企业为主体的高水平产学研用相结合的新能源材料研发平台；建立具备一定自主创新能力、规模较大、产业配套齐全的产业体系，推动关键材料生产和制造装备的国产化，缩短与世界先进水平之间的差距，实现关键材料的批量生产。

2. 2035年目标

实现新能源材料对新能源的大规模利用，提升节能环保产业竞争力，使其发挥重要的支撑作用。基本建成新材料产业创新体系，实现绝大部分关键材料的国产化并达到国际水平，能够满足我国新能源大规模利用和社会低碳环保的可持续发展需求。

（三）发展路线图（表15-2）

表15-2　新能源材料产业发展路线

内容	2015～2025年	2026～2035年
面临的需求	（1）太阳能电池：加强提升多晶硅产品质量、降低能耗和增加副产物综合利用途径等方面的技术研究，同时完善材料产业体系； （2）锂离子电池：动力电池是发展新能源汽车的关键，预计2020年全球市场规模将达到2000亿美元； （3）燃料电池：开发低成本高效率长寿命的新型纳米催化剂材料是摆脱国外技术壁垒、支撑我国燃料电池行业健康发展的重要保障	（1）太阳能电池：为实现太阳能热发电技术的大规模应用示范，需要开发新型高效的太阳能热发电材料； （2）锂离子电池：锂离子电池作为二次电源，可储存水电、风电、光伏发电等清洁电力，绿色环保； （3）燃料电池：开发轻质、高效的固态储氢材料尤为重要
目标	（1）太阳能电池：多晶硅年产量从12万吨提高到22万吨，综合电耗由75kW·h/kg-Si降低到65kW·h/kg-Si。建成流化床粒状多晶硅、正面银浆、背板等材料规模化生产线，稳定质量与技术指标；	（1）太阳能电池：多晶硅年产量从22万吨提高到50万吨，全国多晶硅综合电耗由65kW·h/kg-Si降低到35kW·h/kg-Si。太阳能发电各种高端材料全部自给自足；

续表

内容	2015～2025年	2026～2035年
目标	（2）锂离子电池：突破电芯比能量300W·h/kg锂离子电池的制备技术，开发先进材料与技术（高容量正极材料、硅基合金负极材料、高安全性隔膜、高电位电解液）；形成100亿～200亿W·h动力电池及配套材料，实现100亿～300亿元产值； （3）燃料电池：突破适用高温低湿度条件下具有高电导率的质子交换膜技术；突破大容量、高充放氢速率技术难题，固态/高压混合储氢系统可能作为车载氢源；突破轻质高容量储氢材料	（2）锂离子电池：实现比能量400W·h/kg锂离子电池的大规模产业化。研制能量密度高于400W·h/kg的新型电池与材料（硫系复合材料、金属锂复合材料、固态电解质材料、锂空气电池等）； （3）燃料电池：实现高性能膜电极规模制备技术，产业技术达到世界先进水平；非铂催化剂研究取得突破；固态/高压混合储氢系统作为车载氢源的应用研究
重点任务	（1）太阳能电池：稳定改良西门子法产品质量，节能降耗降本；硅烷制备、纯化、流化床粒状多晶硅、正面银浆、背板产业化技术与装备； （2）锂离子电池：掌握采用高容量正负极材料及高电压电解液的高能量密度纯电动汽车用锂离子电池技术，形成高比能量锂离子电池的材料体系；突破高功率高能量密度混合动力汽车用锂离子电池技术； （3）燃料电池：我国燃料电池中所用催化剂的国产化率达到50%，工程化能力达到公斤级规模，完善燃料电池贵金属的回收利用技术；开发非贵金属燃料电池用纳米催化剂新技术	（1）太阳能电池：根据市场需求，配置多晶硅产品方法，开发太阳能发电高转化率、长寿命、低成本新材料； （2）锂离子电池：掌握高能量密度新体系电池技术，包括锂硫电池、锂空气电池、全固态电池等的关键技术，实现商业化应用； （3）燃料电池：提高我国质子交换膜性能，进一步降低成本，延长使用寿命，并在车用燃料电池、通信基站用燃料电池、便携式燃料电池等领域得到广泛应用，国产化率达到80%
关键技术	（1）太阳能电池：改良西门子多晶硅精细化产业发展；正面银浆、背板、硅烷制备、提纯与流化床分解技术与装备； （2）锂离子电池：富镍及高容量、高电压正极材料、软碳、硅碳负极、高压电解液、高安全性隔膜的产业化工艺与装备技术； （3）燃料电池：燃料电池中所用催化剂的工程化能力和燃料电池贵金属的回收利用技术	（1）太阳能电池：太阳能热发电新材料研究与产业化； （2）锂离子电池：新体系电池的产业化工艺与装备技术； （3）燃料电池：新型催化剂研究与产业化
开展的基础研究	（1）太阳能电池：解决多晶硅质量、能耗、副产物总和利用、成本高等问题； （2）锂离子电池：高安全性、高能量密度电池开发； （3）燃料电池：低铂高效纳米催化剂结构与性能关系及制备技术；新型非贵金属纳米催化剂催化活性中心及其催化机制研究和催化性能研究	（1）太阳能电池：低成本浆料、纳米打印和高耐候性封装材料、高温光热材料与技术产业化； （2）锂离子电池：高能量密度新体系电池开发和应用； （3）燃料电池：非贵金属纳米催化剂的大规模制备技术
重大工程	车用及储能用锂离子电池重大工程	
重大工程科技专项	新能源及环保材料测试平台重大工程科技专项	

续表

内容	2015 ～ 2025 年	2026 ～ 2035 年
政策建议	加快建设先进电池材料产业体系，培育大型企业集团。加大科技投入，加快关键核心技术和前沿技术的研发。加强产业规划与协调，把先进电池材料产业放在优先发展的位置。做好政策制定及其落实工作	

三、无机非金属材料

（一）发展思路

目前我国先进陶瓷产品及产业已具有一定的规模，在环渤海、长三角、珠三角等地有一批成规模的企业从事相关的产品生产，并具有较强的研发能力。围绕航空航天、冶金化工、能源、节能环保及产业革新等方面的战略需求，重点发展高纯超细陶瓷粉体和先进结构陶瓷材料、高性能碳/碳复合材料、特种功能玻璃、严酷环境下长寿命混凝土、新型耐火材料等领域的核心制备和产业化技术，着力提高新材料产业的自主创新能力，支持量大面广和国家重大工程亟须的无机非金属新材料产业化建设，实现我国无机非金属材料产业由大变强，部分材料领域与世界先进水平并行或领跑。

（二）战略目标

1. 2025 年目标

攻克一批重要典型高纯、超细陶瓷粉体的制备技术，实现纯度和粒度可控，并实现批量化生产；突破后端高温烧结设备设计制造技术瓶颈，产业发展能力达到世界先进水平。解决大尺寸碳/碳复合材料构件高效制备的基础问题，研发出国家优势产业、战略必争产业及新型武器装备所必需的新型碳/碳复合材料。实现耐火材料非金属矿产资源管理的规范化、矿产开采的规模化和有序化，实现矿产资源综合利用，使我国耐火材料达到国家先进水平。开发出具有自主知识产权的高品质特种光电玻璃、高世代 TFT-LCD 基板与盖板玻璃、建筑高效节能与高安全功能玻璃。攻克混凝土材料抗蚀和抗裂关键技术，解决我国混凝土材料强度总体偏低、寿命偏短的问题。

2. 2035 年目标

攻克大尺寸、形状复杂先进结构陶瓷材料的近净尺寸成型与烧结工艺技术和防热–承载–透波等多功能一体化天线罩制备技术等，为我国先进结构陶瓷产业的发展提供技术设备支持，自主研发生产比率超过 90%。建立碳 / 碳复合材料多元化制备技术体系，实施碳 / 碳复合材料应用军民同步推进的技术路线，全面实现高性能碳 / 碳复合材料产业化及推广应用，自主保障比例超过 80%。实现废弃耐火材料再利用，其综合利用率超过 40%，实现我国耐火材料产业的技术水平和能力达到世界先进水平。着力发展严酷环境下长寿命混凝土、特种功能玻璃等材料，实现重点材料自主保障率≥ 85%。到 2035 年，上述新材料产业及制品的工业增加值达到总量的 60%，大幅提升我国建材产品的国际竞争力。

（三）发展路线图（表 15-3）

表 15-3　无机非金属材料产业发展路线

内容	2015 ～ 2025 年	2026 ～ 2035 年
面临的需求	发展高纯超细陶瓷粉体制备技术及其成型烧结技术，满足国家战略需求	发展复杂形状先进陶瓷构件批量化生产技术，打破国外技术垄断，形成自主知识产权，突破先进陶瓷材料在航天、国防及高端装备制造业的壁垒
目标	开发出成熟的高纯超细陶瓷粉体批量化生产工艺，实现批量化生产；发展陶瓷基复合材料低成本制备、服役评价和检测一体化技术；研发耐火材料关键技术和装备，提高矿物资源利用率	实现先进结构陶瓷构件的新型近净尺寸制备，开发极端环境用先进陶瓷批量制造技术；开发成熟的碳 / 碳复合材料多元化制备技术体系，建立高标准碳 / 碳复合材料一体化的行业链条
重点任务	氧化铝、氮化硅、氮化铝等高纯超细粉体的开发是先进结构陶瓷发展的基础，因此其制备工艺的开发和批量化生产技术的发展是无机非金属材料发展的一个重点任务；重点发展低成本、大尺寸、极端环境服役用碳 / 碳复合材料制备工艺，实现碳 / 碳复合材料结构和性能的多样化；在耐火材料领域重点任务为发展绿色低能耗新型耐火材料，提高矿物资源利用率，减少污染	重点发展复杂形状陶瓷构件的 3D 打印制备技术和凝胶注模技术，以及后续的烧结制备，大力发展有特殊应用要求的高端陶瓷材料批量制造技术；建立碳 / 碳复合材料多元化制备技术体系，建立贯穿碳 / 碳复合材料基础研究、材料研制、工程化制备与应用和产业化全过程等为一体的行业链条

续表

内容	2015～2025年	2026～2035年
关键技术	突破氧化铝、氮化硅、氮化铝等高纯超细粉体合成过程中的化学成分控制、提纯、造粒等批量化生产关键技术；突破大尺寸、低成本极端环境服役用碳碳复合材料关键制备技术；发展新型低能耗新型耐火材料关键制备技术	攻克大尺寸、形状复杂的先进结构陶瓷材料的近净尺寸成型与烧结工艺关键技术和高温陶瓷发动机、防热–承载–透波等多功能一体化天线罩制备技术，开发耐腐蚀、高导热、薄壁碳化硅热交换管的批量制造技术等；突破长时间抗氧化、耐烧蚀碳/碳复合材料及高温耐腐蚀碳/碳异形构件的产业化生产关键技术
开展的基础研究	航空发动机用耐高温、轻质、长寿命碳化硅/碳化硅关键材料制备技术；碳/碳复合材料制备关键技术；新型耐火材料关键制备技术	
重大工程	极端条件用先进结构陶瓷材料重大工程	
重大工程科技专项	高性能、大尺寸、形状复杂先进陶瓷构件制备与评价	
政策建议	高校–企业–政府联合进行基础关键技术攻关和产业化关键技术研发，实现政产学研的协同创新产业联盟	

四、金属材料

（一）发展思路

围绕信息、能源、节能环保、生物、航空航天及产业革新等方面的战略需求，突破海洋工程用钢、交通运输用钢、基础零部件用钢、超超临界电站用合金、铝镁钛等轻合金材料的核心技术，着力提高材料产业的自主创新能力，通过优化组织实施方式，支持量大面广和国家重大工程亟须的结构材料产业化建设，着力促进一批结构材料实现产业化和规模应用。大力发展结构材料新材料产业并建立产业链上下游优势互补、密切合作机制，有效缩短新材料研发、产业化和规模应用的周期，促进新材料企业加强技术创新，形成持续的创新能力，进一步增强我国关键结构材料产业的技术创新能力和产业化技术水平，实现我国从材料大国向材料强国的战略性转变，全面满足我国国民经济、国家重大工程和社会可持续发展对关键结构材料的需求。

（二）战略目标

1. 2025年目标

钢铁和轻合金材料产业整体达到世界先进水平，钢铁和轻合金材料全面实现绿色、循环制造，基本建成新材料产业创新体系。能源石化用钢，海洋工程用钢，交通运输用钢，基础零部件用钢，超超临界电站用钢，航空用铝合金、钛合金等关键材料，基本能够满足国民经济、国家安全、社会可持续发展的需求，支撑“制造强国”战略，初步完成由材料生产大国向材料制造强国的战略性转变。

2. 2035 年目标

围绕经济和社会发展对材料智能化、绿色化、个性化的需求，依靠材料基因组技术，以开发新型合金为重点，构建金属材料的持续创新体系，实现金属材料的智能制造，支撑产业整体达到世界先进水平。着力开发一批适合 3D 打印等技术的钢铁、铝、镁、钛等金属材料；突破一批金属近净加工技术；应用一批创新性的金属冶炼制造工艺，完成金属材料产业工程技术由“跟跑”“并行”到“领跑”的跨越，成为引领世界金属材料技术革命的重要力量。

（三）发展路线图（表 15-4）

表 15-4　金属材料产业发展路线图

内容	2015 ～ 2025 年	2026 ～ 2035 年
面临的需求	提高重大和高端装备用金属材料的质量、性能，缩短与世界先进水平的差距，是“制造强国”战略提出的目标	经济和社会发展对材料智能化、绿色化、个性化的需求，实现金属材料的智能制造，是满足需求的基本保障
目标	能源石化用钢，海洋工程用钢，交通运输用钢，基础零部件用钢，超超临界电站用钢，航空用铝合金、钛合金等关键材料基本能够满足国民经济、国家安全、社会可持续发展的需求	着力开发一批适合 3D 打印等技术的钢铁、铝、镁、钛等金属材料；突破一批金属近净加工技术；应用一批创新性的金属冶炼制造工艺，完成金属材料产业工程技术由“跟跑”“并行”到“领跑”的跨越
重点任务	结合国家重大工程和高端装备制造对金属材料的新需求，突破关键金属材料体系建设瓶颈，开展船舶与海工用钢、交通与建筑用钢、能源用钢等金属材料质量稳定性、可靠性和适用性研究，形成航空航天、能源、海洋开发、轨道交通等领域高端装备制造用先进金属材料体系及全链条设计研发新技术、高效制备加工技术、稳定化生产控制技术、服役性能检测评价技术等，构建材料创新研发平台、质量控制 – 评价 – 表征及数据库平台、产业化示范平台，构建先进金属材料产业技术创新联盟，延伸产业链，打造若干国际知名品牌，由纯金属材料研发之路走向材料零部件 – 装备一体化研发之路	构建我国自主的高端金属材料体系，实现关键金属材料自主产业化生产和推广应用，创建以创新研发平台、材料质量控制 / 评价 / 表征及数据平台、产业化示范平台为代表的“三位一体”的创新与服务平台，建立基于工业物联网的绿色化和智能化的制造与服务平台，发展一批生态金属材料产品，形成新型运营服务模式

续表

内容	2015～2025年	2026～2035年
关键技术	超大输量管线钢生产工艺技术；海洋平台用特种钢生产工艺技术；高温、高湿、强辐射、高 Cl^- 环境下钢铁材料腐蚀控制技术；贝氏体轮轨钢基础设计技术；高性能汽车钢板低成本、稳定化生产技术；航空与铁路轴承钢长寿命化技术；齿轮钢高温渗碳热处理工艺技术及齿轮寿命控制技术；特种模具钢开发及制备技术。 高精度、快速时效响应型铝合金薄板成套生产工艺技术；高性能铝合金精密锻件、压铸件生产工艺技术；高性能高品质镁合金压铸件和变形加工材生产工艺技术；高性能大直径钛合金管材和型材、铝合金精密管材和高耐腐蚀板材生产工艺技术；高精度钛焊管及大卷重、高精度、低残余应力钛带成套生产工艺技术；铝/钛/镁合金大型、复杂精密结构件成型制造与残余应力消减技术	典型关键钢铁材料全流程产品制造技术；典型关键钢铁材料产品规模生产及应用推广技术；材料综合性能研究及建造、服役等应用性能表征及评价技术；高性能钢铁材料的科研、检测、生产、应用、制造、应用评价工程化平台技术；智能化在线检测和质量控制技术；高性能钢铁产品定制化、减量化生产及装备技术；高性能钢铁产品全生命周期智能化设计、制备加工技术。 合金元素原子间的交互作用机制及强化相设计技术；多尺度范围的第二相；界面耦合强化技术；制备与加工全过程中的微观组织演化规律与控制技术；基于“高通量计算－海量数据库和快速实验检测评价”相结合的材料计算设计与制备加工过程模拟仿真技术
开展的基础研究	先进钢铁结构材料基础研究；超高强度钢研制新方法基础研究；基础件用高品质特殊钢长寿命化技术	
重大工程	深海工程装备用耐蚀合金重大工程；超超临界电站用合金重大工程	
重大工程科技专项	高端装备用先进钢铁材料技术；高性能轻合金材料技术创新工程专项	
政策建议	组建产学研用金属材料技术创新产业平台，金属材料评价与表征共性技术研发中心及金属产品产业化示范基地，创新合作模式	

五、先进高分子材料及其复合材料

（一）发展思路

面向我国新一代航空航天、交通、能源、建筑等产业发展对关键轻量化材料及其技术的需求，针对国产先进高分子材料及其复合材料性能与质量稳定性差、应用成本高等关键共性技术问题，通过建立系统完整的先进高分子材料及其复合材料研发到应用全链条的“用产学研”深度融合的创新体系，突破国产先进高分子材料及其复合材料的高性能低成本稳定化批量制备技术和极端环境服役性能，解决材料研发工程化中材料研制与应用研究脱节的瓶颈问题，形成具有核心竞争力的产业集群和研发平台，在国家重大工程和装备建设方面形成可持续自主保障能力，培养一批具有国际影响力的领军人才和创新团队，使我国先进高分子材料及其复合材料领域迈入世界强国行列。

（二）战略目标

1. 2025 年目标

突破国产碳纤维低成本制备技术，实现碳纤维制备技术从跟踪创新到原始创新，建立具有中国特色的碳纤维制备与应用技术体系，以及科学合理的区域发展和产业链结构，建立基于 T800 级碳纤维的第二代先进复合材料规模化制备与应用平台。碳纤维主要产品支撑国家大飞机、载人航天等重大工程及交通、新能源等战略性新兴产业的发展，使我国复合材料技术达到世界同步发展和并行发展水平。实现国产碳纤维高性能复合材料产业化及推广应用，达到 3 万吨 /a 的工程化能力，创造直接产值 1000 亿元 /a 以上。

2. 2035 年目标

通过自主创新，建立符合我国需求的碳纤维技术与产品系列。形成国防用国产碳纤维及其复合材料的持续自主保障能力。建立国产碳纤维及其复合材料产业技术创新体系，形成 10 个以上基于市场经济机制的稳固发展的碳纤维制备与应用产业链。建立基于中大直径 6～7μm、强度达到 6.0GPa 以上、模量高于 350GPa 碳纤维的第三代先进复合材料和特种功能复合材料规模化制备与应用平台，实现新一代武器装备全面应用，武器装备实战化能力全面领先世界其他国家，碳纤维复合材料产业及应用形成国际竞争力，使我国复合材料技术及产业化能力达到全面超越和引领国际发展的水平。实现军用、民用国产碳纤维复合材料完全自主保障，碳纤维复合材料达到 6 万吨 /a 的工程化能力，创造直接产值 2000 亿元 /a 以上。

（三）发展路线图（表 15-5）

表 15-5　先进高分子材料及其复合材料产业发展路线

内容	2015 ～ 2025 年	2026 ～ 2035 年
面临的需求	航空航天、装备研制及交通、能源、建筑等产业发展对高质量、低成本碳纤维及其复合材料提出迫切需求	国民经济重大领域的持续发展对高性能化和特种化碳纤维及其复合材料提出迫切需求

续表

内容	2015 ～ 2025 年	2026 ～ 2035 年
目标	实现聚丙烯腈碳纤维全系列型号产品的国产化，质量价格具备国际竞争力。突破碳纤维复合材料研发和应用面临的瓶颈问题，满足军工及国民经济发展需求	形成中国特色的碳纤维产品系列，开发新型碳纤维及碳纤维制备新技术。碳纤维技术、树脂基 / 碳基复合材料制造和应用技术引领国际发展
重点任务	（1）T300/T700/T800 级碳纤维实现千吨级产业化稳定生产，质量价格与国外产品相当，并实现工程领域成熟应用。突破 M55J/M60J 级高模高强碳纤维稳定的产业化技术，产品实现国防型号应用，同时开展碳纤维制备专用装备设计制造； （2）开发压拉比＞0.7 的新型高强高模高韧且拉压平衡碳纤维复合材料。建立国产碳纤维复合材料产业技术创新体系，形成基于市场经济体制的稳固发展的碳纤维应用产业链，满足支柱产业和战略必争产业可持续发展的重大需求	（1）碳纤维全面满足国家需求，碳纤维制备与应用技术具备世界先进水平，开发适用于我国工程需求的特种碳纤维产品型号； （2）开发压拉比＞0.8 的新型高强高模高韧且拉压平衡碳纤维复合材料； （3）军用、民用国产高性能纤维复合材料完全自主保障，产业及应用形成国际竞争力。实现复合材料技术引领发展
关键技术	（1）碳纤维的低成本制备技术。开展大丝束化产业化制备技术研究，突破高速纺丝高效预氧化技术及碳化生产线长期连续稳定运行技术； （2）碳纤维高性能化制备技术。对高性能碳纤维用原丝进行分子设计、结构形态精确调控，研发高等规度结构聚丙烯腈的新型聚合技术，开发新型纺丝技术，实现均质相分离技术。开发新型预氧化碳化技术。研制出中大直径 6～7μm、强度达到 5.5GPa 以上、模量＞310GPa 的高强高模聚丙烯腈基碳纤维； （3）突破基体树脂强韧化设计和制备关键技术，突破基于 T800 级碳纤维的第二代先进复合材料多尺度结构设计、多模式强韧化、高效稳定成型、全面应用考核等技术，开发出拉伸强度达到 150MPa、拉伸模量 5GPa、断裂伸长率 5% 的高强高模高韧树脂体系，研制出准各向同性强度达到 500MPa、模量达到 60GPa、压拉比＞0.7 的新型高性能复合材料	（1）开发适用于我国工程需求的碳纤维产品型号及相应的复合材料应用技术； （2）研制中大直径 6～7μm、强度达到 6.0GPa 以上、模量＞350GPa 的高强高模聚丙烯腈基碳纤维，开发拉伸强度达到 200MPa、拉伸模量 8GPa、断裂伸长率 5% 的高强高模高韧树脂体系，研制准各向同性强度达到 550MPa、模量达到 70GPa、压拉比＞0.8 的新型高强高模高韧且拉压平衡碳纤维复合材料；研制发展以 Si/N 等杂原子为主链的新型可原位陶瓷化抗氧化树脂及其 2000s 级防热复合材料技术
开展的基础研究	碳纤维低成本制备技术研究； 碳纤维高性能化制备技术研究； 高强高模高韧且拉压平衡聚丙烯腈纤维增强树脂基复合材料技术研究	碳纤维持续高性能化制备技术研究； 碳纤维制备新技术研究； 高强高模高韧且拉压平衡聚丙烯腈纤维增强树脂基复合材料技术研究
重大工程	碳纤维及其复合材料	
重大工程科技专项	碳纤维低成本制备技术；碳纤维高性能化制备技术；高性能树脂及其复合材料	

续表

内容	2015～2025年	2026～2035年
政策建议	加强人才队伍建设，加强研发体系建设，加强培育产业化技术，加强配套政策支持	针对前沿技术，加强人才培养，加强政策支持与政府引导

六、生物医用材料

（一）发展思路

立足我国社会经济，特别是医疗保健和健康服务及其产业发展对生物医用材料的战略需求、前瞻生物医用材料科学与产业发展的趋势和前沿，抓住其正在发生革命性变革的难得机遇，跨越高技术常规材料市场和技术基本为外商控制的障碍，大力提高自主创新能力，以体制机制改革为核心，着力生物医用材料创新链、产品链、产业链、人才链的整体布局，突破共性、核心、关键技术，为形成可再生组织和器官的新一代生物医用材料为主体的我国高技术新兴生物医用材料产业体系[29，30]。

（二）战略目标

1. 2025年目标

基本建成新一代生物材料产业体系，带动行业跨越式地发展到世界先进水平。力争到2025年，我国生物医用材料的市场销售额接近1450亿美元，占世界市场份额从2015年的9.5%提高到近22.5%；国产高技术产品基本取代进口产品并参与国际市场竞争。

生物医用材料前沿基础理论研究国际先进，部分领先；突破可再生人体组织的新一代生物医用材料设计和制备技术，包括仅通过材料自身优化设计诱导组织再生的组织诱导性材料、组织工程化制品及可促进组织再生的药物和生物活性物质靶向控释载体及系统等的设计和制备技术、人体组织的生物3D打印技术、生物材料基因组工程技术、纳米生物材料及软纳米技术、智能及可降解生物材料设计制备技术、具有药物防治疾病功能的生物材料设计与制备技术、微创和精准治疗器械与设备设计及制备技术、分子探针及植入性芯片等临床治疗技术、材料和植入器械表面改性技术等。

于世界率先研发出一批新一代生物材料产品，包括第二代骨诱导人工骨、软骨、神经、肌腱、韧带、角膜、心瓣膜等组织诱导性生物材料及植入器械，兼具重大疾病（肿瘤、骨质疏松等）防治及组织再生功能的新型生物材料，具有血管自修复功能的可降解血管支架、介入治疗人工心瓣膜、心衰治疗水凝胶等新型心血管系统修复材料等；研发出国际先进的用于人体结构组织的组织工程化产品，生物人工肝，血液代用品（人造血液），药物和生物活性物质（基因、短肽、疫苗等）的控释载体和系统，一批表面生物活化、抗凝血和组织增生及抗菌等表面改性的植入器械，用于影像技术的纳米分子探针、临床诊断的植入性芯片及植入性中枢神经电极、电子视网膜等植入性微电子器械等；开发一批新型生物材料临床植入示范性手术、建立评价生物材料和植入器械长期生物相容性、功能性及临床试验模型。

2. 2035 年目标

建成以可再生组织器官的生物医用材料为主体、表面改性植入器械为补充的我国现代生物医用材料产业体系，初步实现 21 世纪生物医用材料科学与产业的革命性变革，力争 2035 年的市场销售额达 6400 亿美元，占世界市场份额的 38.6%，成为全球生物医用材料第一大市场，引领世界生物医用材料科学与产业的发展。

着力推进材料诱导组织再生到诱导器官再生的研究，于世界率先建立较完整的新一代生物医用材料科学与工程基础理论体系。

重点推进人体器官再生的组织工程、生物 3D 打印、纳米生物材料及其装配技术，并结合干细胞技术，初步实现体外构建活性人体组织和器官；发展纳米生物活性物质（基因、蛋白质、疫苗、细胞）靶向输运和控释载体及系统，用于肿瘤、基因缺陷、老年病、传染病等难治愈疾病的防治；研发兼具重大疾病防治和组织再生等多功能的生物材料，开拓发展具有药理功能的生物医用材料新途径；结合信息技术研发电子视网膜、中枢神经刺激电极、跟踪体内生理和病理信息的植入性芯片等微电子植入器械；建立用于多种组织器官制造的生物医用材料基因库，保持生物医用材料基因组研究居世界先进水平等。

在分子水平上建立通过体外和短期体内试验评价材料和植入器械长期生物相容性和有效性的科学基础和新方法，包括分子标记体系及检验和临床试验模型等。

（三）发展路线图（表 15-6）

表 15-6　生物医用材料产业发展路线

内容	2015 ～ 2025 年	2026 ～ 2035 年
面临的需求	满足全民医疗保健和建设小康社会的基本需求	满足人口老龄化和自我保健意识增强导致的不断增长的需求
目标	基本建成新一代生物医用材料产业体系并带动行业跨越式发展，达到世界先进水平。完成产业结构调整，力争 2025 年销售额近 1450 亿美元，满足我国临床对生物医用材料的需求	建成以可再生组织器官的生物医用材料产业为主体、表面改性植入器械为补充的现代生物材料科学与产业体系，实现 21 世纪生物医用材料的革命性变革；力争 2035 年市场销售额达 6400 亿美元，占世界市场份额的 38.6%，不仅成为世界生物医用材料大国，也是强国，引领世界生物医用材料科学与产业的发展
重点任务	生物医用材料前沿基础研究国际先进，部分领先； 研发出第二代骨诱导性人工骨、软骨、神经、肌腱、韧带、角膜、心肌等再生性材料；新一代可降解血管支架、介入治疗心瓣膜、心衰治疗水凝胶等心血管系统修复材料；生物人工肝、血液代用品，药物和生物活性物质控释载体和系统；表面生物活化抗凝血和抗菌改性材料；新型口腔植入材料；纳米分子探针、植入性芯片及微电子植入器械等； 探索评价生物医用材料长期生物相容性和可靠性及临床试验的模型和新方法； 建立骨、软骨诱导性材料、心血管系统修复材料及可防治肿瘤的材料基因库； 开发一批临床示范性植入手术及影像和纸质资料	推进材料再生组织到人体器官研究，于国际率先建立较完整的新一代生物医用材料和科学与工程基础理论； 通过组织工程、生物 3D 打印、纳米生物材料及其装配研究，并结合干细胞研究，初步实现体外构建活体人体组织和器官； 发展纳米生物活性物质（基因、蛋白质、细胞、疫苗等）靶向输运和控释载体及系统，用于基因缺陷、老年病、肿瘤及传染病等重大疾病防治； 开拓具有药理功能的生物医用材料研究新途径，开发兼具肿瘤、骨质疏松等疾病防治及组织再生功能的生物医用材料； 结合信息技术，开发微电子植入器械，用于视网膜、中枢神经刺激电极，以及跟踪体内生理、病理变化的植入性芯片等； 建立多种组织和器官制备的生物医用材料基因库； 研发评价材料长期生物相容性和可靠性的分子标记体系、模型和方法
关键技术	突破可再生人体组织和生物医用材料设计及制备技术，人体组织的生物 3D 打印技术，硬、软组织的生物材料基因组工程技术，纳米生物材料及制备技术，智能及可降解生物医用材料的设计及制备技术，材料及植入器械的表面改性技术，分子探针及植入性芯片等早期临床诊断技术	体外人体组织器官构建的设计和装配技术，纳米生物材料及纳米控释载体及支架制备的软纳米技术，多种组织和器官制备的生物材料基因组技术，兼具药理和组织再生等多功能的生物医用材料设计和制备技术，不同功能的植入性微电子器械设计和制备技术，复杂组织和器官的生物 3D 打印技术和装备
开展的基础研究	（1）生物医用材料的生物相容性； （2）先进的制造方法学； （3）评价材料和植入器械长期生物相容性及可靠性的科学基础和新方法（开创审评科学）	

续表

内容	2015～2025 年	2026～2035 年
重大工程	新一代生物医用材料产业化示范工程（创建以混合所有制为主体的政产学研金结合，一体化全创新链地发展现代生物材料产业的中国模式，培育高集中度、多元化产品生产的大型企业或企业集群，为行业发展发挥示范和引领作用）	国际生物医用材料前沿创新及成果转化和产业化示范工程
重大工程科技专项	可再生组织器官的生物材料和植入器械重大工程科技专项	新型药械结合的生物材料和植入器械重大工程科技专项； 药械结合：具有药理作用的多功能生物医用材料，药物与生物活性物质靶向运输和控释载体及系统，与微电子技术结合的可植入微电子器械等
政策建议	（1）充分发挥社会主义经济优越性，针对生物材料多学科交叉的特点，组织首席专家负责跨学科、跨部门的联合攻关； （2）改变因多学科交叉相关业务管理部门互相推诿，生物医用材料产业得不到重视的状况，设立重大专项，增强引导性资金的投资强度； （3）新产品研发与市场准入审批改革创新同步进行，在保证生命安全的前提下加快新产品入市审批速度； （4）改革产品流通环节，提高医生待遇，有效地破除潜规则，以减轻患者和企业的负担	

七、稀土功能材料

（一）发展思路

中国稀土材料工程科技 2035 发展战略的指导思想是，针对我国稀土材料工程科技面临的问题和挑战，在全面落实《国务院关于加快培育和发展战略性新兴产业的决定》的基础上，以深入实施《国家中长期科学和技术发展规划纲要（2006—2020 年）》作为主线，准确把握创新驱动发展的战略定位，坚持以稀土材料工程科技的发展战略研究为依托，坚持“尊重科学、发扬民主、提倡竞争、促进合作、激励创新、引领未来”的工作方针，紧密结合国家“一带一路”倡议和“制造强国”重大战略需求，从建设创新型国家的战略全局出发，瞄准国际发展趋势，大力发展新能源汽车、智能机器人、风力发电、高速列车、城市轨道交通、节能家电、3D 打印、医疗器械及康复机器人等新兴节能、低碳经济，缩小在稀土永磁材料、软磁材料及特种功能材料等工程科技和应用上与发达国家的差距，力争在有优势的新技术、新材料研究及其应用产品方面，突破稀土材料工程科技前沿、共性关键科学理论和技术，使其在更大范围内达到或超过世界先进水平，掌握核心技术及其自主知识产权。促进工程科技成果转化，满足低碳经济、高新技术产业和国防尖端应用的需求。充分利用我国稀土资源优势，加强人才队伍建设，实施稀土材料专利与标准战略，建立和完善保障体系，确保国家稀土材料产业的国际主导地位，促进相关高技术产业可持续发展。

（二）战略目标

稀土材料工程科技发展的战略以“打造中国稀土材料工程科技发展的升级版”为具体目标，紧紧围绕稀土材料产业链，探索稀土材料的本征特性，突破稀土材料及其制备的核心专利，开发具有自主知识产权的稀土新材料、新工艺、新技术、新产品、新装备。申请发明专利3500项以上，其中国际专利300项；制定标准和规范1500项以上。充分发挥我国稀土资源优势，挖掘稀土材料的新功能，不断提高材料的功能特性，拓展稀土材料及其产品的应用领域，促进稀土在永磁材料、磁制冷材料、软磁材料、催化材料、储氢材料等的平衡和高质化利用。建立我国稀土材料产业的工程科技创新平台和评价体系，提高我国稀土材料的技术含量和档次，大幅度增加产品附加值，提高全球范围内稀土材料行业的准入门槛。通过国家顶层设计和市场调节，将目前的不断扩大产能的发展模式转变为稀土材料工程科技和产品结构优化的发展模式，稀土材料及应用创造年产值5000亿元，带动相关产业创造年产值3万亿元；确保促进我国稀土材料产业健康、可持续发展，并成为全球稀土材料科技的领跑者。

到2025年，建成3～5个具有世界先进水平的国家级稀土材料创新平台和工程化研发基地。成功开发一批具有核心知识产权的新型磁、光、电等稀土功能材料，并在智能控制、高速列车、城市轨道列车、机器人、新型显示与照明、国防军工等高新技术领域获得应用。超高性能永磁体综合性能最大达到85，研究、开发实现制造工艺的数字化，全生产链过程的柔性化、自动化；新型铈永磁体中铈含量占稀土总量的40%时磁能积大于40MGOe。推动高稳定性、长寿命、耐高温稀土永磁材料的研究；获得新型稀土荧光粉，满足全光谱白光LED（R_a大于95时、R_{12}大于90、光效大于200lm/W）和显示色域大于100%美国国家电视标准委员会标准（National Television Standands Committee，NTSC）制式的LED背光源液晶显示器的应用需要；稀土储氢材料容量达到7.5wt%。高性能稀土催化剂、白光LED荧光粉、稀土晶体材料、超高纯稀土金属及其化合物等关键稀土新材料国产率达到80%以上。

到2035年，研究开发新型高强韧性、抗冲击稀土永磁材料。高性能烧结磁体综合磁性能MGOe+kOe ≥ 90，磁能积大于55MGOe；高丰度铈、钐及混合稀土替代紧缺钕、镝等单一稀土量达到60%；当铈含量占稀土总量的50%时，新型铈永磁材料磁能积大于45MGOe；新型高温永磁材料使用温度超过600℃，满足新能源、新一代航天器等的性能要求。白光LED器件光效达到260lm/W，稀土荧光转换型激光光源广泛应用于照明、显示器件。新一代激光武器、智能控制与检测、信息传输与显示用光功能晶体、陶瓷材料亟须的超纯稀土、纳米稀土材料全部替代进口，成本降低80%以上；稀土氧化物纯度达到7N，稀土金属纯度达到5N；我国稀土永磁材料成为全球的领跑者。

（三）发展路线图（表15-7）

表15-7 稀土功能材料产业发展路线

内容	2015～2025年	2026～2035年
面临的需求	新能源汽车、风力发电、高速列车、节能家电、工业机器人等新兴节能、低碳经济对稀土材料功能特性的新要求	满足智能机器人、康复机器人、智慧城市、星际交通、新概念武器装备，以及老龄化社会对稀土材料功能特性的新要求
目标	（1）建立我国稀土材料产业的工程科技创新平台和评价体系，实现需求引导材料先行； （2）突破稀土永磁材料矫顽力远低于理论值的技术瓶颈； （3）稀土催化和光晶体材料研究进入国际前列； （4）实现我国稀土材料产业的绿色化、智能化生产，促进产业健康、可持续发展	（1）在新型稀土永磁材料磁性增强机制研究方面取得重大突破； （2）实现制造工艺的数字化，全生产链过程的自动化、智慧化，引领稀土材料及应用科技的发展； （3）研发出多种新型稀土超材料，实现发展模式转变为：需求导向→领导需求→创造需求
重点任务	（1）突破稀土材料工程科技前沿、共性关键科学理论和技术，建设稀土永磁材料及其应用技术创新中心； （2）工业机器人和医用康复机器人用永磁材料； （3）电动汽车驱动电机用高性能、耐高温永磁体； （4）新型稀土磁光材料	（1）具有自主知识产权的稀土新材料、新工艺、新技术、新产品、新装备，实现产业的可持续发展； （2）新一代稀土永磁材料引领时速超过1000km的智能交通方式的重大变革； （3）新型稀土磁电子材料及应用技术
关键技术	（1）中、重稀土的高效利用技术； （2）Ce永磁体的组织调控技术； （3）稀土软磁材料的批量生产与应用技术； （4）储氢体材料的应用新技术	（1）突破新型稀土材料的基因组制备技术； （2）高使用温度永磁材料生产技术； （3）制造工艺的数字化，全生产链过程的柔性化、自动化技术

续表

内容	2015～2025年	2026～2035年
开展的基础研究	（1）稀土永磁材料的矫顽力机制； （2）双（或多）主相磁性材料的耦合机制； （3）材料基因组方法应用于新型稀土功能材料； （4）稀土磁传感及磁致伸缩材料与器件	（1）更高性能的新型稀土永磁材料及其他特种功能材料探索； （2）稀土金属基复合材料设计、制备与应用技术； （3）高端纳米稀土功能材料与规模制备技术
重大工程	时速超过700km的海底隧道交通工程用新一代稀土永磁材料	研发时速100km的磁悬浮真空管道及其使用的永磁材料
重大工程科技专项	电动汽车及驱动电机、医用康复机器人用关键稀土功能材料服役评价与安全控制技术	（1）基于多外场跨尺度模拟的新一代稀土永磁材料制备加工与组织性能调控技术； （2）星际旅行飞船用高性能、抗辐照稀土磁性材料
政策建议	（1）加强新型稀土功能材料及制备技术的研究和开发； （2）注重材料及器件一体化研究与开发； （3）注重研发纳米稀土磁性材料物性及制备技术，研究开发纳米、微米级应用器件	（1）注重未来稀土新材料形态和功能的多样化； （2）注重稀土功能超材料、非均匀稀土永磁材料、3D打印复合永磁材料等新概念材料的研究开发

八、前沿新材料

（一）发展思路

面向国家在新一代信息技术、节能减排、智能制造、国防科技工业领域对前沿材料技术的需求，支撑国家重大战略目标，瞄准技术和产业制高点，抓住我国“换道超车”的历史性发展机遇，以高性能特种纤维、高温高效隔热材料和超宽禁带半导体材料技术为核心，通过体制机制创新、技术创新与整合，构建材料基础研究、材料研制、工程制造、产业化完整链条并一体化组织实施。培养一批创新创业团队，培育高端研发团队和知名龙头企业，形成产业基地，在国防工业、航空航天、电网、医疗卫生、空间探测、通信、存储等领域实现规模应用。

（二）战略目标

1. 2025年目标

高性能特种纤维制备技术实现工程化生产及批量应用，建立性能检测评价及质量控制体系，为下一代装备和关键民用行业发展提供世界领先的纤维材料支撑和技术储备；突破满足飞行器前缘、鼻锥类部件候选高温高效隔热材料的设计和可控制备技术，大尺寸热结构复合材料的成型技术，提高材料重复使用性能，实现由跟踪仿制到自主研发的跨越；突破较大尺寸较高质量超宽禁带半导体单晶材料生长和晶片加工核心关键技术，建立并完善超宽禁带半导体材料研发平台和应用验证平台，技术达到世界先进水平，推进单晶材料的应用验证进程，培育超宽半导体材料新兴产业，增强国际竞争力，实现2英寸氮化铝、3英寸氮化铝、2英寸金刚石、3～4英寸氧化镓单晶晶片小规模量产，支撑半导体材料、新型光电子和微电子器件产业的发展。

2. 2035年目标

建立高性能特种纤维产品和技术体系，实现产业化发展，大幅提高结构减重、导电导热性能、防隔热效率等，实现航空航天装备广泛应用，同时推广应用到民用领域；建立完整的、成熟的高温高效隔热材料体系，实现数理模型、计算模拟、先进分析表征和快速试验等技术的高度融合，在低烧蚀/“零”烧蚀、主承力热结构、高温隔热、高温透波等材料的基础研究和前沿探索研究方面达到世界先进水平，实现自主研发，引领创新发展；突破大尺寸较高质量超宽禁带半导体单晶材料生长和晶片加工核心关键技术，技术能力达到世界先进水平，建立健全超宽禁带半导体材料产业化平台，推进单晶材料的产业化进程和可持续发展能力，做大超宽半导体材料产业，形成国际领军企业，实现2～4英寸氮化铝、2～4英寸金刚石、4～6英寸氧化镓单晶晶片规模量产，并在国防工业和社会经济各方面发挥基础支撑作用。

（三）发展路线图（表15-8）

表15-8 前沿新材料产业发展路线

内容	2015～2025年	2026～2035年
面临的需求	高性能结构减重；高马赫数飞行器等；新型雷达、中红外系统、半导体照明等行业	新型结构多功能化；超高速飞行器等；超高功率器件、远红外紫外探测、动力电子系统等行业
目标	高性能特种纤维制备技术实现工程化生产及批量应用；高温高效隔热材料实现由跟踪仿制到自主研发的跨越；建立并完善超宽禁带半导体材料研发平台和应用验证平台，开展初步应用验证	建立完整的、成熟的高温高效隔热材料体系，达到世界先进水平；建立健全超宽禁带半导体材料产业化平台

续表

内容	2015 ～ 2025 年	2026 ～ 2035 年
重点任务	（1）以连续丝束碳化硅纤维、氧化铝纤维等为代表的陶瓷纤维研发及其复合材料应用； （2）高温长时本体抗氧化热结构材料、高温长时轻质防隔热一体化材料研发及工程应用； （3）小尺寸氮化铝、金刚石、氧化镓单晶晶片研制及应用验证考核	（1）以碳纳米管纤维、石墨烯纤维为代表的新型碳质纤维研发及其复合材料应用； （2）低烧蚀 / 非烧蚀复合材料、超高温多元陶瓷、高强韧超级隔热材料研发及工程应用； （3）大尺寸氮化铝、金刚石、氧化镓单晶晶片研制及工程应用
关键技术	（1）碳纳米管和石墨烯的可控制备技术； （2）纳米纤维多尺度计算模拟和表征技术； （3）高陶瓷转化率、可纺性良好、反应可控的纺丝前驱体批量制备技术； （4）前驱纤维连续、稳定、细旦纺丝技术； （5）基于计算材料学的高温高效隔热材料设计； （6）高温高效隔热材料建模与模拟技术	（1）可纺丝碳纳米管阵列和石墨烯纤维丝束的连续稳定工程化制备技术； （2）新型碳基纤维应用技术； （3）前驱纤维连续化热处理及均匀烧结控制技术； （4）陶瓷纤维微结晶结构控制技术； （5）陶瓷纤维的工程应用技术； （6）低烧蚀 / 非烧蚀防热复合材料设计和可控制备技术； （7）大尺寸复杂结构防热功能复合材料成型技术； （8）宽服役温度范围高韧性高效隔热材料体系设计与可控制备技术
开展的基础研究	（1）氮化铝单晶材料制备与应用验证研究计划； （2）电子级金刚石单晶材料制备与应用验证研究计划； （3）氧化镓单晶材料制备与应用验证研究计划	（1）大尺寸氮化铝单晶晶片制备与工程化研究计划； （2）大尺寸金刚石单晶晶片制备与工程化研究计划； （3）大尺寸氧化镓单晶晶片制备与工程化研究计划

第十六章
工程科技重点任务与发展路径

第一节　微电子器件用硅基材料

一、目　　标

通过大尺寸硅衬底材料制备和提高质量的调控方法及 SOI 制备技术研究，实现微纳电子制造方面的成功应用，构建我国硅及硅基材料的技术优势，促进硅基异质材料技术的创新研发，支撑我国电子信息产业的自主持续发展。

二、重 点 任 务

开发 300～450mm 硅衬底材料的产业化技术和 200～300mm SOI 产业化技术；研究硅基异质材料性能调控及其在新型器件结构的应用，开发微电子－光电子集成制备关键技术。

三、关键技术及发展路径

（一）需求

大尺寸硅片及 SOI 片满足微纳电子制造要求。

（二）目标与任务

到 2025 年，面向 10～14nm 线宽的集成电路要求，300mm 硅片产业化；450mm 硅单晶晶片工程化；直径 200mm FDSOI 片产业化；制备出大尺寸 SOI、绝缘体上应变硅、绝缘体上锗等复杂结构硅基材料。

到 2035 年，面向 5～7nm 线宽的集成电路应用要求，实现 450mm 硅片产业化；面向功率半导体应用要求，实现 300mm SOI 片及重掺硅片产业化；硅基异质材料商业化应用；掌握硅衬底上可控生长异质材料的方法，为人工智能芯片和微电子 – 光电子的有效集成提供材料支撑。

（三）关键技术发展路径

掌握大尺寸衬底材料晶体生长的磁场 – 温场设计、杂质和晶体缺陷有效控制方法及完整晶体生长和精密加工。

开展高迁移率的锗、砷化镓、氮化镓、碳纳米管等异质沉积于大尺寸硅衬底过程中的晶格缺陷及其热演化行为，异质材料可控生长，与栅介质材料的界面匹配，异质外延的掺杂控制，硅衬底集成异质材料后的光电特性与微电子特性的研究。

（四）产业发展路径

大尺寸硅衬底及硅基材料产业化和规模化应用。

（五）发展措施

制定国家科技中长期发展规划，将下一代微电子材料制备与应用技术列为关键技术之一予以优先发展，充分体现其在新材料工程科技中的基础地位和作用。

第二节　宽禁带半导体材料

一、目　　标

突破大尺寸、高质量半导体衬底和外延材料制备关键技术，突破半导体高效光源、射频器件、电力电子器件及模块的核心设计和工艺技术，实现在电力传动、新能源并网、通用电源、下一代移动通信、智慧照明和超越照明等领域的应用示范作用。

二、重点任务

研究大失配、强极化下一代半导体材料及其低维量子结构的外延生长动力学、掺杂动力学、缺陷形成和控制规律、应变调控规律；研究低维量子结构中载流子输运、复合、跃迁及其调控规律；研究下一代射频器件和电力电子器件；探索半导体照明与生物作用机制、光对不同生物的效用规律，建立光生物效应、光安全数据库。

三、关键技术及发展路径

（一）需求

高质量衬底材料制备关键技术支撑下一代电子电力器件和半导体照明光源发展。

（二）目标与任务

到2025年，半导体照明核心器件光效超过280lm/W，国产化率达到80%，照明市场占有率超过75%，射频器件在移动通信基站获得规模应用，电力电子器件的耐压达到15kV。到2035年，培育出一批在下一代半导体领域具有国际品牌的龙头企业，形成若干个产业集聚区；申请多项发明专利；培养领军型创新创业人才；建成若干开放的研发创新和科技服务平台。

（三）关键技术发展路径

研究下一代半导体电力电子材料、器件与模块关键技术，及其在电力传动、电力系统、新能源并网、通用电源等领域的应用技术；研究面向下一代移动通信的半导体射频器件及系统应用关键技术；研究超高能效、高品质、全光谱半导体照明光源核心材料、器件、灯具全技术链绿色制造技术；研究新形态多功能智慧照明与可见光通信关键技术、系统集成与应用；研究下一代半导体紫外光源、紫外探测材料与器件关键技术；开发用于下一代半导体的大尺寸衬底、核心配套材料与关键装备。

（四）产业发展路径

到2025年，完成下一代半导体电力电子器件设计仿真、制造工艺、测试检验技术，实现大容量电力电子器件和功率模块在智能电网、轨道交通、电动汽车、高效通用电源等领域的应用；到2035年，开发适用于健康医疗、农业应用的半导体照明专用灯具和集成系统，开展医疗和健康照明、农作物照明、害虫光防治等应用。

（五）发展措施

制定国家科技中长期发展规划，将下一代半导体材料与半导体照明列为关键技术之一予以优先发展，充分体现其在新材料工程科技中的基础地位和作用。

第三节　显示材料与技术

一、目　　标

重点突破印刷OLED/QLED/电子纸发光与显示材料、印刷TFT材料与器件关键技术，开发印刷OLED/QLED/电子纸显示器件集成技术，印刷OLED和印刷QLED。突破三基色LD外延材料、器件与激光显示整机关键技术。研制出大屏幕双高清激光家庭影院。突破高世代基板玻璃、柔性基板等关键材料的工程化与产业化技术。

二、重 点 任 务

研究新型印刷发光材料的载流子注入、传输与激发机制；研究溶液墨水配制技术与薄膜制备技术；研究TFT器件载流子调控机制；研究红绿蓝三基色半导体激光器材料结构、空域/时域/频域调控及受激辐射机制；研究基于三基色LD激光显示双高清大色域综合设计原理、颜色管理及散斑效应抑制机制。

三、关键技术及发展路径

（一）需求

印刷OLED/QLED/电子纸发光与显示材料、印刷TFT材料与器件；三基色LD外延材料、器件与激光显示整机关键技术；高世代基板玻璃、柔性基板等关键材料的工程化与产业化技术。

（二）目标与任务

重点突破印刷OLED/QLED/电子纸发光与显示材料、印刷TFT材料与器件关键技术，开发印刷OLED/QLED/电子纸显示器件集成技术，印刷OLED和印刷QLED：尺寸≥30英寸、分辨率3840像元×2160像元、亮度≥250cd/m^2，印刷QLED器件色域≥100%（NTSC）。突破三基色LD外延材料、器件与激光显示整机关键技术，三基色LD激光器达到瓦级输出，红光、蓝光LD激光器成本分别降到5美元/W、7美元/W以下，寿命超过2万h。研制出大屏幕双高清激光家庭影院，显示分辨率3840像元×2160像元，色域空间达到160%（NTSC），寿命长于1万h，亮度≥250cd/m^2，实现产业化示范应用。突破高世代基板玻璃、柔性基板等关键材料的工程化与产业化技术，建成G8.5高性能玻璃基板产业示范线。

（三）关键技术发展路径

到2025年，形成印刷OLED/量子点LED（QLED）/电子纸显示的器件技术与工艺集成关键技术，可溶性有机发光材料、电致发光量子点材料和印刷浆料关键技术，印刷TFT材料与器件关键技术。到2035年，形成高光束质量、低阈值、长寿命、低成本红绿蓝LD材料及器件关键技术与工程化，激光相干性与散斑效应的量效关系与散斑抑制，激光显示光学材料与器件制备技术。

（四）产业发展路径

基板/支撑材料→发光/显示材料→发光/显示器件→封装模块/系统→应用。

（五）发展措施

制定国家科技中长期发展规划，将显示材料与技术列为关键技术之一予以优先发展，充分体现其在新材料工程科技中的基础地位和作用。

第四节　大功率激光材料与器件

一、目　　标

突破高性能激光晶体材料和大模场高增益双包层玻璃光纤等材料生长制备技术，研制出千瓦级工业化高功率准连续激光器及大功率飞秒激光器、单频激光器、高亮度光纤耦合半导体激光器及深紫外激光器，可靠性达到国际同类产品水平，破解制约我国激光产业发展的瓶颈。

二、重 点 任 务

开展激光与物质相互作用机制、关键激光元器件老化损伤机制研究；开展大模场高增益双包层石英光纤生长技术研究；开展稀土离子高浓度均匀掺杂、光纤暗化机制及调控方法、光纤老化与损伤机制及控制方法研究；开展大功率激光器用新型高密度散热材料及散热方式研究；开展紫外晶体材料生长技术研究；开展高光束质量半导体激光技术及半导体光子晶体激光技术研究；开展大尺寸低损耗激光晶体材料生长技术研究；开展深紫外、中红外非线性光学晶体材料生长和器件研究。

三、关键技术及发展路径

（一）需求

高性能激光晶体材料和大模场高增益双包层玻璃光纤等材料。

（二）目标与任务

到2025年，开发出大尺寸低损耗的Yb/Nd激光晶体材料，高抗损伤阈值大于2.5GW/cm^{2}的三硼酸锂（LBO）和硼酸氧钙钇（ReCOB）高抗损伤阈值光学薄膜。到2035年，开发出高亮度光纤耦合半导体激光器、千瓦级准连续激光器；获得深紫外激光输出；开发出50W级飞秒激光器和百瓦级单频激光器。

（三）关键技术发展路径

激光晶体材料→激光器→激光应用系统→应用。

（四）产业发展路径

基板/支撑材料→发光/显示材料→发光/显示器件→封装模块/系统→应用。

（五）发展措施

制定国家科技中长期发展规划，将大功率激光材料与器件列为关键技术之一予以优先发展，充分体现其在新材料工程科技中的基础地位和作用。

第五节　面向物联网的关键传感材料与器件

一、目　　标

以面向物联网的关键传感材料与器件技术发展及应用需求为导向，突破声、光、电、磁、热传感器件中的关键材料制备技术，提高国家重点发展的物联网、国民健康领域所需的高性能无源敏感薄膜材料和传感器芯片的国产化水平，使我国传感器产业摆脱依赖进口和仿制的现状，实现产品换代和产业升级，自主可控地形成覆盖材料制备、器件设计和应用解决方案的全链条自主知识产权系统。实现磁性、红外、热敏等传感器芯片在物联网、智能医疗终端及空天海洋环境监测中的典型应用。

二、重 点 任 务

发展新型高性能敏感薄膜材料制备技术，提升薄膜敏感材料性能，满足传感器芯片对晶圆级薄膜材料厚度和均匀性的要求。研究敏感材料及器件与硅基集成电路的集成方法，获得高灵敏度、低功耗、高可靠性的传感器芯片异质异构集成技术。基于多物理场综合仿真技术，研究传感器芯片模拟仿真与设计及快响应海洋测温热敏电阻器。研究磁性、红外、热敏、射频等芯片级传感器的批量生产与测试技术，建立芯片级传感器相关技术标准体系和典型应用的解决方案。

三、关键技术及发展路径

（一）需求

高灵敏度、低功耗、高可靠性的传感器芯片异质异构集成技术，磁性、红外、热敏、射频等芯片级传感器的批量生产与测试技术。

（二）目标与任务

掌握磁性、红外、热敏、射频等高性能无源敏感薄膜材料制备方法，建立敏感材料及器件与硅基集成电路的异质异构集成技术，形成芯片级传感器设计、制造方法与技术标准。磁阻传感器静态电流小于 5μA（工作电压为 3V 时），工作温度范围为 –40～+85℃，工作电压范围为 1.8～5V；红外气体传感器稳定工作时间不短于 5 年；气体浓度测量范围为 0%～100%，测量精度 <0.1%。海洋用热敏电阻器热时间常数（在水中）范围为 10ms～500ms，测量温度范围为 –5～+450℃，年稳定性优于 ±0.01℃。建成年产 5 亿支传感器芯片生产线及研发基地，实现传感器及其应用系统的自主研发和规模化生产，推动磁性、红外、热敏、射频传感器芯片在物联网、智能医疗及空天海洋等领域的应用示范，以有毒、有害气体检测为突破口，实现传感器芯片产业的发展。

（三）关键技术发展路径

关键材料研制→器件研制→探测系统集成和应用。

（四）产业发展路径

支撑探测器的材料→探测元器件→系统集成和产业化→产业化应用。

（五）发展措施

制定国家科技中长期发展规划，将面向物联网的关键传感材料与器件列为关键技术之一予以优先发展，充分体现其在新材料工程科技中的基础地位和作用。

第六节　太阳能电池材料

一、定位和发展目标

发展光伏产业对调整能源结构、推进能源生产和消费方式变革、促进生态文明建设具有重要作用。未来 10～20 年，晶体硅太阳能电池的主导地位不会发生根本性变化。由于多晶硅成本下降，薄膜太阳能电池的成本优势并未得到太大体现，预计薄膜和晶体硅太阳能电池技术未来还将并行发展。我国太阳能电池已经形成了世界第一的产业规模，在满足国内太阳能发电增长需求的同时，仍将出口到其他国家和地区。围绕高转换效率、低成本、长寿命等核心技术，我国应当加强提升多晶硅产品质量、降低能耗和副产物综合利用等方面的技术研究，同时完善材料产业体系。此外，还应积极发展太阳能热发电材料，为其大规模应用示范提供支撑。

我国光伏产业发展的总体目标为：开展高性能多晶硅、晶体硅材料、辅助材料和薄膜太阳能电池产业化基地和国家级研发机构建设，发展太阳能电池新材料、新原理，开发高效、低成本、长寿命太阳能电池。以硅基太阳能电池和太阳能热利用关键材料为重点，完善多晶硅产业化技术和装备，发展多晶硅制备新技术，提高并稳定多晶硅品质，降低能耗，强化多晶硅副产物综合利用；发展高性能大尺寸晶体硅、超薄型硅片及其低成本电池制备技术和装备，发展高效率、长寿命非晶硅 / 微晶硅等薄膜太阳能电池制备技术和装备；完善晶体硅太阳能电池辅助材料产业体系，积极开发高性能浆料、背板材料等产品。发展高效率、长寿命真空集热管及材料产业化关键技术和装备。研发先进太阳能利用的新材料和新技术，为实现我国由太阳能生产大国向太阳能生产强国的转变提供技术支撑。

二、重 点 任 务

到2025年，稳定改良西门子法产品质量，节能降耗降本；发展多晶硅制备新技术，提高并稳定多晶硅品质，降低能耗，强化多晶硅副产物综合利用；加强硅烷制备、纯化、流化床粒状多晶硅、正面银浆、背板等方面的产业化技术与装备开发。主要材料自主供应率达到80%，产业规模达到5000亿元，建立完整的产业发展环境。到2035年，根据市场需求，开发太阳能发电高转换效率、长寿命、低成本新材料。主要材料自主供应率达到95%，产业规模达到6000亿元。形成新的太阳能发电产业发展基础。

三、关 键 技 术

至2025年，改良西门子多晶硅精细化产业发展；发展正面银浆、背板、硅烷制备、提纯与流化床分解技术与装备。完善晶体硅太阳能电池辅助材料产业体系，积极开发高性能浆料、背板材料等产品。至2035年，实现新型太阳能新材料研究与产业化。发展太阳能电池新材料、新原理，开发高效、低成本、长寿命太阳能电池。发展高性能、大尺寸晶体硅、超薄型硅片及低成本电池制备技术和装备，完善晶体硅太阳能电池辅助材料产业体系。

第七节 锂离子电池材料

一、定位和发展目标

锂离子电池作为二次电源，可储存水电、风电、光伏发电等清洁电力，绿色环保。相比铅酸电池、镍镉电池等其他二次电源，锂离子电池具有能量高、使用寿命长、额定电压高、自放电率低、重量轻等优势。据测算，燃烧 1L 汽油将排放 2.3kg 的 CO_2，以锂离子电池为动力源的电动汽车可以有效解决传统燃油汽车的尾气污染问题。锂离子电池技术水平的提高将极大地推动电动汽车产业的发展。另外，锂离子电池可以作为储能电池应用于新能源并网环节和城市里电力的削峰填谷，将形成比电动汽车产业规模更大的产业。至 2025 年，锂离子电池主要材料自主供应率达到 80%，锂离子电池产业规模达到 300 亿元，建立完整的产业发展环境。至 2035 年，锂离子电池主要材料自主供应率达到 95%，锂离子电池产业规模达到 600 亿元。

二、重 点 任 务

至 2025 年，突破电芯比能量 300W · h/kg 锂离子电池的制备技术产业关键，开发先进材料与技术（高容量正极材料、硅基合金负极材料、高安全性隔膜、高电位电解液）；形成 100 亿～200 亿 W · h 动力电池及配套材料，实现 100 亿～300 亿元产值。掌握采用高容量正负极材料及高电压电解液的高能量密度纯电动汽车用锂离子电池技术，形成高比能量锂离子电池的材料体系；突破高功率、高能量密度混合动力汽车用锂离子电池技术。至 2035 年，研发比能量 400W · h/kg 锂离子电池的大规模产业化。实现能量密度高于 400W · h/kg 的新型电池与材料（硫系复合材料、金属锂复合材料、固态电解质材料、锂空气电池等）。掌握高能量密度新体系电池技术，包括锂硫电池、锂空气电池、全固态电池等的关键技术，实现商业化应用。

三、关 键 技 术

至 2025 年，富镍、高容量、高电压正极材料、软碳、硅碳负极、高压电解液、高安全性隔膜的产业化工艺与装备技术。至 2035 年，新体系电池的产业化工艺与装备技术，包括锂硫电池、锂空气电池、全固态电池等的关键技术，实现商业化应用。

第八节　燃料电池材料

一、定位和发展目标

世界经济正在进入深度调整期，建立低碳经济和建设低碳社会成为社会发展的方向，社会生产方式和生活方式正在发生深刻变化，氢能正在成为与电一样重要的二次能源，将促进一次能源结构转变，形成氢 – 电交互的二次能源供给网络，触发第三次产业革命。世界发达国家已经将氢能源纳入国家能源体系，并成为国家能源体系的重要组成部分。氢气既可以用管网进行规模配送，也比电更容易分散储存；既可以从煤 / 石油 / 天然气等化石能源中制取，也可以通过核能、可再生能源制取；当从化石能源制取氢气时可集中处理碳排放，而在氢能消费终端没有碳排放。氢作为重要储能介质，将促进我国可再生能源的利用与发展，并加快实现我国可再生能源占一次能源的比例达到 15% 的目标。在汽车产业，更是将氢燃料电池汽车作为汽车产业可持续发展的主要解决方案。氢能源利用产业将成为新的经济增长点，是战略性新兴产业的重要发展方向之一。氢能燃料电池关键基础材料应支撑我国氢能源产业发展，迎头赶上世界氢能源利用产业的发展潮流。

燃料电池关键基础材料发展的总体目标：加强燃料电池纳米催化剂的基础研究，探索不同结构、不同成分铂基和非铂基 / 非贵金属基纳米催化剂在碱性及酸性燃料电池中的应用，突破低铂、高性能、长寿命纳米催化剂的制备工艺及批量制备技术。突破新型催化剂膜电极制备技术，加大加快离子交换膜的研发及推广应用，支撑氢能燃料电池产业的发展，带动上万亿元产业规模。开展可再生能源大规模制氢、储氢和输配示范，全面发展安全高密度高压储氢、固态储氢技术，使氢能成为我国能源的重要组成部分，实现向低碳经济转变的目标，实现我国汽车产业由世界代工厂向汽车强国转变的目标，达到国际先进水平。

二、重 点 任 务

至 2025 年，突破适用高温低湿度条件下具有高电导率的质子交换膜技术；突破大容量、高充放氢速率技术难题，固态 / 高压混合储氢系统可能作为车载氢源；突破轻质高容量储氢材料。我国燃料电池中所用催化剂的国产化率达到 50%，工程化能力达到公斤级规模，完善燃料电池贵金属的回收利用技术。开发非贵金属燃料电池用纳米催化剂新技术。至 2035 年，实现高性能膜电极规模制备技术，产业技术达到世界先进水平；非铂催化剂研究取得突破；固态 / 高压混合储氢系统作为车载氢源的应用研究。提高我国质子交换膜性能，进一步降低成本，延长使用寿命，并使其在车用燃料电池、通信基站用燃料电池、便携式燃料电池等领域得到广泛应用，国产化率达到 80%。

三、关 键 技 术

燃料电池中所用催化剂的工程化能力和燃料电池贵金属的回收利用技术，燃料电池汽车关键技术。基于新型高容量储氢材料的移动式储氢装置的重量和体积储氢率分别达 8.5wt% 和 60kgH_2/m^3 以上，放氢温度低于 80℃，循环使用寿命超过 2000 次，并在氢燃料电池汽车上实现应用。

第九节　极端环境下重大工程用水泥基材料及装备

一、定位和发展目标

围绕极端环境下国家重大工程建设对混凝土结构高耐久、特殊性能化和功能化的重大需求，从微观、细观和宏观三个尺度，从水泥、钢筋、混凝土等多个角度，研究高温、高压、高腐蚀和应力耦合等严酷环境下水泥基材料水化和组成调控、耐久性破坏机制，提出控制和预防劣化的新材料、新技术。

项目将推进混凝土耐久性理论研究，为我国海洋和西部开发、油井建设、交通和水电重点工程建设及安全、长久运营提供理论和技术支撑，并同时在技术上支撑城市化进程和新农村建设。

二、重点任务

围绕复杂地质、恶劣气候、特殊结构、侵蚀介质等极端环境下海洋、油井、水电和交通等重大工程，从水泥基材料的理论基础、组成和结构优化设计、技术研究、产品开发、示范应用等多个环节，对项目进行产学研用一体化设计，拟设置基础前沿研究、关键技术研究及装备、系统集成与应用示范 3 部分的 10 个重点研究任务。

（一）基础前沿研究

1. 极端环境下水泥水化产物失稳机制与调控机制

以复杂地质、恶劣气候、特殊结构、侵蚀介质等极端环境为对象，研究上述单一或多种因素耦合环境下水泥水化进程及产物变异规律，揭示水泥水化产物失稳机制，从物理化学作用角度，对水泥熟料矿相组成进行优化匹配设计，提出不同极端环境下水泥水化产物稳定或调控方法，阐明极端环境条件下水泥水化产物稳定性调控机制。

2. 极端环境下重大工程用水泥基材料的损伤机制与预防或修复机制

以海洋、油井、水电和交通等重大工程为对象，模拟不同工程特点下水泥基材料（砂浆、混凝土）在对应单一或耦合极端环境条件下发生损伤破坏的作用规律，揭示水泥基材料的损伤破坏机制，从材料及结构设计角度，提出不同极端环境条件下重大工程用水泥基材料的损伤预防或修复措施，并从理论上阐明这一损伤预防或修复作用机制。

3. 严酷海洋环境中钢筋混凝土劣化机制研究

针对海洋开发区域的地理位置和气候特点，以海洋中 Cl^-、Mg^{2+}、SO_4^{2-} 等有害离子的侵蚀为基础，研究多离子协同作用下钢筋和混凝土劣化过程与新机制，同时考虑海洋生物（动植物）对钢筋混凝土耐久性的影响；研究力学荷载和环境荷载协同作用下钢筋混凝土劣化过程和新机制，根据劣化规律和机制，反向调控水泥矿相和水泥熟料相组成；以混凝土结构的特定服役对象，开展多场耦合作用下混凝土非均匀应力群和损伤演变时空效应研究。

（二）关键技术研究及装备

1. 极端环境条件下高耐海水腐蚀混凝土新材料的研发

针对海洋钻井平台和军事工程等海洋开发项目，基于水泥基材料长期浸泡于高盐度海水中的需求，开发耐海水腐蚀专用水泥；研究新型非金属筋混凝土（碳纤维筋、PVC 筋、玄武岩筋等）；研究利用多孔、低密度珊瑚礁石制备轻质高强混凝土技术；研究海水拌养混凝土耐久性的整体提升技术；针对海上军事工程需要，开展防爆、高抗渗、高抗冲击性能混凝土研究。通过礁石、海砂、贝壳等混凝土新骨料、海水拌养混凝土的研究和应用，实现混凝土生产原材料的本地化，显著提高混凝土生产的经济性。

2. 极端环境下重大工程专用水泥的研发

针对海洋、油井、水电和交通等重大工程特点，结合前期研究的各工程在相应极端环境下适用的硅酸盐水泥矿物组成，从水泥的生料配制、煅烧、冷却等工艺参数控制和热动力学变化角度，研究各重大工程对应极端环境下专用水泥的制备技术，开发出极端环境下重大工程专用水泥。

3. 极端环境下重大工程用水泥基修补材料的研发

以海洋、油井、水电和交通等重大工程在不同极端环境的损伤破坏为对象，针对各重大工程用不同材料及结构设计特点，研究配套的水泥基修补材料，满足低成本、快速、高效修补功能，保证重大工程的安全运行。

4. 极端特殊工程结构的增材制造技术和装备

以深海和军事工程为主要研究目标，开展混凝土工程的快速智能制造设备，改变以往利用硫铝酸盐水泥、磷酸盐水泥以修补为主要目标的传统后勤保障方法，研究军事防御工程、重要结构部位、深海工程等重大、极端特殊工程结构的增材制造技术和装备，实现极端环境下混凝土工程的功能化和快速化智能制造和修补维护技术。

（三）系统集成与应用示范

1. 严酷海洋环境下高耐久性混凝土成套技术及其示范应用

结合基础前沿研究和关键技术研究的突破，集成研发新材料和新技术，在海洋平台建设和军事工程等海洋工程中示范应用。开展实施耐海水腐蚀水泥的生产和应用；以严酷环境下重要结构工程为对象，考虑混凝土结构的实际服役条件，实现多场耦合作用下混凝土材料劣化过程监测及优化设计，并开发出多重屏障防护材料体系；以军事冲突为背景，开发防爆、高抗渗、高抗冲击、抗裂等高性能混凝土，利用增材制造技术，实现军事工程及重要建筑物快速智能制造和修补维护。

2. 极端环境下重大工程专用水泥的生产与示范应用

结合基础前沿研究和关键技术研究的突破，通过水泥生料三率值、熟料煅烧、冷却、粉磨及工艺参数的调整研究，实现极端环境下重大工程专用水泥在2000t/d（含）以上规模的新型干法窑稳定生产，并在西部开发、油井建设、交通和水电的多个混凝土工程中进行示范应用。

3. 极端环境下重大工程用水泥基修补材料的生产与示范

结合基础前沿研究和关键技术研究的突破，针对滑坡、地震等恶劣自然条件造成的公路、铁路和机场道面破坏，军事工程破坏后的亟须快速修复的需求，建立重大工程用耐久性水泥基修补材料的生产基地，批量生产并示范应用。满足重大工程快速、高效修补要求，为战争赢得宝贵时间，为抢救人民生命和财产赢得时间。

三、预 期 指 标

项目研究将建立5～8条（含）以上极端环境下重大工程专用水泥在2000t/d（含）以上规模的新型干法窑生产示范线，建立1～2个极端环境下重大工程用水泥基修补材料的生产基地，开发1套用于极端环境下的水泥基材料智能制造装备，在民用和军事重大工程中进行示范应用。

第十节　先进建筑功能玻璃材料与制造技术

一、目　　标

（一）Low-E节能玻璃智能制造技术

基于先进智能制造的理念，将薄膜光学模型、工艺制度与在线检测、人工智能、自动化控制等多项技术结合，建立以计算机辅助设计与制造技术为主体的节能镀膜玻璃智能制造技术体系，建立应用示范线。把传统的依赖经验开发设计产品和控制生产的方式转变成系统数据库指导下的规范方式，使产品开发、生产控制更具方向性、系统性、规范性和可预见性。

（二）钢化真空玻璃制造关键技术开发与集成应用示范

以红外射线、激光等新型加热技术为突破口，解决真空玻璃安全性问题，研究开发钢化真空玻璃生产工艺和装备，完成年产20万m^2的全钢化真空玻璃自动化生产线的设计建造和产业化示范，为钢化真空玻璃大批量、低成本、高品质的工业化生产和真空玻璃的进一步推广应用奠定基础。

（三）无机全固态电致变色玻璃制造技术及产业化示范

研究开发阴极、阳极变色层、离子传导层等固态无机电致变色功能层材料和相关变色机制，研究开发适合于大面积规模化生产的全固态无机电致变色玻璃磁控溅射镀膜工艺，建立国内首条全固态无机电致变色镀膜玻璃生产示范线。

（四）高性能复合防火玻璃制造技术

研发高性能复合防火玻璃，摆脱国内建筑用高端防火产品长期依赖进口的局面，产品性能达到国际主要厂商的水平；完成大尺寸复合防火玻璃生产线的设计规划，建成具备年产1000m^2复合防火玻璃生产能力的生产线示范线。

（五）光谱可调透明导电玻璃材料研究与制造

结合掺杂半导体能带结构理论、三元半导体材料设计和高通量组合材料芯片制备方法，获得禁带宽度≤ 4.1eV（波长在紫外光波长区段或小于紫外光波长）、载流子浓度可调、载流子迁移率高的简并半导体材料组成和晶体结构，提高 TCO 导电玻璃的光谱选择性，实现等离子波长可调，降低等离子波长附近光学吸收；结合多种薄膜测试、表征方法，研究三元 TCO 导电玻璃光谱特性与电学性能、显微结构相关性；诠释三元 TCO 导电玻璃载流子输运机制、电学性能、光谱选择性等相关性，在此基础上获得适合不同光电应用的 TCO 导电玻璃结构与组成和不同应用条件下的环境稳定性。

（六）超薄高强度太阳能热反射镜制造技术

攻关夹层式反射镜玻璃精确成型热弯技术、反射镜膜系设计与制造技术，研制出太阳辐射总反射率不低于 0.94、超薄超强槽式太阳能光热发电（concentrating solar power，CSP）反射镜，并实现小批量生产。打破国外对光热发电发射镜制造技术的垄断地位，改变我国在 CSP 反射镜技术领域的落后局面，提高行业竞争力，同时带动节能减排、绿色环保和新能源政策的执行，推动我国太阳能热发电产业的快速发展。

二、重 点 任 务

（一）基础前沿研究

（1）建立 Low-E 节能玻璃生产线单层膜光学性能、膜系结构智能分析系统和故障分析专家系统。

（2）通过理论设计与计算获得性能优异的固态无机电致变色功能层成分与微结构，并获得相应离子传输和电致变色机制。

（3）禁带宽度≤ 4.1eV、载流子浓度可调、载流子迁移率高的宽禁带半导体材料组分设计与能带计算，以及三元体系组合材料芯片设计与制造。

（二）共性关键技术研究

（1）平衡 Low-E 节能玻璃生产线智能分析系统分析效率与准确性，保证专家系统运行可信度。

（2）研究开发钢化真空玻璃光辐射加热、超高平整钢化工艺及快速检测等技术与装备。

（3）研究开发固态无机电致变色功能层磁控溅射镀膜工艺和相应性能生产线快速测试表征系统。

（4）研究高性能复合防火玻璃防火胶层配方与固化工艺、大尺寸层合工艺与装备。

（5）研究光谱可调透明导电薄膜磁控溅射镀膜工艺技术及不同光电应用环境稳定性。

（6）研究太阳能光热发电反射镜背板玻璃复杂成型技术、超薄玻璃化学增强技术、高反射率银镜制造工艺、耐候性能优异的反射镜层合工艺技术。

（三）系统集成及应用示范

（1）将Low-E节能玻璃智能制造技术应用于新建镀膜生产线设计–制造–生产全过程或应用于已有镀膜生产线智能化升级改造。

（2）建立创新型高效率、低成本钢化真空玻璃制造技术和生产设备；完成年产量20万m^2钢化真空玻璃自动化生产线的设计建造和产业化示范。

（3）建立固态无机电致变色节能玻璃磁控溅射生产示范线。

（4）建立尺寸不低于1.8m × 1.2m的高性能复合防火玻璃生产示范线。

三、预期指标

（一）Low–E节能玻璃智能制造技术

形成自主知识产权镀膜玻璃设计–制造–性能分析智能闭环生产管控过程；在产品开发中设计结果与设计目标间a^*、b^*差值分别小于0.3、0.5；利用智能化薄膜生产技术实现规模化稳定生产，批次间重复性a^*、b^*分别小于0.3、0.5。

（二）钢化真空玻璃制造关键技术开发与集成应用示范

建成年产量20万m^2的自动化生产线，并试运行；开发原片平整度快速检测和配对设备、支撑物布放设备、辐射加热封边炉等关键装备。

（三）无机全固态电致变色玻璃制造技术及产业化示范

阐明各功能层中无机化合物的组成、结构与薄膜光、电、热学性能之间的关系，以及电致变色和离子输运机制；获得结构、性能稳定的全固态无机电致变色功能层（包括阴极 / 阳极着色层、离子传导层）大面积、稳定制备的反应磁控溅射镀膜工艺技术；电致变色玻璃褪色态 – 着色态可见光透光率差大于 60%，变色响应时间短于 6s，循环寿命长于 20 年。

（四）高性能复合防火玻璃制造技术

防火性能满足《建筑设计防火规范》（GB 50016—2014）的要求，产品覆盖 EW30、EW45、EW60、EI15、EI30、EI45、EI60、EI90、EI120 等主要防火等级；光学性能方面，通透性好，EI60 产品透光率高于 82%，产品透光率随厚度变化有增减；耐温性能方面，产品使用温度范围为 –40～+50℃；防火胶层晾板时间≤ 24h；高性能复合防火玻璃（最大加工尺寸不低于 1.8m × 1.2m），制造成品率≥ 90%。

（五）光谱可调透明导电玻璃材料研究与制造

等离子波长 λ_p 在 1700～2500nm 波段可调、λ_p 附近光学吸收率低于 20%；光谱可调透明导电玻璃电导率≤ $5 \times 10^{-4}\Omega \cdot cm$；阐明三元体系光谱可调透明导电膜光电性能关联性。

（六）超薄高强度太阳能热反射镜制造技术

超薄玻璃银镜的太阳光反射率≥ 94%；层合式反射镜层间黏接强度不低于 6MPa；边部黏接强度不低于 7MPa；层合式反射镜组件耐候性满足盐雾试验、耐湿试验、气候循环试验等相关标准要求；层合式反射镜聚焦误差小于 2 毫弧度。

第十一节　高温工业用新型耐火材料及制备技术

一、目　　标

通过深入研究耐火材料的损毁机制，提出延长耐火材料寿命的措施，通过精细控制工艺落实上述措施，研发以下材料：①高温窑炉通用低导、长效新型隔热材料，减少窑炉散热；②钢铁行业用的低碳耐火材料，解决冶炼洁净钢时含碳材料污染钢水的问题；③水泥窑用新型复合砖，减少占总散热50%的窑体散热；④玻璃窑蓄热室用无铬格子砖，解决镁铬砖对环境的污染；⑤利用增材制造技术，制造高温窑炉技术进步所需的特异型陶瓷耐火材料。目标是：延长耐火材料使用寿命30%～60%，减少废弃物排放20%、热损失40%以上，支持整个高温行业的技术进步。

二、重点任务

围绕制造新型陶瓷耐火材料的理论基础、产品装备、技术研发、制造等环节，对项目进行一体化设计，拟设置基础前沿研究、关键技术研究及装备、系统集成与应用示范等布置下述重点任务。

（一）基础前沿研究

1. 低导、长效新型隔热材料微结构设计

形成细小、均匀、弥散的密闭气孔的工艺条件，提高多孔材料的热力学稳定性和隔热、高强度性能。

2. 低碳耐火材料组成和结构设计

低碳耐火材料的微结构设计，材料组分、结构与其导热、热震稳定性关系，高温环境下低碳耐火材料与钢水的作用机制。

3. 特殊成型陶瓷耐火材料

采用增材制造技术制备陶瓷耐火材料的稳定、固化和烧结机制。

（二）关键技术研究及装备

1. 低导、长效新型隔热材料制造技术

发展以下技术制造出含有细小、均匀、弥散的密闭气孔，并具有较高热力学稳定性的多孔材料：①生泡技术，用压缩空气等产生泡沫；②控泡技术，用机械法等消灭直径过大的泡沫；③稳泡技术，用新型泡沫剂抑制泡沫长大；

④固泡技术，迅速固化泡沫体并形成高耐火物质。

2. 低碳耐火材料制造技术

发展以下技术制造炉外精炼用低碳钢包砖及特种陶瓷相结合功能性耐火材料制品（如无碳无硅浸入式水口、超低碳滑板、炼钢炉及钢包用无碳结合不定形材料）：①微纳碳源复合技术；②原位陶瓷相的控制技术；③高性能结合剂合成技术。

3. 水泥回转窑用新型复合砖制造技术

发展以下技术优化制造水泥回转窑用新型耐火材料：①合成中质镁橄榄石骨料；②合成中质高铝系骨料；③制备低导热、低渗透、耐侵蚀的致密层材料；④制备低导热、低烧成收缩、高强度的隔热层材料。

4. 玻璃窑蓄热室用无铬格子砖制造技术

采用以下技术制造玻璃蓄热室用抗侵蚀、长寿命和环境友好的新型耐火材料：①合成中质镁橄榄石骨料；②合成中质高铝系骨料；③制备低导热、低渗透、耐侵蚀的致密层材料；④制备低导热、低烧成收缩、高强度的隔热层材料；⑤致密层与隔热层物性的匹配。

5. 特殊陶瓷耐火材料成型技术

利用 3D 打印技术，采用直接成型或间接成型制造特异型陶瓷耐火材料制品。间接成型时，采用 3D 打印机制造塑料母模，利用塑料母模制造生产耐火材料的模型，再用模型浇注耐火材料制品。直接成型碳化硅陶瓷耐火制品时，制备莰烯碳化硅陶瓷料浆，利用 3D 打印技术成型，经烧结后制成碳化硅陶瓷制品。其中的高档制品可用于卫星的反射镜和光刻机的陶瓷部件。直接成型玻璃陶瓷制品时，制备硅溶胶 – 玻璃粉陶瓷料浆，利用 3D 打印技术成型，经烧结后制成玻璃陶瓷制品。其中的高档产品可以作为电子仪器用特种封接玻璃预制件。研发适合于无机非金属材料的 3D 打印成型装备。

（三）系统集成与应用示范

拟建设 4 条万吨级耐火材料生产示范线，其中水泥窑用无铬碱性耐火材料及其新型复合砖示范生产线 1 条、低碳耐火材料生产及应用示范生产线 1 条、水泥窑用高铝质新型复合砖示范生产线1条、玻璃窑蓄热室用无铬碱性耐火材料示范生产线1条。

拟建设1条工业示范生产线，将研制的低导、长效新型隔热耐火材料成果转化为生产力。

在2条以上工业生产线上，将研制的特殊成型陶瓷耐火材料成果转化为生产力。

三、预期指标

（1）低导、长效新型隔热材料。最高使用温度≥1300℃，耐压强度≤0.5MPa，密度为0.45kg/cm³。

（2）低碳耐火材料。碳含量≤6%，热导率≤10W/（m·K），镁碳材料耐压强度≥40MPa，1400℃ ×0.5h热态抗折强度≥8MPa。

（3）水泥回转窑烧成带用新型复合砖。其中，致密层的MgO含量≥70%、常温耐压强度≥50MPa、热震稳定性1100℃水冷≥8次、荷重软化温度$T_{0.6}$≥1650℃；隔热层的常温耐压强度≥25MPa、热导率（350℃）≤1.5W/（m·K）。

（4）玻璃窑蓄热室用无铬格子砖（镁橄榄石质）。MgO含量≥57%，耐压强度≥40MPa，荷重软化温度$T_{0.6}$≥1550℃。

第十二节　能源石化用关键钢铁材料

一、定位和发展目标

能源是支撑国民经济和社会发展的基础，是重要的战略资源。我国的能源结构以化石能源（煤炭、石油天然气）为主，化石能源因其不可再生及消耗造成环境污染，带来了严重的能源危机和节能减排压力。因此，寻求更经济有效的能源利用方式及开辟新的能源获取渠道日趋重要，而其中关键钢铁材料是基础。通过研发700℃超超临界电站汽轮机关键部件用耐热合金、超大输量管线钢、深海工程装备用特种钢、南海岛礁基础建设用耐腐蚀钢筋，形成我国 700℃超超临界电站汽轮机高中压转子、高温气缸、叶片和螺栓紧固件设计 – 制造系统集成技术，支撑我国 700℃超超临界电站建设；实现超高强度油套管和钻杆，超高强度抗硫化氢腐蚀和高抗挤油套管，超级双相不锈钢等产品自主稳定生产和应用；形成以高强韧、大规格、易焊接、高耐腐蚀、低成本为特征的海洋工程用钢材料和标准体系，全面支撑我国海洋装备自主设计和自主创新；获得高强度、高耐腐蚀性耐候钢和兼用于飞溅带和全浸带的耐海水腐蚀钢，以及耐高 Cl^- 腐蚀钢筋原型钢，保障钢结构用钢（耐候钢和耐海水腐蚀钢）至少 25 年以上的服役寿命和钢混结构用钢（钢筋）50 年以上的服役寿命，实现工程示范应用。

二、重 点 任 务

研发满足 700℃超超临界电站汽轮机高中压转子、高温气缸、叶片和螺栓紧固件制造且具有自主知识产权的新型耐热材料及其关键部件。突破超高强、高抗挤、高耐腐蚀石油专用管的关键技术，特厚 X80 钢板 / 带生产技术，超高强度管线钢生产技术，实现高性能油井管和超大输量用高性能管线钢的自主生产和供应。形成以高强韧、大规格、易焊接、高耐腐蚀、低成本为特征的我国海工用钢材料体系、标准体系，典型产品在深海工程装备制造中实现批量应用。研发高强度、高耐腐蚀性耐候钢和兼用于飞溅带和全浸带的耐海水腐蚀钢，以及耐高 Cl^- 腐蚀钢筋，并在岛礁浮式保障平台与码头或其他民用（军用）基础设施进行示范工程建设。

三、关 键 技 术

1. 超超临界电站汽轮机耐热合金技术

镍基耐热合金双真空冶炼及稳定化技术；镍基耐热合金转子锻件热成型技术；镍基耐热合金铸造高温气缸成套技术。

2. 超大输量管线钢技术

超高强、高抗挤、高耐腐蚀石油专用管生产制造技术；特厚 X80 钢板 / 带生产技术；超高强度管线钢生产技术。

3. 钻井平台用钢技术

各种服役环境下典型材料成分–工艺–性能基础研究及材料设计技术；材料生产工艺及装备技术；材料综合性能研究及建造、服役等应用性能评价技术。

4. 岛礁基础设施耐腐蚀钢技术

南海岛礁腐蚀环境中材料耐腐蚀性能评价技术；耐海水腐蚀钢、耐高 Cl^- 腐蚀低合金钢筋和经济性双相不锈钢钢筋生产技术；新合金体系耐腐蚀钢配套焊接材料和焊接工艺技术。

第十三节　交通运输用关键钢铁材料

一、定位和发展目标

交通运输领域关键钢铁材料包括高速重载轮轨钢和高强塑汽车用钢。我国铁路朝高速、重载方向快速发展，对轮轨材料的要求越来越苛刻，新一代高强贝氏体轮轨材料具有更优异的抗接触疲劳性能和焊接性能，是高速重载铁路轮轨用钢的研究和应用趋势。通过研发新一代具有优异综合技术经济性的贝氏体轮轨钢及其生产应用的系统集成技术，填补国内空白；建设具备先进工艺和设备的贝氏体轮轨生产平台，实现贝氏体钢车轮及钢轨在重载高速铁路的辙叉、尖轨、曲线轨等的批量应用。汽车车身材料以钢板为主，使用高强度钢板可以有效降低零件厚度来实现车辆减重，对我国能源消耗、环境污染将有重大贡献。而具有高强度、高塑性力学性能的第二代和第三代汽车钢是未来汽车钢的发展方向。通过第二代和第三代汽车钢工程科技研究，实现高强度、高塑性汽车钢板批量生产及零件的批量应用，形成规模生产和应用示范，在汽车车身用钢板中使用比例达到30%以上。

二、重点任务

通过优化轮轨材料及轮轨之间的相互匹配性，重点研究轮轨抗磨损性能、抗接触疲劳性能提升技术，轮轨长寿命化技术，形成新一代具有优异综合技术经济性的贝氏体轮轨钢及其生产应用系统集成技术。建成贝氏体钢车轮、贝氏体钢轨及其相应产品（即基本轨及辙叉、尖轨、曲线轨、护轨等器材）示范生产线，针对高强度、高塑性第二代、第三代汽车钢，依托中国汽车轻量化技术创新联盟，加强针对高性能第二代、第三代汽车钢的研发、生产和应用技术研究，形成先进的、稳定的生产、成型、应用系列技术和系列强度级别的汽车钢板产品，建设示范线。

三、关 键 技 术

1. 高强度、高塑性汽车用钢技术

汽车钢成分和生产工艺优化技术；高强度、高塑性汽车钢零件冲压成型技术；汽车钢热、温成型技术；超高强度汽车钢零件连接技术；高强度、高塑性汽车钢板大批量稳定生产技术。

2. 高速重载轮轨贝氏体钢技术

贝氏体钢轨钢的研发、贝氏体车轮钢的研发及二者的耦合与相互作用研究。钢材冶金生产技术、钢轨及车轮的热处理技术、加工制造技术及其服役应用技术等。

第十四节　先进装备基础件用关键钢铁材料

一、定位和发展目标

基础零部件是装备制造业赖以生存和发展的基础，其水平直接决定着重大装备和主机产品的性能、质量和可靠性。而我国基础零部件产品却跟不上主机发展的要求，高端主机的迅猛发展与配套基础零部件产品供应不足的矛盾凸显，已成为制约我国先进装备发展的瓶颈。因此，轴承、齿轮、模具等基础零部件用新材料的研发和工程化，对于我国飞机、高铁、汽车、坦克等先进装备意义重大。通过发展先进装备基础件用关键钢铁材料，实现铁路轴承的工程化和国产化率达到90%，航空、兵器等军用高端齿轮材料、齿轮及变速器国内自给率达到100%，铁路、汽车等民用高端齿轮材料、齿轮及变速器国内自给率达到50%以上（目前100%国外进口），高端齿轮材料、齿轮及变速器寿命延长1倍以上；中高端模具钢自给率达到80%以上，形成完整的模具装备制造产业体系，国内市场国产模具自配率达到90%以上，中高端模具的比例达到50%以上，模具使用寿命在现在的基础上延长20%～30%；模具生产周期在现在的基础上缩短20%～30%。

二、重点任务

针对我国先进装备关键基础零部件重大需求，开发相应材料成分设计、冶炼工艺、加工工艺、热处理工艺等关键技术。重点开展材料热加工技术、新型表面精细加工技术、特殊热处理和新型表面复合热处理技术研究，形成高性能轴承、齿轮、模具抗疲劳、抗磨损长寿命加工制造集成技术；开展轴承、齿轮、模具台架检验评价的实验室研究与实际应用状况下的应用技术研究，建立长寿命和高可靠性航空轴承与铁路轴承、齿轮及高端模具的安全评价体系与国家标准。突破一批关键基础零部件及其材料的核心技术和产业化技术，形成研发和试验检测公共平台。

三、关键技术

1. 先进制造基础部件轴承钢技术

轴承设计技术；轴承用材新工艺与新材料技术；轴承加工制造及热处理技术；轴承质量评价与应用技术。

2. 先进制造基础部件齿轮钢技术

齿轮钢带状组织及淬透性控制技术；齿轮钢质量稳定性生产工艺技术；高温渗碳热处理工艺技术攻关及齿轮寿命控制技术。

3. 先进制造基础部件模具钢技术

长寿命专用模具材料开发与制备技术；高品质优质模具材料开发与制备技术；高性能特种模具材料开发与制备技术；大型精密模具设计制造技术。

第十五节　功能元器件用高性能铜材料

一、目　　标

功能元器件用高性能铜材料的发展目标是，适应我国国家网络空间安全、量子通信与量子计算机、空间飞行器等重大科技项目，以及天地一体化信息网络、智能电网、智能制造等重大工程的需要。形成材料与元器件制造业的跨行业、跨区域研发和协同创新布局，有力促进新一代高性能、高附加值材料的研发和产业化水平，支撑我国信息产业和物联网等高端应用的发展。

围绕功能元器件制造对高性能铜材料的发展需求，开展新一代导电材料、高性能装联材料和智能传感材料及其工业化连续制备技术、工程化应用技术的创新攻关，建成高性能铜材料的研发生产和应用示范体系，对高端元器件的国产化保障能力由目前的不足40%提高到80%以上。

二、重 点 任 务

自“十五”以来，在国家重大应用需求牵引和企业自主创新驱动下，我国研制成功了多种有色金属关键配套材料。电子铜带的研制和批量生产推进了我国引线框架材料的国产化，C7025产业化技术初步取得成功并朝着最新一代C7035/C7026合金方向发展；非真空条件制备高纯无氧铜技术也取得了较大突破，TU0和TU1系列国标无氧铜指标接近世界先进水平；电子信息产业用高纯金属及其靶材国产化研究取得重要进展，高纯铜达到6N水平，基本满足了8英寸以下集成电路制造需求并实现批量化生产。这些新材料的成功研制和产业化部分满足了新型产业和高技术工程对关键配套材料的紧迫需求，也为新材料的研发和产业化奠定了关键共性技术基础。

三、关键技术及发展路径

功能元器件用高性能铜材料需要突破的重大关键技术主要是：超薄、超细的铜箔、铜丝成型加工过程的组织性能控制技术；大卷重带线材的短流程连续制备加工与装备技术；功能元器件用铜材料谱系化研究与体系建设。

发展路径是：围绕高端功能元器件的关键需求，强化示范平台建设，组织“材料基础研究－重大共性关键技术－产业化应用技术”联合攻关和全链条设计。到 2025 年，形成若干新一代导电材料示范基地，满足我国高端功能元器件发展的需要；到 2035 年，形成引领世界功能元器件用高性能铜材料发展的能力。

第十六节　碳纤维及其复合材料制备与应用技术

一、定位和发展目标

突破国产碳纤维的低成本制备技术，解决国产碳纤维高端型号制备关键技术；建立先进的研发与产业化创新平台；根据碳纤维制备的技术特点，合理布局区域发展和产业链发展模式，实现碳纤维工艺技术多元化、品种系列化、产能规模化；提升国产化装备的设计制造和二次改造升级能力，培育 3～5 家龙头企业；全面提高碳纤维产业化技术成熟度，实现碳纤维在国防和国民经济重大领域的自主保障，国产碳纤维技术、产品性能与生产成本达到世界先进水平，具备产业竞争力；实现国产碳纤维由跟踪仿制到自主研发的跨越，并为下一代国防装备和能源、交通、建筑等关键民用行业发展提供世界领先的碳纤维材料支撑和技术储备。

开展高性能树脂及其复合材料技术研究，大力发展第二代先进复合材料、第三代先进复合材料及特种功能复合材料，实现新一代武器装备全面应用，武器装备实战化能力全面领先世界其他国家，使我国复合材料技术达到全面超越和引领发展水平。

二、重点任务

围绕碳纤维制备技术，解决制约碳纤维产业化、规模化、批量稳定化瓶颈问题。开展千吨及以上级产能规模的T300、T700和T800级碳纤维产业化制备技术研究，产品质量价格具有国际竞争力。突破M55J/T1000级碳纤维稳定的产业化技术，突破T1100/M60J级碳纤维的工程化制备技术，解决航空航天型号对国产碳纤维的需求，实现碳纤维在若干工业重大领域的高效应用；形成国产碳纤维技术研发、工程化研究、产业化建设的良性格局，形成碳纤维制备的完整技术体系，形成3～5家具备国际竞争力的碳纤维龙头企业。开展碳纤维制备新技术研究，建立中国自主的碳纤维技术与产品体系。开展先进复合材料成型、复合材料应用设计研究，发展出具有中国自主特色的碳纤维复合材料应用领域和应用技术，突破碳纤维复合材料研发和应用面临的瓶颈问题；深入开展新一代聚丙烯腈基碳纤维、新型树脂、界面控制、成型工艺、应用考核等基础研究，实现第三代先进复合材料并行发展和引领发展，满足新一代装备发展的迫切需求。通过自主创新，建立符合我国需求的碳纤维及其复合材料技术与产品系列，全面满足国防军工和国民经济重大领域对碳纤维的需求。

三、关键技术

1. 低成本制备技术

开展聚丙烯腈基碳纤维及其原丝结构的快速高效形成机制及其过程关键问题，开展大丝束化产业化制备技术研究，解决碳纤维工程化稳定制备过程时间空间效应，提高纤维批次稳定性。突破间歇聚合的大容量聚合釜技术及连续聚合的长期稳定运行技术；突破高速纺丝高效预氧化技术及碳化生产线长期连续稳定运行技术；开发节能降耗减排技术。

2. 高性能化及特种化型号制备技术

针对高压拉比复合材料对碳纤维性能要求，开发大直径、轴 / 径向结构最优化的高性能特种碳纤维。对高性能碳纤维用原丝进行分子设计、结构形态精确调控，研发高等规度结构聚丙烯腈的新型聚合技术，开发新型纺丝技术，实现均质相分离及纺丝过程中热力耦合的优化匹配。开发新型预氧化碳化技术，进行碳纤维结构的精确调控，提高碳化收率及碳纤维性能。

第十七节　组织再生性材料和组织工程化制品设计及制备技术

一、需　　求

组织再生性材料和植入器械用于再生人体被损坏的组织或器官，以实现其永久康复，属于生物医用材料发展的方向前沿，并对当代医疗技术的发展有引领作用。本节所述组织再生性材料和植入性器械包括三重含义：①直接用于诱导组织再生的无生命的生物材料；②可诱导特定组织再生的生长因子；③含活体细胞或（和）生长因子的活体器械（组织工程化产品）。

预计 10～20 年内，组织再生生物材料和组织工程产品将成为生物材料产业的主体，可催生一个全球年销售额达 1000 亿美元以上的新兴产业。充分利用我国研究开发的优势，立足生物材料发展方向和前沿，跨越式地发展，抢占生物材料科学与产业制高点，对振兴我国生物材料产业具有重大意义。

二、目　　标

突破组织再生性材料及组织工程化产品设计及制备的工程化技术，研发一批新一代重大产品。至 2025 年，初步形成我国新一代生物材料产业体系；至 2035 年，建成较完整的新一代生物材料体系。

三、产业发展路径

2020 年左右，突破肌肉 – 骨骼（牙）系统组织诱导性材料（骨、软骨、肌腱等），研发一批用于结构组织的组织工程化制品，并部分取证上市，争取实现年销售额 50 亿～100 亿美元。

2025 年以前，扩大研发心肌、角膜、血管、皮肤等非骨组织再生材料及微电子植入器械，着手人工肝、肾等组织工程化人工器官研发，三维生物制造设备与技术部分投入临床应用，基本形成我国新一代生物材料产业体系，实现年销售额 200 亿～300 亿美元。

2035 年以前，初步实现体内外制造或再生人体组织和器官，建成较完整的组织再生材料及植入器械体系，实现年销售额 1500 余亿美元。

四、发 展 措 施

国外正在加大力度发展组织工程化制品、组织诱导性生物材料、植入式微电子器械等技术高端的生物医用材料前沿产品，新产业正在形成，并可能主导未来生物医用材料市场。我国的差距不是很大。发展措施有：①产学研医结合，创新体制机制，集聚国内优势力量，发展国际合作；②加大投资强度，吸引社会资金，增强发展力度；③改革完善市场准入评审政策，为新一代生物材料进入市场调整医疗器械分类目录，完善创新产品注册通道，以加速攻占技术制高点；④培育新一代生物医用材料产业，实现我国生物医用材料产业跨越式的发展。

第十八节　新型心脑血管系统介 / 植入材料和器械

心脑血管系统介 / 植入器械主要包括介入治疗用的血管支架及辅助器械（导丝、导管等）、心血管植入器械（心肌补片、封堵器械、人工心脏瓣膜）、心脏起搏器等。

一、需　　求

据世界卫生组织（World Health Organization，WHO）2008 年统计，全球每年约有 1700 万人死于心脏疾病，占全球每年整个死亡人数的 29.8%，超过癌症（760

万人）成为导致人类死亡的第一大病因。我国心血管系统疾病患者已逾 2.9 亿人，年死亡人数仅次于肿瘤，达 300 万人 /a。其中，冠心病患者已达 2000 余万人，年新增 100 万人；心衰及房颤导致心律不齐的患者达 420 万人，年新增 54 万人；先天性心脏病（动脉导管未闭等）年新增 12 万～13 万例，其中可治疗者 7 万～8 万例。介 / 植入治疗是近 10 余年来发展的心血管疾病治疗最有效和最经济的治疗技术。在巨大的需求推动下，心血管系统介 / 植入器械成为生物医用材料第二大市场。

我国心血管系统植入器械正在向价值链高端产品发展。药物洗脱冠脉支架国产率已超过 80%，封堵器已实现 90% 自给，基本实现进口替代。乐普（北京）医疗器械股份有限公司、上海微创医疗器械（集团）有限公司、吉威医疗制品有限公司、先健科技（深圳）有限公司等心血管植入材料企业已上市，成为领军企业，一大批高校、科研院所正在从事相关研究。

二、目　　标

2025 年，心血管系统介 / 植入器械销售额超过 700 亿美元，占世界医疗器械市场的 11.6%；2035 年，心血管系统介 / 植入器械销售额近 2250 亿美元，占世界医疗器械市场第二位，同时实现国产替代并大量出口。

建设重点：突破生物医用材料表面抗凝血改性、精密和微加工及异型导管成型等工程化技术，建设完整的新一代表面改性和可降解血管支架和介入治疗配套器械（现 80% 以上依赖进口），以及心脏起搏器、介入治疗人工心瓣膜、植入式防颤器、心肌补片等心血管系统介 / 植入器械（现约 90% 依赖进口）的产业生产链；以上市企业为重点，提升行业技术水平和生产规模。

三、产业发展路径

2035 年以前，我国高端心血管生物医用材料及其应用产业发展可以分为两阶段。各阶段发展重点如下：

（一）第一阶段（2015～2025 年）

血管支架材料的设计与制备，支架几何结构设计改进、支架加工工艺控制、支架降解时间控制、药物涂层工艺设计。实现与国外市售血管支架性能等同的产品的大规模产业化；建成介入治疗心瓣膜、心衰治疗水凝胶、心肌补片的产业化生产线；心脏起搏器、植入式除颤器等初步实现国产化。

（二）第二阶段（2026～2035 年）

第二代具有血管修复功能的生物可吸收全降解血管支架的研制和产业化。国产生物可吸收全降解血管支架及配件产量能接近 100 万根 /a，产值接近 200 亿元 /a。国产介入心瓣膜及配件产量能接近 5 万只 /a，产值接近 50 亿元 /a；人造血管、心脏起搏器等实现国产化并出口，建成较完整的心血管植 / 介入器械产业体系。

四、发展措施

（1）加强心血管系统修复器械关键原材料和介 / 植入器械研究，特别是对可能颠覆现有市场格局的新型技术和产品，如具有诱导血管组织再生的生物可吸收全降解支架等，应作为重点并给予扶持。研发具有自主知识产权、国际领先的具有诱导血管组织再生的血管支架并实现产业化，进入国际市场。

（2）在政府支持下，产学研医紧密结合。将该领域的研发力量、临床资源及产业化技术整合集成，并与国际接轨。从形成一个完整产业链和推动整个产业的角度出发，围绕微创医疗器械领域中重大关键产业化技术进行研发，提供被国际认可的检验结果。

（3）制定有利于心血管系统材料和器械产业全面发展的国家及省（市）级医保政策。中央及地方政府应改变对进口和国产 / 合资企业产品的医保比例，鼓励患者使用国产品牌，同时把更多血管系统材料和器械新产品列入医保范围。

第十九节　高技术骨（牙）科材料和植入器械

骨科材料和植入器械主要包括人工关节、创伤固定器械、脊柱植入器械等三大类产品，以及天然和人工合成骨植入材料、关节软骨和肌腱等软组织修复材料等。牙科材料主要包括牙种植体和牙科植入材料。

一、需　　求

我国 70% 以上的骨科高端产品依靠进口，牙科材料进口率达 90% 以上，远不能满足临床需求。

骨（牙）科修复替代材料和植入器械是生物医用材料应用最成功的领域，约占医疗器械市场的 12.4%。目前发达国家市场增长趋缓，新兴市场国家成为拉动全球骨（牙）科市场增长的主要动力。

二、目　　标

以提升中高端产品质量、扩大产业规模、基本实现进口替代和扩大出口为建设目标，在长三角、环渤海等具有骨科材料产业优势的集聚区，重点突破技术含量高、量大面广的人工关节、脊柱骨科器械，提高产业集中度；对骨诱导人工骨、骨组织工程化产品等前沿产品及牙种植体研发具有优势的成渝地区等加强成果产业化力度，培育骨（牙）科材料和植入器械新兴产业。根据珠三角地区在生物衍生骨修复材料等组成、结构仿生的骨修复材料的研发及产业优势，重点开发功能仿生型骨修复材料及临床产品。2025 年全球骨（牙）科修复材料及植入器械销售额近 700 亿美元，2035 年将超过 1100 亿美元，我国可分别达到 140 亿美元和 300 亿美元，并实现国产替代并大量出口。

三、产业发展路径

（一）第一阶段（2015～2025 年）

获得综合性能优良的生物活性涂层及复合涂层材料、不含有毒成分的高强度合金材料，低弹性模量生物活性涂层及骨诱导材料，可降解镁合金材料；研发 5～8 种新型骨植入及牙科植入产品，形成年产 2 万～5 万件示范生产线 3～4 条。初步完成抗骨质疏松及抗肿瘤等相关植入体研发。基本建立新一代骨修复材料和应用技术的完整产业链，完善软骨修复材料制备关键技术、自体干细胞采集技术、临床应用关键技术，中试生产和临床应用技术研究和推广示范。

（二）第二阶段（2026～2035 年）

完成 8～10 项新一代骨诱导材料和复合涂层材料研发及其工程和技术研究，

可降解镁合金等新型金属和合金应用示范，形成10～12项关键材料技术，完成产业技术升级。完成1～2个软骨产品的开发，完善和优化产品规模化生产技术，建成规模化生产基地和临床应用示范基地，开展较大规模的临床应用推广，惠及数万至数十万名患者。进一步融资建设新型骨科材料原料及其下游产品的研发、生产和销售的完整产业链。

四、发展措施

（1）成立由研究开发单位、生产企业、医院等组成的研究开发共同体，紧密结合产学研用各个环节，加强各学科和各专业的研究开发人员、临床应用专家之间的相互交流与理解。

（2）强化已有传统骨植入材料及器械的技术升级，扩大产业规模。

（3）国家医疗器械监管条例对创新性产品审评审批环节应给予较大政策倾斜，促进创新性产品早日推向市场。

第二十节　生物医用高分子材料及高值术中耗材

一、需　　求

生物医用高分子材料耗材包括常规术中耗材（如药物储存的输注类、血液存储及分离类、医用敷料、腹膜透析袋、营养袋、各类医用导管等，涉及临床治疗、康复等各个环节）及高值术中耗材（如人工晶状体、乳房假体、缝线、皮肤及疝修复等软组织修复材料、血液净化、术后防粘连膜、组织粘连剂等），是生物材料中用量最大的材料。我国虽然已是医用耗材的生产和出口大国（出口约35亿美元），占有世界市场的60%～70%，但主要产品为一次性注射器、医用棉织品、橡胶制品等低值耗材，大量高值耗材（如功能敷料、人工晶状体、乳房假体、合成高分子材料缝线、皮肤掩膜等）还主要依靠进口，且基础原材料，如不含增塑剂和耐辐照的聚烯烃等还需进口。但我国已萌生威高血液净化制品有限公司、广州阳普医疗科技股份有限公司、冠昊生物科技股份有限公司等龙头企业，以及 100 余家从事高技术医用高分子材料耗材研发的院所和企业。高分子化工（如聚乳酸、聚氨酯、醋酯纤维素等）大型企业正在形成，可为医用级高值高分子材料耗材的研发、制备和加工提供技术基础。

二、目　　标

我国医用耗材重要原材料为棉和橡胶制品，面临资源短缺及发展中国家廉价劳动力和资源竞争的问题，本节以不含塑化剂、耐辐照等的医疗器械封装材料等为对象，突破合成生物医用高分子材料的原材料设计、合成、制备、改性及异型产品加工的工程化技术，力争 5～10 年内产量达约 100 万吨，不仅可满足国内需求，还可出口；同时突破术中天然生物医用高分子耗材（胶原、透明质酸、海藻酸钠、壳聚糖等）的提取、合成、纯化及免疫原性消除等工程化技术，形成两大系列原材料生产的产业体系，为确保并增加我国通用生物医用高分子材料在国际市场的份额及高值耗材和制品的开发奠定基础。与此同时，通过自主研发与产业化转化，以血液净化材料、人工晶状体等眼科材料、功能性敷料、人工皮肤、乳房假体，以及组织粘连剂、术后防粘连膜等软组织修复材料为重点，发展生物医用高分子高值耗材和制品。

通过产业链完善、产品质量提升及海外市场的开发，确保并增加我国在国际市场上的现有份额，重点发展术中医用高值耗材，加强产业化转化力度。2025 年，预计我国将实现医用耗材年销售额 300 余亿美元，其中低中端产品占国际市场份额 60% 左右，高值产品占国际市场份额 30% 左右，基本实现医用耗材国产化；2035 年，预计我国将实现医用耗材年销售额近 800 亿美元，医用高值耗材实现国产化并批量出口。

三、产业发展路径

（一）第一阶段（2015～2025 年）

建成合成生物医用高分子材料及天然生物医用高分子材料原材料产业体系，不含塑化剂的生物医用高分子材料年产量达 10 万吨，耐辐照老化的高分子材料年产量达 20 万吨，用于静脉输液袋专用高分子材料达 60 万吨，生物医用天然高分子材料及辅料年销售额达 100 亿～150 亿元。生物医用高分子材料原材料实现国产化并有出口。

突破制约人工肾发展的血液净化材料设计制备与加工问题，实现我国人工器官产业快速可持续发展。人工肾国产品市场占有率达到 50% 以上，产量 2000 万～3000 万套，实现直接销售收入 30 亿～40 亿元。基本实现常用眼科材料国产化，突破折叠式软人工晶状体及智能型和药控眼科植入材料设计及制备工程化技术，构建多品种生产的眼科植入材料产业化体系。

（二）第二阶段（2026～2035 年）

2035 年，我国眼科材料及器械销售额均达到 80 亿美元，占同期国际市场（660 亿美元）的 12% 左右。整个眼科材料市场有近 20 亿美元，占 2035 年国际市场份额的约 19%。通过已经形成产品和品牌优势的国内龙头企业对产业链的上下游和同类企业兼并整合，努力降低生产成本和提高产品的市场竞争力而抢占市场；通过龙头企业的产能释放和企业实力的加强，加快投入研发高端产品。具有汗腺的人工皮肤和一些软组织修复材料与制品方面达到与国际前沿材料产品同步的水平。

四、发展措施

（1）运用国家政策引导和市场化手段，组织产学研合作，将沉淀在科研院所的一流人才和技术成果以市场化的机制集中转化到龙头企业，同时鼓励龙头企业兼并做大，实现各类资源整合，减少恶性竞争。

（2）鼓励在拥有人才和研发优势的企业中设立国家级实验室、院士工作站，集中力量在生物医用高分子高值耗材重点技术领域进行突破，保持龙头企业的技术实力和专利厚度，形成产品研发的持续力和产品市场的纵深化。

（3）国家卫生健康委员会、国家市场监督管理总局要对列入各地医保招标采购名录的生物医用高分子高值耗材进行高标准的梳理，对国产替代进口产品和创新产品予以优先注册并提高报销比例。

第二十一节　碳纳米管纤维及其复合材料

一、总 体 目 标

碳纳米管纤维及其复合材料技术有望革新未来航空航天超轻结构的多功能设计理念，碳纳米管纤维的力学性能达到高强中模碳纤维的水平，其体密度只有碳纤维的一半，有望替代传统碳纤维复合材料。到2025年，碳纳米管纤维连续制备技术实现工程化，其复合材料替代传统碳纤维复合材料可实现结构减重30%；到2035年，碳纳米管纤维实现产业化发展，其复合材料的比强度和比模量将是碳纤维复合材料的10倍，替代应用可实现结构减重50%以上，广泛应用于航空航天装备。

二、阶段目标与任务

（一）2025年

突破碳纳米管纤维连续批量工程化制备关键技术，形成年产吨级碳纳米管纤维的制备能力；纤维拉伸强度达到8GPa以上，建立超高强度纤维评价表征技术平台，完成新型纤维增强复合材料应用技术验证，其复合材料替代传统碳纤维复合材料可实现结构减重30%；具有电磁屏蔽性能，技术成熟达到5～6级，为下一代航空航天装备发展提供技术储备。完成碳纳米管纤维导线的技术开发与制备，实现在航空航天导线及民用电缆中的规模化应用。完成碳纳米管纤维的国内及国外专利总体布局并形成专利池，建立新型碳基纤维高层次人才队伍，制定相关标准和规范。

（二）2035年

突破碳纳米管纤维连续产业化制备关键技术，完成碳纳米管纤维复合材料应用技术验证，其复合材料的比强度和比模量将是碳纤维复合材料的10倍，替代应用可实现结构减重50%以上，广泛应用于航空航天装备。同时完成碳纳米管纤维导线的技术开发与制备，实现在能源工业等领域推广应用。

第二十二节 石墨烯纤维及其复合材料

一、总 体 目 标

石墨烯纤维的力学性能和功能指标超越高强高模碳纤维，实现百吨级工程化生产及批量应用，完成石墨烯纤维相关设备的设计与制造；建立对应的性能检测评价及质量控制体系，为下一代装备和关键民用行业发展提供世界领先的纤维材料支撑和技术储备。形成石墨烯新兴产业及高性能多功能纤维产业发展。

二、阶段目标与任务

（一）2025年

石墨烯纤维的力学强度达到4.0GPa，模量达到600GPa，电导率达到106S/m级，最大电荷载流密度达到10GA/m^2，热导率达到1400W/（m·K），功能指标明显超越碳纤维，力学性能超越M60J，实现高强高模高导纤维。同时，实现纺丝级单层液化石墨烯原料的1000t级生产和高柔性高导电导热纤维的100t级生产及批量应用，完成高强高模高导纤维相关设备的设计与制造；实现稳定的纤维工程化制备，建立对应的性能检测评价及质量控制体系，开展纤维复合材料的应用研究，评价其工程应用价值。

（二）2035年

突破石墨烯纤维连续产业化制备关键技术，完成石墨烯纤维复合材料应用技术验证，其复合材料的导热导电性能达到碳纤维复合材料的5倍，广泛应用于航空航天装备。完成石墨烯纤维在飞行器防雷击、电磁屏蔽防护和热管理等应用方面的技术验证，实现在民用飞行和工业电子等领域推广应用。

第二十三节　高性能陶瓷纤维及其复合材料

一、总 体 目 标

国产连续高性能陶瓷纤维实现产业化发展，其复合材料防隔热效率大幅提升，建立我国高性能陶瓷纤维产品和技术体系，可以满足装备研制和发展需求。实现航空航天装备广泛应用，同时推广应用到能源工业等防隔热领域。

二、阶段目标与任务

（一）2025 年

突破第二代国产高性能陶瓷纤维工程化制备技术，纤维技术指标与日本 Hi-Nicalon 纤维相当，同时制备航空航天用高性能复合材料及构件，完成综合验证考核；突破第三代国产碳化硅纤维制备关键技术，建成百公斤级中试生产线，纤维技术指标接近日本 Hi-Nicalon-S 和 Tyranno SA 纤维性能，实现每年百公斤级的稳定产能，制备高性能复合材料及典型构件；突破氧化铝纤维用前驱体合成、连续化纺丝技术及连续烧成工艺等关键技术，研制出综合性能稳定的连续氧化铝纤维，获得满足不同工程应用需求的连续氧化铝纤维增强复合材料。

（二）2035 年

突破第三代国产碳化硅纤维吨级工程化制备关键技术，纤维技术指标接近日本同等级纤维性能，实现连续稳定批量化生产，实现第三代国产碳化硅纤维典型应用；突破连续氧化铝纤维工程化关键技术，氧化铝纤维及其复合材料性能达到世界先进水平，完成典型地面考核试验，实现国产氧化铝纤维的自主保障，并推广应用于工业等领域。

第二十四节　高温高效隔热材料

一、总体目标

开展高温长时本体抗氧化热结构材料、高温长时轻质防隔热一体化材料、大尺寸整体热结构材料、超级隔热材料的创新性基础研究和应用研究，突破功能复合材料的设计、可控制备和测试的共性关键技术难题，积极倡导基于集成计算材料工程的材料基因组工程研制模式，促进数理模型、计算模拟、先进分析表征和快速试验等技术的高度融合，从根本上改变现行的基于经验和试验的“试错法”材料研制模式，加快新材料研制进程，满足未来高技术发展对功能复合材料不断提出的新要求。

二、阶段目标与任务

（一）2025 年

开展低烧蚀 /“零”烧蚀防热复合材料和轻质热结构复合材料的创新研究，突破满足飞行器前缘、鼻锥类部件候选材料的设计和可控制备技术，大尺寸热结构复合材料的成型技术，提高材料重复使用性能；开展多尺度复合理论与基础研究，实现轻质烧蚀防热复合材料制备，突破长时低烧蚀树脂防热复合材料制备及构件成型技术；实现高效隔热材料及结构的设计、模拟与可控制备，提高隔热材料重复使用性能，探索高温隔热材料新体系；实现高温高效隔热材料由跟踪仿制到自主研发的跨越发展。

（二）2035 年

建立完整的、成熟的长时本体抗氧化热结构材料、高温长时轻质防隔热一体化材料、大尺寸整体热结构材料、超级隔热材料体系，实现高温高效隔热材料数理模型、计算模拟、先进分析表征和快速试验等技术的高度融合；在低烧蚀 /“零”烧蚀、主承力热结构、高温隔热、高温透波等材料的基础研究和前沿探索研究方面达到世界先进水平，实现高品质原材料的自主研发，引领功能复合材料创新发展，为未来发展对高温高效隔热材料的要求提供技术储备和持续支撑。

第二十五节　先进稀土功能材料

一、总 体 目 标

到 2035 年，掌握一批高端稀土新材料核心知识产权及其关键制备技术和装备，稀土永磁、发光等功能材料及其应用达到世界先进水平，完全满足第三次工业化革命、能源、环保等国民经济和国防安全领域快速发展的需要；稀土资源利用率大幅度提高，稀土材料制备过程实现封闭循环，生态环境友好；稀土材料产业成为国民经济的先导产业，主导全球高丰度稀土、中重稀土在信息、能源领域的应用市场，实现从稀土大国向稀土强国的战略转变。

二、重点研究方向

包括先进稀土永磁材料与工程科技（新型超高磁能存储材料设计及产业化关键技术、富铈永磁体及耐腐蚀性研究、稀土黏结磁粉及磁体、特高温钐钴和超低温度系数稀土永磁体）；稀土磁热、磁弹功能材料与工程科技（稀土磁致伸缩材料及其应用器件、磁制冷材料及其应用器件）；稀土金属基复合材料设计、制备与应用技术双（硬磁）或多（硬磁）主相材料及应用技术、混合稀土永磁体及关键制备技术；高端稀土功能纳米材料与规模制备技术（热流变纳米晶高磁能积材料及其工程化制备技术、先进稀土功能纳米材料及其规模制备技术）；稀土光功能材料与工程科技（大功率、高能量激发白光 LED 用高光效、低光衰荧光粉及其工程化制备技术，稀土光功能陶瓷、激光晶体、闪烁晶体及其高纯稀土化合物材料制备技术）；稀土催化材料与工程科技（冷启动机动车尾气稀土贵金属催化材料及其工程化技术，具有降烯烃和降硫功能的催化裂化重油催化剂、新型稀土基脱硝催化剂，高活性、广谱挥发性有机物（volatile organic compounds，VOCs）净化、低贵金属含量的催化燃烧催化剂及应用技术）；稀土储氢材料与工程科技（混合动力汽车功率型电池和低自放电电池用高性能稀土储氢材料、氢燃料电池新能源汽车及大型新能源储氢系统用储氢材料及其工程化制备技术）；高纯稀土材料绿色制备及应用技术（稀土材料绿色制备技术、稀土材料回收利用技术、高纯稀土及特殊物性稀土材料工程化制备技术）；基于多外场跨尺度模拟的新一代稀土材料制备加工与组织性能调控研究；高纯及高丰度稀土元素在稀土特种钢及铝、镁、铜、钛等有色金属合金材料中的应用技术；重大工程关键稀土功能材料服役评价与安全控制技术；稀土磁传感材料与器件。

三、重点任务

基于稀土材料重大战略目标，重点发展新型稀土材料及其制备技术；重点发展稀土元素在稀土材料中的平衡、高质化利用技术，提高资源利用率，降低消耗和制造成本。重点发展超高性能稀土材料、制备技术及其生产装备，构建稀土磁性材料及应用的低碳经济产业链。具体发展方向如下：

（1）重点研发高磁能积、高矫顽力、高服役稳定性的烧结钕铁硼永磁材料的可控制备与应用技术。2020年开发出综合磁性能$BH_{max}+H_{cj} \geqslant 80$的磁体，超高性能磁体在高新技术产业领域推广应用率达到85%以上；开发新型双（硬磁）主相或多（硬磁）主相永磁材料、铈永磁材料和低镨钕铽镝的稀土永磁材料。研发特高温钐钴永磁材料，有效利用钐资源，缓解稀土元素应用不均衡问题。研发新型高磁能积热压/热流变、黏结稀土永磁材料和新一代稀土永磁材料，重点研发工程化制备过程中的一致性和稳定性问题及连续化生产的关键技术、生产装备。研发高稳定性稀土–钴基永磁材料、混合稀土永磁材料和新型热压稀土永磁材料的服役特性及表面防腐技术，关注材料与应用器件的一体化研究，满足高端应用器件对材料的要求。

（2）重点开发大磁熵变和超大磁致伸缩材料的工程化生产关键技术。解决镧铁硅基磁制冷工质的加工工艺、稳定性、耐腐蚀性等与材料使用密切相关的问题。研发完全环保和本征高效的新型制冷技术，掌握新型室温磁制冷工质规模化制备方法，实现其在制冷机上的应用；研发大尺寸、高可靠性、高一致性稀土超磁致伸缩材料，实现其在潜艇水声换能器等方面的应用。研制磁热性能不低于相同成分材料性能的 90% 的新产品，并在新型室温磁制冷机或复合样机上得到应用。

（3）开发新型高性能氮化物 / 氮氧化物及其常压低成本、连续化的规模化制备共性技术及装备，取得自主核心知识产权，实现氮化物荧光粉可控制备，进一步优化其粒度、形貌、光效和稳定性；开发稀土光功能陶瓷和晶体低成本制备技术，重点突破高纯稀土卤化物及透明陶瓷产业化制备关键技术。打破稀土发光材料领域整体“低端产品产能严重过剩、高端产品严重依赖进口”的尴尬局面，促使我国稀土发光材料产业的转型升级及新型照明和平板显示完整产业链的形成。

（4）针对应用过程，充分发挥稀土的催化作用，发展以催化剂为核心的催化技术，提高相关反应过程的效率，促进稀土催化材料和相关领域的技术创新和技术进步：①适应日益严格的环保标准，开发出高品质的低硫燃油，提高产品收率；②开发高活性、高稳定性、低成本的汽油车尾气净化催化剂及相关关键材料，使汽油车尾气净化催化剂的产品水平达到或超过国外产品的水平，直接参与国际竞争；③开发适用于国内柴油车尾气净化的相关催化剂产品，提升关键材料（如大尺寸陶瓷载体、大尺寸颗粒捕捉器等）的技术水平，满足下一阶段排放标准（国五排放标准，简称国Ⅴ）的要求，逐步缩小与国外产品之间的技术差距；④开发具有高活性、广谱 VOCs 净化、低贵金属含量的催化燃烧催化剂及应用技术，形成系列化的工业 VOCs 排放控制技术，开发出用于低浓度、大风量、高毒性 VOCs 的净化催化剂及应用技术，核心产品达到世界先进水平；⑤形成高效的甲烷减排技术，核心产品达到世界先进水平。

（5）将稀土资源平衡利用及新能源的应用需求有机结合，重点研发以镧、铈、钇等高丰度稀土金属为原料的、低成本高性能新型永磁材料、稀土储氢材料等，开展应用牵动的材料 – 器件 – 装备的成套工程化技术攻关，突破与此相关的关键技术与装备，提高高端稀土材料和应用器件的国际竞争力。

（6）开发稀土高效清洁冶炼分离产业化技术装备。开发高纯稀土金属及合金节能环保产业化制备技术和装备，实现制备过程中化工材料的循环利用，解决稀土冶金过程“三废”污染问题，降低能耗，提高资源综合回收利用水平。

研发高效低盐低碳无氨氮排放的萃取分离技术，集成开发出适用的自控技术及装备，彻底解决萃取分离过程氨氮和盐的排放问题。

四、阶段目标

（一）到2020年

突破一批国家建设亟需、引领未来发展的发光、催化、储氢材料，以及具有新型结构的、超强性能的稀土永磁等高端稀土材料及关键技术，工程化生产永磁体综合磁性能（MGOe+kOe）达到75；新型铈磁体中铈含量占稀土总量的30%时磁能积大于40MGOe；各向异性黏结磁体磁能积大于25MGOe。高温永磁材料使用温度超过550℃，满足新能源、航空航天、国防军工等特殊器件的性能要求；高显色性白光LED荧光粉满足200lm/W白光LED器件要求，核心产品国产化程度达到80%；稀土储氢材料综合性能达到世界先进水平，储氢容量达到6wt%，氢燃料电池汽车续航里程达到500km以上，产品全球市场占有率提高至80%以上。机动车尾气排放达到国Ⅵ排放标准，占领50%以上国内市场；超高纯稀土材料及闪烁晶体等光功能晶体实现批量化生产，稀土材料制备过程中物料循环利用率达到70%以上。稀土新材料对材料工业结构调整和升级换代的带动作用进一步增强。

（二）到2025年

建成3～5个具有世界先进水平的国家级稀土材料创新平台和工程化研发基地，建立可持续发展的稀土新材料研发、工程化、产业化、应用体系及规范的评价标准与评价体系。成功开发一批具有核心知识产权的新型稀土磁、光、电等功能材料，并在物联网、智能控制、新型显示与照明、新能源、国防军工等高新技术领域获得应用。超高性能永磁体的综合磁性能指标在原有基础上提高15%，最大达到80；新型铈永磁体中铈含量占稀土总量的35%时磁能积大于40MGOe；各向异性黏结磁体磁能积大于30MGOe，引领世界稀土永磁材料的技术水平。高温永磁材料使用温度超过600℃，满足新能源、新一代航天器及武器装备的性能要求；获得2～3种具有核心知识产权的新型稀土荧光粉，满足全光谱白光LED（R_a大于95时、R_{12}大于90、光效大于200lm/W）和显示色域大于100%NTSC

的 LED 背光源液晶显示器的应用需要；稀土储氢材料容量达到 7.5wt%，氢燃料电池汽车续航里程达到 600km 以上。高性能稀土催化剂、白光 LED 荧光粉、稀土晶体材料、超高纯稀土金属及其化合物等关键稀土新材料国产率达到 80% 以上，稀土永磁材料国产率达到 95% 以上，解决稀土元素应用不平衡问题。

（三）到 2035 年

高性能烧结磁体综合磁性能 MGOe+kOe ≥ 90；新型稀土铈永磁材料实现规模生产，当铈含量占稀土总量的 50% 时磁能积大于 45MGOe，高丰度铈、钐及混合稀土替代紧缺钕、镝等单一稀土量达到 60%，永磁电机替代传统电机，每年可节约电量 2500 亿 kW · h；新型高温永磁材料使用温度超过 600℃，满足新能源、新一代航天器及武器装备的性能要求；我国稀土永磁材料成为全球的领跑者。全光谱白光 LED 照明器件、色域大于 100%NTSC 的液晶显示器 LED 背光源用新型荧光粉全部实现国产化，白光 LED 器件光效达到 260lm/W，稀土荧光转换型激光光源广泛应用于照明、显示器件。新一代激光武器、智能控制与检测、信息传输与显示用光功能晶体、陶瓷材料亟须的超纯稀土、纳米稀土材料全部替代进口，成本降低 80% 以上；稀土氧化物纯度达到 7N，稀土金属纯度达到 5N；稀土资源利用率提高 10%～20%，氨氮、盐等污染物达到近零排放。稀土材料及应用创造年产值 5000 亿元，带动相关产业 3 万亿元；申请发明专利 3500 项以上，其中国际专利 300 项；制定标准和规范 1500 项以上。

第二十六节　高性能信息功能陶瓷材料

一、定位和总体目标

在功能陶瓷材料方面，将重点发展高端材料工艺技术和相关器件技术，形成相关技术的自主知识产权系统和技术优势；建立具有世界先进水平的功能陶瓷材料研发系统和生产基地，以及国际一流的器件工艺制造基地。我国在超薄型贱金属内电极 MLCC 及其铁电陶瓷材料产业化技术、低温烧结高性能片式电感器及其铁氧体材料产业化技术、高性能压电陶瓷及其新型元器件产业化技术、特种玻璃工程化技术、高储能密度介电陶瓷材料及其工程化制备技术、微波介质陶瓷与高性能旋磁铁氧体产业化技术及半导体陶瓷及敏感元件产业化技术等若干领域达到世界先进水平。

二、重点研究方向与任务

（一）适应电子元件小型化 / 微型化的功能陶瓷材料系统

随着信息技术的迅速发展，对器件小型化 / 微型化的要求越来越迫切，而以电子陶瓷材料为基础的各类无源器件是实现整机小型化 / 微型化的主要"瓶颈"。其关键在于提高陶瓷材料的性能与发展陶瓷纳米晶技术和相关工艺。这方面的基础研究涉及一系列材料制备科学及其在极端尺寸和形状限制下的行为等科学问题。

（二）功能陶瓷性能的高频化

以移动通信、无线互联网、无线传感网为代表的无线技术成为信息技术中发展最快的领域，同时数字化技术的带宽和处理速度也要求高的工作频率。适应高的工作频率对各类电子元器件中的陶瓷材料来说是一个严峻的挑战。寻找具有良好高频特性及系列化工作频率的功能陶瓷材料系统至关重要。

（三）集成模块化器件的关键材料与技术

适应电子产品小型化和满足高频电路要求的一个途径是将分立的陶瓷元件集成化及进一步地模块化。目前，越来越多的集成陶瓷元件已被研制出来。作为实现集成化 / 模块化这一问题的基础是异质材料的匹配共烧、化学兼容性和不同功能耦合与界面行为的相关性。

（四）陶瓷基超常电磁介质

具有超常电磁特性的新型人工及本征电磁介质已是新一代电子和光子器件的生长点。功能陶瓷丰富的性质和众多响应机制则为构造超常电磁介质提供了丰富的资源，陶瓷基超常电磁介质将成为信息功能陶瓷研究的新前沿。

（五）高稳定性功能陶瓷

电子陶瓷元器件往往需要在不同外场环境（如不同温度、电磁场及机械振动）条件下工作，因此要求元器件对上述条件的变化有高的稳定性。器件的稳定性归根到底是陶瓷材料的稳定性，因此探索信息功能陶瓷材料的高稳定性及服役行为是人们追求的一个重要目标。

三、阶段性目标

（一）2025 年

突破 100nm 陶瓷粉体制备技术、亚微米超薄陶瓷流延成型技术。掌握功能陶瓷材料与元件的核心技术和自主知识产权，开发高端材料及相关器件制品，由跟踪研发转变为自主创新，逐步增强技术优势、设备优势和核心知识产权优势，占据高端材料及相关器件制品的市场控制权。在多层陶瓷电容器及电感器领域培育出 3～5 家国际规模居前 10 的企业。

（二）2035 年

基于低温共烧陶瓷技术的高密度无源集成实现突破，在多元陶瓷精密成型及共烧技术、精密印刷与成孔技术、集成功能陶瓷系统设计与仿真技术方面居国际领先地位，培育出若干家具有一定规模的陶瓷无源集成企业，形成若干个以片式电子元器件和无源集成模块为主要产品的大型产业化基地，建成从高性能原材料到高端电子产品的陶瓷元件产业链，使高端陶瓷电子元器件产品的国际市场占有率达到 1/3 以上。

第二十七节　碳 / 碳复合材料及关键制备技术

一、定位与总体目标

碳 / 碳复合材料在国家重大需求，特别是航空航天、轨道交通、武器装备、核工业等领域的重要性更加明显 [31]。自主开发高性能碳 / 碳复合材料，突破关键核心技术，实现国产化，可提升我国工业核心竞争力，满足国家科技重大专项大飞机工程、先进飞行器工程等国防现代化建设和国民经济建设对高性能碳/碳复合材料的需求。对突破国外技术封锁、保障国家经济和国防安全具有重大意义。世界范围内碳/碳复合材料在各领域的应用比例及我国对碳/碳复合材料的需求分别见图 16-1 和图 16-2。

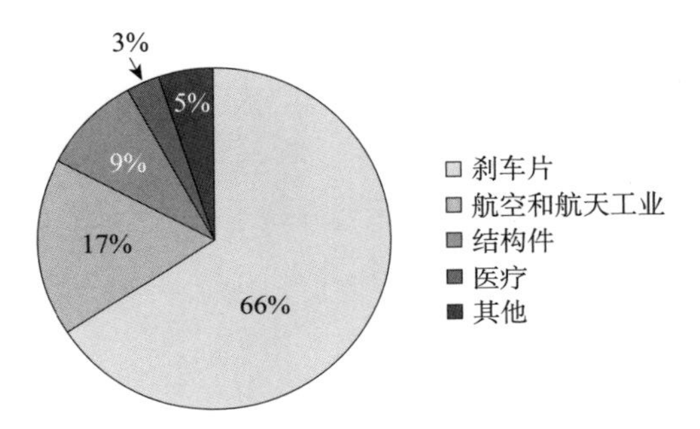

图 16-1　世界范围内碳/碳复合材料在各领域的应用比例

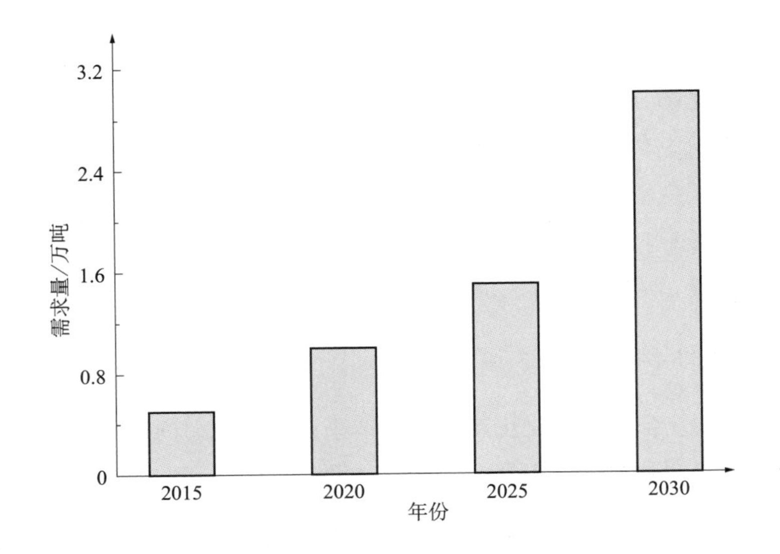

图 16-2　我国对碳/碳复合材料的需求图

二、重点研究方向与任务

开展国产碳纤维碳/碳复合材料的低成本化技术、极端服役用碳/碳复合材料制备技术、检验检测与质量控制技术攻关，突破国产碳纤维碳 / 碳复合材料研发和工程化面临的瓶颈问题。以国产碳纤维应用技术、低成本制备技术和工艺装备开发为突破口，解决大尺寸碳 / 碳复合材料构件高效制备的基础问题，结合基体陶瓷相或难熔金属相改性和表面涂层一体化设计，优化多相界面结构，实现碳 / 碳复合材料结构和性能的多样化，解决碳 / 碳复合材料苛刻环境服役的基础问题；建立碳 / 碳复合材料多元化制备技术体系，形成低成本制备技术体系及工程化平台，实施碳 / 碳复合材料应用军民同步推进的技术路线，实现军用高端碳 / 碳复合材料和民用高性能、低成本碳 / 碳复合材料的工程化大批量应用，满足国家科技重大专项大飞机工程、先进飞行器工程、高速 / 重载轨道交通、新型核能装置等对高性能碳 / 碳复合材料的需求。

三、目　　标

（一）到 2025 年

形成长时间抗氧化、耐烧蚀碳 / 碳复合材料及高温耐腐蚀碳 / 碳异形构件的研发示范，攻克部分重大关键技术，解决大尺寸碳 / 碳复合材料构件高效制备的基础问题，结合基体陶瓷相或难熔金属相改性和表面涂层一体化设计，优化多相界面结构，实现碳 / 碳复合材料结构和性能的多样化，解决碳 / 碳复合材料苛刻环境服役的基础问题；研发出国家优势产业、战略必争产业及新型武器装备所必需的新型碳 / 碳复合材料，通过使用环境下的规模化验证。

（二）到 2035 年

建立碳 / 碳复合材料多元化制备技术体系，实现长时间抗氧化、耐烧蚀碳 / 碳复合材料及高温耐腐蚀碳 / 碳异形构件的产业化生产，形成低成本制备技术体系及工程化平台，建立贯穿碳 / 碳复合材料基础研究、材料研制、工程化制备与应用和产业化全过程，集材料设计与制备、测试与表征、评价与验证，规范标准研究与制定，知识产权确立与保护等于一体的行业链条。实施碳 / 碳复合材料应用军民同步推进的技术路线，使工程化产品在性能和经济指标上具有强的市场竞争力，全面实现高性能碳 / 碳复合材料产业化及推广应用。

第十七章
需要优先部署的基础研究方向

第一节　石墨烯及相关二维材料基础研究

一、背景意义

石墨烯及相关二维材料具有诸多令人瞩目的物理、化学性质，被认为可以引发现代技术的革命。由于石墨烯卓越的性能源于量子限域效应，随即诸多研究开始探索其他性能出众的新型二维材料，包括二硫化钼为代表的过渡金属二硫族化合物、六方氮化硼和黑磷烯等。它们性质多样且互补，涵盖了从导体、半导体、超导体到绝缘体各种类型。从最初的输运性质，到光电器件和自旋电子器件，再到后来的光 / 电催化剂、锂电池、太阳能电池、超级电容器等，石墨烯及相关二维材料已渗透入众多现有的研究领域甚至开拓出一些新兴领域，有望在下一代信息传输器件和能源存储器件领域得到广泛应用。

针对我国在原创性基础研究和具有重大应用前景的石墨烯及相关二维材料领域的重大需求，建立高质量石墨烯和相关二维材料的制备方法及高质量大面积的表面控制生长技术，实现石墨烯和相关二维材料的可控有序组装与复合；揭示石墨烯及相关二维材料的尺寸效应，界面性质和协同作用，进一步弄清表面、边缘态、缺陷态等结构因素带来的新现象和新功能；利用宏量材料制备技术开发石墨烯与相关二维材料在电子信息、数据通信、能量存储及智能传感器方面的实际应用。

二、关键科学问题

（一）到2025年

建立结构、性能可控的石墨烯大批量、低成本化学制备技术，二硫化钼、六方氮化硼的可控制备和掺杂技术，黑磷烯的制备方法和表面修饰来提高稳定性的关键技术。探讨石墨烯及相关二维材料制备和生长过程中的机制和结构控制途径，选择合适的生长衬底，调控不同组分的扩散次序、浓度、压力、时间等条件，解析大尺寸晶畴的生长条件，以及发展二维材料异质结构的交替生长方法。

（二）到2035年

揭示石墨烯及相关二维材料中的尺寸效应，协同与界面作用的分子与结构机制。总结出衬底或覆盖物作用下石墨烯及相关二维材料有限体系的电子和自旋磁性的调控机制。实现二维材料及异质结的新型低能耗高集成器件的结构设计、新型大规模器件的构筑印刷技术。研制出具有实用价值的石墨烯基微电子与光电子器件，应用于能量存储的石墨烯材料，二硫化钼基光电与生物传感器，基于六方氮化硼、黑磷烯的量子器件。

三、目　　标

（一）2025年

建立和发展二硫化钼、六方氮化硼、黑磷烯等二维材料的可控和宏量制备方法。发展和完善面向微纳电子器件的大面积、高质量、层数可控的石墨烯制备方法，建立二维材料裁剪、转移和性能测试的有效方法。实现微纳米尺度二维材料的二维平面和三维立体组装。建立功能导向的微结构控制技术及二维材料纳米复合方法，拓展二维材料的可加工性和组装性能。

（二）2035 年

研制出具有实际应用价值的基于石墨烯及相关二维材料的高频晶体管与芯片、柔性电子器件，新一代储能技术、传感及量子器件。通过基于二维材料及异质结的新型低能耗高集成器件的结构设计，实现新型功能器件的实际应用。

第二节　高端功能纳米材料及制备技术研究

一、背景意义

以国家重大需求为牵引，从纳米材料和纳米结构合成、表征及性能研究的成果中，优选和发展具有应用前景的纳米结构单元，发展宏观尺度纳米材料体系的制备方法，实现从纳米结构单元合成的研究转到利用纳米结构单元组装成宏观尺度纳米材料体系的研究。重点揭示纳米单元之间的界面效应和耦合效应，发现宏观尺度纳米材料体系中的新现象、新特性和新原理，争取在科学上有所突破，并发展出几种具有特定功能的、拥有自主知识产权的宏观尺度纳米材料体系，为战略性新兴产业的快速发展做出贡献。

二、关键科学问题

（一）2025 年

纳米材料单元构筑宏观尺度纳米材料体系的界面结构控制，不同材质纳米结构单元界面结构的设计和构筑方法，不同尺寸和维度纳米结构单元组合的原理；不同纳米材料单元组装后性能演变和调控，纳米材料单元组装后性能变化的机制和优化的方法，多尺度单元组合对性能的影响及单元耦合所产生的新功能。

（二）2035 年

宏观尺度纳米材料体系中电子、光子和能量传输的新规律，异质界面电子、光子和能量传输的新规律，微纳尺度下的界面效应对性能的调控；宏观尺度纳米结构服役过程中的性能稳定性，对外场的响应，结构稳定性和性能稳定性的关系。

三、目　　标

（一）2025 年

发展不同材质纳米结构单元界面结构的设计方法，从纳米结构单元的制备，纳米结构单元组合的微米结构，由微米结构构筑宏观尺度的纳米材料体系的技术路线，建立几种不同尺度、不同维度、不同材质的宏观尺度纳米材料体系构筑的新方法，进而发展几种实用的构筑新技术。

（二）2035 年

制备出多种有独特性能的宏观尺度纳米材料体系。包括：异质纳米单元构筑的宏观尺度纳米材料体系，磁性 / 非磁性纳米单元构筑的宏观尺度纳米阵列，不同维度的碳纳米单元构筑的宏观尺度碳纳米管束、碳纳米阵列、有序网络结构。

第三节　动力电池 / 电池系统安全性技术研究

一、内涵及重要意义

我国新能源汽车示范应用中安全事故屡见不鲜，加之国外同类事故时有发生，常常引发人们对于新能源汽车产业发展的忧虑。充电时着火、行车中自燃，偶有发生的纯电动汽车安全事故总能引发人们的热切关注。据不完全统计，2016 年第一季度，纯电动汽车共发生 13 起燃烧事件。每当有此类事故发生时，人们总是将矛头指向动力蓄电池的安全性问题。动力电池系统的构成是相当复杂的，既有动力电池这类化学物体，也有复杂的电子电气系统和热管理系统，还有传统的各类机械部件，涉及的专业种类非常多，加上恶劣的运行环境，所面临的安全风险也很广泛。

二、涉及的关键科学问题

动力电池 / 电池系统安全问题一般涉及功能安全、化学安全、电气安全、机械安全。其中，功能安全、电气安全、机械安全可通过电池管理系统、结构设计等措施进行管理，而由热失控所导致的安全问题必须开发新技术或采用新材料。为了避免电池热失控现象的发生，需要对电动车电池组的成组技术、充电方法、使用方法、维护方式、电池管理系统（battery management system，BMS）保护系统的可靠性和有效性等技术，开展有针对性的研究和验证，才能避免电池热失控现象的发生，提高电池系统的安全性。

主要研究方向：①以电池系统的功能安全、化学安全、电气安全、机械安全为目标，开展相关基础科学问题的研究，建立材料、电池、电池系统的安全技术体系；②建立动力电池关键材料、电池和电池系统的安全设计数据库，实现车用动力电池系统完善的设计模式。

第四节　中温氧化物燃料电池用高性能阴极材料研究

一、内涵及重要意义

SOFC 是一种能量转化装置，它可以将化石能源中的能量直接转化成电能而不需要经过热循环过程，发电效率高并且环境友好。随着能源短缺与环境污染日益加剧，SOFC 已经成为能源和材料领域的研究热点之一。由于传统的 SOFC 需要在高温（约 1000℃）下操作，对材料和技术都有较高的要求，因此降低操作温度十分必要。当前 SOFC 的研究热点之一是将其运行温度降低至

500～800℃，即开发中温固体氧化物燃料电池（IT-SOFC）。中温化不仅可以降低 SOFC 的制造成本，还可以提高其电能转换效率和开路电压。而要实现 SOFC 的中温化，不仅需要研制 500～800℃下操作时稳定的高电导电解质材料，还需要开发与之相适应的高性能电极材料。

二、涉及的关键科学问题

降低操作温度的方法通常包括降低电解质厚度、优化电池结构和制备工艺、开发新的材料等。阴极和连接材料都是 SOFC 中的关键组件，探索新的阴极和连接材料来提高电极性能和电池材料之间的热匹配性显得尤为重要。研制兼有优良的导电性能和合适的热膨胀性能的阴极材料是 IT-SOFC 发展中的关键问题之一。

主要研究方向：开发新型 SOFC 阴极材料，提高电子电导，增强高温时热稳定性和化学稳定性，提升与固体电解质膜的相容性和良好的附着性。

第五节　新型智能化、高稳定性透明隔热材料制备技术研究

一、内涵及重要意义

建筑能耗占人类总能耗的 30%～40%，其中约半数是由建筑采暖或制冷等空调造成的，而通过门窗散失的热量约占整个建筑空调耗能的 30%。现代建筑对室外景观和室内采光等的要求提高，往往采用较大面积的玻璃窗或玻璃幕墙结构。建筑玻璃作为隔热保温的薄弱环节，在保证玻璃采光的同时如何提高其保温隔热性能成为降低建筑能耗的重要途径。为了提高建筑玻璃的隔热保温性能，人们研究出多种新型玻璃材料，如金属镀膜隔热玻璃、真空玻璃、贴膜玻璃、Low-E 玻璃等节能玻璃。但这些玻璃往往存在透光率低、隔热效果不佳、工艺条件控制复杂、价格昂贵等一种或多种原因，限制了其发展和应用。近年来，一些在可见光区有较高的透光率、在红外光区有较高的吸收率和反射率的

透明隔热保温涂料被用于玻璃镀膜和喷涂，可使玻璃在维持较高可见光透光率的同时提高对红外波段的隔热效果，从而使建筑玻璃具有较理想的透明和隔热效果，对降低建筑空调能耗和实现节能减排具有重要的意义。

二、涉及的关键科学问题

透明隔热涂料具有很高的红外波段隔热效果及良好的可见光波段透光率，可被用于建筑玻璃和汽车玻璃等透明隔热，是节能降耗的有效途径。但目前透明隔热涂料在分散、抗老化、施工等方面尚存在一些问题，影响了透明隔热涂料的隔热性能和节能应用，主要表现为：①纳米粉体分散及稳定性有待改善；②透明隔热涂层的耐老化、耐水等耐候性有待改善；③透明隔热涂覆易起泡、成斑有待改善，均匀性有待提高。解决了上述主要问题，智能化透明隔热涂料将作为极具发展前景的节能材料和技术，在建筑节能等领域获得重要的应用，成为降低建筑能耗、实现建筑节能的重要手段。

主要研究方向：高稳定性纳米透明隔热涂料在建筑玻璃的普及率超过 75%。

第六节　航空发动机用耐高温、轻质、长寿命碳化硅/碳化硅材料制备技术研究

一、背 景 意 义

碳化硅陶瓷基复合材料在先进航空发动机、工业燃气轮机等动力领域的重要性日益显著。开发军用航空发动机用耐高温、轻质、长寿命碳化硅/碳化硅复合材料可显著减轻部件的结构重量，提高部件的使用温度，从而提高发动机的推重比；开发工业燃气轮机和商用发动机用轻质、超长寿命碳化硅/碳化硅复合材料，可减少冷却气量和 CO_2、NO_x 排放，显著提高发动机效率，可支撑工业燃气轮机及民机发动机混气锥、燃烧室、涡轮导向叶片等部件的研制，解决工业燃气轮机和民用发动机面临的效率低和污染大等问题；开发高基体开裂应力

碳化硅 / 碳化硅陶瓷基复合材料，可进一步提高陶瓷基复合材料的强韧性，支撑航空发动机和工业燃气轮机涡轮转子叶片的研制，解决涡轮转子等高应力部位热结构材料耐温严重不足的问题。

二、关键科学问题

开发耐高温、轻质、长寿命航空发动机用碳化硅 / 碳化硅复合材料，与现有高温合金部件相比，提高使用温度 150℃，减轻结构重量 30%，使用寿命相当，密封片、调节片和内锥体实现产业化生产，隔热屏、火焰筒和涡轮导向叶片实现工程化研制；开发工业燃气轮机和民用发动机用轻质超长寿命碳化硅 / 碳化硅复合材料，降低 CO_2、NO_x 排放 10%，减轻部件重量 30%，突破相关部件（混气锥、内外衬）的工程化研制技术。

三、目　　标

航空发动机用陶瓷基复合材料密封片、调节片和内锥体实现批量制造，用于我国相关航空发动机；火焰筒和涡轮导向叶片实现批量制造，用于我国相关发动机；结构 / 隐身一体化陶瓷基复合材料密封片、调节片和内锥体实现批量制造，用于我国相关发动机；工业燃气轮机和民机用相关部件实现工程化研制；突破高基体开裂应力涡轮转子叶片关键技术。

四、需要开展的研发计划

（一）到 2025 年

航空发动机用碳化硅陶瓷基复合材料应用基础研究水平和工程化研制能力得到全面提升。实现航空发动机碳化硅 / 碳化硅复合材料尾喷管密封片、调节片和加力燃烧室内锥体等部件的批量制造和装机使用；突破军用航空发动机燃烧室火焰筒和涡轮导向叶片工程化研制技术，为 2035 年的产业化制造奠定基础；突破结构 / 隐身一体化密封片、调节片和内锥体部件工程化研制技术，为 2035 年的产业化制造奠定基础；突破工业燃气轮机和民用发动机相关部件研制技术，充分进行考核验证；突破高基体开裂应力陶瓷基复合材料关键技术。

（二）到 2035 年

航空发动机用碳化硅陶瓷基复合材料工程化研制和产业化制造能力进一步提升。实现航空发动机碳化硅 / 碳化硅复合材料燃烧室火焰筒和涡轮导向叶片部件的产业化制造和装机使用，用于我国相关航空发动机；实现结构 / 隐身一体化陶瓷基复合材料密封片、调节片和内锥体部件的产业化制造和装机使用，用于我国相关航空发动机；突破工业燃气轮机和民用发动机相关部件工程化研制技术，为产业化制造奠定技术基础；突破高基体开裂应力陶瓷基复合材料部件研制技术，进行部件考核验证。

第七节　新型耐火材料关键制备技术研究

一、背 景 意 义

耐火材料在国家重大需求，特别是在矿产资源、节能，以及以冶金、建材、石化、化工、发电等为代表的传统基础工业转型升级等领域的重要性日益显现。提高作为耐火材料原料的非金属矿产资源的利用率，不仅保障基础工业背后的耐火材料工业的发展，而且使我国环境保护和可持续发展协调发展。开发高性能功能化的耐火材料，不仅可以保证高温过程工业的安全运行，而且为相关工业的产品升级提供保障。开发高强度高热阻梯度化的保温材料，不仅可以降低高温热工设备的热损耗、实现节能降耗，而且可以延长设备的服役寿命、保证热工窑炉运行安全，对高温过程工业节能降耗和传统基础工业升级有重要意义。

二、关键技术问题

开发出以高铝矾土、菱镁矿（包括镁橄榄石和高硅菱镁矿）、各种石墨、石英、蓝晶石等为代表的非金属矿产资源高效、综合利用的关键技术，将现有资源利用率从30%提高到50%。研发废弃耐火材料的综合利用技术，将现有利用率再提高10%～20%。耐火材料的免烧成制备量超过50%，制备成本下降10%～20%，高性能功能化耐火材料量超过60%，新型高强度高热阻的保温材料量增加10%～20%，实现高温热工窑炉一体化综合设计和应用率超过50%，现有设备的热利用率提高10%～20%。

三、目　　标

高铝矾土、镁质资源（菱镁矿和镁橄榄石）和石墨三大耐火材料主要资源的综合利用率提高20%；废弃耐火材料的再利用率提高10%～20%；提高石英资源的利用率；含碳化硅/氮化硅耐火材料达到世界先进水平，其制备成本降低10%～20%；高强度高热阻梯度化保温材料实现十万吨级制备规模，大量应用于高温热工窑炉，形成耐火材料的功能与保温节能一体化，有效降低高温窑炉的热损失，避免热污染，提高高温窑炉热利用率10%～20%；含碳耐火材料和尖晶石质系列耐火材料的制备成本下降10%～20%，制备的能耗下降10%。

四、需要开展的研发计划

（一）到2025年

实现以高铝矾土、镁质资源（菱镁矿和镁橄榄石）和石墨为代表的耐火材料非金属矿产资源管理的规范化，基本实现矿产开采的规模化和有序化，实现矿产资源综合利用。初步建立废弃耐火材料再利用的管理模式和相关政策，规范废弃耐火材料再利用的行为。研发相关关键技术和装备，提高石英资源利用率，实现含碳化硅/氮化硅耐火材料制备成本降低10%；建立2～3家高强度高热阻梯度化保温材料万吨级企业，形成高温热工窑炉用内衬材料的功能与保温节能一体化。耐火材料行业规模达到1500亿元。扶持5～8家具有国际管理水平和竞争力、年销售额在50亿元以上的大型耐火材料企业。建立以省部共建耐火材料与冶金国家重点实验室和先进耐火材料国家重点实验室为代表，以高等学校和研究机构及大型企业耐火材料研发中心为基础的耐火材料领域的研究平台，培养100名科技创新领军人物，申请有关专利3000项，使我国耐火材料达到国家先进水平。

（二）到 2035 年

在 2025 年的基础上，到 2035 年实现耐火材料非金属矿产资源管理的规范化及矿产开采的规模化和有序化，其矿产资源综合利用率超过 50%。实现废弃耐火材料再利用，其综合利用率超过 30%。实现以含碳化硅 / 氮化硅耐火材料为代表的高性能耐火材料的制备成本降低 10%～20%；高强度高热阻梯度化保温材料生产规模超过 10 万吨，全面推广高温热工窑炉用内衬材料的功能与保温节能一体化技术。耐火材料行业规模达到 1800 亿元，使我国耐火材料达到世界先进水平。

第八节　先进钢铁结构材料基础研究

一、内涵及重要意义

我国钢铁材料质量和品种结构仍然不能满足经济发展需求，特别是高品质制造用钢材缺乏。这与材料基础研究相对薄弱密切相关。亟须从基本现象、规律及机制研究出发，针对典型钢材生产及应用全流程开展提高钢材品质的技术基础研究，通过产品质量改善和品种结构优化促进我国钢铁行业的转型升级，满足经济发展需要。

二、关键科学问题

从物理和化学冶金基础理论研究出发，结合材料设计和生产相关信息数据技术，围绕“生产流程－生产装备－生产工艺－材料生产－零件制造”全流程，深入研究合金元素在钢中固溶、偏聚和析出，以及相关基体组织演变现象、规律与机制，夹杂物形成与分布的现象、规律与机制。开发碳与碳化物、合金元素、组织状态、夹杂物的经济有效控制理论与技术，并在合结钢棒线材、中高铬合金钢锻材、超高强度钢板带材上予以实践，为典型钢材品质提升提供基础技术支撑。

第九节　超高强度钢制备新方法基础研究

一、内涵及重要意义

超高强度钢广泛应用于国防军工、能源开发、海洋工程等重要领域装备制造。传统超高强度钢研发多采用炒菜或试错模式，研制周期长，研发成本高。亟须在超高强度钢中开展基于量子力学的合金设计，开展超高强度钢应力腐蚀性能，析出相、基体组织、夹杂物等机制研究和系统设计，突破超高强度钢研发周期长、研制成本高等发展瓶颈。

二、关键科学问题

围绕超高强度钢电子－原子“基因片段”对材料性能影响及相关机制的研究，通过量子计算探索影响超高强度钢应力腐蚀电子－原子层次的科学本质。重点开展超高强度钢应力腐蚀、氢脆破坏机制研究，钢铁中合金元素对材料性能影响的电子－原子层次机制研究；开发材料中各种合金元素扩散迁移、固溶体和析出相驱动力形成及亚稳相和析出相材料物理化学性质等表征技术，调控组成钢铁材料中各“基因片段”的功能和作用，为进一步设计新型不同钢种提供全面可靠的依据，建立新型钢铁材料全流程设计总体思路，从根本上改变新材料设计研发传统模式，使新材料从概念提出到生产应用的研发周期降低50%。

第十节　基础件用高品质特殊钢长寿命化技术研究

一、内涵及重要意义

我国基础件用钢产量大，但其质量稳定性、可靠性、服役环境适应性与日本、德国等国家差距明显，主要体现在材料洁净度、均匀度控制水平，加工性能及技术经济性等，而长寿命化则是共性关键问题。开展基础件用高品质特殊钢长寿命化技术基础研究，对于提升我国高品质特殊钢技术水平、支撑我国制造业转型升级具有重要意义。

二、关键科学问题

该技术针对基础件寿命波动大等难题，围绕材料接触疲劳、弯曲疲劳、拉压疲劳及试样疲劳与零件疲劳，重点开展不同特征载荷作用形式下基础件及其用钢的长疲劳寿命化机制研究，包括材料冶金质量与接触疲劳寿命的定量关系，接触应力作用下组织演变规律，接触疲劳模拟研究；不同钢种（强度）的无害化临界夹杂物尺寸、组织因素对疲劳启裂和裂纹扩展规律的影响研究；超高周疲劳机制，以及其与拉压疲劳对应关系，氢与疲劳作用机制研究；应力分布及夹杂物分布研究等，为基础件长寿命化和稳定化提供基础技术支撑。

第十一节　高强高模高韧且拉压平衡聚丙烯腈纤维增强树脂基复合材料基础研究

一、内涵及重要意义

随着新一代国防装备向高超声速、高机动、大潜深和远航程方向发展，以T800/IM7为主要标志的第二代先进复合材料表现出的拉伸性能冗余、压缩强度偏低和拉压失配等问题，成为制约新一代国防装备应用的重大技术瓶颈，亟须发展以高强高模高韧和拉压平衡为目标的新一代聚丙烯腈基纤维增强树脂基复合材料。

二、涉及的关键科学问题

根据实际服役环境对材料性能的需求，实现高性能新型树脂基体的结构设计，超微尺度碳纤维复合材料界面控制，碳纤维复合材料快速成型新方法，超大尺寸复合材料一体化成型等新型技术的开发。探明聚丙烯腈基碳纤维复合材料强度模量的关键影响因子，重点研究复合材料压缩强度、模量与碳纤维本征特性、直径、树脂强度及界面特性的关联规律；揭示树脂组分、化学结构与其力学性能、耐温性能、界面结合特性间的本构关系。建立高强高模中大直径聚丙烯腈基碳纤维可控稳定制备技术、高强高模高韧树脂基体可控稳定制备技术，以及界面设计与调控技术，解决复合材料制备及应用环节的高性能化设计、高效成型、基础性能评价、典型环境服役性能考核等系列应用基础问题。

第十二节　生物医用材料基础研究

一、生物相容性

材料的生物相容性表征材料引起适当的机体反应的能力，是生物医用材料区别于其他高技术材料的最重要特征。早期生物相容性的研究着重于材料的生物安全性，即材料不致引起对机体的毒副作用。在分子水平上深入认识材料与机体相互作用，充分了解材料表面 / 界面的组成、结构，植入体形态、构型、多孔结构等生物力学因素，影响组织重建功能的体内生物化学信号（蛋白质、生长因子、酶等）及它们的相互作用和规律，在分子水平上揭示材料生物相容性的本质，材料诱导组织器官再生或重建的分子机制，指导生物学反应可控的材料设计，特别是赋予材料生物结构和生物功能，包括智能材料的设计；探索评价材料长期生物相容性和可靠性的分子标记，是当代生物材料科学的核心和基础。生物相容性的研究已发展进入一个新的阶段，即 21 世纪提出的分子生物相容性。

二、先进的制造方法学

生物医用材料的性能不仅与材料的组成和结构相关，还与其制造工艺相关。相同组成、不同用途的材料的制备工艺往往不相同。为得到按生物学原理设计的新一代生物医用材料和植入体，先进的制造方法学是 21 世纪生物医用材料科学的重点之一，其主要研究包括以下 5 个方面。

（一）生物医用材料基因组工程技术

即模拟人类基因组研究，揭示决定材料结构和构效关系的基本要素（基因）及组合，建立材料基因库，通过对输入基因的高通量计算设计、合成、表征及实验验证研发新材料，改变传统试错法、炒菜法的研发新材料的模式，缩短新材料研发周期及减少费用。新一代生物材料大部分为新材料，其合成除与化学因素相关外，还与生物学因素相关，情况更为复杂，因此研究生物材料基因组、改变传统研发模式意义重大。

（二）自装配

公认的观点是，材料越接近于自然组织越易被机体所接受。材料的性质取决于其组成和结构，天然组织是通过分子自识别而装配形成的分层结构。模拟天然组织自装配新一代生物医用材料是生物材料科学发展的一个重点。

（三）微制造技术

即沿用电子学微加工技术的、正在发展的生物医用材料制备新技术，特别适用于临床诊断材料和药物控释载体及系统的制造。

（四）生物制造

即基于离散堆集原理，仿照计算机控制打印机，逐点堆集生物材料的三维仿生快速成型技术。通过计算机仿真设计并在其控制下快速成型生物材料的植入体，适用于个性化治疗。这样不仅可以模拟患者缺损部位的形态，而且可以模拟自然组织的分级结构，还可以装载活体细胞。

（五）生物医用材料对细胞的黏附

生物医用材料对细胞的黏附是在细胞膜内的整合素及其他受体介导下，通过被吸附于材料表面的蛋白质进行。材料黏附的细胞类型及其发出的细胞内信号首先决取决于被吸附的蛋白质种类、构型及特征。常规材料的主要问题是对蛋白质的随机吸附，包括对蜕变蛋白的吸附，从而引发炎症、异体反应，导致植入失效。控制材料表面 / 界面对蛋白质的吸附，是控制和引导其生物学反应、避免异体反应的决定性因素。因此，材料表面 / 界面改性研究成为改进和提高常规材料的主要途径，也是发展新一代生物医用材料的基础。其研究热点主要集中于：①清洁表面，即阻碍蛋白质和细胞吸附 / 黏附的表面改性，对用于心血管系统修复材料特别重要，可使其不吸附血液中的蛋白质而获得抗凝血性能；②特异性表面的设计与改性，即可以选择性吸附 / 黏附蛋白和细胞的表面，也称可控制生物学反应的表面。此外，通过在材料表面固定有特定结合区结构的生物分子和蛋白质层可以实现材料对特定细胞的选择性黏附。研究材料表面组成、结构和性质与体内蛋白质分子的相互作用，以及其对蛋白质和细胞特异性吸附 / 黏附的影响，是生物医用材料科学的基本问题之一。

三、评价材料和植入器械长期生物相容性及可靠性的科学基础和新方法

对于生物医用材料生物相容性和可靠性，均是通过体外和短期体内实验来检验和评价的，难以预测材料的长期生物安全性和可靠性。人类寿命延长，更要求探索评价长期生物安全性和可靠性的基础和方法。可再生人体组织和器官的新一代生物医用材料与植入器械的研发涉及外源性、内源性干细胞和生长因子，其对材料生物安全性和可靠性的评价尚缺乏科学基础和方法。因此，探索通过体外和短期体内试验评价材料长期生物相容性和可靠性的基础和方法成为 21 世纪生物材料三大科学重点之一，也就是近年来提出的“审评科学”研究。主要的研究重点包括：①评价材料生物安全性和可靠性的分子标记探索，即评价的科学基础应发展到分子水平；②跟踪体内植入体内行为及检验材料生物相容性和可靠性的新方法；③临床试验及术后跟踪模型的建立和分析等。

第十三节　超宽禁带半导体材料基础研究

一、背 景 意 义

超宽禁带半导体材料是继碳化硅和氮化镓两种宽禁带半导体材料之后的一

类极具应用前景和社会经济价值的新型半导体材料，是半导体材料发展的趋向和制高点[32]。超宽禁带赋予了此类材料特殊的物理性能和应用领域，在耐高压、耐高温、高功率密度、大电流、抗辐射、散热、恶劣环境下的可靠性等方面具有极高的优势，不仅对现有半导体材料和器件有性能提升，还将促使新型器件的涌现。超宽禁带半导体材料（氮化铝单晶材料、金刚石单晶材料、氧化镓单晶材料和立方氮化硼单晶材料）可用于制作深紫外LED、日盲型紫外探测器、紫外激光器、微波大功率晶体管和超高压超大功率电力电子器件、表面声波（surface acoustic wave，SAW）滤波器等，对我国未来社会和科技发展具有引领和支撑作用。尽管超宽禁带半导体材料具有广泛且重大的应用价值，但一直发展较缓慢，根本原因是材料生长和制备的难度极大，需要解决和克服的技术问题很多，需要开展大量的基础研究工作。

二、关键科学问题

（一）2025年

1. 超宽禁带半导体单晶材料的生长理论与技术

超宽禁带半导体材料（如氮化铝、金刚石、氧化镓、立方氮化硼单晶）的生长条件苛刻，材料的生长热力学与动力学及控制技术是决定晶体生长质量的关键，需要对单晶材料的生长方法、生长机制、模式、缺陷形成与演变等进行理论研究。

2. 超宽禁带半导体单晶材料的物性与加工方法

器件所需单晶衬底材料对表面质量、状态要求严苛。超宽禁带半导体单晶材料均为超硬材料，物理化学属性独特，加工难度大。需要对超宽禁带半导体单晶材料物性、加工理论、加工方法进行研究。

3. 超宽禁带半导体新结构与新机制器件

针对超宽禁带半导体材料和器件的特点，在对能带工程、载流子的输运特性等科学问题研究的基础上，以建立新理论、形成新观点、解释新现象、设计新结构为目标，开展超压大功率器件、高增益宽带功率器件、紫外日盲探测器、深紫外 LED、激光器结构设计、试制、验证研究，推动超宽禁带半导体器件的探索创新。

（二）2035 年

（1）可大规模生产型超宽禁带半导体单晶材料生长新方法，研究晶体生长新技术、新方法，以提高晶体生长效率。

（2）单晶材料物性可设计化研究，研究单晶材料掺杂理论与方法，实现电学性能可控。研究高纯晶体实现方法，提升晶体关系特性。

（3）深入研究超宽禁带半导体材料制备和超宽禁带半导体器件制造方法与技术，提升材料与器件的可靠性水平，提升器件性能。

三、目　　标

（一）2025 年

（1）基本解决物理气相传输法生长氮化铝单晶中的生长系统构建、生长工艺优化和晶片加工关键技术，研制出高质量 2～3 英寸氮化铝单晶衬底，技术参数指标达到世界先进水平，建立氮化铝单晶衬底材料质量表征技术体系，建成氮化铝单晶材料设计平台、工艺平台和分析测试平台，初步完成氮化铝超高压大功率器件和深紫外探测器件应用验证。

（2）初步解决微波等离子体化学沉积法生长金刚石单晶中的反应室结构设计、生长工艺优化关键技术，研制出 2 英寸金刚石单晶晶片，技术参数指标达到世界先进水平，建立和完善金刚石单晶材料研发平台，实现在单晶金刚石大功率器件和微波功率器件上的应用验证。

（3）开展氧化镓衬底制备技术研究，突破生长系统设计、缺陷抑制、晶片加工等关键技术，实现 3 英寸氧化镓衬底的研发，建立和完善氧化镓单晶材料研发平台。

（4）开展异质衬底氮化硼单晶膜生长技术研究，解决生长关键技术。

（二）2035 年

开展多种方法大尺寸、高质量氮化铝单晶材料制备研究。采用物理气相传输法生长大尺寸、高质量氮化铝单晶，突破生长应力控制、缺陷控制、大尺寸晶片加工技术等关键技术，研制出高质量4～6英寸氮化铝单晶衬底，技术参数指标达到世界先进水平。突破3～4英寸高质量金刚石单晶材料生长技术。突破大尺寸氧化镓单晶材料生长系统设计、缺陷抑制、晶片加工等关键技术，实现4～6英寸氧化镓单晶衬底的研发。

四、需要开展的研发计划

（一）2025年

1. 氮化铝单晶材料制备与应用验证研究计划

突破的关键技术如下：①物理气相传输法单晶生长系统的设计、构建与优化；②物理气相传输法单晶生长工艺优化；③氮化铝单晶缺陷抑制技术；④氮化铝单晶晶片加工与表面状态优化技术；⑤氮化铝单晶衬底上外延生长技术；⑥面向大功率器件、深紫外LED、紫外激光器、紫外探测器件的氮化铝单晶材料验证技术。

2. 电子级金刚石单晶材料制备与应用验证研究计划

突破的关键技术如下：① CVD法单晶金刚石生长工艺技术；②单晶金刚石超硬材料加工技术；③单晶金刚石在大功率器件及微波功率器件领域的应用验证技术。

3. 氧化镓单晶材料制备与应用验证研究计划

突破的关键技术如下：①浮区法、导膜法、直拉法氧化镓单晶生长技术；②氧化镓单晶材料加工技术；③氧化镓单晶材料在高功率LED照明和功率器件领域的应用验证技术。

（二）2035年

1. 大尺寸氮化铝单晶晶片制备与工程化研究计划

突破的关键技术如下：①大尺寸氮化铝单晶晶片生长技术；②低阻型氮化铝单晶生长技术；③氮化铝单晶材料工程化制备技术。

2. 大尺寸金刚石单晶晶片制备与工程化研究计划

突破的关键技术如下：①大尺寸金刚石单晶晶片生长技术；②金刚石单晶材料工程化制备技术。

3. 大尺寸氧化镓单晶晶片制备与工程化研究计划

突破的关键技术如下：①大尺寸氧化镓单晶晶片生长技术；②氧化镓单晶材料工程化制备技术。

第十四节　稀土磁性材料基础科学研究

一、内涵及重要意义

稀土磁性材料是具有强磁性的稀土金属间化合物或合金，具有特殊的物理、化学性能。作为实现节能、环保和支撑高技术发展这一重要时代主题的关键功能材料，稀土磁性材料具有能量转换、存储或改变能量状态的功能，在国防军工、工业生产、人类生活等各个领域中都有广泛的应用，起着不可替代的作用。主要产品有：飞机、导弹需要的隐身材料、导航控制系统用的稀土永磁材料；电动汽车及风力发电、家用电器、计算机等需要的永磁、磁制冷和多种电子专用材料；磁悬浮高速列车、城市轨道交通需要的磁致伸缩、永磁和超导材料等。

二、涉及的关键科学问题

主要研究新型稀土永磁材料、稀土磁致伸缩材料、稀土磁热材料、稀土微波材料、稀土磁电子材料、稀土磁光材料等。

（一）2025年

（1）加强新型稀土功能材料及制备技术的研究和开发；探索长寿命复合永磁材料在热磁、弹磁、光磁和电磁等多场耦合作用下的结构特性和有效磁特性。

（2）采用高温高压及强磁场等极端条件制备组织结构可控的新永磁化合物。注重材料及器件一体化研究与开发。

（3）注重研发纳米稀土磁性材料物性及制备技术，并在纳米级、微米级器件中应用相关技术。

（4）建立稀土材料基因数据库，采用材料基因组方法，探索、研究新型稀土功能材料及提高磁性能的物理机制。

（二）2035 年

（1）注重未来稀土新材料形态和功能的多样化；在高低温、辐射、冲击等应力环境下开展稀土磁性材料的磁功能失效机制和永磁材料反磁化机制的研究。

（2）研究稀土功能超材料、非均匀稀土永磁材料、3D 打印复合永磁材料、永磁与软磁复合材料等新概念材料。

三、研 究 目 标

（1）新型永磁化合物探索。开展单一或综合性能超过钕铁硼材料的新型永磁化合物的探索研究。新一代永磁材料必须具有高于钕铁硼材料的高饱和磁化强度、强磁各向异性和强的磁交换作用。探索合成新的磁性相及相的稳定性，研究不同尺度下平衡态相和非平衡态相的不同结构与成相规律。研究磁有序温度、磁各向异性与结构和相组成的关系，获得制备高各向异性磁体的新方法。开发出能满足雷达、微波通信、电子战系统，扫雷艇的遥控扫雷具，声学武器的声波发生器，各类武器的引爆系统等需求的新型稀土永磁材料。

（2）研究开发出能满足新一代卫星、飞船的姿态控制、轨道控制系统及精确制导武器和武器平台的惯性导航 / 制导系统提高控制精度需求的稀土功能材料，并满足船用电驱动动力系统降低噪声的需求。

（3）探索双永磁主相或多永磁主相的新型复合材料，揭示不同各向异性常数 k 的硬磁相晶粒的相结构、晶界、界面相结构、磁结构，以及拓扑磁结构对材料整体磁性的影响规律。研究开发出能满足飞机的电传动系统、先进战机用多电发动机、时速超过 700km 的海底隧道交通工程用耐高温、高稳定性新一代高磁能积稀土功能材料。

（4）研发空间探测器用离子推进系统、时速1000km的真空管道磁悬浮及其使用的新型耐高温、高稳定性稀土磁性材料。研究多应力场与复合永磁基元结构及磁性能的关系，关注永磁材料的磁化放热和退磁吸热现象；研究材料在多应力场作用下的服役特性，为有效调控材料的内禀磁性与技术磁性提供依据。

第十五节　光电功能晶体材料与器件基础研究

一、背景意义

光电功能晶体是声、光、热、电、磁、力等能量转换的介质，是不可或缺的高科技关键材料。我国非线性光学晶体研究和应用在国际领先，激光晶体生长技术居国际前沿，重要晶体可满足国家重大工程需求，部分晶体商品在国际上享有盛誉。利用KBBF晶体深紫外激光器，我国首先成功制备了先进的科学仪器；《自然》载文认为，"其他国家在晶体生长方面的研究，目前看来还无法缩小与中国的差距"；我国光电功能晶体基础研究及应用在国际上占有重要的地位。

我国对晶体材料与器件的需求会越来越大，但我国在关键高端材料和器件方面远未实现自主供给。我国要在鼓励原始创新、加强基础研究的基础上，开展基础和应用基础研究。到2025年，实现关键功能晶体与器件的全链条发展，带动我国制造业和信息等产业发展；到2035年，全面发展、打造多个晶体材料与器件配套产业集群，引领国际发展。

二、关键科学问题

建立光电功能晶体，特别是深紫外、红外非线性和电光晶体的组分、结构、性能关系的理论模型，发现具有自主知识产权的新型光电功能晶体；研究有重要应用背景的大尺寸、高质量晶体生长的热力学、动力学过程，发展晶体生长计算机模拟和控制系统及晶体生长新方法、新技术；基本解决重要功能晶体的缺陷控制和利用的基础理论与技术问题；解决功能晶体生长全过程的薄弱环节，包括晶体原料、温场控制、晶体表征、加工、镀膜和器件制作的关键技术与装置；系统解决影响光电功能晶体及其器件应用中重复性和稳定性差等问题，研制出具有重要应用的功能晶体及其器件，带动相关高技术产业的发展。

三、目标

全面建设我国光电功能晶体创新系统，建立晶体数据库和专家系统，进一步完善光电功能晶体，特别是红外（太赫兹）非线性晶体和电光晶体理论，逐步扩展至更复杂的激光、闪烁、铁电（压电）和复合功能晶体；突破大尺寸、高质量光电功能晶体生长技术，发展具有应用前景光电功能晶体和复合功能晶体，研发新型紫外及深紫外非线性光学晶体；发展蓝紫光直接泵浦的可见光激光晶体，实现可见光区全固态激光器的高度集成化；发展高激光损伤阈值的新型中远红外非线性光学晶体，实现中波及长波红外的高功率激光输出。探索具有自主知识产权的新型铁电、压电单晶和其他高性能光电功能晶体，探索其全链条应用和产业化前景。

第十八章
重 大 工 程

第一节　半导体照明材料与器件重大工程

一、需求与必要性

LED 照明是继白炽灯和荧光灯之后，照明领域的又一次重大技术革命。白光 LED 照明节能效果显著，是完全绿色环保的照明器件，可为发展低碳经济、促进节能减排做出重要贡献。经过近 10 年的发展，我国半导体照明产业已具有较好的研发和产业基础，初步形成了从上游外延材料生长与芯片制造、中游器件封装及下游集成应用的比较完整的研发与产业体系。但是，从我国半导体照明产业链各主要环节来看，上游外延材料工程化水平不高，核心知识产权少，关键设备与原材料主要依赖进口，芯片产品处于中低端技术水平，企业规模不大；中游封装及下游应用缺乏高端产品的系统集成技术，标准评价体系缺失，整体创新能力不足。核心知识产权的缺乏正在成为我国半导体照明产业可持续发展面临的关键问题。因此，我国必须加大投入，鼓励原创性技术开发，争取获得关键材料和芯片制造等上游关键技术的核心知识产权，确保半导体照明产业的健康和可持续发展[33，34]。

二、工程任务

以取得半导体照明核心材料自主知识产权和实现国产化、完善我国半导体照明产业链、增大产品附加值为目标进行总体合理布局，以蓝光芯片＋荧光粉产生白光方式为基础，集中优势力量，重点突破居于核心地位的高质量外延材料的工程化技术；同时致力于MOCVD核心装备与相关关键材料（大尺寸衬底、高效荧光粉、高纯源）等的工程化和国产化，形成关键设备与相关关键材料自主配套能力，强化产业竞争力。通过自主创新，突破核心关键技术，实现关键材料和芯片国产化率达到70%以上，白光LED照明的工程化光效达到150lm/W以上的目标。

三、工程目标

（一）目标方向

1. 技术创新的重点任务

①低缺陷高质量的外延材料生长；②高质量大尺寸的蓝宝石和碳化硅衬底制备；③稳定高效荧光粉的制备；④高纯MO源的制备；⑤大功率、高亮度LED封装及智能化集成技术；⑥生产型MOCVD设备的制造及关键部件加工技术；⑦光学设计、散热、高效控制和驱动等应用集成技术。

2. 技术应用与示范的重点任务

大尺寸液晶背光；汽车灯照明；室外普通照明；室内普通照明。

3. 工程化的重点任务

氮化镓基LED外延材料、蓝宝石衬底和荧光粉等核心关键材料制备的工程化；高亮度LED芯片与封装的工程化；大尺寸液晶背光、汽车灯照明等重要半导体照明应用产品的工程化。

（二）需要解决的关键科学技术问题

1. 2025年

①低缺陷高质量的外延生长技术；②高质量大尺寸的衬底制备技术；③高

效稳定的荧光粉制备技术；④高纯MO源的制备技术。

2. 2035年

①大功率、高亮度LED封装及智能化集成技术；②生产型MOCVD制造及关键部件加工技术；③光学设计、散热、高效控制和驱动等应用集成技术。

第二节　传感材料与器件重大工程

一、需求与必要性

据美国权威咨询机构Forrester预测，到2020年，物联网产业要比互联网产业大30倍，全球接入物联网的终端将达到500亿个，成为一个极具吸引力的万亿级产业。在物联网普及以后，用于动物、植物、机器和物品的传感器与电子标签及配套的接口装置的数量将大大超过手机的数量。在中国，物联网已被正式列为国家重点发展的战略性新兴产业，相关的研发应用将进入快速发展阶段。“十二五”末，其产业规模能达到5000亿元，并在“十三五”后期超过10 000亿元。自主创新是我国物联网发展的核心驱动力，为此应该大力推进原始创新、集成创新、引进消化吸收再创新，集聚科技创新人才和资源，建设自主、可控的物联网产业，依靠自主创新持续驱动产业发展。

二、工程任务

以新型光纤传感材料、半导体传感材料、金属传感材料、有机传感材料、陶瓷传感材料及微加工技术为基础，重点突破新型传感关键器件（光源、探测器、信号解调器件等）制造的关键技术，开发具有自主知识产权的传感材料及器件并实现国产化，加强传感技术在重大工程、环境安全监测与预警系统等领域的应用，着力发展传感物联网技术，整合和聚集优势资源，重点研究物联网应用传感材料的大规模生产工艺和装备，形成具有原创性的物联网产业核心技术，拓展物联网技术应用领域，全面带动传感材料与器件产业的发展。

三、工程目标

（一）目标方向

物联网将掀起计算机、互联网之后世界信息产业的第三次浪潮，而传感器是物联网的核心与基础。为了在物联网时代赢得先机，大力发展用于制作各种传感器的半导体材料，研制物联网中 RFID 标签等器件。核能是安全、清洁能源，发展核能是我国保障能源安全的重要举措。但我国是铂资源短缺国家，应用于核电站堆内测温铂电阻大部分依赖进口，某些国家有限制地对我国出口该产品，以此作为限制我国向第三国出口核电设备的筹码。我国发展大型飞机、能源领域的深井勘探和基于光纤传感的物联网等重大项目，迫切需求光纤传感器件。解决光纤传感材料及其关键技术问题，将为这些重大项目的发展提供支持。

（二）需要解决的关键科学技术问题

1. 2025 年

①光子晶体光纤、红外玻璃光纤等特种光纤的加工制备及其传感技术；②光纤传感敏感材料，如新一代有机 – 无机纳米复合光纤传感敏感材料的关键制备技术；③敏感材料成膜关键技术与装备；④新型光纤微加工关键技术与工程应用技术；⑤特种光源与信号解调器件等核心器件设计与制备技术。

2. 2035 年

①传感系统设计、信号耦合与控制、传感网络构建等应用集成技术；②耐高温 MEMS 传感器材料及工程化制备技术；③感测距离远、响应快天线基材及工程化制备技术；④高精度、宽范围、低检测下限有机传感材料及关键制备技术；⑤耐辐照、耐高温高压、快响应、高稳定性 1000MW 核电站堆内铂电阻测温装置。

第三节　车用及储能用锂离子电池重大工程

一、需求与必要性

我国新能源材料产业与世界先进水平仍有较大差距。我国新能源材料的研发以跟踪国外先进技术为主，具有自主知识产权的技术和产品少，产品的竞争力主要体现在一定的成本优势上，已经对我国新能源材料产业发展产生重要影响。目前，我国生产的电动汽车动力锂离子电池广泛采用磷酸铁锂作为正极材料。但由于只有国外公司掌握核心专利的状况已对我国产业发展造成了一定的威胁，因此加强我国新能源关键基础材料自主研发能力、开发核心关键技术、建立完善的产业技术平台是提升我国在全球经济地位的重要举措。锂离子电池具有能量高、使用寿命长、额定电压高、自放电率低、重量轻等优势。动力电池是发展新能源汽车的关键，预计2020年全球市场规模将达到2000亿美元。以锂离子电池为动力源的电动汽车可以有效解决传统燃油汽车的尾气污染问题。锂离子电池水平的提高将极大地推动电动汽车产业的发展。另外，锂离子电池可以作为储能电池应用于新能源并网环节和城市里电力的削峰填谷，将形成比电动汽车规模更大的产业。

二、工 程 任 务

（一）锂离子电池材料产业化示范项目

以电动汽车产业和大规模储能需求为主要目标，建设锂离子电池材料产业示范工程，未来3～5年内动力电池组的使用寿命达到1500次，储能电池组使用寿命达到3500次，成本降低50%。

（二）锂离子电池材料测试平台

建设正极材料、负极材料、电解质、隔膜材料等关键材料测试方法和检测条件、原位高效定量的性能表征方法，以及集合成、表征和测试等于一体的平台。

（三）锂离子电池材料数据库

锂离子电池材料数据库包括正极材料、负极材料、隔膜材料、电解质材料等多达上千种材料的数据，国内外都设有数据库；有机整合各种材料相关信息，实现跨尺度、跨领域、跨学科材料信息共享与挖掘，与计算材料设计结合，加速先进材料的开发和推广，降低材料研发成本。

三、工程目标与效果

（一）2025 年

以电动汽车产业和大规模储能需求为主要目标，建设锂离子电池材料产业示范工程，动力电池组的寿命达到 1500 次，储能电池组的寿命达到 3500 次，成本降低 50%。建设正极材料、负极材料、电解质、隔膜材料等关键材料测试方法和检测条件、原位高效定量的性能表征方法，以及集合成、表征和测试等于一体的平台。

（二）2035 年

建立锂离子电池材料数据库。包括正极材料、负极材料、隔膜材料、电解质材料等多达上千种材料的数据，国内外都设有数据库；有机整合各种材料相关信息，实现跨尺度、跨领域、跨学科材料信息共享与挖掘，与计算材料设计结合，加速先进材料的开发和推广，降低材料研发成本。

第四节 高端装备用先进钢铁材料重大工程

一、需求与必要性

高端装备用先进钢铁材料作为我国制造业强国的关键基础材料之一，是国民经济发展的重要基石，是航空航天、能源、海洋开发、轨道交通、汽车轻量化等产业重大装备制造、重大工程建设、战略性新兴产业提供所需的核心、关键、难以替代的材料，对保障国家工业化和国防安全具有重要意义。通过开展船舶与海工用钢、交通与建筑用钢、能源用钢等大宗钢材质量稳定性、可靠性和适用性研究，形成航空航天、能源、海洋开发、轨道交通等领域高端装备制造用先进金属材料体系及全链条设计研发新技术、高效制备加工技术、稳定化生产控制技术、服役性能检测评价技术等，构建材料创新研发平台、质量控制－评价－表征及数据库平台、产业化示范平台，实现上述关键钢铁材料的自主供应和规模生产应用，满足国民经济建设、重大工程及高端装备制造等需求，支撑钢铁行业转型升级和可持续发展[35]。

二、工程任务

实现超超临界电站汽轮机关键产品工业化生产和推广应用。实现V175高韧性超高强度油套管和钻杆，X90、X100管线钢等工程化开发并批量生产应用。形成我国海工用钢材料体系，并逐步建立需求引导型海工用钢工程化研发创新体系。开发出400～500MPa级耐海洋腐蚀钢筋，满足南海近海岸、高湿热、强辐射、高Cl^-环境下基础设施建造。成功研发并大力推广应用贝氏体轮轨钢。推广应用高强塑汽车钢，使高强塑汽车钢在汽车车身用钢板中的使用比例达到25%～30%。实现高性能350℃和500℃航空用轴承齿轮及高速铁路和提速货车铁路用轴承的稳定化生产，建立长寿命和高可靠性航空轴承与铁路轴承的安全评价体系、国家标准。完成齿轮钢示范线平台建设，确保飞机、坦克、汽车、铁路等重大装备齿轮及变速箱用材料配套能力提高到80%以上，产品技术达到世界先进水平。建立布局全国的模具材料服务公司，形成模具材料咨询、选材、供应、热护理、应用、失效分析等一条龙的配套服务，在高端和特种模具的开发和制备技术上达到世界先进水平，实现高中端模具材料的国产化，模具一次试模成功率达到90%以上，加工精度达到纳米级。显著提升我国重大和高端装备用钢铁材料质量、性能、绿色化总体水平，缩短高端产品与世界先进水平差距，实现重大和高端装备用钢铁材料的自主供应，支撑国家重大和高端装备制造业等国民经济行业领域快速发展。

三、工程目标与效果

（一）2025 年

突破高洁净度冶炼技术，零级夹杂、高均匀度凝固技术，等轴晶、控轧控冷技术，组织调控、热处理技术，组织调控、连接（焊接）技术等，从应用性创新走向原创性创新。重点开展关键钢铁材料设计–制造系统集成技术；高韧性超高强度油套管和钻杆生产工艺技术；内陆复杂地貌石油开采特厚特宽专用管线钢生产工艺技术；典型海洋平台用齿条钢、低合金高强度船板钢和高强耐腐蚀管线钢生产工艺技术；高温、高湿、强辐射、高 Cl^- 环境下钢铁材料腐蚀控制技术；贝氏体车轮钢、钢轨钢基础设计技术；高性能汽车钢板的低成本化、稳定化生产技术；航空与铁路轴承钢及轴承长寿命化技术；齿轮钢高温渗碳热处理工艺技术及齿轮寿命控制技术；特种模具材料开发和制备技术。

（二）2035 年

典型关键钢铁材料全流程产品制造技术；典型关键钢铁材料产品规模生产及应用推广技术；材料综合性能研究及建造、服役等应用性能表征及评价技术；高性能钢铁材料的科研、检测、生产、应用、制造、应用评价工程化平台技术；智能化在线检测和质量控制技术；高性能钢铁产品定制化、减量化生产及装备技术；高性能钢铁产品全生命周期智能化设计、制备加工技术。

第五节 高性能轻合金材料重大工程

一、需求与必要性

轻合金材料包括铝合金、镁合金、钛合金，占全部有色金属使用总量的60%以上，在国民经济中占有重要地位。重点是围绕“陆上三大交通运输工具”——包括轨道交通高速列车和货运与煤运车、公路运输厢式货车和半挂车、公路交通乘用车的轻量化制造，实现降低能耗和减少排放污染的需求，以及以海洋石油钻探、海水淡化和特种船舶为代表的“海洋工程重大装备”制造需求，开展系列新型轻合金材料及其制备加工成套技术、应用技术的创新攻关。支撑我国交通运输业每年减少燃油消耗 100 万吨及相应的大气污染排放降低，同时带动行业的产品结构向高技术含量、高附加值方向发展，创造显著的经济和社会效益，使我国民用轻合金材料与加工技术全面迈入世界强国之列[36-38]。

二、工程任务

形成年产 30 万～40 万吨高精度快速时效响应型铝合金薄板、1500 万～2000 万件乘用车覆盖件和框架件的生产制造产业，满足 100 万～150 万辆乘用车的轻量化车体制造需求；形成年产 1 万～2 万吨高耐腐蚀铝合金板材、10 万件铝合金精密管材的生产制造产业，满足我国海洋石油钻探装备和特种船舶发展的需求；形成年产 20 万～30 万吨大断面复杂截面铝合金型材、50 万～60 万吨铝合金轧制板材和预拉伸厚板及其深加工制品的生产制造产业，满足 10 万～15 万辆厢式货车和半挂车轻量化车体、1 万～1.5 万辆高速列车和货运车及煤运车轻量化车体的制造需求。创建高性能兼高品质镁合金压铸件、高性能变形镁合金加工材的生产制造产业，满足年产 100 万～150 万辆乘用车的车体零部件制造需求。大卷重、高精度、低残余应力钛带和焊管生产制造产业满足海水淡化装备产业与工程发展的需求；高性能大直径钛合金管材和型材的生产制造产业，满足我国海洋石油钻探装备和特种船舶发展的需求。

三、工程目标与效果

（一）2025 年

汽车覆盖件与框架件制造用高精度快速时效响应型铝合金薄板成套生产工艺技术；汽车动力系统和底盘制造用高性能铝合金精密锻件和高品质压铸件生产工艺技术；汽车零部件用高性能高品质镁合金压铸件和变形加工材生产工艺技术；海洋石油工程和特种船舶用高性能大直径钛合金管材和型材、铝合金精密管材和高耐腐蚀板材的生产工艺技术；水淡化工程用高精度钛焊管及大卷重、高精度、低残余应力钛带的成套生产工艺技术；轨道交通和货运 / 煤运车辆、公路货运和乘用车辆、特种船舶用铝合金 / 钛合金 / 镁合金的大型、复杂精密结构件成型制造与残余应力消减技术，复杂焊接加工、异质金属间的连接和接头腐蚀控制技术，表面强化及防腐处理技术。

（二）2035 年

形成“合金元素原子间的交互作用机制及强化相设计”理论；“多尺度范围的第二相——界面耦合强化”理论；“制备与加工全过程中的微观组织演化规律与控制”理论；基于“高通量计算 – 海量数据库、快速实验检测评价”相结合的材料计算设计与制备加工过程模拟仿真。

第六节　高速铁路及城市轨道交通用稀土材料重大工程

一、需求与必要性

我国已研发出可用于时速 500km 的高铁动车的 690kW 永磁牵引系统。这标志着我国成为继德国、日本、法国等国之后，世界上少数几个掌握高铁永磁牵引系统技术的国家之一。世界轨道交通车辆牵引系统的第一代是直流电机牵引系统，第二代是起步于 20 世纪 70 年代的交流异步电机牵引系统，其为当前的主流技术。对轨道交通牵引技术来说，永磁牵引系统是一场革命，谁拥有永磁牵引系统，谁就拥有高铁的话语权。对于永磁牵引电机，为避免水、灰尘、铁屑等腐蚀电机内部永磁体，电机采用全封闭结构，但由于电机功率太高，发热过多，永磁材料在高温、振动和反向强磁场等条件下可能发生不可恢复性失磁的严重风险。如果列车在高速运行时失磁，后果不可想象。因此需要尽快研究、开发耐高温、高稳定性永磁材料。

新磁悬浮 – 真空管道高速交通不惧环境影响。其就是建造一条与外部空气隔绝的管道，将管内抽为真空后，在其中运行磁悬浮列车等交通工具。由于没有空气摩擦的阻碍，列车将运行至令人瞠目结舌的高速，大大缩短地球表面任意地点间的时空阻隔。管道是密封的，因此可以在海底及气候恶劣地区运行而不受任何影响。开展超高速磁悬浮列车技术的研究具有特殊意义。

二、工 程 任 务

掌握研究抗冲击性、高磁能积稀土功能材料及制备技术；突破高耐腐蚀稀土永磁材料的低成本绿色产业化制造技术；制备出应用于真空管道磁悬浮列车的新型永磁材料。

三、工程目标与效果

（一）2025年

（1）电动汽车及驱动电机、医用康复机器人用关键稀土功能材料服役评价与安全控制技术。

（2）时速超过700km的海底隧道交通工程用新一代稀土永磁材料。

（二）2035年

（1）基于多外场跨尺度模拟的新一代稀土永磁材料制备加工与组织性能调控技术。

（2）研发时速1000km的真空管道磁悬浮及其使用的永磁材料。

（3）研发星际旅行飞船用高性能、抗辐照稀土磁性材料。

第七节　生物医用材料产业化重大工程

以体制机制和工程技术创新为核心，新一代生物医用材料为重点，创建高集中度、多元化产品生产的大型企业或企业集群，为我国生物医用材料产业跨越式地发展达到世界先进水平发挥示范和引领作用。

一、需求与必要性

我国生物材料科学与工程研究已达世界先进水平，但产业落后发达国家10～15年。究其原因是因为产业体制机制不适应现代生物材料发展的要求，工程技术创新能力差，后者与工程技术研发和成果转化模式不适应生物材料多学科交叉要求和成果或产品应用及推广渠道不畅通相关。

当代生物材料科学与产业正处于实现重大突破的边缘，用于再生医学的可刺激人体组织和器官再生的生物材料和植入器械，包括组织诱导性生物材料、组织工程化制品及可促进组织再生的药物、蛋白质、基因等控释载体和系统等，已成为其发展方向和前沿，正在引导当代生物医用材料科学与产业的发展，是其战略制高点，并将成为未来20年左右生物医用材料产业的主体。常规材料的时代正在过去。我国高技术常规生物材料市场和技术已被外商控制，70%以上的高技术产品依靠进口，远不能满足保障全民医疗保健的基本需求。

基于我国生物医用材料科学与产业现状和国家对生物医用材料的重大战略需求，紧抓生物材料科学与产业正在发生革命性变革的难得机遇，立足其发展方向和前沿，充分利用社会主义经济的优势，参考国外高集中度、多元化生产的超大型企业发展经验，引入市场经济运作机制，以体制机制和工程及产业化技术研发模式创新为核心，新一代生物材料研发为重点，创建发展现代生物材料产业的中国模式，建设产业化示范园区，对跨越式地发展我国生物材料产业、使其达到世界先进水平是十分必要的。

二、工程任务

以可诱导组织再生的新一代生物医用材料和植入器械、新型组织（骨、牙）修复材料、心脑血管系统修复材料及高值术中耗材等为重点，选择不同地区建成3～4个技术特色各异、年销售额逾100亿元的产业化示范基地或产业集群。

三、工程目标与效果

完成按社会主义市场经济规律运作、以混合所有制为主体的产学研医金（融）紧密结合的园区体制机制创新和构建；创建符合生物医用材料多学科交叉和成果转化特点、从源头工程技术创新–工程化技术孵化–检验评价–产业化生产–临床应用技术研究和推广的一体化全创新链的工程技术研发新模式。研发一批新一代生物材料和植入器械新产品，突破其关键工程技术，孵化和引进一批高技术生物材料企业，培育一批龙头企业，形成3～4个高集中度、多元化生产的、年销售额逾100亿元的产业集群；建成促进产业国际化的国际科学、产业和商务合作的国际合作和信息交流平台，并创新高级工程技术人才引进和培养的机制和政策，以支撑项目主要目标的实现。通过上述建设内容的完成，创建可持续发展的现代生物材料产业的产业化中国模式，对我国生物材料产业实现跨越式发展达到世界先进水平发挥示范和引领作用。

第八节　高性能、低成本碳纤维重大工程

一、应用目标

面向我国新一代航空航天、兵器等装备研制，以及交通、能源、建筑等产业发展对关键轻量化材料及其技术的需求，开展国产碳纤维高性能、低成本制备技术，突破国产碳纤维研发和应用面临的瓶颈问题。满足国家科技重大专项、大飞机工程、航天器等对高性能纤维复合材料的需求，形成具有国际竞争力的碳纤维研发和产业化能力。

二、关键技术攻关任务与路线

（一）2025年

针对碳纤维高质量、低成本的要求，突破大容量聚合釜及长期连续稳定聚合技术、快速聚合技术、高速纺丝技术、高速长期稳定运行预氧化碳化技术。开发多元化纺丝技术，特别是借鉴聚丙烯腈纤维纺丝技术，发展50K以上低成本纺织级原丝及工业级碳纤维，实现大丝束碳纤维的稳定纺丝技术及稳定预氧化碳化技术。

面向第三代先进复合材料对碳纤维的性能要求，研发 T1100 级和 M60J 级高性能碳纤维制备技术。解决高性能化制备过程中的特殊聚丙烯腈分子链结构设计与实现问题、凝固均质相分离技术及纺丝过程的热力耦合技术，纤维预氧化碳化石墨化过程中的结构精细控制问题，实现高性能碳纤维的工程化稳定制备。针对复合材料应用过程中压拉比低的问题，重点研发可以显著提高复合材料压缩性能的特种高性能碳纤维品种，实现碳纤维径向结构可控，突破大直径高性能碳纤维制备技术。

（二）2035 年

针对碳纤维产业化低成本技术具备世界先进水平的要求，开发先进的碳纤维制备工艺，包括新的聚合体系、纺丝方法、预氧化技术，以及新前驱体新工艺流程的碳纤维低成本制备技术。

持续发展高性能碳纤维的国产化技术，实现碳纤维制备技术的跟踪到超越，占领碳纤维技术的高点。开展碳纤维制备新技术研发，建立满足国产复合材料综合性能要求的碳纤维技术与产品系列。

开展与国产碳纤维相适应的复合材料基体研制、成型工艺研究和服役环境的应用验证研究；建立国产碳纤维及其复合材料产业技术创新体系，形成 10 个以上基于市场经济机制的稳固发展的碳纤维制备与应用产业链。国产碳纤维复合材料部件在新一代航天型号上批量应用，构件尺寸 3～4m 以上；新型航天器及其碳纤维复合材料技术达到世界先进水平；国产碳纤维复合材料在大型客机、军用新型飞机上的应用取得 CAAC/FAA/EASA 等适航认证，在轨道交通领域取得中国铁建股份有限公司（China Railway Construction Corporation Limited，CRCC）认证，应用于高速列车；在新能源汽车整车制造实现规模化应用；国产碳纤维复合材料在汽车、轨道交通、新能源上的年用量分别高于 15000t、5000t 和 5000t。军用、民用国产碳纤维复合材料完全自主保障，碳纤维及其复合材料技术引领国际发展。

三、工程技术目标与标志性成果

突破碳纤维低成本技术，原丝单线产能高于 3000t，干湿法纺丝速度高于 350m/min 以上，湿法纺丝速度高于 150m/min，碳化单线产能高于 1500t，碳化速度高于15m/min；具备50K以上大丝束碳纤维稳定化生产能力；具备碳纤维大规模工业化生产成套工艺与装备技术能力、军用高性能低成本碳纤维成套装备技术能力；碳纤维产业化技术进入全球同行先进水平行列，产品质量价格具备国际竞争力，产品进入全球采购序列。建立碳纤维低成本化先进新技术示范生产线。

建设高性能（高强度T1100级、高模量M60J级）碳纤维工程化生产线，持续优化碳纤维制备技术，完善军用高性能碳纤维成套装备技术，达到全球同行先进水平，具备针对应用需要的碳纤维性能可设计性制备能力，产品可满足国防军工和国民经济重大领域要求。建成超高强（强度高于7.0GPa）、超高模（模量高于650GPa）碳纤维示范线。具备特种需求碳纤维的成套产业化技术。

建立系统完整的碳纤维复合材料研发及应用体系；形成10个以上碳纤维复合材料制备与应用产业创新链；碳纤维复合材料产业及应用形成国际竞争力。

第九节　材料基因组重大工程

一、需求与必要性

在当前美国、欧洲等国家和地区改变材料研究传统模式的背景下，我们应启动中国版的“材料基因组计划”，实现新材料领域的超常规速度发展，以满足我国制造业实现战略转型的需要。材料基因组技术包括高通量材料计算、高通量材料实验和材料数据库三个要素。这是材料创新的基础设施，是所有新材料产业的共性平台，难以依靠某一单位自身的力量来建设，需要国家投入，建成国家级公共设施，向全社会提供服务。

二、工 程 任 务

（一）国家高通量计算平台

高通量计算平台以高通量自动运行加速新材料创新为目标，以算法、软件、数据库自主研发及前沿特色材料研发为核心内容，实现并加速先进新材料预测，驱动重大需求材料的发展和创新。

（二）国家高通量合成和表征平台

建设高通量合成与表征新原理、新技术、新方法的创新研究基地。高通量合成与表征是材料基因组计划的实验基础，国家高通量合成和表征平台具有如下三大功能：①在各种尺度上对“备选材料”的高通量合成、表征验证及优化功能；②对计算所需关键实验数据的收集获取解析及数据库反馈；③新技术、新方法的创新研究。

（三）国家级材料数据库

高效集成的材料数据库平台在材料科学系统工程中发挥着不可替代的作用，应具备：①数据管理功能，包括制定数据、应用标准规范，数据的采集、评价、存储、集成；②数据服务功能，包括数据检索、挖掘、分析、发布、协同等，数据库二次开发，不同软件应用、系统之间数据透明交换；③可持续发展功能，包括知识产权保护、权限管理，共享激励机制等；④人才培养功能。

三、工程目标

围绕国家大科学装置，整合现有设施和条件，循序渐进，不追求一次到位，逐步升级。国家通过较少的投入，引导多方面集资。力争3～5年内初步建成几个基础平台。

第十节 材料制造关键设备重大工程

一、需求与必要性

材料制造关键设备是材料创新的基础，是我国由材料大国向材料强国转变的重要因素。当前，我国材料制造关键设备质量基础相对薄弱，产品质量和技术标准整体水平不高，突出表现在自主创新能力不强，具有自主知识产权的关键设备少，设备制造的核心技术对外依存度较高，产业发展需要的材料制造高端装备大多依赖进口等方面。特别是当前国际环境复杂多变、贸易保护主义及国际竞争日益激烈的情况下，自主研发“卡脖子”的材料及其制造关键设备显得更加迫切。

二、工 程 任 务

面向新一代信息技术、航空航天、轨道交通、电力电子、新能源等产业发展需求，研制材料制造关键设备，逐步实现材料制造关键设备进口替代。在先进装备研制和产业化相结合的基础上，重点支持集成电路用半导体及相关材料制造关键设备、显示材料制造设备、电池材料制造设备、高端金属材料制造设备及前沿新材料制造设备等领域，完善和稳定材料制造关键设备的可靠性，实现材料制造关键设备及后处理关键设备的工程化应用。

三、工 程 目 标

围绕材料制造关键设备提质和协同应用重大工程，建立材料制造关键设备创新发展的完整体系。通过长时间持续投入与突破，我国材料制造关键设备领域实现快速发展，核心竞争力和自主创新能力明显增强，在战略必争产业领域，达到或接近世界先进水平。到2035年，力争使若干材料制造关键设备进入全球供应链，支撑我国从材料大国向材料强国的战略性转变。

第十九章
重大工程科技专项

第一节　先进半导体材料重大工程科技专项

一、应 用 目 标

国际上，半导体制造技术面临摩尔定律失效的极限问题，先进半导体材料将是实现极限制造突破的重要路径。我国颁布《国家集成电路产业发展推进纲要》和设立集成电路产业发展基金，积极布局纳米集成电路制造产业，开发新一代通信器件和功率器件，有必要开展专项攻关，推进先进半导体材料技术的发展，增强我国半导体材料工程科技创新能力和产业化技术水平，促进我国半导体制造的极限突破，解决自主能力薄弱问题，支撑我国《国家集成电路产业发展推进纲要》的落地和产业链的协调发展，大幅度提高我国半导体产业的整体竞争力[39，40]。

二、关键技术任务与路线

（一）2025 年

面向 10～14nm 线宽的集成电路要求，研发 300mm 单晶生长、切片、研磨、腐蚀、抛光、清洗、外延、检测等关键技术；突破 450mm 硅单晶晶片生长的关键技术；突破直径 300mm FDSOI 片制备的关键技术；实现 6～8 英寸碳化硅及氮化镓硅片的批量商业应用；突破海量存储材料工程化技术。持续优化 450mm 硅片产业化技术，技术水平进入全球同行先进水平行列，产品可满足线宽≥ 5nm 的集成电路应用要求，进入全球采购序列。

（二）2035 年

面向 5～7nm 线宽的集成电路应用要求，突破 300mm 重掺硅片制备关键技术和 450mm 硅片加工关键技术，建设规模化生产线；面向功率半导体应用要求，实现硅上异质集成锗、Ⅲ～Ⅴ族、碳材料等，并实现商业应用；面向量子通信和计算应用，开发新型量子计算材料制备关键技术。建成量子计算材料示范生产线。

三、工程技术目标与标志性成果

开展极限半导体制造用大尺寸硅片的关键技术攻关，解决直径 300～450mm 硅单晶晶片的高质量生长、切磨抛等精密加工、腐蚀清洗等精细处理、外延生长及检测的各项关键难题；开展直径 300m SOI 片的制备关键技术攻关，解决 SOI 层均匀性和缺陷控制及高成本问题，推进 SOI 在射频器件等方面的应用；开展硅上异质集成锗、Ⅲ～Ⅴ族、碳材料等的关键技术研究；突破直径 6～8 英寸碳化硅、氮化镓衬底的制备关键技术，解决衬底和外延结构缺陷难题，降低制造成本；突破海量存储材料的工程化技术，解决新一代存储材料及器件的设计、制造难题；面向量子通信和计算应用，开发新型量子计算材料，突破其工程化技术。

第二节　先进陶瓷材料重大工程科技专项

一、应 用 目 标

高端先进结构陶瓷粉体的制备与处理技术，高性能、大尺寸、高精度、形状复杂先进陶瓷材料构件（如高端装备用轻质大尺寸高刚度陶瓷部件，航天防热用防热－承载－透波等多功能一体化天线罩构件，薄带连铸用抗熔融钢液热震、侵蚀的长寿命陶瓷侧封板，乙烯高温高效裂解高热导、大尺寸长轴碳化硅陶瓷管件等）的制备技术，作为重要的军民两用技术，可满足国家未来的需求，不仅在国防上具有战略意义，还具有重要的产业化价值。

二、关键技术攻关任务与路线

（一）2025 年

针对高性能、大尺寸、形状复杂异形先进陶瓷材料构件产业化制备所面临的原料制备与处理、构件成型、烧结、检测评价等各种瓶颈技术难题开展攻关，攻关原料批量化制备与处理、坯体的近净尺寸成型、大尺寸坯体的烧结技术，坯体和构件产品的加工与无损检测技术，打破国外技术垄断封锁，实现批量生产与供货，支撑我国国防、航天及高端装备制造等尖端技术行业的发展。

（二）2035 年

突破高端装备用轻质大尺寸高刚度空芯异形陶瓷部件、防热－承载－透波等多功能一体化大尺寸陶瓷天线罩、薄带连铸长寿命陶瓷侧封板等批量制备所需的 3D 打印成型制造、凝胶注模成型、低黏着应力连接与烧成技术、低压反应热压烧结关键制备技术，为后期工程化推广奠定技术基础。

三、工程技术目标与标志性成果

（1）建设高纯超细先进陶瓷粉体的批量化制备与处理产业化平台。

（2）建设异形空芯管状先进陶瓷材料构件和大尺寸复杂形状变截面异形先进陶瓷材料构件近净尺寸成型、烧结和精密加工技术平台。

（3）建设异形空芯管状先进陶瓷材料构件和大尺寸复杂形状变截面异形先进陶瓷材料构件坯体、产品的质量控制与检验的无损检测平台。

第三节　高性能树脂及其复合材料重大工程科技专项

一、需求与必要性

为了打破美国重返亚太战略，形成反介入与区域拒止能力，当前我国国防武器装备正处在“实战化”跨代升级的关键阶段，高超声速长航时、大载荷高机动、可重复使用、可大规模远洋作战成为新一代“实战化”武器装备发展的重要趋势。“一代材料、一代装备”。先进材料是实现装备升级换代的物质基础和关键。例如，高超声速长航时导弹和大潜深战略导弹对以T800为主要标志的第二代先进复合材料和千秒量级防热复合材料提出了迫切需求；大载荷高机动隐身作战飞机和可重复使用/长期在轨航天飞行器对第二代、高强高模高韧拉压平衡第三先进复合材料及超高模高强聚丙烯腈基复合材料提出了重大需求；可大规模远洋作战平台和新一代舰船对第二代先进复合材料和特种功能复合材料提出了强烈需求。开展高性能树脂及其复合材料重大工程科技专项，大力发展第二代先进复合材料、第三代先进复合材料及特种功能复合材料，对支撑我国国防武器装备“实战化”升级换代，实现航天强国梦、航空强国梦、海洋强国梦和中华民族伟大复兴具有决定性意义。

二、工 程 任 务

建立基于T800级碳纤维的第二代先进复合材料规模化制备与应用平台，实现武器装备全面替代应用，武器装备实战化能力提升30%以上，达到世界先进水平，使我国复合材料技术达到世界同步发展和并行发展水平。建立基于中大直径6～7μm、强度高于6.0GPa、模量高于350GPa碳纤维的第三代先进复合材料和特种功能复合材料规模化制备与应用平台，实现新一代武器装备全面应用，武器装备实战化能力全面领先世界其他国家，使我国复合材料技术达到全面超越和引领发展水平。

三、工程目标

（一）2025年

面向高超声速长航时导弹、大潜深战略导弹、大载荷高机动隐身作战飞机、可重复使用/长期在轨航天飞行器等新一代武器装备的研制需求和现有在制在役武器装备的升级换代需求，突破基体树脂强韧化设计和制备关键技术，突破基于T800级碳纤维的第二代先进复合材料多尺度结构设计、多模式强韧化、高效稳定成型、全面应用考核等技术，材料准各向同性拉伸强度≥800MPa和CAI≥300MPa，实现现有在制在役武器装备全面替代应用和新一代武器装备部分应用；研制出中大直径6～7μm、强度超过5.5GPa、模量＞310GPa的高强高模聚丙烯腈基碳纤维，开发出拉伸强度达到150MPa、拉伸模量达到5GPa、断裂伸长率达到5%的高强高模高韧树脂体系，初步研制出准各向同性强度达到500MPa、模量达到60GPa、压拉比＞0.7的新型高性能复合材料，实现新一代武器装备创新应用；研制以硅/氮等杂原子为主链的新型可原位陶瓷化抗氧化树脂及其1000s级防热复合材料，实现新一代高超声速长航时战略战术导弹工程应用。

（二）2035年

面向高超声速长航时导弹、大潜深战略导弹、大载荷高机动隐身作战飞机、可重复使用/长期在轨航天飞行器等新一代武器装备的发展需求，研制出中大直径6～7μm、强度高于6.0GPa、模量高于350GPa的高强高模聚丙烯腈基碳纤维，开发出拉伸强度达到200MPa、拉伸模量达到8GPa、断裂伸长率达到5%的高强高模高韧树脂体系，初步研制出准各向同性强度达到550MPa、模量达到70GPa、压拉比高于0.8的新型高强高模高韧且拉压平衡碳纤维复合材料；研制出以硅/氮等杂原子为主链的新型可原位陶瓷化抗氧化树脂及其2000s级防热复合材料，实现复合材料技术引领发展。

第四节 新一代生物医用材料和植入器械重大工程科技专项

一、应 用 目 标

随着现代科学技术，特别是材料科学技术、生物科学技术、医学技术的迅速发展，人体组织器官的修复和替换进入了一个崭新的阶段。生物医用材料也正在发生革命性变革，可再生组织或器官和微创精准治疗的生物材料已成为生物材料发展的方向和前沿，并成为未来生物材料科学和产业的主体。与此同时，在前沿研究引导下，表面改性植入器械则是其补充，也是常规材料改进与提高的主要方向。我国人口老龄化正在加速演进，经济持续发展导致人们自我保健意识增强，对生物医用材料的需求高速增长，但是高技术常规材料的市场和技术基本被外商控制，70%以上依靠进口。只有把握生物医用材料发展趋势和前沿，抢抓其正在发生革命性变革的难得机遇，充分利用我国生物医用材料科学与工程研究已进入世界先进水平的基础和优势，跨越式发展，才是振兴和发展我国生物材料的最佳途径。

本书旨在面向国家保障全民医疗健康和转变发展方向对生物医用材料的重大战略需求，按照“2035科技创新——健康保障重大工程”、“十三五”专项的基础上，以进一步发展新一代生物医用材料和植入器械及高值术中耗材为重点，构建新一代生物医用材料体系，支撑本书目标的实现，为我国生物医用材料产业跻身国际先进行列奠定科学基础。

二、关键技术攻关任务与路线

本书按多学科结合，全链条部署、一体化实施原则，部署新一代生物材料科学基础、关键核心技术、重大产品开发、检验评价与临床应用研究四大研究任务。

（一）2015～2025 年

提出生物材料诱导组织再生的分子机制，于国际率先初步建立较完整的新一代生物材料科学体系，支撑新产品和新技术的持续研发；揭示骨骼–肌肉系统、心血管系统及可防治肿瘤的材料基因组，建立基因库；突破纳米生物材料及制备技术、材料表面/界面改性技术、智能及可降解生物材料的设计和制备技术，以及分子探针及植入性芯片等早期临床诊断材料和器械等，研发出用于承力部位的第二代骨诱导人工骨，以及软骨、神经、韧带、角膜、心肌补片等组织再生性生物材料；研发介入治疗人工心瓣膜、心衰治疗水凝胶等心血管系统修复材料，生物人工肝、血液代用品、一批药物和生物活性物质控释载体和系统，表面生物活化、抗凝血、抗菌、抗磨损的新材料，新型口腔植入材料等；研究制定一批新材料技术要求（标准），开发一批产品临床应用示范手术。

（二）2026～2035 年

推进材料诱导组织形成到诱导器官再生的分子机制研究，建立较完整的新一代生物材料科学理论体系；研发出系列化纳米药物和生物活性载体与系统，用于基因缺陷、老年病、肿瘤及爆发性传染病等疾病的防治；开拓兼具组织再生及肿瘤等重大疾病治疗功能的生物医用材料；结合信息技术开发植入性微电子器械，用于电子视网膜、中枢神经刺激电极等植入性微电子器械；建立较完整的生物医用材料基因库；开创并建立生物医用材料检验评价科学基础的“审评科学”等。

三、工程技术目标与标志性成果

（一）2025 年

初步形成新一代生物材料科学基础及产业体系，研发一批表面改性植入器械，促进常规材料技术进步，高技术生物材料产品基本实现国产化并有出口。

（二）2035 年

建立较完整的新一代生物材料科学基础体系，为建成完整的国际先进的生物材料体系提供工程技术基础。生物医用材料科学与产业居国际一流水平，参与国际市场竞争，实现我国生物材料产业突破性进展。

第五节 深海工程装备用耐蚀合金重大工程科技专项

一、应用目标

海洋蕴藏大量能源资源，其中90%以上储藏于水深超过500m的深水水域。在未来能源资源开采上，海洋（特别是深海）将是各国主要争夺的领域。在海洋能源开采过程中，海洋工程装备技术进步是实现国家海洋战略的关键。在各类高端海洋装备设计制造中，高性能特种钢的开发和应用都是核心甚至“瓶颈”技术。我国海洋开发起步较晚，包括“981”平台在内的众多海洋工程装备严重依赖进口。国内从未开展过针对海洋开发用的高性能特种钢的系统研制。国外发达国家只出口成套装备，对相关材料研制技术和装备制造技术“守口如瓶”。到2035年，高端海洋工程装备用特种钢，包括海底管线、隔水管、油井管、钻具、测井组件、泵阀、集输管线等，年使用量为50万～60万吨，价值达200亿元以上。自主开发深海工程装备用特殊钢并实现工程化应用具有一定的必要性和紧迫性。

二、关键技术攻关任务与路线

（一）2025年

发展各种服役环境下典型海工用钢（齿条钢、特厚板等）成分–工艺–性能材料设计技术，材料生产工艺及装备技术，材料综合性能研究及建造、服役等应用性能评价技术。形成海工用特种钢系列产品，实现工业化规模试制。

（二）2035年

形成以高强韧、大规格、易焊接、高耐腐蚀、低成本为特征的我国海工用钢材料体系、标准体系；典型产品在400英尺[①]以上自升式平台、万吨级导管架平台、3000m以上深海钻采、集输、输送系统方面实现批量产业化应用，高端海工材料的国产化应用率从现在的不足50%提高到90%以上，采购成本比进口材料降低20%以上。

三、工程技术目标与标志性成果

结合用户需求和行业优势装备，开展各种服役环境下典型材料的成分–工艺–性能基础研究及材料设计核心技术，材料核心生产装备和生产工艺技术，材料综合性能研究及建造、服役等应用性能评价技术研究。开发关键生产装备，突破核心生产工艺技术，完成材料工业化规模试制，开展典型材料检测评价关键技术研究，完成材料综合性能研究、应用性能研究及建造工艺研究，产品关键性能指标达到或超过同类型进口产品。

第六节　高温合金材料重大工程科技专项

一、应 用 目 标

航空发动机中高温合金的重量已占到总重量的40%～60%。高温合金被誉为“先进航空发动机的基石”。此外，高温合金还是制造航天飞行器、车辆动力增压系统、舰船动力、高效气电燃气轮机用热端部件及海洋工程装备的关键材料基础，是航空航天、舰船、能源等高端制造业中需用的重要、关键材料。高温合金的应用部位关乎动力生成及传输系统的效率和安危，研制和生产的门槛很高，投入较大。多年型号牵引形成的材料体系解决了有无问题，但积累的共性技术问题较多，有必要列入专项系统研究，重点解决生产质量不优、稳定性差和成本偏高问题，在关键的尖端品种和前沿技术上实现超越[41]。

---

① 1英尺≈0.30米。

二、关键技术攻关任务与路线

（一）2025 年

全面实现高温合金产业技术提升，从根本上解决国内材料普遍存在的生产质量稳定性差、技术创新少、新品种储备不足的问题。我国高温合金的产量超过日本和德国，重点牌号合金构建了完备的标准、性能数据库。变形高温合金牌号的通用性和质量精细化控制水平达到美国生产厂的平均水平。实现生产过程的实时监测和自动化精细控制；建立完备的力学性能数据库；制定科学、有效的无损检测方法和完善的标准体系。

（二）2035 年

提升高温合金自主保障能力和尖端品种、前沿技术的自主创新能力，实现我国先进航天装备、舰船动力、高效能源、汽车动力增压、海洋工程装备等高端制造业需用高温合金的质量保证。

三、工程技术目标与标志性成果

重点进行变形高温合金工程化技术和“一材多用”技术在生产现场的实施、改进、完善，实现变形高温合金的高质量、规模化稳定生产；强化单晶、粉末高温合金等尖端品种的工程化技术，落实应用型号和应用研究；依托前沿技术开发的产品得到工程应用，形成完善的产业链，发挥产业引领作用；建立稳定的变形高温合金紧固件、环形件、丝材与管材小批量多品种生产基地。

第七节　合成生物基材料重大工程科技专项

一、应 用 目 标

加快生物基材料的创新发展，推进对传统化工材料的替代，降低对化石资源的过度依赖，形成新的绿色经济增长点。推进生物基材料在纺织材料、包装材料、农用地膜等方面的应用示范，解决废弃塑料引起的“白色污染”问题，缓解我国纺织行业原料短缺问题，加快石油化工材料产业结构调整。将农业原料转化成工业原材料，建立从生物质原料到高分子材料的产业链，提高工农业循环经济水平。

二、关键技术攻关任务与路线

（一）2025 年

攻克一批生物基材料合成关键技术，提高生物基材料的经济性。形成世界先进水平生物对二甲苯（paraxylene，PX）等重大生物基材料原料的原创技术路线，综合成本可与石化产品竞争，在国际上产生重要影响。建成 10 条以上具有 10 万吨级工业规模和经济竞争力、从非粮生物质原料到生物基材料的生产线，建立 5～8 个国家级生物基材料产业示范区，建成 2～3 个百万吨级生物基化工材料产业集群示范基地，为规模利用生物质替代化石资源开发新材料奠定发展基础。

（二）2035 年

产业能力大幅提高，产业链协调发展，生物基材料应用大规模推广，实现对传统塑料、化学纤维的规模化替代。生物基日用塑料制品、塑料地膜、医用材料等领域替代 30% 以上，形成 500 万吨以上的生物基化学纤维的供应能力，成为绿色与低碳经济增长的亮点，为我国工业经济可持续发展做出实质性贡献。

三、工程技术目标与标志成果

（一）生物基材料产业创新能力建设

针对生物基材料原料生产规模小、成本高等问题，着力建设生物基材料及其原材料的产业与创新能力，建设规模化的产业示范基地，培育大型企业，为生物基材料的广泛应用与产业持续发展提供支撑。关键技术攻关任务包括：生物基 PX 绿色生物制造技术、生物基橡胶绿色生物制造技术、生物基增塑剂绿色生物制造技术、生物基聚氨酯绿色生物制造技术、生物基尼龙绿色生物制造技术。

（二）生物基材料应用示范

组织推进生物基材料的替代性应用示范，克服石油化工材料带来的弊端，在生物基日用化学纤维和塑料制品、包装材料、医用材料等重点行业形成环保与经济效益。

第八节　关键半导体制造材料重大工程科技专项

一、应 用 目 标

光刻胶及辅助试剂、靶材、电子气体等是半导体芯片制造各工序所需的关键基础材料，对半导体技术和产业发展至关重要。面向我国先进半导体制程需求，布局开展光刻胶及辅助试剂、靶材、电子气体等创新研究，建立完整研发和产业化体系，满足国家半导体产业发展的需要。

二、关键技术攻关任务与路线

（一）2025年

针对193nm光刻工艺要求，攻克光刻胶及其辅助试剂的化学配比设计、高分子合成等关键技术；针对10～14nm集成电路制作时大尺寸均匀溅射及溅射靶材高利用率的要求，攻克12英寸靶材的金属提纯及纯度控制、金属精密加工及微观结构精确控制、异种金属大面积焊接等关键技术；自主创新高纯电子气体制备的流程设计，攻克电子气体合成、精馏提纯、运输、储存、大流量稳定输送等关键技术，有效控制电子气体气相不纯物及颗粒度等污染；实现10～14nm集成电路制造用关键半导体制造材料的自给能力。

（二）2035 年

针对 EUV 光刻工艺要求，攻克光刻胶及其辅助试剂的化学配比设计、高分子合成等关键技术；针对 5～7nm 集成电路制作时大尺寸均匀溅射及溅射靶材高利用率的要求，攻克 12 英寸靶材的金属提纯及纯度控制、金属精密加工及微观结构精确控制、异种金属大面积焊接等关键技术；自主创新高纯电子气体制备的流程设计，攻克电子气体合成、精馏提纯、运输、储存、大流量稳定输送等关键技术，有效控制电子气体气相不纯物及固体颗粒等污染；实现关键半导体制造材料在 5～7nm 集成电路制造线的批量应用。

三、工程技术目标与标志性成果

成功研发国内最先进半导体制程所需光刻胶及其辅助试剂、12 英寸靶材和电子气体，建立完善的研发和产业化体系。

第九节　前沿新材料重大工程科技专项

一、应 用 目 标

前沿新材料不仅是发展我国信息技术、生物技术、能源技术等高技术领域和国防建设的重要基础材料，而且是改造与提升我国基础工业和传统产业的基础，直接关系到我国资源、环境及社会的可持续发展。围绕石墨烯、超导材料、3D 打印材料、超材料、二维材料等前沿关键材料开展攻关布局，在研发、制造和应用等方面取得国际一流的原创性成果，实现规模化生产技术的突破和系统集成技术的完善，将对我国未来的国防工业建设和国民经济发展起到至关重要的作用。

二、关键技术攻关任务与路线

建立和发展石墨烯的可控和宏量制备方法，获得大批量、低成本和溶液可处理石墨烯的宏量制备技术及具有特定结构石墨烯的有机化学合成方法。建立不同尺寸与结构石墨稀的有效分离技术。形成基于新一代高温超导带材的超导应用技术研究及其产业化，实现其在国际市场具有一定的占有率。形成 3D 打印产业集群，并使其占据一定的市场份额。

三、工程技术目标与标志性成果

（一）2025 年

基本形成相对完备的石墨烯产业体系，实现石墨烯原料制备与产品开发、终端应用的联动发展。形成我国独立自主高性能第二代高温超导带材、NbTi、Nb_3Sn 和 MgB_2 超导线材研发和批量化体系，线带材产能及综合性能达到世界先进水平，获得 20% 以上的国际市场份额。3D 打印材料形成完善的打印体系，整体技术水平与国际同步，着力突破航空航天、生物医药、工业产品设计所用的材料。对超材料电磁参数提取技术、结构的精密控制技术进行研究，并达到国际同类水平。寻找新的二维材料，并研究各种二维材料叠加出来的性能。

（二）2035 年

建成具有国际竞争力的石墨烯产业集群，石墨烯达到规模化生产，关联产业产值实现千亿元，基本建成完备的终端应用示范体系。克服生产超材料的一系列工程化技术难题，推动超材料技术进一步向前发展。围绕二维材料的性能开展研究，推动二维材料在产业中的应用。

第二十章
措施与政策建议

一、抓紧补齐新材料品种及质量短板，支撑战略性新兴产业和国家安全

着力构建以企业为主体、以高校和科研机构为支撑、产学研用协同促进的新材料产业技术创新体系。通过中央财政投入的引领，充分带动地方政府投入、社会资本进入，发挥区域研发和产业优势。抓紧补齐我国新材料品种和质量的短板，推进新旧动能转换，实现新材料产业对战略性新兴产业和国家安全的强有力支撑。加强国际合作，掌握先进新材料关键技术，实现国际先进技术引进、吸收、转化和再创新，着力提升关键新材料核心技术创新能力。

二、加大对中小新材料企业的扶持，完善创新创业生态环境

加强政府、银行、企业信息对接，充分发挥财政资金的激励和引导作用，吸引社会资本深入参与新材料技术创新与产业化，通过贷款贴息，补助、奖励或共同设立发展基金等方式，进一步加大对中小新材料企业的扶持力度，重点支持中小新材料企业技术创新能力建设和重大产业化项目。以市场化、专业化、国际化的手段，支撑创新创业的科技服务新业态，培育面向新兴产业的中小新材料企业集群。在跨界融合的产品开发、培育新应用、新商业模

式等方面，加大对市场、产业的引导，探索通过政府购买服务、引入风险补偿机制等，鼓励使用新材料产品，有效培育市场，完善新材料创新创业的生态环境。

三、加强新材料制造设备和检测仪器的研发生产，满足新材料发展需求

通过中央财政科技计划（专项、基金等），统筹支持符合条件的新材料制造设备和检测仪器企业开展相关科技创新；鼓励企业加大研发力度的投入，形成长效机制，不断增强关键新材料制造设备和检测仪器的自主创新能力。利用现有资金渠道，加大对新材料制造业创新中心、生产应用示范平台、性能测试评价中心、应用示范项目的支持力度。研究通过保险补偿等机制支持新材料首批次应用及新材料关键制造设备和检测仪器的首台（套）应用。出台减免税等相关政策，支持高校、研究机构、企业采购国产新材料制造设备和检测仪器，满足新材料研发和产业化的需求。

四、加强材料基因工程平台和CSTM评价体系建设，引领国际新材料发展

运用“材料基因组”研究新理念，依托有较好基础的大学、科研院所和新材料企业，构建集材料计算、大数据处理、高通量材料合成与表征、专用数据库于一体的材料基因工程研发平台，开展材料基因工程关键技术的开发与研究，并以关键短板新材料的研发作为重点应用示范，缩短新材料的研发周期，降低研发成本。依托中国材料与试验团体标准委员会开展科研试验及材料基因工程研究的可靠性评价体系建设，制订一系列新材料、新技术、新方法等标准，充分发挥其系统性、先进性、适用性、时效性、多元性、包容性和动态性等特点，解决新材料领域的技术进步同现行检测评价技术不匹配的问题，推动关键新材料的研发、质量提升及测试评价和标准体系建设，为逐步引领国际新材料的发展奠定基础。

本篇参考文献

[1] 干勇．中国制造 2025 三大基础要素：新材料、新型信息技术、技术创新体系．中国科技产业，2018（01）：50.

[2] 屠海令，张世荣，李腾飞．我国新材料产业发展战略研究．中国工程科学，2016，18（04）：90-100.

[3] 王怀国，熊柏青，周科朝，等．我国有色金属材料技术提升与产业化创新发展重点及措施．新材料产业，2019（07）：36-39.

[4] 聂祚仁，刘宇，孙博学，等．材料生命周期工程与材料生态设计的研究进展．中国材料进展，2016，35（03）：161-170，204.

[5] 尹海清，曲选辉，谢建新．材料基因组计划在北京地区的实施与发展分析．新材料产业，2014，01：27-29.

[6] 陶绪堂，穆文祥，贾志泰．宽禁带半导体氧化镓晶体和器件研究进展．中国材料进展，2020，02：113-123.

[7] 屠海令．加强宽禁带半导体材料的研发与应用．科技导报，2017，35（23）：1.

[8] Lin L，Peng H，Liu Z. Synthesis challenges for graphene industry. Nature Materials，2019，18（06）：520-524.

[9] Yu R X，Yu L L，Jin Z，et al. 2D graphdiyne materials：challenges and opportunities in energy field. Science China Chemistry，2018，61（07）：765-786.

[10] 屠海令，赵鸿滨，魏峰，等．新型传感材料与器件研究进展．稀有金属，2019，43（01）：1-24.

[11] 吴玲．“十三五”我国半导体照明产业发展展望．照明工程学报，2017，28（01）：5-6.

[12] Wang J Y，Yu H H，Wu Y C，et al. Recent developments in functional crystals in China. Engineering，2015，01（02）：192-210.

[13] 陈立泉 . 锂离子电池改变世界：2019 年诺贝尔化学奖成果简析 . 科技导报，2019，37（24）：36-40.

[14] 孟政，姜宏，汪洪，等 . 硫酸钠在浮法玻璃生产中的应用及作用机理研究进展 . 材料科学与工程学报，2012，30（01）：122，160-164.

[15] 王亚明，邹永纯，王树棋，等 . 金属微弧氧化功能陶瓷涂层设计制备与使役性能研究进展 . 中国表面工程，2018，31（04）：20-45.

[16] 段小明，杨治华，王玉金，等 . 六方氮化硼（h-BN）基复合陶瓷研究与应用的最新进展 . 中国材料进展，2015，34（10）：770-782.

[17] 李红霞 . 耐火材料发展概述 . 无机材料学报，2018，33（02）：198-205.

[18] 邢丽英，包建文，礼嵩明，等 . 先进树脂基复合材料发展现状和面临的挑战 . 复合材料学报，2016，33（07）：1327-1338.

[19] 赵云峰，孙宏杰，李仲平 . 航天先进树脂基复合材料制造技术及其应用 . 宇航材料工艺，2016，46（04）：1-7.

[20] 徐樑华，王宇 . 国产高性能聚丙烯腈基碳纤维技术特点及发展趋势 . 科技导报，2018，36（19）：43-51.

[21] 杨立，罗日方，雷洋，等 . 微创介入全降解血管支架和心脏瓣膜国内外研发现状与研究前沿 . 材料导报，2019，33（01）：40-47.

[22] 张兴栋，蔡开勇，张璇 . 生物医用材料展现经济转型步伐 . 中国战略新兴产业，2014，22：50-51.

[23] 黄小卫 . 先进稀土材料及应用发展 // 中国仪器仪表学会 . 2015 中国国际功能材料科技与产业高层论坛论文集，2015：42.

[24] 朱明刚，李卫 . 多（硬磁）主相永磁体及矫顽力机制研究现状与展望 . 科学通报，2015，60（33）：3161-3168.

[25] 李安华，李卫，张月明，等 . (Ce，RE)-Fe-B 永磁材料的研究开发新进展 . 中国稀土学报，2016，34（06）：715-725.

[26] 屠海令，赵鸿滨，魏峰，等 . 二维原子晶体材料及其范德华异质结构研究进展 . 稀有金属，2017，41（05）：449-465.

[27] 于相龙，周济 . 智能超材料研究与进展 . 材料工程，2016，44（07）：119-128.

[28] Zhu W，Rukhlenko I D，Noskov R E，et al. Recent advances in theory and applications of electromagnetic metamaterials. International Journal of Antennas and Propagation，2015，2015（P1）：1-2.

[29] Zhang X. Announcing regenerative engineering and translational medicine. Annals of Biomedical Engineering，2016，44（04）：835.

[30] Liu W，Shi X，Lu Z，et al. Review and approval of medical devices in China：changes and reform. Journal of Biomedical Materials Research Part B：Applied Biomaterials，2018，106（06）：2093-2100.

[31] 李江鸿，张红波，熊翔，等 . C/C 复合材料的摩擦转变和磨损机理 . 材料导报，2008，22（05）：111-114.

[32] 郝跃，薛军帅，张进成 . Ⅲ族氮化物 InAlN 半导体异质结研究进展 . 中国科学：信息科学，2012，42（12）：1577-1587.

[33] 江风益，刘军林，王立，等 . 硅衬底高光效 GaN 基蓝色发光二极管 . 中国科学：物理学　力学　天文学，2015，45（06）：19-36.

[34] 江风益，刘军林，张建立，等 . 半导体黄光发光二极管新材料新器件新设备 . 物理学报，2019，68（16）：110-118.

[35] 刘正东，陈正宗，何西扣，等 . 630～700℃超超临界燃煤电站耐热管及其制造技术进展 . 金属学报，2020，56（04）：539-548.

[36] 翟彩华，冯朝辉，柴丽华，等 . 铝锂合金的发展及一种新型铝锂合金——X2A66. 材料科学与工程学报，2015，33（02）：153-158.

[37] 刘婷婷，潘复生 . 镁合金“固溶强化增塑”理论的发展和应用 . 中国有色金属学报，2019，09：111-114.

[38] 刘峰，米绪军，马吉苗，等 . 低浓度 Cu-Ni-Si 合金的组织与性能 . 中国有色金属学报，2019，29（02）：286-294.

[39] 石瑛 . 高端材料国产化需破解的五大难题 . 集成电路应用，2015，12：28-29.

[40] 朱祥龙，康仁科，董志刚，等 . 单晶硅片超精密磨削技术与设备 . 中国机械工程，2010，21（18）：2156-2164.

[41] 宫声凯，尚勇，张继，等 . 我国典型金属间化合物基高温结构材料的研究进展与应用 . 金属学报，2019，55（09）：1067-1076.

关键词索引

H

J

K

L

M

N

Q

R

S

T

W

X

Y

Z